Para Miguel
con gran aprecio
y admiración

Conrado

RAMS DE FLORES O LIBRO DE ACTORIDADES

Obra compilada bajo la protección de Juan Fernández de Heredia
Maestre de la Orden del Hospital de San Juan de Jerusalén

(Edición del ms. de la Real Biblioteca de El Escorial Z-I-2)

por

CONRADO GUARDIOLA ALCOVER

RAMS DE FLORES
O LIBRO DE ACTORIDADES

Obra compilada bajo la protección de Juan Fernández de Heredia
Maestre de la Orden del Hospital de San Juan de Jerusalén

(Edición del ms. de la Real Biblioteca de El Escorial Z-I-2)

por

CONRADO GUARDIOLA ALCOVER

INSTITUCIÓN «FERNANDO EL CATÓLICO» (C.S.I.C.)
Excma. Diputación de Zaragoza
Zaragoza, 1998

Publicación número 1.946
de la
Institución «Fernando el Católico»
(Excma. Diputación de Zaragoza)
Plaza de España, 2
50071 Zaragoza
Tff.: (34) 976 28 88 78/79 - Fax: 976 28 88 69
ifc@mail.sendanet.es

FICHA CATALOGRÁFICA

RAMS de Flores o Libro de Actoridades. Obra compilada bajo la protección de Juan Fernández de Heredia, Maestre de la Orden de San Juan de Jerusalén: (edición del ms de la Real Biblioteca de El Escorial Z-I-2) / Conrado Guardiola Alcover.- Zaragoza: Institución «Fernando el Católico», 1998.

492 p.; il.; 24 cm.
Bibliografía: 69-74; 475-479
ISBN: 84-7820-442-3

1. Literatura española-S. XIV-Citas literarias. I. FERNÁNDEZ DE HEREDIA, Juan. II. GUARDIOLA ALCOVER, Conrado, transcrip. III. Institución «Fernando el Católico», ed.

ISBN: 84-7820-442-3
Depósito legal: HU-439/98
Preimpresión: Ebro Composición, S.L.
Impresión: Grafic RM Color, S.L. Huesca

IMPRESO EN ESPAÑA • UNIÓN EUROPEA

INTRODUCCIÓN

Los nombres de Fernando el Católico, Gracián, el conde de Aranda, Goya, evocan automáticamente a Aragón. Cada uno de ellos, en su siglo respectivo, vino a simbolizar la identidad política y cultural del pueblo aragonés o reflejar algún elemento esencial del alma aragonesa. Así lo vieron y lo ven no sólo los de casa sino también los foráneos. En consecuencia esos nombres se han transformado en algo así como la faz identificadora de Aragón. Nada más cierto, respecto al siglo XIV, que el nombre de Juan Fernández de Heredia. Su vida y sus acciones no sólo llenan toda esa centuria sino que proyectan su nombre e identidad más allá de las fronteras geográficas y temporales. En todos sus campos de acción —político, religioso-militar y literario— junto a los cometidos propios del momento y al lado de sus intereses personales, que no faltan, aparece siempre una faceta de lo aragonés. En ningún campo es esto tan significativo como en el literario, actitividad que nos interesa especialmente. La actitud de Heredia en esta área es verdaderamente impresionante, tanto más si tenemos en cuenta lo exiguo de la producción literaria aragonesa anterior y la falta de un pasado autóctono que le sirviera de modelo. Con su actividad cultural, Heredia llegó a crear el mayor *corpus* literario de Aragón, no sólo del siglo XIV sino de todos los tiempos. Lástima que no tuviera continuadores. Una de sus obras, *Rams de flores*, es el centro de este trabajo. Pero antes de analizar esta obra y los problemas que plantea, veamos algunos detalles de la vida, personalidad y actividades de este prócer aragonés.

VIDA

Las noticias sobre los primeros años de Juan Fernández de Heredia son escasas y con frecuencia fantaseadas.[1] Aunque la mayor parte de las biografías iniciales omite el nombre de su progenitor, diciendo solamente que pertenecía a una familia ilustre, hoy se sabe que su padre fue Garci Fernández de Heredia, caballero de la época de Jaime II, que estaba encargado en 1301 de la defensa del castillo de Ródenas y que en 1316 formaba parte del séquito de la infanta doña Leonor.[2] Según Serrano y Sanz (14), Giacomo Bosio, en su historia de la Orden del Hospital de San Juan de Jerusalén, lo hace oriundo de Valencia. No obstante, la mayoría de los biógrafos heredianos ha defendido insistentemente su origen aragonés. Tradicionalmente se viene afirmando que Juan Fernández de Heredia nació en Munébrega, aldea de la Comunidad de Calatayud. Así lo expuso fray Juan Agustín de Funes, basando su opinión en la afirmación del coterráneo Miguel Martínez del Villar, en la tradición local y en diversos testimonios, tales como "memorias antiquísimas de ornamentos," y "un pavés con las armas del Gran Maestre," que, según dice, vio en la capilla de la iglesia de Munébrega, "donde sus antecesores están sepultados" (184). Es la opinión más generalizada, que Serrano y Sanz (11), Vives (2), y todos los que nos ocupamos de Heredia venimos repitiendo. Recientemente, en 1984, Jean Gilkison Mackenzie, utilizando datos inéditos de Anthony Luttrell, un buen conocedor de la orden del Hospital y de Fernández de Heredia, ha sugerido Albarracín como su cuna de nacimiento, fijando la fecha hacia 1308, haciéndolo hijo ilegítimo (i). La anunciada biografía herediana de Luttrell y Mackenzie, desafortunadamente, todavía no ha salido a la luz, por lo tanto esta opinión necesita una comprobación definitiva. Sin embar-

---

[1] Abundantes son las biografías de Juan Fernández de Heredia. A las clásicas de Bosio, Martínez del Villar, Funes, Vertot, Herquet, Delaville le Roulx, añádanse las de Serrano y Sanz, Vives, con definitivas correcciones sobre los matrimonios e hijos, y los trabajos de Luttrell. Ver bibliografía. Sería de desear que saliera la edición de Luttrell y Mackenzie anunciada en 1984.

[2] Así lo demostró Vives (p. 3 n. 4), basado en el doc. 1, que da en p. 51. Lo mismo se deduce del heredamiento de Losares. El mismo Vives señala (p. 3 n. 4) que los biógrafos de Heredia no suelen dar el nombre del padre, aunque Blancas y Latassa lo identifican como don Lorenzo.

go es muy plausible, dado el asentamiento de Garci Fernández de Heredia, padre de Juan, en Ródenas en 1301 y sobre todo las posesiones familiares de Urraca Maça, mujer de Garci Fernández, en Losares, en cuyo documento sólo se mencionan dos hijos, Gonçalvo y Blasco.[3]

Sobre la formación académica de Heredia se sabe muy poco. Serrano y Sanz elucubra que debió tener algún *magister* privado, sistema común de educación en los jóvenes nobles (12). Nada más. La juventud de Heredia ha estado también envuelta en leyenda. Todos sus biógrafos iniciales han señalado que, antes de tomar el hábito hospitalario, Juan Fernández de Heredia se casó dos veces, matrimonios destinados a asegurar descendencia masculina para la familia, ya que Blasco, el hermano mayor, estaba sin hijos. En efecto, desde Bosio, Funes (184) hasta Serrano y Sanz (14) se ha venido repitiendo que de su primer matrimonio nacieron dos hijas, Toda y Donosa, de cuyo parto murió la madre. En vista de esto, Blasco, que estaba casado con Violante Centellas, pero seguía sin hijos, le buscó un segundo matrimonio, casándolo con Teresa Centellas, sobrina de su mujer. De estas segundas nupcias, dice la leyenda, nacieron otros dos hijos, Juan y Teresa. Desgraciadamente la fortuna de nuestro Heredia no mejoró porque inopinadamente Blasco tuvo descendencia de su mujer, considerada estéril hasta entonces, con lo que Juan Fernández de Heredia se vio obligado a buscarse camino por otros derroteros, decidiendo entonces ingresar en la Orden del Hospital. Como dice Vives (3), esta explicación "no pasa de ser una piadosa leyenda". No sólo el hermano mayor es, al parecer, Gonçalvo,

---

[3] En la descripción "Sobre el heredamiento de Losares que es de fijos de Garci Ferrandez de Heredia et de donna Vrraca Maça su muger" se halla la siguiente identificación: "Item los dichos juges vinieron personalment al heredamiento de Losares que es de fijos [de] don Garci Fernandez de Heredia et de donna Urraca Maça, su muger, el qual tiene la dicha donna Urraca Maça...Et mandaron por lur sentencia a los dichos donna Urraca Maça, Gonçaluo Ferrandez et Blasco Ferrandez, fijos suyos, a pena de cient marauedis doro por al dicho senyor rey que d'i adelant non usen de otra defesa fuera de los dichos moiones" (Archivo Municipal de Albarracín. Sección I: Concejo 56. I-5, en fo. 45r-v. Doc. fechado "pridie nonas augusti anno predicto", es decir, 1326.) Hay otra copia de 1340 en Sección O: Pergaminos 2. Losares es una partida del término municipal de Pozondón, en la Comunidad de Albarracín. Los dos hermanos firman como testigos algunos documentos: "Gonçaluo Ferrandez de Heredia alcayde del castiello de Rodenas e Blasco Ferrandez de Heredia su hermano" (fo. 80v).

quien fue el continuador en el castillo de Ródenas, sino que, como ha demostrado el mencionado historiador catalán, los cuatro hijos de Heredia acabados de mencionar son ilegítimos, nacidos bastante después de que ingresara en la Orden del Hospital.[4]

Su vida como hospitalario es la que mejor conocemos y la que nos muestra su verdadera personalidad. Junto a su constante ambición de medrar, aparece un interés y dedicación igualmente tenaces en las empresas a él encomendadas o asumidas, ya sean administrativas, diplomáticas, militares, religiosas o culturales. En 1327 ingresó como caballero en la Orden del Hospital de San Juan de Jerusalén. En 1333 era lugarteniente del comendador de Alfambra, obteniendo poco después las comendadurías de Alfambra, Villel y en 1344 la de Zaragoza. En 1338 Pedro IV el Ceremonioso lo nombró consejero suyo, desempeñando algunas actividades diplomáticas y compartiendo el vivo interés por los libros y los recreos cinegéticos de su soberano. Esta fructífera relación se empañó momentáneamente por las maniobras de Heredia dirigidas a conseguir el cargo de castellán de Amposta, dignidad de gran importancia en la Corona catalanoaragonesa, que ostentaba don Sancho de Aragón, tío del monarca. Pero tras la muerte de éste (1346), Heredia obtuvo la codiciada castellanía, continuando su fructífera relación con Pedro IV.

Ocupó el cargo de castellán de Amposta desde 1346 hasta 1377, cuando fue promovido al puesto de Gran Maestre. Durante este tiempo, la actividad de Heredia se intensificó, manifestándose en varios frentes: religioso, militar y diplomático, en la corte aragonesa y en la papal de Aviñón. Dentro del Hospital, en 1354-55 realizó un viaje a Rodas para fortalecer la

---

[4] Así dice Pedro IV en carta de legitimación a Juan Fernández de Heredia, señor de Çorita, fechada en Zaragoza el 1º de mayo de 1360: "cum vos Johannes Ferdinandi d'Heredia, cuius est locus de Çorita et Donosa Ferdinandi et Teresia Ferdinandi et Tota Ferdinandi d'Heredia fratres illegitimi sitis ex illicito cohitu procreati eo videlicet quia estis ex religioso Patre et solutis tamen mulieribus procreati et geniti. Et ideo egeatis munificentie regie beneficio decorari et propterea nobis humiliter suplicaueritis ut nos legitimare et ad omnes succesionis honores et actus legitimos restituere...de plenitudine nostre regie potestatis legitimamus vosque et ad omnes succesionis honores et actus legitimos restituimos" Reg. 904, fo. 127v (apud Vives, p. 53).

disciplina; en 1355 fue nombrado prior de Castilla y León; en 1356 de San Gil, en la Provenza; y en 1369, de Cataluña. Los servicios prestados a la corte aragonesa fueron muy valiosos, aunque no siempre coronados con el éxito que cabría esperar. Ayudó militarmente a Pedro IV en sus luchas contra la Unión (1348), en los asuntos de Mallorca (1348) y de Castilla (1349). Diplomáticamente desempeñó delicadas misiones en Castilla, Navarra, Inglaterra y Francia, siendo hecho prisionero por los ingleses en Crecy (1346) durante la Guerra de los Cien Años. Sus frecuentes estancias en Aviñón reflejan el creciente aprecio en que se le tenía en la corte papal. En 1356 Inocencio VI lo nombró gobernador de la ciudad; Urbano V y Gregorio XI lo hicieron su consejero especial. Fue precisamente el valimiento de Heredia junto al papa el que salvó a Pedro IV de la excomunión al apoderarse en 1364 de los bienes de la Cámara apostólica. Finalmente, fue el encargado de dirigir la flota que llevaría a Gregorio XI de Marsella a Roma, en su retorno a la Ciudad Eterna. Mientras estaba preparando el *passagium* a Oriente, murió en Rodas el maestre Roberto de Jully. En premio a los servicios prestados, no dudó el papa en investir a Juan Fernández de Heredia como Gran Maestre de la Orden del Hospital de San Juan de Jerusalén el 24-IX-1377.

La última etapa de su vida, como Gran Maestre (1377-1396), puede centrarse en dos puntos: empresa militar en Grecia (Morea o Peloponeso) y actividad literaria en Aviñón. Heredia, como el papa, debió comprender el peligro que suponía la presencia turca en Macedonia. Este hecho y el deseo de afincar la orden en Grecia lo llevaron a su empresa de la Morea. Al principio sus campañas se vieron coronadas por el éxito en Patras, Lepanto (1378) y Vonitza. Pero al dirigirse contra el príncipe albanés Ghin Boua Spata, en Artá, fue hecho prisionero en una emboscada y vendido a los otomanos. Esto desbarató los planes. Heredia permaneció cautivo cerca de un año (1378-1379) hasta que la orden pagó un cuantioso rescate.

Mientras tanto se produjo el gran Cisma de Occidente. A la muerte de Gregorio XI (1378), unos cardenales eligieron papa a Urbano VI (Roma); otros a Clemente VII (Aviñón). Esta división afectó también a los hospitalarios. Unos pocos aceptaron al papa romano; la mayoría, sin embargo, guiada por Heredia, siguió a Clemente VII. El Gran Maestre, recobrada la libertad, estuvo tres años en Rodas ocupado en la defensa y reorganización de la orden. En este tiempo colocan los historiadores su interés por la cultura helenística (Plutarco). Pero en 1382, viendo que su presencia era más necesaria en Occidente, se trasladó a Aviñón donde residió hasta su muerte en 1396, siendo sus restos trasladados y enterrados en Caspe. Es durante este periodo cuando, sin abandonar los asuntos de la orden, se dedicó Heredia a la empresa cultural por la que es justamente conocido. Aprovechando su acceso a la biblioteca papal, continuando y compartiendo el amor por los libros y la cultura de sus soberanos Pedro IV y Juan I, relacionándose con los influyentes humanistas italianos, y buscando incesantemente libros para su biblioteca y labor traductora, reunió el mayor *corpus* literario de Aragón, comparable al de Alfonso X el sabio de Castilla, de suma importancia para España y la cultura occidental.

INTERÉS POR LA CULTURA

La figura de Juan Fernández de Heredia quedaría incompleta sin presentar esta faceta de su vida. Sorprende comprobar que, en medio de tantos viajes y actividades mundanas, tuviera tiempo para realizar una labor cultural tan amplia y acumular una biblioteca tan nutrida cuyos volúmenes eran ansiados tanto por el humanista italiano Salutati como por los mismos reyes aragoneses.[5]

El periodo de mayor producción literaria de Fernández de Heredia se centra en la última estancia de Aviñón (1382-1396), cuando, viejo y desdeñando las diversiones propias de los grandes señores, prefiere dedicarse a

---

[5] La mayoría de los estudios sobre Fernández de Heredia, incluso las simples biografías, hace referencia a su labor literaria. Entre ellos destacan dos trabajos recientes, el que incluye Jean Gilkinson Mackenzie en la introducción de su *Lexicon of the 14th Century Manuscripts of Juan Fernández de Heredia*, Madison: HSMS 1984, y sobre todo el de Juan Manuel Cacho Blecua, "Introducción a la obra literaria de Juan Fernández de Heredia," en *I Curso sobre lengua y literatura en Aragón (Edad Media)*, Zaragoza: Institución Fernando el Católico, 1991, págs. 171- 195, con excelente enfoque y valoración literaria. Cuando ya estaba nuestra edición terminada, tuvimos noticias del reciente estudio del mismo autor, Cacho Blecua, *El Gran Maestre Juan Fernández de Heredia*, Zaragoza: Caja de Ahorros de la Inmaculada, 1997, obra imprescindible sobre la vida, actividad literaria y problemas que plantea la labor del gran prócer aragonés.

la culta tarea de escribir libros para transmitir la cultura del pasado, rodeado de colaboradores en su rica biblioteca. Así parecen confirmarlo estas palabras del prólogo de *Rams de flores*, una de sus últimas obras:

> Et ninguno non se deue marauillar de aquesto, porque algunas personas muytas vegades han murmurado et murmurauan et faulauan indiferentment, esto es, porque yo despiendo de lo miyo en fazer tantas scripturas et tantos volumes de libros, recontando et posando los fechos de los antigos de los grandes et nobles hombres passados, los quales eran virtuosos en la vida et virtudes morales, et que viuás assín con aquellos qui caualgan en el mont caçán con canes et con falcones, dando reposo a la mia perssona; la qual cosa he aborrida por sola dotrina de los antigos... Et desplázeme fuert que sia stado enganyado cerca de xl anyos. Et pínetme mucho cómo, aprés que fue instruýdo en los feytos et scripturas de los antigos, no he persseuerado en atales obras enantes que no al collegio de los grandes senyores de las partidas del mundo, los quales son huey desconoxientes (fos. 110cd-111a).

Estas palabras parecen reflejar la dedicación exclusiva de los últimos años de su vida. En efecto, los manuscritos heredianos con fecha conocida están datados entre 1377 y 1396. Sin embargo, el interés de Heredia por la cultura, a pesar de su protesta personal acerca de esos cuarenta años de alejamiento intelectual, puede detectarse desde mucho antes. Una de las primeras disposiciones, como castellán de Amposta, fue recoger y copiar, entre 1349 y 1354, los documentos de la castellanía para formar el *Cartulario Magno*, conservado hoy en el Archivo Histórico Nacional. Labor que encargó a los notarios Domingo Carcases y Gonzalo López de San Martín. Luttrell, en su artículo sobre Juan Fernández de Heredia y la educación en Aragón (1987), ha puesto de relieve las constantes ayudas económicas que prestó Heredia, entre 1349 y 1369, a estudiantes, bachilleres, repetidores y maestros que cursaban en los estudios de artes de Daroca, Teruel o en la universidad de Lérida. Probablemente estas disposiciones eran consecuencia de su labor administrativa dentro de la orden, que necesitaba juristas y otras personas con formación específica, pero reflejan una apreciación de los valores culturales que acciones subsiguientes vendrán a corroborar. En efecto, Rubió y Lluch, en *Documents per l'Historia de la cultura catalana mig-eval*, publicó el epistolario de los reyes Pedro IV y Juan I con Fernández de Heredia, donde se puede apreciar el espíritu culto y humanista de la corte catalanoaragonesa y del magnate aragonés. En ellos vemos que la actitud bibliófila de Heredia se manifiesta ya en fechas tan tempranas como el año 1362, cuando Pedro IV le pide las copias "que vos avets" de las historias de un monje negro. Los años siguientes son un continuo intercambio de noticias en las que alternan el interés cinegético común con la constante petición de libros, algunos de los cuales el rey los hace traducir al aragonés. Como la correspondencia regia con Heredia presenta un lapso de diez años sin intercambios, es común, desde Rubió y Lluch (1917-18:30), dividir la actividad literaria del maestre en dos periodos: 1362-1371, cartas de Pedro IV, y 1382-1396 cartas de Juan I. Pero este intervalo no supone falta de preocupación cultural. Así lo ponen de relieve las dos versiones del *Orosius*: la de Madrid, copiada cuando todavía era castellán de Amposta (antes de 1377) y la de Valencia fechada cuando ya era gran maestre (después de 1377). De cualquier modo, es en la última etapa de su vida en Aviñón (1382-1396), cuando, rodeado de un nutrido grupo de colaboradores,[6] entre los que se cuentan traductores, compiladores, correctores, copistas, iluminadores, produjo la mayoría de sus obras en lo que se ha venido llamando el *scriptorium* herediano de Aviñón.

La participación del maestre en la producción de sus libros, como la de Alfonso X el Sabio de Castilla, con quien, por lo común, se le compara, parece ser básicamente orientadora. Así lo ponen de relieve los prólogos: "mandó escreuir", "fizo translatar", "ordenó et fizo". De vez en cuando hallamos referencias en primera persona: "he ordenado aquesti libro...al qual he posado nombre *Rams de flores*" (fo. 111d), que suponen una pequeña intervención directa, aunque se reduzca al título y a cierta organización del material. Todo ello lleva a un concepto de responsabilidad autorial, como se deduce de esta otra cita: "Et si por auentura era trobada diuerssitat en las allegaçiones que yo he possadas en aquesti libro de los actores" (fo. 113b). Sin embargo no es fácil determinar el grado de intervención directa del maestre en la compilación y redacción de sus obras. Se

[6] Alguno de ellos, como el escriba de *Rams de flores*, rescatado humanitariamente para la cultura, como dice en el prólogo de este libro: "por tal como yo l'é feyto scriuir a vno scriuano qui no era de la mía lengua," y añade, imitando al *Policraticus*, "lo qual é tirado a mi seruiçio por aquesto que no vagás ni perdiesse su tiempo, informantlo et diziéndole que repors menos de letras es reposamiento o sepultura de hombre biuo" (fo. 113c).

sabe, no obstante, el nombre de algunos copistas: Bernardo de Jaca, Alvar Pérez de Sevilla, Ferdinandus Metinenssis, aunque conocemos muy poco o casi nada de la personalidad, formación o lengua de cada uno de ellos.[7] Los libros salidos de su *scriptorium* se distinguen por una letra gótica aragonesa de pulcra factura y fácil de leer. Dan la impresión de ser, por sus ricas decoraciones, un producto terminado destinado a un poseedor de gran categoría, como era el Gran Maestre del Hospital. Domínguez Bordona, en su estudio sobre las miniaturas que adornan los libros de Fernández de Heredia, ha podido determinar que las iluminaciones corresponden a la escuela o taller italianizante de Juan de Tolosa, muy activa en Aviñón a fines del siglo XIV (324), y son probablemente obra del miniaturista español Sancho Gontier (325). Cortés Arrese (234) encuentra de vez en cuando rasgos de estilo francés, como en el primer folio de la *Flor de las istorias de orient*.

Respecto al proceso de producción del texto es interesante ver cómo trabajaba el equipo en el *scriptorium* herediano. Lo ha puesto de relieve la estudiosa sueca Regina af Geijerstam (1964:66-67) y lo recogen Mackenzie en el prólogo de su *Lexicon* (xxii) y Cacho Blecua en su excelente estudio sobre la obra literaria de Fernández de Heredia (191). Refiriéndose específicamente a la primera parte de la *Gran Crónica de Espanya*, Geijerstam señala los siguientes estadios:

1) Se juntan en un códice textos históricos de diversas procedencias.
2) El texto resultante es revisado por un corrector que corrige grafías, formas lingüísticas erróneas, elimina catalanismos, abrevia el texto o añade palabras y frases enteras.
3) Interviene un redactor que arregla el texto añadiendo o suprimiendo pasajes.
4) Se pone en limpio el primer borrador compilatorio, repartiéndose el texto entre varios copistas.

---

[7] No incluimos en esta lista a los copistas del *Cartulario Magno*, Domingo Carcases y Gonzalo López de San Martín, ni al traductor del *Orosio* (entre 1372 y 1377), Domingo García Martín, ya que no parece que actuaran en el *scriptorium* aviñonense. Los Carcases, sin embargo, debieron trabajar frecuentemente para Fernández de Heredia, pues uno de ellos, siendo estudiante, recibía ayuda, en 1350, del entonces castellán de Amposta, según Luttrell (1987:239).

5) Este borrador compilatorio recibe unas últimas adiciones.
6) Así se llega al texto definitivo, al que se añaden el prólogo y los índices.

Este proceso implica que el texto definitivo es una versión corregida y teóricamente perfecta. Pero debe tenerse en cuenta que es una deducción basada esencialmente en obras históricas, calificadas como compilaciones. Aunque la diferenciación con las traducciones no es siempre radical, éstas suelen plantear unos problemas ligeramente distintos. Por ejemplo, la incomprensión del original, bien por deficientes conocimientos de su lengua o bien por el uso de calcos léxicos o semánticos en la traducción, suele conllevar frecuentemente falsas correcciones. Los abundantes errores que se aprecian en algunos manuscritos heredianos indican que o bien representan solamente uno de los diferentes borradores de que habla el esquema o bien hay un estadio final realizado por un corrector o copista sin los debidos conocimientos. La primorosa factura de los manuscritos sugiere que se trata de un producto final y no de un simple borrador.[8] Esto es lo que sugiere el prólogo de *Rams de flores*. Aquí el "autor", tras ofrecer su versión a la censura ideológica, se disculpa de los errores gráficos que puedan detectarse en el texto de su obra con las siguientes palabras:

> La examinaçión de todo lo que se contiene en aquesti libro sea reservada [espacio en blanco]. Lo qual corresca segunt la suya buena descreción, por aquesto que mayor gloria et honor sía de la obra; et assín matex por tal como yo l'é feyto scriuir a vno scriuano qui no era de la mía lengua (fo. 113bc).

La intervención, pues, del copista final debe tenerse en cuenta, sobre todo por tratarse de textos y personas de distinto origen lingüístico. A este respecto Geijerstam ha señalado la existencia de un tipo de correcciones que

[8] Hecho ya sugerido por Porter Patrick Conerly en su edición del *Eutropio*, donde dice: "It is also fair to assume that although we have the *Eutropio* in a final version, and not just a borrador, the work was not subjected to a rigorous correction of scribal errors" (xv). Es cierto que hay algunos manuscritos con folios carentes de epígrafes, lo cual podría indicar trabajo incompleto correspondiente a un borrador. Pero el hecho que todas las iluminaciones estén completas apunta a que los manuscritos actuales corresponden a la fase final. Sin embargo los errores abundan. Lo mismo observa Montaner Frutos en su reciente y documentado estudio (274), sobre la vida y obra de Fernández de Heredia.

llama psicolingüísticas (1980:503). Es decir, el copista corrige el comienzo de una frase y, llevado por la prisa u otras circunstancias, deja el resto sin corregir. En conclusión, según el esquema de Geijerstam, en la producción de las obras heredianas, se pueden apreciar las siguientes manos: a) compilador o traductor, b) corrector, c) redactor y d) copista, epigrafista o iluminador. Cada uno de ellos puede y suele dejar su impronta, la cual debe tenerse en cuenta en el momento de valorar críticamente el resultado final de cada obra.

OBRAS

El *corpus* literario de Fernández de Heredia consta de quince obras. Vives (15) hizo una primera organización distinguiendo entre compilaciones y traducciones. Incluyó entre las primeras la *Grant Crónica de Espanya* y la *Crónica de los conquiridores*; colocó entre las traducciones todas las demás obras, excluído, claro está, el *Cartulario Magno*. Aunque esta clasificación puede y debe matizarse, pues algunas obras, como *Rams de flores*, participan de ambos aspectos, no cabe duda de que todas las obras de Heredia caen dentro de esas dos categorías. No se trata de obras de creación, sino de transmisión cultural. Bajo este aspecto, no sólo recoge y compila obras del mundo medieval latino, sino que es uno de los primeros en buscar y traducir obras griegas en el mundo occidental. De aquí proviene la distinta valoración de su obra. Mientras que para unos está imbuido del espíritu medieval, para otros es, especialmente en lo tocante a las traducciones griegas, uno de los pioneros del espíritu humanista. Siendo como fue un hombre práctico que estaba muy alerta a las realidades de su tiempo, es natural que en su obra se manifiesten los valores medievales adquiridos junto al espíritu humanista que alentaba en la corte papal de Aviñón tan plenamente vivida por el maestre. No es difícil encontrar manifestaciones de un espíritu más preocupado por los libros y la cultura que por los esparcimientos filobélicos nobiliaros. En el prólogo de *Rams de flores* hallamos recomendaciones de este calibre: "es buen conssello ad aquellos que dessean memoria, gloria e fama que hayan et tiengan perssonas letradas" (fo. 110a), y continúa "et no res menos que no trobarés en los negocios humanales ninguna occupaçión de tanta alegría ni tanto prouechosa a instruçión del penssamiento humanal como con estudio de las scripturas antiguas" (fo. 110b), para terminar con esta frase lapidaria "repors menos de letras es reposamiento o sepultura de hombre biuo" (fo. 113c). No nos vamos a detener en el análisis del significado literario de todas sus obras. Para ello remitimos al ponderado estudio del profesor Cacho Blecua. Pero sí creemos de utilidad, en esta presentación del magno *corpus* herediano, un resumen bibliográfico de los manuscritos existentes y sobre todo de los estudios que han suscitado.

Puesto que se tienen ya bastantes datos sobre las fechas de producción de sus obras, conviene intentar una ordenación temporal, abierta a nuevas reorganizaciones según avancen las investigaciones heredianas.[9]

Cartulario Magno de la Castellanía de Amposta. Es la primera obra realizada bajo la iniciativa de Heredia. Fue copiada por los notarios públicos Domingo Carcases y Gonzalo López de San Martín entre 1349 y 1354. Se conserva en Madrid, Archivo Histórico Nacional, 648-653. Consta de seis volúmenes. Contiene los documentos relativos a la castellanía de Amposta. Está inédito, aunque ha sido ampliamente utilizado por los historiadores. Serrano y Sanz (69-70) publicó el prólogo. Empieza con uno de los leitmotivos que aparece en varias obras posteriores de Heredia: "Evanescunt simul cum tempore ea que geruntur in tempore nisi aut voce testium aut scripti memoria roborentur" (fo. 1r). Esta idea suele ser un tópico medieval, sobre todo en las obras históricas. Pero la machacona utilización de este concepto en el prólogo de la *Grant Crónica de Espanya, III parte*, del *Libro de los enperadores*, de la *Corónica de los Conquiridores*, en el prólogo general del ms Z-I-2 y en el de *Rams de flores*, demuestra la constante preocupación cultural de Fernández de Heredia, a pesar de otras humildes declaraciones aparentemente en contra.[10]

---

[9] A este respecto el "Estado actual de los estudios sobre la vida y obra de Juan Fernández de Heredia" por María Carmen Marín Pina y Alberto Montaner Frutos en *Juan Fernández de Heredia y su época*, Zaragoza: Institución Fernando el Católico, 1996, es una excelente puesta al día de los estudios heredianos con atinados comentarios.

[10] En el ***Libro de los enperadores***, acabado el 5 de marzo de 1393, dice: *La sauia discreçion de la natura, pensada la flaqueza de la memoria de los honbres, por tal que la diuturnidat ho largueza de los tempos las cosas que ha doctrina et sauieza pertenescen por defallimiento de oluidança ho obliuion no subiaçiessen o fuessen oluidadas, el offiçio de tabulario ho scriptor fue adinuento ho trobado; por el qual los deseos de los grandes senyores et las notables cosas de doctrina fuessen escriptas et las scripturas apres luengua-*

Orosio. Es la primera obra propiamente literaria, conocida también como *Paulo Orosio* o *Historia contra paganos*. Se conservan dos códices: uno en Madrid, BN, 10.200, traducido por Domingo García Martín entre 1372 y 1377, cuando aún era castellán de Amposta; otro en Valencia, Biblioteca del Patriarca, V-27, concluído cuando ya era maestre, después de 1377. Obra escrita por encargo de San Agustín para refutar la acusación, bastante repetida en la Edad Media, de que los males del imperio romano vinieron como consecuencia del Cristianismo.[11] Está todavía inédito, aunque hay varios estudios recientes donde se reproducen algunas secciones.[12]

Grant Crónica de Espanya. Consta de tres partes. La segunda parte está perdida. La primera parte se conserva en Madrid, BN 10.133. La terminó de copiar el 13 de enero de 1385 Alvar Pérez de Sevilla, canónigo de la catedral de Jaén. Consta de 14 libros, en los que se presenta, al modo de la *Crónica General* de Alfonso X, la historia de diversos personajes desde el mundo primitivo hasta los visigodos. Regina af Geijerstam realizó un excelente estudio de las fuentes utilizadas para esta crónica y editó los dos primeros libros de la misma.

---

ment fuessen conseruadas...el muy reuerent...senyor don fray Iohan Fernandez de Heredia...fizo translatar (Spaccarelli, I:1). En la segunda parte de la ***Corónica de los conqueridores***, acabada probablemente después de la muerte del maestre, 1396, dice: *Et por tal como el dicho senyor Maestro de la vida siempre loho et alabo los fechos de los grandes conquiridores et principes* (Palumbo, I:2). El prólogo general del ms Z-I-2: *Porque las scripturas son aquellas que perpetuan la memoria de las cosas passadas et dan muchas de vegadas razonables congetturas de conosçimiento et discreccion en las esdeuenideras, por tanto...fray Ihoan Ferrandez de Redia...mando screuir aquesti present libro* (fo. 1r). ***Rams de flores*** dice: *Porque las obras de grant valor posadas et scondidas en los corages de los hombres viuientes a pocos aprouecharíen si perpetualment stauan ascondidas en tiniebras de oblidança et no eran declaradas por luz de scripturas. Porque quando hombre ha en aquesti mundo de fauor o de fama o de gloria atanto se vale con la boz, la qual ressona en los valles quando hombre crida, la qual tantost passa, si depués no es declarada o posada por scriptura* (p. 8).

[11] Esta refutación se encuentra en el ***Communiloquium***, 1.1.12, remitiendo a San Agustín, ***epistola V***, ante finem, respondiendo a Marcellinus; y especialmente en ***De civitate Dei*** 2.2. No fue recogida en ***Rams***.

[12] Véase: Schiff (169-170), Serrano y Sanz (68), Leslie (1981:317-318) y Mackenzie (vi).

La tercera parte se conserva en Madrid, BN 10.134. Es una traducción de la crónica de Alfonso XI hasta la toma de Algeciras. Fue copiada por un tal Ferdinandus, que los estudiosos identifican con Ferdinandus Metinensis, el escriba del ms Z-I-2 de la Biblioteca de El Escorial. Aunque Geijerstam (1964:25) se ocupa esporádicamente de ella, está prácticamente inédita.

Plutarco. Contiene la traducción parcial de las *Vidas paralelas* del famoso autor griego. Junto con el *Tucídides* y la *Crónica troyana*, revela el gran interés de Heredia por las obras clásicas griegas. Se conserva en varios manuscritos en Paris, BN, fondos españoles 70, 71 y 72. Además fragmentariamente en Madrid, BN 2.211, 10.133, 10.134, 10.190 y 12.367. Se terminó, según J.G. Mackenzie, entre 1385 y 1388. Vives[13] se ocupó parcialmente de él (69-70), reproduciendo el fo. 6r del ms 70 de la BN de París. Recientemente, en 1983, A. Alvarez Rodríguez ha hecho una edición basada en los códices parisinos.

Libro de los enperadores. Se conserva en Madrid, BN 10.131, fos. 1-182r. Terminado de copiar el 5 de marzo de 1393 por Bernardo de Jaca. Conocido también como *Crónica de los enperadores* y *Zonaras*, ya que es traducción de los cuatro libros últimos del historiador griego Juan Zonaras, que tratan de la historia bizantina hasta la muerte de Alexis Comnenus en 1118. Schiff (409-410) reprodujo el comienzo y el *explicit*, y Vives (68-69) dió a conocer el capítulo sobre el emperador Basilio. La obra entera fue editada por Thomas D. Spaccarelli en 1975 como su tesis doctoral.

Libro de los fechos et conquistas del principado de la Morea. Se conserva en Madrid, BN 10.131, fos. 183r-265r. Terminado de copiar el 24 de octubre de 1393 por el mismo escriba anterior, Bernardo de Jaca. Se ha relacionado esta obra con los intereses de Heredia de introducir la Orden en Grecia. Fue uno de los primeros libros de Heredia que atrajo el interés

[13] Según Vives "el Plutarco estaba traducido todo o en buena parte en 1384 y probablemente mucho antes" (26), basándose en que algunas de las vidas del Putarco se incluyeron en la *Grant Cronica de Espanya*, terminada el 13-enero-1385. Incluso supone que Heredia debió encargar la traducción del Plutarco al "filósofo griego" durante su primer viaje a Rodas, 1354-1355, hecho que Luttrell (1960:402) pone en duda.

de los estudiosos. En 1885 lo editó Morel-Fatio y Serrano y Sanz (58-59) dio tres pequeños extractos. Desde 1984 se viene anunciando la preparación de una nueva edición por Anthony Luttrell y David Mackenzie, pero todavía no ha aparecido.

Tucídides o *Guerra del Peloponeso*. Se conserva en Madrid, BN 10801, fos. 1r-69v. El ms no contiene ninguna atribución a Fernández de Heredia, por eso se dudó inicialmente de que perteneciera al magnate aragonés, pero una comparación de la escritura revela que tiene las características típicas de la letra gótica del *corpus* herediano. Por el tema, se suele asociar, junto con el *Plutarco*, la *Crónica de los enperadores* y el *Libro de la Morea*, con el interés de Fernández de Heredia por Grecia. Pero así como las dos últimas obras están relacionadas directamente con la finalidad política de establecer la Orden en Grecia, el *Tucídides* ofrece un significado más cultural. Desde el punto de vista humanista, es la primera traducción de esa obra a una lengua romance. Según López Molina, su editor, es una de las obras del maestre más castellanizadas. Jean G. Mackenzie (xx-xxi), en un intento de fechar la obra, después de rechazar, por inconclusivas, las menciones de Juan I, entre 1384 y 1386, a las traducciones griegas del gran maestre, se centra en las referencias que aparecen en el inventario del rey Martín I. Pero el resultado es igualmente indeciso, concluyendo que el *Tucídides* debió ser un producto tardío del taller herediano.

Crónica troyana. Forma parte del ms anterior, fos. 71r-253v. Es una traducción de la *Historia destructionis Troiae* de Guido delle Colonne. La obra de Guido fue traducida al catalán en 1367 por Jaume Conesa, de la que el infante Juan tenía una copia en 1374. Sin embargo, como señaló Robert T. Dunstan, la comparación del texto aragonés con la versión catalana de Conesa revela que ésta no fue utilizada para la traducción de la obra herediana, lo cual apunta a una fecha tardía de producción. Fue editada por primera vez en 1928 por el mencionado Dunstan, y en 1971 fue objeto de una segunda edición por Evangeline Parker. Pero en ambos casos se trata de tesis doctorales que no llegaron a publicarse. Actualmente María Sanz Julián está trabajando sobre ella.

Eutropio, conocido también como *Breviarium ab urbe condita*. La traducción aragonesa sigue la versión de Paulo Diácono. Se conserva en Paris, Biblioteca del Arsenal 8324. Contiene, pues, la historia de Roma. Jean G.

Mackenzie supone (xi), a través de una posible confusión entre Eutropio y Orosio/Eurosio, que puede referirse a "las Ystorias de Roma de Paulo Eurosio, sacado de ytaliano en aragonés et de aragonés en castellano: el qual fiso tresladar estante en la cibdat de Paris frey Pedro de Palmerola, comendador de Villel." Palmerola ocupó el mencionado cargo de 1368 a 1374. Por ser una obra histórica, a veces se ha puesto en relación con la *Grant Crónica de Espanya*. Bajo este concepto, Geijerstam, tras una comparación de los diversos pasajes comunes entre ambas obras, llegó a la conclusión de que "la versión aragonesa [de Eutropio] no se hizo probablemente hasta después de terminada la *Grant Crónica de Espanya*." (1964:17). Morel-Fatio (1889) y Vives (70) reprodujeron algunos pasajes. Porter P. Conerly editó el *Eutropio* en 1977 en lo que fue su tesis doctoral.[14]

Flor de las ystorias de orient, conocido también como *Hayton*, el príncipe armenio que lo dictó en 1307 a un tal Nicolás Falcón, quien, a su vez, lo tradujo al latín para el papa Clemente V. Es el primer libro del ms Z-I-2, fos. 1r-57v, que se conserva en el la Biblioteca del monasterio de El Escorial. Contiene una descripción de lugares y príncipes asiáticos, entre ellos los tártaros, y su victoria sobre los árabes en Palestina. La descripción de un "passage de la tierra santa", con un propósito de cruzada, corrobora la interpretación de los estudiosos que ven en Heredia una labor literaria con fines esencialmente prácticos. Fue editado en 1934 por Wesley R. Long.

Marco Polo. Es el segundo libro del ms Z-I-2, fos. 58r-104v. Es la versión aragonesa sobre el conocido tema medieval del viaje de Marco Polo a Oriente. El tema suscitó pronto gran interés, de forma que ya en 1885 Rodríguez Villa editó algunos fragmentos. Lo mismo hizo Serrano y Sanz en 1913. La primera edición completa corrió a cargo de H. Knust y S. Stuebe en 1902. Recientemente John J. Nitti, poniendo al día lo que fue su tesis doctoral de 1972, ha realizado la edición definitiva en 1980.

Rams de flores, conocido también como *Libro de actoridades*. Constituye el tercer libro del mencionado ms Z-I-2, fos. 105r-224v. En el *expli-*

[14] Es sorprendente el número de características que comparte con *Rams*: 1) es a menudo ininteligible, 2) tiene ausencias de rúbricas (Mackenzie, xii), 3) abundantes catalanismos, 4) incluso un catalanismo que sólo se halla en estas dos obras, *con* con valor de *como* (Conerly xv).

cit de este manuscrito aparece el nombre del copista: "Ferdinandus Metinenssis scripssit". El análisis paleográfico revela que los tres libros iniciales son también producto suyo. Frecuentemente identificado, parcialmente, como colección de sentencias de los Santos Padres, ha sido uno de los libros de Heredia peor comprendidos. En 1885 Rodríguez Villa reprodujo el prólogo completo y en 1927 Vives (29) publicó parte del prólogo. Recientemente, en un trabajo de próxima aparición, Cacho Blecua edita el prólogo fijando la fuente. También se han hecho dos ediciones completas, una en 1966 por Ruth Leslie, su tesis doctoral de la universidad de Oxford, sin publicar, y la otra en 1990 por Mario Velasco Sanz, igualmente su tesis doctoral, de la universidad de Valladolid, asequible en forma de microficha (1992). Es el centro de nuestro trabajo.

Secreto secretorum o *Pseudo-Aristóteles*. Forma parte del cuarto y último libro del susodicho ms Z-I-2, fos. 254r-312v. Contiene una colección de máximas para gobernar que supuestamente escribió Aristóteles para uso de Alejandro Magno. Es, pues, la versión aragonesa de uno de los temas que mayor interés ha suscitado. Rodríguez Villa en 1885 y Vives (30, 72) en 1927 reprodujeron el prólogo y parte del comienzo del texto. En 1931 Lloyd A. W. Kasten lo editó en lo que fue su tesis doctoral, sobre la cual los medievalistas de Madison tienen anunciada una edición modernizada.

Corónica de los conquiridores. Consta de dos partes. La parte I se conserva en Madrid, BN 2211, 12367 y 10190; la parte II, también en Madrid, BN 10134bis. Es la única obra que, según los críticos, fue terminada después de la muerte de Fernández de Heredia, aunque algunos de los temas incluídos en la segunda parte fueron utilizados en la *Grant Crónica de Espanya*. Su fecha exacta de producción no es, pues, fácil de determinar. La primera parte fue identificada y descrita con precisión por Vives (21). Contiene 16 libros sobre los guerreros de la antigüedad clásica desde Nino hasta César. El mismo estudioso catalán publicó un extracto del libro VI (67). Por lo demás está aún sin publicar. La segunda parte contiene 18 libros, donde se incluyen personajes del mundo romano, germánico, árabe y oriental, terminando con Fernando III el Santo y Jaime I el Conquistador. Por esta razón ha recibido más atención. En 1907, Umphrey dió a conocer unos extractos sobre Atila, Carlomagno y Jaime I; en 1909, Foulché-Delbosc publicó el libro XVIII sobre Jaime I el Conquistador; y en 1914, Manuel Abizanda y Gaudencio Melón sacaron una selección de

Carlomagno. Finalmente Joseph Anthony Palumbo, en 1976, editó toda la segunda parte en lo que fue su tesis doctoral.

A esta lista conviene añadir tres obras que las hispanistas Geijerstam y Wasick (1988) atribuyen a Heredia por las características compilatorias e históricas semejantes a la *Grant Crónica de España*. Las obras se hallan en el ms 1272 a de la Kunglia Biblioteket de Estocolmo. Son las siguientes:

Chronicon mundi de Lucas de Tuy.
Libro de San Ysidoro Menor.
Historia Gothorum, Hunnorum et Wandalorum, primera parte.

A pesar de que el *Libro de los fechos de la Morea* y el *Libro de Marco Polo* se publicaron en 1885 y 1902 respectivamente, la mayor dedicación a la edición de las obras de Fernández de Heredia data de fechas recientes. Por los años treinta se reavivó el interés con las ediciones de Dunstan (1928), Kasten (1931) y Long (1934). Las obras del magnate aragonés volvieron a atraer a los estudiosos en los años sesenta, apareciendo las ediciones de López de Molina (1960), Geijerstam (1964) y Leslie (1966). Pero es en la década de los setenta cuando los estudiantes de varias universidades norteamericanas, Indiana con la edición de Parker (1971), Carolina del Norte con la de Conerly (1977) y sobre todo Wisconsin con las ediciones de Nitti (1972 y 1980), Spaccarelli (1975) y Palumbo (1976), centraron sus esfuerzos en la edición de las obras heredianas, porque ofrecía un campo prácticamente virgen con grandes posibilidades de trabajos inéditos. Como puede apreciarse, la figura del gran maestre aragonés despertó gran interés entre los estudiosos extranjeros. Los peninsulares sólo recientemente han entrado en la tarea de la edición de sus obras. Además de López Molina (1960), están los trabajos de Alvarez Rodríguez (1983), Geijerstam-Wasick (1988), Velasco Sanz (1990) y Cacho Blecua (1996).[15] Prácticamente la tota-

[15] Con motivo del sexto centenario de la muerte del Gran Maestre, han aparecido numerosos y excelentes estudios, parciales y de conjunto, sobre la vida y obra del magnate aragonés. Entre ellos destacan *El Gran Maestre Juan Fernández de Heredia*, del profesor Juan Manuel Cacho Blecua (1977) y la colección de estudios, editada por los doctores Aurora Egido y José M.ª Enguita, *Juan Fernández de Heredia y su época. IV curso sobre lengua y literatura en Aragón* (1996), obras imprescindibles y documentadísimas sobre el estado actual de los estudios heredianos.

lidad de esos estudios la constituyen tesis doctorales, desafortunadamente muchas de ellas sin publicar. Aunque se podía obtener una reproducción en xerox o microfilm a través de los servicios de Ann Arbor, Michigan, la mayor parte de esos estudios tuvo poca difusión. Finalmente el Hispanic Seminary of Medieval Studies (HSMS), sito en el campus de Madison, Wisconsin, como resultado de su dedicación a facilitar el acceso a los textos medievales, ha editado todo el *corpus* literario de Fernández de Heredia. En 1982 hicieron una edición en forma de microficha y a partir de 1996 se puede obtener en formato de CD-ROM. Estas ediciones van acompañadas de unas útiles concordancias que facilitan la consulta de cualquier aspecto léxico. A este respecto, en 1984 Jean G. Mackenzie editó, en forma de libro, el *Lexicon of the 14th Century Manuscripts of Juan Fernández de Heredia*, como parte de las publicaciones del HSMS. Con ello, los estudiosos de este centro medievalista han dado un gran empuje a los estudios heredianos, esfuerzo digno de admiración. Los aragoneses deberíamos estar agradecidos por esa labor editorial y léxicográfica, muy útil a pesar de sus imperfecciones, acerca de las obras del magnate aragonés más representativo del siglo XIV.[16] Mientras tanto, y hasta que no se generalice el uso de los textos electrónicos, la necesidad de publicar las obras de Fernández de Heredia en la forma tradicional de libro seguirá siendo un desideratum. Esto es lo que intentamos hacer con *Rams de flores*, obra que recoge, en una de sus vertientes, citas y conceptos de uno de los tratados político-morales de mayor difusión a fines de la Edad Media, es decir, el *Communiloquium* o *Summa collationum* del franciscano Juan de Gales, obra muy poco conocida actualmente pero utilizada constantemente en la Corona de Aragón durante los siglos XIV y XV como fuente referencial para los discursos de las cortes, como guía para los predicadores e incluso como instrucción práctica y moral para los regidores y simples ciudadanos.

---

[16] Es cierto que los resultados dejan bastante que desear, como ha puesto de relieve Geijerstam en su reseña del *Lexicon*, publicada en *Journal of Hispanic Philology* 9(1985):153- 162, y como detallamos, en lo relativo a la edición de *Rams*, más adelante. Pero debe tenerse en cuenta el carácter pionero de esa labor, no exenta de "pitfalls" ni siquiera para los entendidos en la materia. Esto no obsta para que se siga perfeccionando la edición de las obras heredianas y se corrijan las numerosas entradas erróneas del *Lexicon* debidas a falsas lecturas de los originales.

RAMS DE FLORES. TÍTULOS Y FINALIDAD

Rams de flores es la tercera de las cuatro obras que contiene el ms Z-I-2 de la Biblioteca del monasterio de El Escorial. Se encuentra en los fos. 105r-224v. Recibe a veces el título de *Libro de actoridades*[17] debido al nombre que le da el prólogo general del manuscrito: "Et apres se sigue en este mismo volumen otro libro clamado *Actoridades de los doctores de la Yglesia*" (fo. Ir). En alguna ocasión se la ha denominado *Monestaçion de los ricos-onbres et monestaçion de los onbres pobres,* título tomado arbitrariamente de la tabla inicial, que corresponde a los capítulos 3-4. Incluso ha recibido el título facticio, con el que se intentó resumir el contenido, de *Dichos de santos y filósofos para el gobierno de la República y del hombre en particular*.[18] De vez en cuando se producen confusiones, como la de suponer que el *Libro de actoridades* y *Rams de flores* son dos obras diferentes, indicio de la atención superficial que se le suele prestar. Debido probablemente al estado deturpado de su lengua, ha sido una obra muy poco estudiada por los críticos, quienes, para caracterizarla, suelen echar mano al concepto "autoridades", como sugiere el primero de los títulos mencionados. Vives la describió con alguna precisión al concretar que "es una colección de sentencias morales sacadas principalmente del Valerio Máximo y de los santos Padres" (29). Sin embargo, últimamente parece despertar mayor interés tanto por la reciente edición de Velasco Sanz, como por el artículo de Cacho Blecua, "El prólogo del *Rams de flores*," antes aludido, donde la edición del prólogo va precedida de una excelente introducción. El título auténtico que le dio su autor o compilador es *Rams de flores*.[19] La razón de esta

---

[17] Así lo titula Mario Velasco Sanz en su reciente edición (1990). Es también común utilizar los dos títulos, como hace Vives, *El libro de actoridades o ram* [sic] *de flores* (29).

[18] El primer título, totalmente caprichoso, corresponde a José Amador de los Ríos, *Historia crítica de la literatura española*, Madrid: 1864, vol. V: 251 n. 1; el segundo, mucho más acorde con el contenido, es de Julián Zarco Cuevas, *Catálogo de los manuscritos castellanos de la Real Biblioteca de El Escorial*, San Lorenzo del Escorial, 1929, vol. III: 59; título que revela conocimiento del tema, hecho que vuelve a manifestar Zarco al identificar el ms &-II-8, fos. 40-66, falto de título, con el adecuado nombre de *Tratado de la comunidad*, el cual, como hemos señalado en otra parte (*Anuario medieval* 3(1991):143), proviene casi enteramente del *Communiloquium*, obra calificada en el s. XV, como diremos, de muy útil para la comunidad.

[19] Es el más común. Se lo dio ya Rodríguez Villa (178), Serrano y Sanz (80), M.F. Miguélez, *Catálogo de los códices españoles de la Biblioteca de El Escorial*, Madrid, 1917, vol. I: 4, y la edición en microficha del HSMS, donde por error mecánico transcriben *Rams de flors*.

titulación aparece en el mismo prólogo, escrito o dictado probablemente por el mismo maestre. Así lo explica el prólogo particular de la obra: "Al qual he posado nombre *Rams de flores*, por assín como lo ramo es bello por las flores, assín aquesti libro es bello por la flor de los dichos que hi son, queriendo resemblar a la abella, la qual de diuerssas flores plega e conpila la miel et la departex por bresca" (fo. 111d).

Para precisar la idea que guiaba al autor, Cacho Blecua analiza, en el artículo mencionado, las connotaciones medievales de "auctoritates," "flores," y "florilegios," completándolo con las imágenes de la abeja y la miel, y el oro entre fiemos. Las "autoritates" sirven como apoyatura de verdad; las "flores" y "florilegios" representan el aspecto práctico que guiaba a Fernández de Heredia al escoger ese título: colección de máximas, sentencias o simplemente conceptos útiles que instruyan y sirvan para la vida moral de la persona humana. Esta finalidad moral viene reflejada en esta cita que antecede a la explicación del nombre. Vale la pena darla completa a pesar de su longitud y sintaxis complicada:

> Et como por longitut de leyr scripturas largas, los corages de los hombres del mundo, leyén aquéllas, liugerament son aÿna enuiados, empero, por amor de aquesto, a instrucçión de los corages de los lientes, assín en las cosas spirituales, por allegaçiones, actoridades, exemplos et dotrinas de los santos profectas et apóstoles, por exposiçión de la santa scriptura, como por dotrinas de la sçiençia de los philósofos sauios antigos, los quales mostrauan et enstruÿen la moral vida a hombre, e assín matex por exemplos de los sauios actores romanos, los quales vsauan virtuosamientre en los lures fechos de la vida mundanal, he ordenado aquesti libro de deyuso breues capítoles (fo. 111cd).

La intención, por lo tanto, del autor es ofrecer un florilegio de citas, tomadas no sólo de los santos profetas, de la doctrina de los sabios y filósofos antiguos, con fin moral, sino también de los sabios autores romanos, que igualmente reflejan el valor virtuoso de la vida mundana. En esa cita hay implícita la equiparación moral de las autoridades cristianas y paganas, propia de los moralistas del siglo XIII. En ese momento, fue necesario justificar la inclusión y el valor que daban a las citas de los gentiles. Así ocurre, por ejemplo, en el prólogo del *Communiloquium*. Pero en el siglo XIV, como dice Cacho Blecua, Fernández de Heredia ya no siente esa necesidad. A pesar de ello, su obra, proveniente esencialmente del

Communiloquium, no deja de dar cabida a los grandes moralistas de la gentilidad -Séneca, Valerio Máximo, etc.-, aunque exprese la idea con palabras tomadas del *Policraticus*. Dice así en el prólogo de *Rams*:

> Porque yo iamás no he visto Alexandre ni César, ni huyé desputar Sócrates, Zeno, Plato, ni Sócrates ni Aristótil, empero yo reconto muytas cosas d'ellos et de otros que yo [no] he conoxido sino por las lecturas de las sciencias suyas, et aquesto ha vtilidat et prouecho de aquellos que leyrán (fo. 113ab).

Y todo eso presentado en forma de "paraulas breues et prouechables, por aquesto que stan más liugeramientre retenidas por los leydores". Esta idea de la utilidad de las citas breves, por quedar más fácilmente grabadas en la memoria, proviene de Juan de Gales, quien la expone en el prólogo del *Moniloquium* (fo. 5d), apoyándola en Séneca (*Epistula* 94.26), como indicamos en la nota 32 de nuestra edición del *Rams de flores* (prólogo).

La intencionalidad moral y práctica, ya sea con autoridades cristianas o paganas, queda plenamente reflejada, y da validez, con mayor o menor grado de precisión, a las interpretaciones sumarias que hacen los críticos de esta obra herediana. Y sin embargo, en *Rams de flores* se aprecia la presencia de otra faceta que queda oscurecida con esta visión moral simplista. Es su vertiente política, interpretada como guía ética para todos los miembros de la comunidad: dirigentes y dirigidos, seglares y religiosos. En este sentido, el análisis del origen o fuente de las distintas partes de la obra puede arrojar alguna luz.

CONTENIDO Y SU SIGNIFICADO

Desde el estudio de Leslie sobre las fuentes de *Rams de flores* se sabe que, de acuerdo con la proveniencia del material contenido en la obra, ésta se divide en cuatro partes: 1) el prólogo, redactado probablemente en catalán; 2) una parte central, la más extensa, tomada de la *Suma de col.lacions*; 3) una pequeña sección, centrada en citas exclusivas del Valerio Máximo, aunque tomadas igualmente de la *Suma de col.lacions*; y 4) una cuarta parte, bastante extensa, dedicada igualmente al Valerio Máximo, aunque tomada probablemente de una versión catalana desconocida. Estas delimitaciones parecen apoyar las opiniones iniciales. Sin embargo, las consideraciones acerca del significado que tenía el *Communiloquium* para muchos lectores medievales modifican esa interpretación y añaden la vertiente político-moral, que se aprecia en gran parte de *Rams de flores*, donde el 50% de las autoridades, lo mismo que en el *Communiloquim*, está dedicado a esa vertiente. Es, pues, el contenido político-moral del *Communiloquium* el que, en nuestra opinión, atrajo a Fernández de Heredia al mandar compilar su *Rams de flores*.

El *Communiloquium* o *Summa collationum* es la obra más conocida del moralista franciscano del siglo XIII Juan de Gales, oriundo, al parecer, como indica su nombre, del País de Gales. Su fama se apagó a partir del siglo XVI quedando relegado casi al olvido. Ultimamente, a partir de los trabajos de Little, Glorieux, Pantin, Wittlin, Leslie, de quien estas líneas suscribe y sobre todo de Jenny Swanson, que le dedicó en 1989 un exhaustivo estudio, su figura se ha rehabilitado plenamente. Pero la inmensa popularidad de que gozó durante los siglos XIV y XV queda bien reflejada en los cerca de 200 manuscritos y 12 ediciones que se conservan actualmente, extendidos por toda Europa. Es conveniente, por lo tanto, señalar el concepto en que se le tenía durante los dos últimos siglos medievales.[20] El interés de la corte catalanoaragonesa por el *Communiloquium* aparece en una carta sin fecha que el notario zaragozano Juan de Prohomen envió al rey Jaime II (1291-1327) haciéndole saber que por encargo del prior de la sede cesaraugustana, Pascual de Guzmán, ha hecho "un livro que ha nompne Comuniloquio ... para presentar a vos", porque en las cortes generales anteriores oyó hablar al rey "daquella misma escriptura del livro, assi com de la cosa publica e de sennor, qué vertudes e qué costumpnes e condiciones deve aver en si, e de todos sus afferes contra vasallos, e como deve seer regido e governado en si, e muytas otras buenas propiedades que sennor deve aver en si, todo faulla en aquel libro." La identificación y utilidad del *Communiloquium* como *speculum principum* es obvia. Finalmente, en carta que Jaime II escribió en 1313 a su merino zaragozano, G. Palacín, nos enteramos que estaba interesado en adquirir dicho libro: "cum nos velimus habere quemdam librum de comuni eloquio, qui venalis exponitur apud Caesaraugustam, quemque vobis hostendet Johannes de Prohome ... mandamus ... ematis librum predictum ad

[20] Para los datos siguientes resumimos lo que expusimos en nuestro artículo "Juan de Gales, Cataluña y Eiximenis," *Antonianum* 64 (1989):330-365, donde pueden verse las precisiones bibliográficas.

opus nostri". Este interés de los reyes catalano aragoneses por la obra de Juan de Gales se repite en 1367 y 1372 cuando Pedro IV insiste ante su primo, el obispo de Valencia, que le devuelva una copia del *Communiloquium* destinada a la reina. No sólo los reyes poseían y hacían uso de la mencionada obra, sino que el abad de Montserrat, Marcos de Villalba, o el anónimo orador encargado de responder a la reina María en las cortes de Tortosa de 1421, citaron la obra del galense como referencia en sus discursos. Puede decirse, pues, que desde Jaime II hasta la reina doña María la presencia del *Communiloquium* en las magnas asambleas políticas de la Corona de Aragón era constante. Como hemos expuesto en otra parte, lo poseían, ya sea en latín o en su traducción catalana, miembros de la nobleza, notarios, mercaderes y burgueses (1989:346-50). A estos testimonios debe añadirse el que aparece en el testamento de 1437 del oscuro vicario de Bordón, Juan Calvo, en el maestrazgo turolense. Al describir su interesante biblioteca, donde tenía dos ejemplares del *Communiloquium*, lo identifica con unas palabras altamente reveladoras del significado político-social que le atribuía al tratado del galense. Refiriéndose al ejemplar en romance, que dejaba a los jurados del pueblo de Bordón, dice, de la *Suma de col.lacions*, que "es molt profitos per a ells e a regiment de comunitats". Semejante opinión revela Eiximenis cuando, en su *Regiment de la cosa publica*, hace a Juan de Gales autor de una obra sobre la comunidad "posa Galensis en lo Regiment que feu de les comunitats." Estos mismos conceptos revela el título facticio con que el bibliotecario escurialense de fines del siglo XVI identificó esta obra del maestre.

Si ahora analizamos el contenido de *Rams de flores*, veremos que es una selección del material de la *Suma de col.lacions* catalana realizada sistemáticamente capítulo tras capítulo, de forma que los títulos de *Rams* corresponden, a veces al pie de la letra con los de la *Suma de col.lacions*. Puede también constatarse que del mismo modo que en el *Communiloquium* los capítulos relativos a la comunidad y al rey representan una tercera parte del libro, también en *Rams* los capítulos relativos a esos conceptos son los más numerosos. Y así como el *Communiloquium* se dirige a todos los elementos de que constaba la sociedad medieval, lo mismo hace *Rams*. Solamente que la diferente organización de los capítulos —jerárquicamente en el *Communiloquium* y alfabéticamente, con sus defectos, en *Rams*— parece distorsionar la semejante finalidad político-social de *speculum principum*, o mejor dicho *speculum communitatum*, que vienen a tener las dos obras. Este valor práctico, como guía político-moral no sólo útil para los gobernantes, sino para la comunidad, es el que debió llevar a Fernández de Heredia a compendiar la *Summa de col.lacions* en su *Rams de flores*.

La inclusión del Valerio Máximo no está reñida con esta interpretación. El buen número de glosas, comentarios y traducciones del siglo XIV lo justifica.[21] Como dice G. Di Stefano (1963:10), la ininterrumpida fortuna del Valerio Máximo a lo largo de los siglos medios se explica por el carácter de su obra "come un insieme di 'exempla' storici e di moralità". Es precisamente esta característica, "conjunto de ejemplos históricos y de moralidad", la que llevó al autor del *Communiloquium*, la fuente inicial de *Rams de flores*, a introducir cerca de 150 *exempla* tomados del Valerio Máximo. A esto se añade el valor político que se le concedía, como pone de relieve la portada de la traducción que hizo Hugo de Urriés de la versión del Valerio Máximo realizada por Simón de Hesdín: "Es una suma de virtudes para imitarlas, d'auisos para fuyr los vicios; obra escellentissima para principes y grandes señores y no menos para todos los estados d'hombres" (portada de la ed. de 1529). No es pues de extrañar que Fernández de Heredia asociara la obra de Valerio Máximo con los valores ejemplificadores, morales y políticos que acabamos de señalar.

Este interés político-social aparece también en otras obras del gran maestre, como el *Secreto secretorum* que se halla, en el códice Z-I-2, a continuación de *Rams*. El hecho de contener los consejos y máximas para gobernar que supuestamente le dio Aristóteles a Alejandro Magno —tema, por otro lado, muy común en la literatura alejandrina y que se recoge también en el *Communiloquium* y lógicamente en la *Suma de col.lacions* (1.3.12)— sitúa esta obra en la línea de los *specula principum*. Esta tendencia se aprecia también en otra obra herediana, la *Corónica de los conquiridores*. Como señala Cacho Blecua (187), la finalidad pragmática de Heredia, consistente en recopilar materiales que sirvan para sus empresas militares —tesis defendida por Palumbo en su edición de la *Corónica de los conquiridores* (xli)— transforma esta obra en "una especie de *speculum principis* con las tendencias moralizantes frecuentemente asociadas al

---

[21] Consúltese los estudios de Dorothy M. Schullian (1960), G. Di Stefano (1961-62, 1963 y 1963a), Majorie A. Berlincourt (1972) y Gemma Avenoza (1991).

género" (187). Es pues esta finalidad pragmática la que llevó a Fernández de Heredia a fijarse en la *Suma de col.lacions* de Juan de Gales[22] por contener, con sentido efectivamente moralizante, abundantes normas prácticas para los gobernantes, tomados éstos en el sentido lato de la palabra, como lo eran los comendadores de la Orden del Hospital o los regidores de las ciudades de Valencia y Barcelona en el siglo XV. Era frecuente hallar, entre las posesiones de éstos últimos, ejemplares de la obra del galense.

EL MANUSCRITO

Se halla en el códice Z-I-2 de la Biblioteca del monasterio de El Escorial. Este códice contiene, como hemos indicado anteriormente, cuatro obras: *Flor de las ystorias de orient*, *Marco Polo*, *Rams de flores* y *Secreto de los secretos*. *Rams de flores* es por lo tanto la tercera obra del manuscrito. Aparece en los fos. 105r-250v. La historia del códice nos revela que en el siglo XVI formaba parte de los libros de la Capilla Real de Granada, de donde, en 1591, fue trasladado a la biblioteca escurialense por orden de Felipe II. Uno de los primeros poseedores conocidos fue la reina Isabel la Católica, quien debió heredarlo de su padre Juan II, cuya nutrida biblioteca se vio aumentada con los fondos de Enrique de Villena. El manuscrito correspondiente a *Rams*, fue descrito, a fines del siglo XVI, en H.I.5, considerado como el primer catálogo de la biblioteca escurialense, con este título: "Doctrina y documentos para gouernar republicas y comunidades sacados de la sagrada escriptura, doctores sanctos y sabios antiguos en pergamino."[23] Es un título facticio, pero refleja muy adecuadamente el contenido. El P. M. F. Miguélez, en su *Catálogo de los códices españoles*

---

[22] Las obras de Juan de Gales eran bien conocidas en Europa en los siglos XIII-XV, como pone de relieve el libro de Swanson. La biblioteca papal de Aviñón tenía varios manuscritos. Incluso el franciscano Alvarus Pelagius, obispo de Silves y penitenciario de Juan XXII en Aviñón, escribió entre 1341 y 1344 su *Speculum regum*, un tratado de príncipes dedicado a Alfonso XI de Castilla, cuya primera parte es una transcripción literal del *Breviloquium de virtutibus* de Juan de Gales. Las obras del galense eran, pues, bien conocidas en el Aviñón del siglo XIV, donde Fernández de Heredia residió con frecuencia.

[23] Datos resumidos por John J. Nitti, *Juan Fernández de Heredia's Aragonese Version of the Libro de Marco Polo*, Madison: HSMS, 1980, págs. xv-xvi, con varias láminas de H.I.5.

de la Biblioteca de El Escorial, de 1925, aunque describe con detenimiento las dos primeras obras del códice Z-I-2, despacha las otras dos últimas con esta sucinta explicación: "El resto del códice lo ocupan el *Rams de flores* y el *Secreto de los secretos*." Más completa es la descripción del P. Julián Zarco Cuevas. En el volumen III de su *Catálogo de los manuscritos castellanos de la Biblioteca de El Escorial*, de 1929, da las siguientes características del códice Z-I-2:

> Signatura antigua: I..4 y I.c.3. VI + 313 hojas de pergamino, foliación a tinta, con numeración arábiga, 1 hoja más, en blanco al fin. Entre los folios 19-20 hay uno sin numerar. En blanco los V-VI y 251-53. Letra gótica aragonesa del siglo XV, a dos columnas. Capitales, rojas y azules con adornos de rasgueo. Epígrafes rojos.

Y continúa dando detalles de las miniaturas que contiene. Al describir el tercer tratado, por influencia de H.I.5, lo titula, facticiamente "[Dichos de santos y filósofos para el gobierno de la República y del hombre en particular]", descripción similar a la del catálogo que le sirve de fuente. Consigna a continuación el inicio de la tabla, fos. 105a-109a; el prólogo, fos. 109b-113c; y la obra, terminando con el *explicit*: "Ferdinandus metinenssis uocatur qui scripssit benedicatur amen," fos. 109b-250d.

Otra descripción, con los detalles técnicos que la caracterizan,[24] se halla en la tercera edición de la *Bibliography of Old Spanish Texts* (*BOOST*), de 1984.

Hay otros detalles del manuscrito que por lo general se pasan por alto, pero tienen cierto interés tanto en lo relativo a la descripción formal del mismo como para una mejor interpretación de su contenido. Son los siguientes:

a) Cuadernillos. Consta de 19 cuadernillos cuaternos, de los que el último es ternario. El primero, con 8 folios, se extiende desde el 104r al 111v, y así sistemáticamente hasta el último formado por los folios 248r-253v. Como dice el P. Zarco Cuevas, los folios 251, 252 y 253, del último cuadernillo, están en blanco. En esta disposición es necesario señalar la colo-

---

[24] Corríjase, sin embargo, la foliación (el ms. no empieza en fo. 109rb, sino en 105ra) y el título (*flores* no *flors*), errores nimios, deslizados a través de la edición del HSMS.

cación desordenada de los folios del cuadernillo 12. La lectura atenta de los folios actuales 192-199 revela que se rompe el sentido en cinco ocasiones. Son las siguientes: En el paso de los folios 192d-193a; en el paso de los folios 193d-194a; en el paso de los folios 195d-196a; en el paso de los folios 197d-198a y en el paso de los folios 198d-199a. Pero una nueva lectura cuidadosa permite comprobar que no se perdió texto. En efecto el sentido del folio 192d continúa en 196a; el del folio 197d en 193a; el del folio 193d en 198a; el del folio 198d en 194a; el del folio 195d en 199a. Esto indica que en el cuadernillo formado por los folios 192-199 se trastocaron algunos folios y que la numeración de todo el manuscrito se hizo después de esa descolocación, probablemente cuando el códice fue encuadernado al pasar a formar parte de la Biblioteca del monasterio de El Escorial. La descolocación se produjo al doblar los pliegos b y c, conjuntamente, al revés. Estos gráficos revelan el cambio de posición.

Posición actual, con ruptura de sentido :

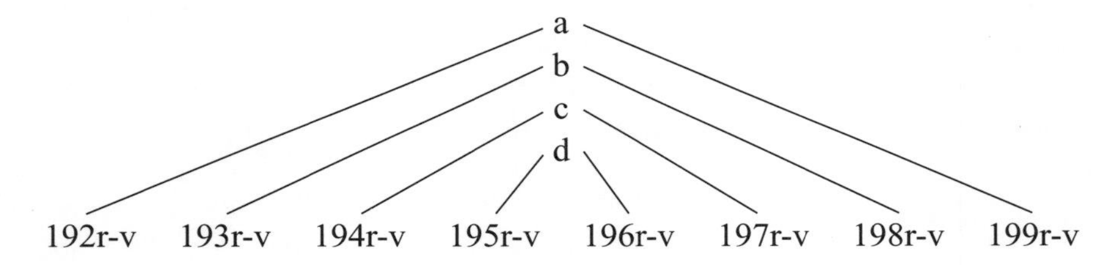

Posición original, sin ruptura de sentido:

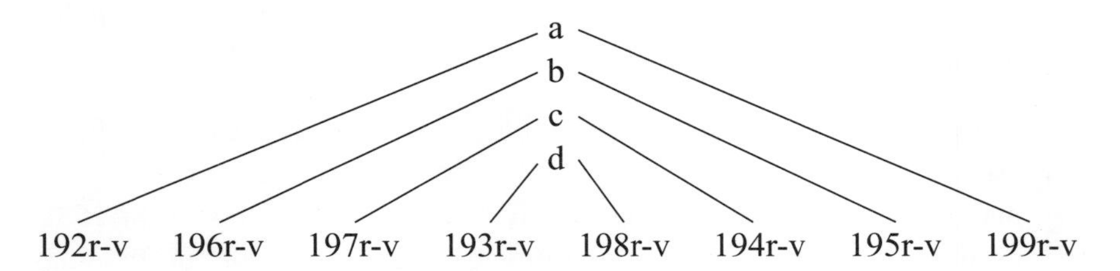

b) Reclamos. El manuscrito consta, como hemos dicho, de 19 cuadernillos. En el vuelto del último pliego de cada cuadernillo aparece un reclamo centrado al pie de la página. El último cuadernillo, por tener tres folios en blanco, carece de reclamo. Hay, pues, 18 reclamos. Son los siguientes:

.:dichos:. fo. 111v; *.:Roma:.* fo. 119v; *.:dar boeçi:.* fo. 127v; *haia diligent* fo. 135v; *bla heredat* fo. 143v; *:fuertes:* fo.151v; *:raulas:* fo. 159v; *|paulo|* fo. 167v; *:chos ne:* fo. 175; *.Policrato.* fo. 183v; *|Noble|* fo. 191v; *.Sant paulo.* fo. 199v; *:porque:* fo. 207v; *.Et auia.* fo. 215v; *.De çesar.* fo. 223v; *.tagineses.* fo. 231v; *.seruo el.* fo. 239v; y *.suia art.* fo. 247v.

De vez en cuando, en el ángulo inferior derecho del recto se ve la indicación de los folios del cuadernillo. Así ocurre en el recto de los folios 120-124, donde se puede ver "bi", "bii", "biii", "biiii" respectivamente. Pero, por lo general, muchas de estas marcas se perdieron al ser guillotinadas en la encuadernación.

c) Notas marginales. Algunas son de letra diferente. Hay muy pocas. Hemos observado solamente tres. Son las siguientes: *sparsso* fo. 128d, margen derecho, línea 9; *platon maestro / suyo fino* fo. 231r, margen izquierdo, líneas 5 y 6; *muert* 202d, margen derecho, última línea.

d) Epígrafes. Como ya dijo el P. Zarco Cuevas, los epígrafes de los capítulos están en rojo. Este hecho se produce con gran regularidad, con muy pocas excepciones. De vez en cuando se omite algún epígrafe, como los correspondientes a nuestros capítulos 6, 43, 59 (capital mayor), 61, 72, 175, 182 (capital mayor), 186 (capital mayor), 190 (capital mayor), 208 (capital mayor), y 210 (capital mayor) dejándose, por lo general, espacio en blanco. Estas omisiones parecen accidentales. El capítulo 36 repite el epígrafe. En cambio, como reflejo de una labor incompleta del epigrafista, son de señalar las omisiones apreciadas en los folios 169v-174r. Los capítulos 85-95 carecen de título, aunque el manuscrito deja varias líneas para que el epigrafista lo introdujera. Lo mismo ocurre con las autoridades comprendidas en esos folios. Los espacios en blanco correspondientes indican que el epigrafista no completó la tarea. Los títulos de los caps. 118 y 119 están seguidos, de forma que el 118 no tiene texto.

e) Capitales. La descripción del P. Zarco indicó que el manuscrito tiene capitales en rojo y en azul con adornos. Pero a esa descripción hay que añadir un detalle que sirve para determinar la presencia o ausencia de los capítulos: el tamaño de las capitales. Las hay de dos tamaños: mayores y menores. Las capitales mayores ocupan dos líneas y se usan en la primera autoridad de un capítulo para indicar el comienzo del mismo. Aunque es un método muy regular, de vez en cuando se halla una capital menor al comienzo de un capítulo. Incluso en la tabla inicial, el cambio alfabético de la letra suele estar indicado con una capital de mayor tamaño. Por otro lado, las capitales menores, que abarcan el espacio de una línea, se utilizan para indicar el comienzo de cada autoridad. Es un método que se sigue con gran regularidad, aunque a veces, especialmente en las autoridades largas, pueden encontrarse capitales de tamaño menor para indicar las diferentes divisiones del texto, sin que ello indique cambio de autoridad. Hay también capitales sin adorno, pero parece que no tienen ninguna función específica. Marín-Montaner, al estudiar el aspecto codicológico de las obras heredianas, señalan cuatro casos de mayúsculas: historiado, cuadrado, peón y caudinal (233). Las mayúsculas mayores y menores que hemos descrito son dos variantes del tipo cuadrado. *Rams* tiene sólo tres capitales historiadas en fos. 105 ca (comienzo del códice), 109 rb (comienzo del prólogo) y 113 vb (comienzo de autoridades).

EDICIONES

La mayor parte de las obras de Juan Fernández de Heredia está ya editada. Pero con frecuencia se trata de ediciones parciales o poco asequibles. Por eso resulta, por lo general, poco conocida. Esta es precisamente la situación de *Rams de flores*. Es cierto que el prólogo se publicó ya en 1885 y que en 1966, 1982 y 1990 se realizaron tres ediciones completas del manuscrito, pero ninguna fue publicada. Se puede decir, por lo tanto, que esta obra del maestre permanece todavía en la oscuridad. Con nuestra edición pretendemos suplir esa aparente laguna y dar a conocer una de las compilaciones más incomprendidas del magnate aragonés.

Conviene empezar dando parte de las ediciones existentes. En primer lugar consignamos las ediciones parciales o selecciones. El primero en dar a conocer el texto de *Rams de flores* fue A. Rodríguez Villa. En un artículo de 1885, titulado "Un códice de la Real Biblioteca del Escorial en dialecto aragonés," es decir, Z-I-2, publicado en la *Revista contemporánea* de Madrid, ofreció, en una transcripción bastante fiel, toda la tabla de *Rams de flores* y gran parte del prólogo. La segunda edición parcial corresponde al culto presbítero catalán José Vives. En 1927, en su esclarecedor estudio sobre la vida y obra de Fernández de Heredia, titulado *Juan Fernández de Heredia, gran maestre de Rodas, Vida, obras, formas dialectales*, reprodujo una pequeña parte de la tabla y el comienzo del prólogo de *Rams de flores*. En sus breves referencias a esta obra señala la dificultad que presenta el texto herediano por sus abundantes omisiones. Ya hemos comentado la reciente edición del prólogo y su filiación temática —auctoritates, florilegios y fuente— por el profesor Cacho Blecua.

En segundo lugar las ediciones completas. Se trata de trabajos más importantes porque tienen como fin la presentación entera del texto. La primera edición completa de *Rams* es la que realizó en 1966 la estudiosa e hispanista inglesa Ruth Leslie como su tesis doctoral en la Universidad de Oxford. El hecho de ser una tesis doctoral, además realizada en esas fechas tan tempranas, ha contribuido a que permaneciera totalmente desconocida. Nunca llegó a publicarse y las normas de la universidad oxoniense de necesitar permiso de la autora para conseguir una reproducción de ese estudio probablemente han contribuido a que permanezca sin conocer. Nosotros hemos utilizado solamente el primer tomo de su trabajo, que contiene un acertado estudio de las características lingüísticas de *Rams* y un vocabulario muy documentado.[25] El segundo lo forma la edición del texto. La comparación del estudio de la mencionada erudita inglesa con el manuscrito herediano revela que sus transcripciones e interpretaciones son excelentes, sin apenas puntos que corregir. Como dijo en su artículo sobre las fuentes de *Rams*, se basó en dos manuscritos que contienen la traducción catalana del *Communiloquium*, esencialmente el manuscrito 92 de la Biblioteca de la Universidad de Barcelona, y el manuscrito 265 de la Biblioteca de Catalunya. Con ellos pudo enmendar con gran acierto la mayoría de las lecturas deturpadas de la versión aragonesa.

La segunda ocasión en que algún erudito extranjero ha dirigido sus esfuerzos a la edición de esta obra herediana es más reciente. El grupo del Hispanic Seminary of Medieval Studies (HSMS) de Madison, Wisconsin, se ha venido ocupando de las obras de Juan Fernández de Heredia desde hace bastante tiempo. Medievalistas como Nitti, Spaccarelli, y Palumbo,

---

[25] Deseo agradecer la suma gentileza de esta estudiosa inglesa quien, al solicitarle noticias sobre su trabajo doctoral, tuvo la amabilidad de obsequiarme con el primer tomo de su tesis.

estudiaron y editaron respectivamente *El libro de Marco Polo*, el *Libro de los emperadores* y la *Corónica de los Conquiridores*. Afortunadamente en estos casos, aunque se trataba de tesis doctorales, las facilidades que daba el Centro de reproducción de Ann Arbor, Michigan, permitía obtener fotocopia o microfilm de esos trabajos con facilidad. Con todo nadie se atrevió con *Rams de flores*. No obstante, la labor en equipo del HSMS iba dirigida a hacer disponible el *corpus* herediano completo con sus concordancias. Con esta perspectiva se transcribió *Rams de flores*, cuyo texto completo fue por fin asequible en la edición de todo el *corpus* herediano en forma de microficha de 1982.[26] Desafortunadamente, el método de transcripción semipaleográfica y sobre todo el no utilizar la base catalana para la intelección de muchas de las grafías corruptas del manuscrito, empañan la labor, excelente por otros conceptos, realizada por el mencionado equipo de medievalistas.[27] Un careo rápido con el manuscrito revela más de doscientos errores, algunos claramente mecánicos, otros debidos a lecturas incorrectas, falsas interpretaciones y omisiones. Los errores dactilográficos son pocos, pero algunos, como dar *sombre* por *sombra* o *reyendo* por *creyendo*, tienen gran trascendencia por haber sido incluidos en el vocabulario herediano.[28] Las lecturas incorrectas, me refiero a las que confunden la clara grafía del original, son numerosísimas. Con frecuencia omiten consignar el uso de la cedilla que trae el manuscrito, aunque en otros casos la añaden con el signo [,]. Es común también hallar lecturas incorrectas relacionadas con las grafías n/u/m en combinación con la /i/ señalada, en el manuscrito, con el signo diacrítico /'/.[29] Pero más trascendencia tienen las

---

[26] Contiene todas las obras literarias de Juan Fernández de Heredia, excepto el *Cartulario Magno*. En algún caso, como el *Orosio*, utilizan sólo un manuscrito, el del Colegio del Corpus Christi de Valencia.

[27] Con frecuencia se aprecia cierta preferencia por una base lingüística provenzal, la cual, si bien aparece en alguna que otra orientación para el miniaturista o podría explicar algunas lecturas, lleva, las más de las veces, a interpretaciones inadecuadas, como señalaremos más adelante.

[28] La lista completa es: *da las* por *de las*; *comunidaat* por *comunidat*; *poe* por *por*; *reçebidoa* por *reçebidos*; *mulleir* por *mullier*; *sal* por *sol*; *el* por *et* (dos veces); *sombre* por *sombra*; *versuenca* por *verguenca*; *oeuia* por *deuia*; *fechochos* por *fechos*; *cartigineses* por *cartagineses*; *reyendo* por *creyendo*; y *sotsmesa a a muchas* por *sotsmesa a muchas*. Muchas fáciles de corregir.

[29] La ausencia de los símbolos combinados que suelen utilizar para esos errores del manuscrito, es decir ( ) para supresión y [ ] para adición, por ejemplo el caso de *mantien(a)[e]*, lleva a suponer que la transcripción dada es la lectura del manuscrito.

lecturas que distorsionan totalmente el significado. De una larga lista entresacamos las siguientes: *labor* el manuscrito da *lahor*; *ter* da *fer*; *auia la muert* da *a mala muert*; *satana* da *satanas*; *eclesiastico* da *eclesiastici*; *en<n>uirada* da *enueiada*; *templo* da *tiemplo*; *salio* da *falid*; *recibidores* da *recibideros*; *conosçiencia* da *consçiencia*; *pad<r>e* da *pade*; *sera combatido* da *se a combatido*; *puso* da *priso*; *foragido* da *foragito*; *nascas* da *nafras*; *padre* da *puede*; *pedes* da *piedes*; *scaluidamientre* da *scaltridamientre*, etc. Algunas han pasado al vocabulario, con interpretaciones descabelladas, como hacer *foragido* pretérito de *foragitar*; o explicar la lectura *nascas* con el provenzalismo *naches* 'trasero', cuando no sólo el manuscrito dice claramente *nafras* sino que el significado provenzal no tiene ningún sentido en el caso del bello Espurina que *confundio la su cara con nafras et la manzello* para que las mujeres de sus amigos no se enamoraran de su bella presencia. Otras nos privan de aragonesismos tan naturales como *tiemplo* o de esa joya lingüística *peso falid* 'peso falso'. Las falsas interpretaciones, aunque no son muchas, deturpan la lectura correcta del manuscrito.[30] Con ellas se pierden formas tan aragonesas como *podía* 'hedía'; *mantién* 'mantiene'; o *li era(n) semblant* traducción aragonesa del catalán *li ere vijares* 'le parecía'. Las omisiones de alguna palabra del texto son solamente tres.[31] Más significativa puede ser, en una edición semipaleográfica, la omisión de los 18 reclamos del manuscrito, e incluso de una nota marginal en el fo. 231a. Finalmente cabe consignar la deficiente foliación, con un desfase de siete folios en relación con el manuscrito.[32]

---

[30] La lista completa es: *po(d)[n]ia le la boca* por *podiale la boca*, de *podir* 'heder'; *avezes(e) ha oraciones* por *avezese* de *avezarse*; *pud[??]ie* por *pudie* de *poder* 'ser capaz'; *dar te(a) lo que tu demandas* por *darte a* 'te dará'; *mantien(a)[e] la comunida[t]* por *mantien a la comunida[t]*; *scondido (a)mientre* por *scondidamientre*; *aquell[os]* por *aquellos*; *gra<n>* por *gra<cia>*, por confusión de la abreviatura; *e(n)[t] assin* por *en assin*, perfectamente aragonés; *hera<n> semblant* por *li era(n) semblant*; *recibid(er)o* por *recibidero*; y *ta[<n>] informado* por *ta informado*, con fonética sintáctica 'te ha'; *pad<r>e* por *pade*, de padir "sufrir.

[31] Son las siguientes: *sigue el pubil* por *sigue* ***que*** *el pubil*; *si faze* por *si* ***se*** *faze*; y *otro li plazia* por *otro* ***non*** *li plazia*.

[32] Según la microficha *Rams de flores* se encuentra en los folios 112r-257v. La foliación correcta, como ya hemos dicho y lo revela la consulta directa del manuscrito, es 105r-250v.

La tercera edición completa es la que ha realizado recientemente Mario Velasco Sanz, en lo que fue su tesis doctoral, defendida en la Universidad de Valladolid en 1990. El encomiable intento de editar una de las obras más difíciles de Heredia ha tenido un resultado poco afortunado por no haber utilizado la fuente catalana, *Suma de col.lacions*, que sirvió de base a la obra herediana. La consecuencia ha sido una versión que deja sin aclarar la multidud de pasajes oscuros debidos a las numerosas grafías erróneas y continuos saltos de igual a igual que contiene el texto escurialense. Añade al final dos secciones destinadas a dar una lista de las citas originales de los textos latinos y un glosario. Al desconocer igualmente la fuente latina de la *Suma de col.lacions*, es decir, el *Communiloquium*, hace elucubraciones, sobre el posible sistema de recolección de citas utilizado por Fernández de Heredia, carentes de base, como suponer que el maestre pudo acudir a los originales latinos que cita, servirse de "cuadernos" antológicos, o incluso citar de memoria. Con todo, la lista de citas originales es una útil aportación a la determinación del texto primario de las autoridades usadas en *Rams de flores*. Sin embargo, a pesar de su aparente exhaustividad, podría ampliarse mucho más. Sorprende, por ejemplo, hallar afirmaciones como ésta: "De San Gregorio, San Juan Crisósotomo, San Anselmo, San Ambrosio y otros padres de la Iglesia con menor representación en las citas, no hemos encontrado nada" (307). La inmensa mayoría de ellas puede hallarse en nuestra tabla de correspondencias. Incluso en las citas encontradas se deslizan, de vez en cuando, referencias erróneas, debido a los numerosos casos de falsas atribuciones del manuscrito.[33] Algo semejante ocurre con el glosario. Da cabida en él a un buen

[33] Para no poner más que un ejemplo, la autoridad 44.3 dice: "Eclesiastiçi. El sauio Eclesiástico, en el VIIIº libro de las Etichas, dize qu'éll es al fillo razón et empecamiento de esser." En su edición, Velasco pone una nota a la palabra Etichas, intentando explicar el aparente error de *Rams*, diciendo que "se refiere al Eclesiastés. Vid. citas originales, glosa el principio del texto latino y traduce el final" (pág. 77 n 6). Si consultamos las citas originales de su edición, vemos que da, como fuente de este pasaje, el Eclesiastés 5.13, corroborado con este texto: "Generavit filium qui in suma egestate erit." Como puede verse, este texto no aclara la cita de *Rams*. La realidad es muy otra. La cita proviene, en efecto, de la *Eticha Nicomaquea* de Aristóteles, en la traducción de Grosseteste, donde dice: "Pater filio est causa essendi...". La atribución al Eclesiastici, en *Rams*, es uno de los numerosos casos de falsa atribución por contigüidad, basada en el texto del *Communiloquium*, donde las dos autoridades, Aristóteles y el Eclesiástico, aparecen una a continuación de otra. Ver nuestra nota 191.

número de voces que no corresponden a una lectura depurada del texto, o presenta definiciones que revelan un desconocimiento básico del aragonés, como explicar *aguayto* 'trampa, celada' con esta inadecuada definición: "conducto de agua, del lat. aquaeductus."

Sigue siendo necesario realizar una edición que dé el texto con claridad y garantías. Es lo que hemos intentado hacer. Para ello nos hemos centrado en los problemas de carácter textual, más que en los de índole temática. Creemos que es imperioso fijar primero el texto. Sólo a partir de unas lecturas depuradas se obtendrá una visión correcta de la lengua contenida en el *magnum opus* literario de Juan Fernández de Heredia, eximio exponente de aquel Aragón del siglo XIV. De lo contrario seguiremos dando como aragonesas formas que corresponden más a la imaginación que a la realidad lingüística herediana y aragonesa de fines de la Edad Media.

NUESTRA EDICIÓN

La tarea de la edición de *Rams* está llena de unas dificultades que la mirada superficial del manuscrito no permite prever. Su factura primorosa, su letra cuidadosamente pergeñada, con trazos claros y seguros, y sobre todo su elegante miniatura y adornos de las capitales han hecho suponer que podría tratarse de un ejemplar elaborado para el mismo maestre. En este sentido el manuscrito escurialense se ve prácticamente como un producto final perfecto. Pero esa perfección da una seguridad ficticia. Ya Vives señaló las grandes dificultades que escondía el deturpado texto de *Rams de flores*. Es común achacar esas confusiones a los copistas. El prólogo apoyaría esta explicación. En él, Fernández de Heredia, disculpándose por los errores que pueda contener, ofrece el texto a la discreción del corrector "por tal como yo l'é feyto scriuir a vno scriuano qui no era de la mía lengua" (fo. 113) implicando que no entendía bien el aragonés. Por lo tanto, la intervención de uno o varios copistas es la causa de la imperfección textual del manuscrito, independientemente, claro está, de su primorosa factura.

Ese desconocimiento del aragonés, por parte del copista, que puede extenderse también al catalán, explica la mayoría de los errores que se hallan en *Rams de flores*. Veamos algunos ejemplos. En la autoridad 161.4, relatando el ejemplo del Valerio Máximo (6.5.ex.3) sobre la decisión de Zaleuco de sacar un ojo a sí mismo y otro a su hijo, porque éste había sido condenado a perder los dos ojos, *Rams* dio esta confusa versión: "porque su fillo deuia seyer metido emperador entramos los oyxos" (fo. 213a). La presencia de ese extraño *emperador* se explica claramente con la fuente catalana: "car son fill deuia esser punit en perdre abdos los huylls" (V fo. 29d). Es obvio que el copista o corrector de *Rams*, sea quien fuere, no comprendió el catalanismo *en perdre* 'a perder,' y lo sustituyó por ese *emperador* que, con su engañosa corrección, destruye el sentido de la frase. El segundo ejemplo se encuentra en un pasaje más conocido, donde se menciona aparentemente al *cisma* de Occidente. La alusión a un suceso histórico bien relacionado con la vida de Fernández de Heredia, parece darle carta de autenticidad. Sin embargo, la palabra *cisma* es falsa lectura del copista. *Rams*, (autoridad 80.1) dice: "caye la cisma et troba qui la leuanta" (fo. 167a). Esta frase no es sino la traducción de la fuente catalana: "cau la somereta e troba qui la leua" (V fo. 178c). La *somereta* es el diminutivo afectivo catalán del animal más preciado de los campesinos, la "burrica". ¿Cómo se ha podido transformar *somereta* en *cisma*? ¿Acaso por falsa interpretación de *somereta* como *cima*? No. La solución aparece en la fuente latina. El *Communiloquium* dice: "cadit asina et est qui sublevet" (Ven fo. 132b). Este texto nos aclara que *cisma* es la incorrecta interpretación de *ásina* 'burrica', realizada por algún copista negligente. En efecto, la "a" inicial, escrita con trazos separados, ha sido leída como "ci" y el grupo "ina", en una confusión frecuente, se ha transformado en "ma." Así, el cultismo aragonés *ásina* se ha convertido en ese desconcertante *cisma*. Obsérvese que la confusión sólo ha podido producirse a través de un texto aragonés, no catalán. Este hecho es mucho más claro en la siguiente frase de *Rams* (autoridad 79.4): "mostra[r]é a tú de quiénta cosa han ninguna los poderosos del mundo" (fo. 166b). Esta lectura carece de sentido. La versión catalana dice: "mostrare a tu de quina cosa han fretura los poderosos del mon" (V fo. 176b). Este texto revela que *ninguna* corresponde al catalán *fretura*, 'falta,' 'carencia.' El significado aragonés de *fretura* es *mingua*. No es, pues, extraño suponer la existencia de una versión aragonesa anterior que había traducido: "de quiénta cosa han mingua los poderosos del mundo." Con este texto, el "scriuano qui no era de la mía lengua" o un corrector posterior, igualmente imperito, transformó el correcto *mingua* en ese desconcertante *ninguna* a través de obvias interpretaciones gráficas falsas.

Los errores gráficos de este tipo abundan excesivamente en *Rams*. ¿Reflejan acaso los diversos estadios —borradores y corrección final— que detectó Geijerstam en la composición de la *Grant Crónica de Espanya*? Es posible. Pero la existencia de la versión castellana del *Libro del gobernador*, con la que *Rams de flores* tiene tantos puntos de contacto, hace pensar que uno de los modelos anteriores de éste fue una probable versión aragonesa que debió servir de fuente a las dos. Esto abre dos interrogantes: o en el *scriptorium* herediano aviñonense tradujeron y corrigieron el texto que llegó a formar el actual manuscrito escurialense de *Rams de flores*, o éste se compiló a base de una traducción aragonesa ya existente, la cual, obviamente, tendría como fuente una *Suma de col.lacions* catalana. Hasta que no se ecuentren más ejemplares de *Rams* o alguna versión aragonesa de la *Suma de col.lacions* no podrá solucionarse la cuestión con seguridad absoluta. Sin embargo, los textos conocidos actualmente, cuatro versiones catalanas y una castellana, nos ofrecen una hipótesis muy plausible, permitiéndonos, además, corregir las deficientes lecturas del texto aragonés.

Detrás de la factura primorosa del códice escurialense de *Rams de flores* se esconde un texto lleno de imperfecciones, impericias, omisiones, falsas grafías y hasta descolocación de folios que distorsionan e impiden la correcta intelección de numerosos pasajes. Todos esos errores pueden agruparse en seis categorías. Dificultades creadas por a) grafías falsas o confusas, b) correciones inhábiles o impropias debidas a incomprensión del modelo, c) omisiones de una palabra o un bloque de texto, d) falsos epígrafes e) autoridades falsamente atribuidas y f) descolocación de folios. Las detallamos para que pueda apreciarse nuestro método de corrección.

a) Problemas creados por las grafías. Debidos esencialmente al copista. Pueden ordenarse en varios grupos:

    1) grafías obviamente erróneas. Aunque se debe siempre extremar la cautela, algunos de los casos no ofrecen lugar a dudas. Además, como diremos más adelante, tenemos otras versiones que nos servirán de confirmación.

    2) errores por confusión de las grafías, especialmente
    c/t y t/c muy común
    u/n muy común

in/m *Ancelin* por *Ancelm* 211b
m/ni *Geucomths* por *Teutonichs* 219b
e/c *eoniurados* por *coniurados* 162a, *clecer* por *eleccion* 162d
n/r *fazen* por *fazer* 172a
t/r *sabet* por *saber* 162d, *mostrate* por *mostrare* 166c, *lactar* por *lacrar* 217c
z/r *faze* por *faré* 165a
s/f *resia* por *refía* 215d; *sazen* por *fazen* 115c; *sincar* por *fincar* 115d; *sumo* por *fumo* 115d, sin el trazo horizontal o de unión de la f; muy común.

3) errores por el uso inadecuado del signo diacrítico (') sobre la í. Son muy frecuentes. Véanse algunos ejemplos: *Ranís* por *Rams* 111d; *nídignado* por *indignado* 135b; *níeptos* por *ineptos* 232a; *ní humanidat* por *inhumanidat 179a; ímas* por *mías* 138b; *a mí* por *aun* 145b; *Antolín* por *Ancelm* muy frecuente, etc.

4) errores debidos a repeticiones. Ditografía o duplografía. Son muy numerosos e implican descuido en la copia. Entresacamos algunos ejemplos: repetición de letras *dzze* por *dize* ; sílabas *Bautistista* por *Bautista* 113d; palabras *sobre sobre* 114b; *de libros de libros* 111c; y frases largas *fizo en los catiuos que tenia fizo en los catiuos que tenia* 247a.

b) Interpretación errónea de una palabra. Error debido al copista o al corrector. Puede ser de tres tipos:

1) afectar solamente a esa palabra inhábilmente corregida. Además de las falsas grafías señaladas en el apartado anterior, hay también otros casos que revelan una corrección inhábil. El original, relatando el caso del bello Espurina, decía que para que no lo *tuuiessen en sospecha, majó et entretayosse la cara* (fo. 219d- 220a). El copista o corrector no entendió *majó* y lo corrigió a *mayor*, dando esta versión aparentemente correcta: *tuuiessen en sospecha mayor*.

2) conllevar modificaciones, a veces totalmente caprichosas o descabelladas, porque se dan junto con otras palabras del original fielmente conservadas. Son muy frecuentes. El resultado es un texto aparentemente correcto, pero que carece de sentido. Un ejemplo

típico es la respuesta de Susana a los jueces ancianos que la querían obligar a pecar (*Daniel* 13.23). La versión original aragonesa, como fiel traducción del catalán, diría: *mas vale sin obra de peccado cayer en las vuestras manos que pecar*. Pero el copista, por parecerle inadecuada la expresión: *obra de peccado*, la corrigió a: *seyer sin sonbra de peccado*, olvidándose de lo demás, dando este confuso texto: *mas vale seyer sin sonbra de peccado cayer en las vuestras manos* (fo. 186a). Geijerstam califica estas correcciones de "psicolingüísticas." En ellas el copista corrige una parte de la frase, acertada o desacertadamente, y se desentiende del resto. El resultado es oraciones con estructura gramatical desequilibrada.

3) reflejar el prurito culto del traductor, copista o corrector. Ocurre en bastantes ocasiones. Valgan estos ejemplos. La *Suma de col.lacions*, hablando del siervo o cautivo, decía: *culpa e peccat e no natura meresqué aytal nom* (V fo. 86a). En cambio *Rams* dio: *pecado ne culpa merentis aytal nombre* (fo. 170d), donde el catalán *meresqué* o el aragonés *merescé* fue cambiado a: *ne culpa merentis*, en una frase de corte aparentemente técnico o cultista. Otro ejemplo más extraño todavía es el de la autoridad 131.6, donde esta sencilla frase: *assín como el agua* se ha transformado en *assin como a Claudianus* (fo. 202d), inventándose el corrector o copista un enigmático personaje latino.

c) Más difíciles resultan a veces los problemas originados de las omisiones de texto. Pueden hacerse tres apartados:

1) omisión inadvertida de una letra o del signo de abreviatura. No ofrecen dificultad. Por ejemplo *prncep* por *princep* (fo.105b); *spo* por *spero* (fo.113a); *cauallos* por *caualleros* 111a. Mayores problemas crean los dos apartados siguientes:

2) omisión inadvertida de una palabra. Haplología. A veces puede crear grandes dificultades, sobre todo cuando no se tiene un texto referencial, como ocurre en el prólogo o en la adición final sobre Valerio. En estos casos las correcciones obedecen al criterio *ope ingenii*. Pero en la mayoría de los casos, la consulta de las diferentes versiones catalanas y castellana sirve para solucionar el error.

3) saltos de igual a igual. Homoioteleuton. Son muy frecuentes. Muchos de ellos son claramente identificables porque dejan el sentido trunco o dan atribuciones incongruentes. Ejemplo claro de la segunda posibilidad se halla en la autoridad 13.5, donde se presenta a San Agustín como autor del *De officiis* ciceroniano. La consulta de la fuente pone en evidencia el salto de igual a igual (*libro...libro*) inmediatamente: "Sant Agostin en el ***libro*** [De la Çibdat de Dios V capitulo xii e Tullio en el ***libro***] De oficiis" (fo. 121d). Para la reconstrucción de este tipo de errores hemos utilizado las diversas versiones catalanas y castellana de la *Suma de col.lacions*. En algunos casos la lectura de E tiene sentido, por eso la hemos conservado, considerándola como resumen o *abreviatio*. Estas situaciones, no obstante, las hacemos constar en el aparato crítico sin introducirlas en el texto.

d) Otro tipo de error, causado por los copistas, consiste en dar falsos epígrafes, lo que resulta en atribuciones equivocadas. A veces el epigrafista repite, en la autoridad siguiente, el nombre del autor que había utilizado en el texto anterior. En otras ocasiones toma simplemente la primera palabra del texto como si fuera el autor. Un caso que se repite varias veces es dar como autor a un imaginario *Geyese/Ieyesse*, adaptación arbitraria de *Leese*, palabra con que empiezan algunas autoridades.

e) Es también frecuente encontrar autoridades atribuidas incorrectamente. Son errores anteriores a la copia, producidos en el proceso de compilación del material. El compilador de *Rams de flores* selecciona un texto de la *Suma de col.lacions* y, al tratar de atribuirlo a su autor, escoge el nombre que está más cerca del texto seleccionado. Con frecuencia la atribución es correcta. Pero, a menudo, debido a la falta de puntuación en los manuscritos medievales, el nombre de ese autor va con la cita anterior o con la siguiente. En consecuencia, el compilador atribuye a un autor un texto que corresponde a otro. Es lo que llamamos falsa atribución por contigüidad.[34]

[34] Hay unas 60 y las identificamos en la edición y tabla de correspondencias con la sigla fac.

f) Finalmente dificultades surgidas por descolocación de folios. Ya las hemos señalado anteriormente.

Todas estas circunstancias hacen que la tarea de editar esta obra de Fernández de Heredia esté llena de obstáculos de problemática solución. Puesto que existe solamente un manuscrito de *Rams de flores* su edición conlleva serias dificultades, especialmente en los pasajes oscuros o deturpados. Su corrección se hace, con frecuencia, bajo el criterio del *ope ingenii*, con resultados no siempre satisfactorios. Esto es lo que sucede en las ediciones del HSMS y de Velasco, a pesar, conviene repetirlo, de sus encomiables esfuerzos. Pero la realidad textual de *Rams de flores* es más rica de lo que esa situación parece indicar. Es cierto que actualmente sólo se conoce un manuscrito de esta obra. No se conservan, por ejemplo, ni los borradores del *scriptorium* herediano ni otras copias del original. Pero disponemos de varias versiones de la fuente utilizada por el autor de *Rams de flores* para la compilación del libro. Todas ellas nos dan datos firmes que permiten corregir los abundantes pasajes oscuros del manuscrito con seguridad casi absoluta.

Desde el estudio de Leslie se sabe que la fuente de *Rams de flores* es la versión catalana del *Communiloquium*, es decir, la *Suma de col.lacions*. Con esa guía, la hispanista inglesa solucionó la mayor parte de las lecturas deturpadas de *Rams de flores*. Sin embargo, hoy se puede dar una edición más depurada. Leslie utilizó solamente dos de los cuatro manuscritos conocidos de la *Suma de col.lacions*. Esencialmente eran suficientes para corregir el texto. Sin embargo, la utilización de los cuatro manuscritos catalanes de la *Suma de col.lacions* complementados, sobre todo, con la versión castellana de la misma, conocida con el nombre del *Libro del gobernador*, con la que *Rams de flores* tiene abundantes semejanzas redaccionales, sintácticas y léxicas, como diremos más adelante, nos permite producir un texto con las características propias de una edición prácticamente crítica.

Conviene, pues, analizar cada uno de ellos para ver su relación con *Rams de flores*. Para ello identificamos los manuscritos con las siguientes siglas:

versión aragonesa:

E: el manuscrito Z-I-2 de la Biblioteca del monasterio de San Lorenzo de El Escorial.

versiones catalanas:

A: el manuscrito 92, conservado en la Biblioteca de la Universidad Central de Barcelona

B: el manuscrito 2008, conservado en la Biblioteca de Catalunya

C: el manuscrito 265, conservado en la Biblioteca de Catalunya y

V: el manuscrito 660, conservado en el Archivo del Reino de Valencia.

versión castellana:

M: el manuscrito 12.181 de la Biblioteca Nacional de Madrid.

Nuestras primeras observaciones nos llevaron a agrupar los cuatro manuscritos catalanes en dos ramas. Por un lado A y B, con las mismas lecturas, omisiones, saltos y sobre todo errores. Por otro lado V, con el que C coincide con frecuencia, aunque éste tiene, a menudo, glosas o resúmenes que lo individualizan. Cuando nuestra edición se hallaba en un estado avanzado, tuvimos noticia del trabajo de Lluís Ramón i Ferrer sobre la tradición textual del *Communiloquium*. Tras un detallado y pormenorizado análisis, este estudioso determina con precisión la filiación de los cuatro manuscritos. Sus resultados, esencialmente iguales a los nuestros, dan el siguiente *stemma codicum*(63):

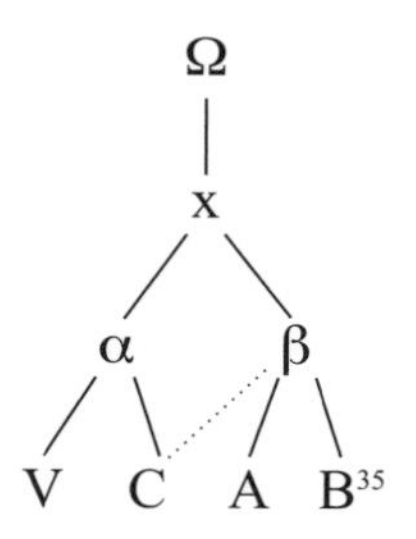

La comparación textual de *Rams* con cada uno de los manuscritos catalanes revela que prácticamente todas las lecturas aberrantes de E se pueden explicar, de una forma u otra, con ellos. Sin embargo, ninguno de ellos fue la fuente directa e inmediata de *Rams*.

---

[35] Las siglas utilizadas por Ramon i Ferrer difieren ligeramente. Para nuestro propósito las hemos adaptado a las que hemos utilizado en nuestra edición. Téngase en cuenta la siguiente equivalencia: V=V, C=N, A=R, B=B.

Por un lado hay una serie de pasajes de E que responden a las lecturas que dan AB frente a V. Por ejemplo:

I. Saltos de igual a igual. En la autoridad 17.2, *Rams de flores* atribuye a Cicerón una cita de San Pablo. Véase la comparación textual

E: Tullio, en el libro V De questiones, dize que aquell que es puesto en grado de senyoría es ansioso (126bc).

AB: Tulli, libre V De questions, mes auant del mig del libre, diu que aquel qui es posat en grau de senyoria es ansios (B 45c).

V: Tulli, libre V De questiones, mes auant del mig del libre, diu *allo matex. E sent Pau ad Romanos, capitulo xii, diu* que aquell qui es posat en grau de senyoria es ansios (21c).

II. Lecturas semejantes. La autoridad 80.5 dice:

E: Sabet qu'el *dedo* de Salamon LX hombres fuertes lo tenían (167bc).

AB: Sapiats/Sabiau que lo *dit* de Salamo LX barons forts lo encircuiren (A 283c).

V: Sapiau que lo lit de Salamo LX barons forts lo incircuhiren (179c).

III. Sobre todo errores. La autoridad 100.10

E: assín como dice Alexandre *quando* faulaua de las naturas (177d).

AB: axi com diu Alexandre *com* parlen de les natures (A 105d).

V: axi com diu Alexandri Nequam, parlan de les natures (67d).

Más numerosos son los errores que se explican por V frente a AB

I. No hay ningún caso de salto, aunque sí algunas omisiones, como en la autoridad 44.2

E: *Et el tomó* el padre por la nariz (142c).

AB: E lo fill pres lo pare per lo nas (A 143d).

V: *E pres* lo pare per lo nas (92a).

II. Son muy abundantes los casos de lecturas semejantes, como el de la autoridad 64.2

E: *malastruga* por tal que l(a)[o] perdió (159a).

AB: desastruga per tal com lo perde (A 155b).

V: *malastruga* per tal com lo perde (99b).

III. También hay bastantes errores, como el de la autoridad 154.1

E: aquesto en *la II^a part* (211a).

AB: aço que es en lo Apochalipsis II (B 331c).

V: aço que es en *lo pot II* (216b).

Pero también hay un buen número de ejemplos que se explica por el conjunto ABC.

I. Saltos de igual a igual, como el de la autoridad 35.5

E: muchas comeres han feyto muchas enfermedades sin nombre alli do ha muchos comeres (138d).

ABC: molts meniars han fetes moltes malalties e sens nombre la vn ha tantes maneres de diuerses meniars (B 230d).

V: molts meniars han fetes moltes malaties ¶ *Item diu aqui matex: Not marauelles si son moltes malaties* e sens nombre la hu ha tantes maneres de diuerses meniars (143a).

II. Lecturas semejantes. Autoridad 41.3

E: Narcís bisbe de *Girona* (140c).

ABC: Narcis, bisbe de *Gerona* (A 91a).

V: Narcis bisbe de Iherusalem (57c).

III. Errores como el de la autoridad 104.1:

EM: Et los *sabios* laudan ad aquellos (E 180ab, M 72c).

AB: Lo propheta ab lo *saui* lohen aquells (A 107a).

C: Lo prom e lo *saui* loua aquels (C 102b).

V: Lo propheta en lo psalm loa aquells (69a).

¿Quiere decir esto que E proviene de la rama β del cuadro de Ramón i Ferrer? Las semejanzas de V desechan esta suposición, aunque apuntan al prototipo "x" del mencionado cuadro. Pero no directamente, sino a través de una traducción aragonesa, como lo pone de relieve la comparación de E y M. Conviene, por lo tanto hacer un análisis de las características de la traducción castellana y compararla con la versión aragonesa de E.

En primer lugar el *Libro del gobernador* es una versión castellana de la *Suma de col.lacions* que sigue por lo general la redacción de V. Pero en ella encontramos pocos catalanismos. En cambio hay un buen número de aragonesismos que apuntan a un antecedente aragonés.

Menos de solución aragonesa de la preposición catalana *sens* 'sin',
sobra solución aragonesa del adverbio catalán *massa* 'demasiado',
fuese semejante como la solución aragonesa *fuesse semblant* de la expresión catalana *era vigares* 'le parecía',
entro a como la frase preposicional aragonesa por *hasta*,
fuera echa como la solución aragonesa del catalán *foragitar*,
s'y como la construcción típica aragonesa con valor intensificativo *s'í*,
plazia subjuntivo aragonés por *plazca,*
quando viene que como la solución aragonesa *quando viene que* de la expresión catalana *quant ve que* 'cuando sucede que';

además de otros catalanismos introducidos a través de fuentes aragonesas como:

cale impersonal 'hace falta', 'es necesario o apropiado',

tabla 'mesa',

tantoste 'en seguida';

incluso errores como la traducción de esta autoridad (58.3) tomada del *Barlaam*, que tiene poco sentido si la hacemos depender de la versión catalana, en cambio se explica totalmente a través de una versión aragonesa. Al describir la situación del hombre que cae en el pozo de la vida, el *Communiloquium* dice que vio que salían de los lados: *quatuor aspidum capita*. Las versiones catalanas traen: *serps aspides*. M da: *sierpes a los pies*, donde la traducción de *aspides* como *a los pies* nos parece chocante. En cambio, es totalmente comprensible a través de la versión aragonesa, donde la transformación de *aspides* en *a los piedes* es más natural.

VAB: iiii caps de serps aspides (V 218a).

E: iiii cabeças de sierpes *a los piedes* (154d).

M: cuatro cabeças de sierpes *a los pies* (175d);

o esta construcción sintáctica, *como si + indicativo*, totalmente contraria al castellano, de la autoridad 138.1:

VAB: *com si deuia* vendre si matex (V 56b).
E: *como si se deue* vender a si mismo (206b).
M: *commo si deuia* vender a sy mesmo (61d).

Todos estos hechos, así como las abundantes coincidencias entre las lecturas de E y M nos llevan a suponer un origen común. Veamos estas semejanzas:

I. Semejante falsa traducción del catalán *daquen* 'de aquello', en la autoridad 10.5:

VABC: e daquen uolen esser loats (V 8a).
E: *ad aquellos que* quieren seyr loados (120b).
M: *e de aquellos* que quieren seer loados (13d).

II. Los dos comparten el mismo extraño homoioteleuton (*es-tam...bastant*) basado en el texto catalán. Véase la autoridad 48.9:

VAB: filar a polze es*tam. E de la instruccio de les verges bas*tant ment (B 219a).
E: filar con el pulgar es tant mientre (146a).
M: filar con el pulgar estranna mente (120a).

III. Más significativos son los errores comunes, entre los que notamos varias traducciones incorrectas del catalán:

autoridad 11.1 VAB: cascún hauria a viure (A 22c).
E: *costumbre* aurie a beuir (120c).
M: *consumeria* e abria de veuir (15d).

autoridad 23.1 V: manar de aquell iusticia (29c, AB lo omiten por salto).
E: *demandar* iustiçia (130d).
M: *mandar* de aquel iustiçia (36c).

autoridad 49.8 VAB: son cert e auist (A 222b).
E: son cierto et *é visto* (147d).
M: so çierto e *he visto* (124b).

IV. Incluso coinciden en adiciones inexistentes en las versiones catalanas. Por ejemplo, la autoridad 77.1 termina con una explicación lógica en los manuscritos catalanes. En cambio tanto E como M dan una explicación totalmente incongruente:

AB: axi ho diu sent Gregori (A 318a).

V: axi ho diu aquell matex sent Gregori (206c).

E: assí lo dize *el diablo* (165a).

M: así lo dize *el diablo* e así lo dize aquel mesmo (168c).

Todo esto implica que las versiones de E y M provienen de un texto catalán, pero a través de una versión aragonesa. Sin embargo, esta versión aragonesa no pudo ser la rama β. El error conjuntivo de EVABC que señalamos a continuación indica que tuvo que ser una versión aragonesa basada en el prototipo catalán "x", fijado por Ramón i Ferrer.[36] A esta versión la llamamos prototipo aragonés "z". El error conjuntivo consiste en interpretar la frase latina *post principium* 'después del principio' del *Communiloquium*, precisión bibliográfica muy común en Juan de Gales, como si fuera *post principum* 'después de los príncipes'. Así dize la autoridad 140.1:

VABC: sent Bernat en lo primer libre que trames a Eugeni papa diu axi *apres los princeps*: prech te (V 180b).

E: san Bernart en el primero libro que enuió a Eugenyo papa dize assí *apres los prinçes*: ruégote (206d).

M: (abrevia) sant Bernaldo en la epistola prima a Eugenio papa dize: ruegote (151c).

Ven: ait Bernardus ad Eugenium, libro I *post principium*: Queso te (133a).

La utilización de los cuatro manuscritos catalanes y la versión castellana no sólo nos sirven para corregir el deturpado texto de E sino que con-

---

[36] Ramón i Ferrer (52) utiliza dos errores conjuntivos: *Troya* por Trajano 1.príol. y *enemichs* por eunuchi 3.6.3, para determinar el prototipo catalán "x". No los usamos porque no aparecen en *Rams de flores*. A ellos añádase el que damos a continuación, y otros muchos que explicamos en las autoridades 27.3, 29.10, 31.1, 34.5, 39,1, 43.6, 104.10 etc., con falsas atribuciones y errores de traducción existentes en todos los manuscritos catalanes, reflejo de su origen común.

tribuyen a determinar su fuente directa utilizada para la compilación de *Rams de flores*, es decir, la versión aragonesa, del prototipo "x" de la *Suma de col.lacions,* que identificamos como "prototipo aragonés".[37] Actualmente no se conserva ninguna copia de él, pero tenemos referencia de dos manuscritos al menos. Como recoge Leslie (1973:163-164), en el inventario de la biblioteca de Alfonso V el Magnánimo, realizado en Valencia en 1417, se lee esta descripción:

> *Summa de collacions*, lo qual comença la rubrica en letres vermelles: *Esti libro se clama*, e en letres negres: *Capitol primero quina*; e lo dit libre comença en letres vermelles: *Capitol primer que es*, e en letres negres: *comunidad o cosa publica*, e en la dita C, que es capviva, ha .iii. figures dins de la .i., te .i. spasa al coll e .i. creu de sent Johan al costat esquerra; e feneix lo dit libre, en letres negres: *por muchos anyos e buenos amen*.

El segundo manuscrito aparece descrito en el primer testamento del vicario de Bordón, Juan Calvo, redactado en Olocau 3 de enero de 1437. El culto vicario poseía dos ejemplares de la obra de Juan de Gales. Uno en latín, titulado *Summa Collacionum*, que legó a Domingo Galindo, "prevere qui va ab lo bisbe de Tortosa;"[38] y otro, llamado *Suma de col.lacions*, que deja a los jurados del pueblo de Bordón, por el trabajo de cuidar de su biblioteca. A juzgar por los probatoria, estaba también en aragonés. Así dice el testamento:

> E per remuneracio del treball que los dits jurats hauran de areglar la libreria dels dits libres, leix a aquells e al dit loch de Bordo hun libre gros de paper en romanç ad taules blanques appellat *Suma de collacions*, que començe: *Como el doctor*, e feneix: *In secula seculorum amen*, ab sa taula; lo qual es molt profitos per a ells e a regiment de comunitats (fo. 4v).[39]

---

[37] La posibilidad de que *Rams* fuera compilado de una versión aragonesa completa de la *Suma de col.lacions* catalana fue ya adelantada por Leslie (1973: 163).

[38] Una consulta rápida del códice tortosino no nos ha revelado ningún dato sobre su antiguo poseedor.

[39] Véase nuestra transcripción completa de este interesantísimo testamento, con 78 obras reseñadas (1996: 443-446). El *incipit* mencionado: *Como el doctor*, en un testamento redactado en catalán, permite identificar esa versión de la obra de Juan de Gales como aragonesa o castellana con toda seguridad. En el segundo testamento, de 1461, igualmente interesante, aunque ya algo menos numeroso, no se consigna ningún ejemplar de la obra de Juan de Gales. Una consulta al párroco sobre el paradero de esa biblioteca no nos dio ningún resultado positivo.

Todo lo anterior nos permite suponer el siguiente árbol de la versión aragonesa:

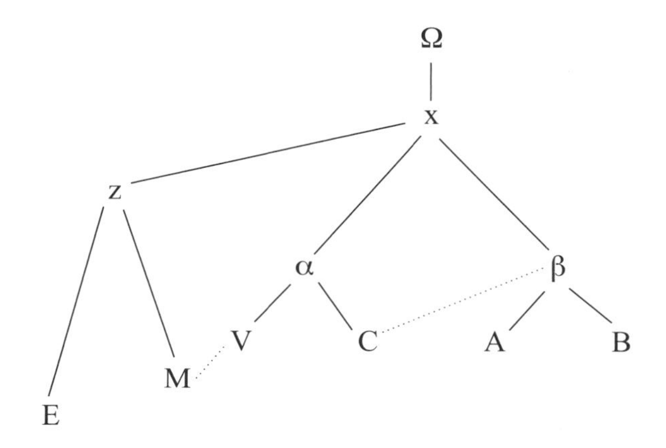

PARTES DE *RAMS DE FLORES* Y SUS FUENTES

De acuerdo con el tema o contenido, Leslie (1973: 158) ha señalado cuatro partes en *Rams de flores*. Son las siguientes:

a) Prólogo, fos. 105r-113v

b) Cuerpo de la obra, fos. 113v-216r

c) Primera selección con citas del Valerio Máximo, fos. 216r-220v

d) Segunda selección con citas del Valerio Máximo, fos. 220v-250v

La mencionada estudiosa supuso que el prólogo tenía un origen catalán, debido al mayor número de catalanismos que apreció en esta parte en comparación con el resto de la obra (1973: 165 y 169). Pero no pudo precisar la fuente específica. Este punto queda aclarado con la edición de Cacho Blecua. Después de él, no cabe la menor duda de que el prólogo del *Policraticus* fue la fuente que guió al compilador de *Rams de flores* al escribir su prólogo. Pero no la fuente inmediata, sino, probablemente, a través de una versión catalana que se tradujo parcialmente al aragonés para ser utilizada en la obra de Fernández de Heredia. De todas formas, el prólogo del *Policraticus* es el hilo conductor que sigue el compilador de *Rams* al exponer sus ideas. Pero en esta exposición, como ponemos de relieve en nuestras notas al prólogo, el traductor, autor o compilador, sea quien fuere, con frecuencia amplía o complementa las ideas con ejemplos tomados de otras fuentes (*Suma de col.lacions* y *Moniloquium*)[40] o con referencias de carácter aparentemente personal.[41]

Para la sección principal, Leslie demostró que la fuente era la *Suma de col.lacions catalana*. No cabe duda de que ella es la fuente inicial. Sin embargo, debido a los errores de E y M explicables a través de una lectura aragonesa en oposición a la catalana, es natural pensar que la fuente inmediata sea esa versión protoaragonesa de la *Suma de col.lacions* catalana, como hemos intentado demostrar. Deben hacerse sin embargo las siguientes observaciones. 1) Tres autoridades de *Rams*, las 8.5, 8.6 y 91.5 no se encuentran ni en la *Suma de col.lacions* ni en el *Communiloquium*. 2) Todas las otras autoridades se encuentran en la *Suma de col.lacions*, pero hay unas cuantas, especialmente en los capítulos 67-70 sobre los grados de la clerecía, que no aparecen en el *Communiloquium*, pero sí en la *Suma de col.lacions*. Esto quiere decir que la versión catalana hizo unas adiciones que convendría estudiar para precisar su fecha de traducción.[42]

---

[40] Cacho Blecua, en su edición del prólogo, delimita la proveniencia de todos los pasajes. A ellos añadimos el del *Moniloquium*. Véase la correspondencia: 1) Provienen del prólogo de la *Suma de col.lacions* las citas de Séneca (fo. 110c), "mártir Sócrates" (fo. 111a), Virgilio (fo. 111c) y el Eclesiástico (fo. 112a); 2) de una colección desconocida, la cita de San Agustín (fo. 111c); y 3) del prólogo del *Moniloquium*, la justificación de las citas breves (fo. 111c).

[41] Son los párrafos siguientes: "Et ninguno non se deue marauillar...a la mía perssona" (fo. 110cd); la segunda mención de "Et desplázeme fuert...a present tiempo" (fo. 111b), donde los "annis duodecim" del *Policraticus* se han transformado en "cerca de xl anyos," que pueden casar bien en la biografía herediana como expresión de un alma que está al final de sus días; "Et como por longitut...striados en diuerssos volúmines" (fo. 111cd); la inspiración y ayuda de su abogado protector San Juan Bautista (fo. 112a), con alusión, quizá personal, a su propio nombre, si es que no proviene del otro Juan, el de Salisbury; la relación de autoridades (fo. 112c), según la moda del momento, con algunos errores (Lindenius por Isidorus) explicables por la lectura que da *Rams*. En todas estas adiciones, y en otros pasajes con fuente en el *Policraticus*, hay un cierto aire autobiográfico. Es como si el autor asumiera las palabras de Juan de Salisbury como propias y las ampliara con nuevos detalles personales.

[42] Parece significativa la utilización del *Rationale* de Guilelmus Durandus, pero antes convendría ver si alguno de los cerca de 200 manuscritos existentes del *Communiloquium* contiene esas adiciones, ya que la edición común que usamos (Venecia 1496) no las trae.

3) Como hemos indicado, muchas de las atribuciones que da *Rams* son falsas, hecho debido a la contigüidad de los textos, con lo que el compilador comete errores con frecuencia. Para delimitar la extensión de la cita, añadimos una tabla de correspondencias en donde puede comprobarse la fuente latina, usada por Juan de Gales, a la que corresponde cada autoridad. En la inmensa mayoría de los casos hemos podido encontrar el pasaje original latino. Pero hay unos 20 casos en los que no lo hemos conseguido. Los indicamos con un interrogante. Quizá otros estudiosos puedan completar los casos que faltan.

La primera sección con citas del Valerio Máximo tiene igualmente como fuente la *Suma de col.lacions*. Puede verse su correspondencia en la tabla.

Respecto a la segunda sección con citas del Valerio, no hemos podido encontrar la fuente directa. Como explicamos en las notas, esa parte tiene abundantes semejanzas con la versión de los *Facta et dicta memorabilia* de Valerio Máximo que hizo Antoni Canals. Sin embargo es obvio que ésta no sirvió de fuente al compilador de *Rams*. Las diferencias que se aprecian en muchos pasajes, aunque, con frecuencia, pequeñas, parecen apuntar a esa versión catalana anterior en "llengua catalana" de que habla el mismo Canals en el prólogo de su traducción. Pero hasta que no se encuentre esa versión anterior, la cuestión sigue siendo pura hipótesis. Hay, no obstante, otros detalles que pueden apuntar a una fuente diferente. La versión de Canals y presumiblemente la versión catalana anterior a la suya son traducciones de un Valerio Máximo esencialmente puro, sin apenas comentarios. En cambio, muchos de los ejemplos incluídos en *Rams* presentan adiciones que apuntan a un Valerio comentado.[43] Hemos consultado algunos pasajes en la versión de Dionisio de Borgo Santo Sepulcro, y en la de Hesdín-Gonesse, pero no parecen haber servido como fuente, a pesar de que Simón de Hesdín pertenecía a la misma orden del Hospital. Quizá con-

---

[43] Son los núms. 180.2, 181.1, 181.3, 183.2, 184.4, 185.1, 187.1, 197.4, 202.1, 204.2, 208.4, 211.1, 213.1, 214.1 y 214.4. Aunque en algunos casos podrían revelar cierto interés clásico, como los comentarios de Aristóteles, Séneca, Salustio, Cicerón o Justino, otros son puramente medievales, con ejemplos de San Agustín, San Gregorio, San Jerónimo, San Isidoro, el maestro de las Historias Escolásticas, la Biblia, Boecio.

vendría ampliar la consulta en las abundantes versiones comentadas del siglo XIV. Sin embargo, el fuerte catalanismo y las constantes semejanzas generales de esta sección con la traducción de Canals nos llevan a pensar que la fuente utilizada por el compilador de *Rams* debió ser esa elusiva versión catalana anterior a Canals u otra versión catalana de un Valerio comentado.

LA LENGUA DE *RAMS DE FLORES*

Uno de los valores del gran *corpus* literario de Fernández de Heredia, apreciado ya a principios de este siglo, fue su utilización como fuente del aragonés. Buen ejemplo de ello es el artículo del estudioso norteamericano George W. Umphrey, "The Aragonese Dialect," publicado en 1911. Podría pensarse que se trata de obras con un carácter puro y autóctono, aptas para deducir las características propias de la lengua. Sin embargo, unos años más tarde, en 1913, Serrano y Sanz, reconociendo ciertamente el valor del gran *corpus* literario herediano, advertía que "es preciso ir con pies de plomo a fin de no tomar como dialectal lo que es un vocablo francés o italiano que nunca fue usado en Aragón" (54). En efecto, una de las primeras caracterizaciones de la lengua de Heredia fue considerarla "de aluvión", término con el que se intentaba indicar las diversas corrientes que, indiscriminadamente, acogía. Fue el estudio de Vives, en 1927, acerca de Juan Fernández de Heredia, cuyo subtítulo *Vida, obra, formas dialectales*, es altamente sugeridor, el que introdujo precisión y claridad en la realidad lingüística de las obras del gran maestre. Tras la observación de que "el lenguaje aragonés de las obras de Heredia no es uniforme en todas ellas" (31), se fija en una serie de características, esencialmente la distinta solución al grupo consonántico latino *-ct-*, para concluir que hay obras en las que predomina la fórmula castellana *-ch-*, frente a otras en las que prevalece la aragonesa y catalana *-yt-*. Lo cual le lleva a establecer la siguiente clasificación (31): obras que responden a un dialecto aragonés oriental (con influencia catalana) y obras que representan un dialecto aragonés occidental (con influencia castellana). Con este criterio realiza uno de los estudios más completos de las características lingüísticas de las obras de Fernández de Heredia. Aunque la distribución de esas dos tendencias no es siempre nítida, los trabajos sobre la lengua herediana se centran, a veces obsesivamente, en ellas, hasta el punto de perder de vista que

Juan Fernández de Heredia proviene y vivió al principio de su carrera en un área considerada lingüísticamente como "de encrucijada", concepto que es, en muchos aspectos, aplicable al aragonés del siglo XIV. Sin pretender que sus obras reflejen su habla o idiolecto particular, es de esperar que su lengua, por razón de su origen tenga castellanismos, y por razón de sus contactos vitales, catalanismos. Ha sido la realidad lingüística de Aragón. Basta mirar a los documentos notariales de las distintas regiones —no centrarse en los del Alto Aragón— para apreciar la realidad de las influencias. El aragonés medieval, junto a sus rasgos distintivos típicos, está transido de características orientales y occidentales, resultado de su condición de lengua puente entre dos áreas lingüísticas bien diferenciadas.

En conjunción con estas características, deben tenerse en cuenta los distintos elementos, fases y participantes, que intervinieron en la producción literaria del *scriptorium* herediano: la fuente de la compilación o traducción, el traductor, el corrector y el copista. La lengua o idiolecto de cada uno de ellos deja, con frecuencia, una fuerte impronta en las obras escritas bajo la protección de Fernández de Heredia.[44]

La fuente. Como hemos apuntado, se aprecian dos fuentes: el original catalán de la *Suma de col.lacions* y el prototipo aragonés. El primero lleva consigo un proceso de traducción; el segundo, que constituirá el texto básico de *Rams*, sirve para la labor compiladora. Es lógico que el primer

[44] Como hemos apuntado, finalidad esencial de esta edición es la fijación del texto con la mayor exactitud posible. Por eso dejamos de lado una de las cuestiones más interesantes, como es la caracterización completa de la lengua tanto de *Rams de flores* como de las obras de Fernández de Heredia. Sobre este último aspecto Vicente Lagüéns Gracia presenta una visión crítica completísima en su trabajo "Caracterización lingüística de la prosa herediana (a través de la bibliografía)" publicada después de haber entregado nuestro trabajo. Suscribimos muchas de sus observaciones especialmente la referente a la cautela sobre los rasgos coincidentes del catalán y el aragonés (324 y 339). Es también muy centrada y adecuada la caracterización general que, sobre la lengua de Heredia y su obra, hace Cacho Blecua en su trabajo *El Gran Maestre Juan Fernández de Heredia* (1997: 169-176). Respecto al primer aspecto, el mejor trabajo que conozco es el tomo segundo de la edición de Ruth Leslie. Sería de desear que, como obra aparte, se publicara en algún momento. Acerca del segundo, la perfectibilidad del *Lexicon* es un *desideratum* que los aragoneses debemos realizar si es que vamos a tener una guía segura para el análisis del mayor *corpus* literario aragonés medieval, buen reflejo, directa o indirectamente, de esa lengua de encrucijada que aparece en los documentos del sur de Aragón.

proceso de traducción deje una fuerte impronta en esa protoversión aragonesa. Son los catalanismos ortográficos, morfológicos, léxicos, fraseológicos y sintácticos.

Ortográficos. Señalemos algunos: la -g- con valor palatal: en *migançant* de *mitjançant* 'mediante', *correga* de *corretja* 'correa', *assetgaron* de *assetjaron* 'sitiaron', *desigada* de *desitjada* 'deseada', etc. El grupo -sc- > x: en *conoxença* junto a *conoscençia*; *fenexe* junto a *feneçía*; *naxe* junto a *nascemos*, *parexer* junto a *parece*, etc.; y la tan conocida *-ny-* en *anyo*, *companya*, *pertanye*, etc.

Léxicos. Son muy numerosos. Además de los clásicos, como *matex, tantost,* etc., añádanse estos otros: *pot* 'puede', *con* con valor de 'como', etc.

Morfológicos. Señalemos los casos del pretérito catalán en -à: *torná* (155c), *menaçá* (155d), *proposá* (186a), *aprouechá* (214b), *amá* (218a), algunos corroborados con la forma correspondiente catalana.

Fraseológicos. Uno de los más significativos es *fuesse semblant* con el significado de *le parecía*, traducción calcada del catalán medieval *li ere vejares*. Otros significativos son *en perdre* 'a perder'.

Sintácticos. Recogemos, como muy significativos, los siete casos de *como si* + indicativo,[45] construcción típica del catalán y muy rara en aragonés, donde, además de los ejemplos heredianos, sólo conozco tres casos en documentos de Zaragoza, Jaca y Teruel.[46]

---

[45] Junto a los siete casos de indicativo: *como si la ora deuía morir* (fo. 139a), *como si ellos non podían retenir lo que es lur* (fo. 170b), *como si era perro que ladrase* (fo. 187b), *como si tirauan el sol al mundo* (fo. 194b), *como si no 'nde hauían* (fo. 203d), *como si se deue vender a sí mismo* (fo. 206b), *como si eran cosas bienandantes* (fo. 241d), hay otros siete de subjuntivo (fos. 119a, 120c, 173a, 174c, 221c, 239c y 247c).

[46] A los siete de *Rams*, añádanse cinco del *Marco Polo*: *como si eran biuos* (fo. 64c), *como si eran daca biuos* (fo. 64c), *como si eran pintados* (fo. 80d), *como si eran cuerdas* (fo. 88b), *como si no se mullaua* (fo. 93c); uno del *Libro de los enperadores*: *como si auian batalla* (fo. 14d); y otro, en forma desarrollada, de la *Corónica de los conquiridores*: *asi blasmado como seriades si en otra manera lo faziades* (fo. 158a); además, Zaragoza, Ordinaciones de la aljama judaica, 10- enero- 1415: *como si todos...concordavan* (*Sefarad* 24, 1964, 86); Jaca, testamento de María Rodríguez, 7-marzo-1265: *com si totz tres lo fazian* (*AFA* 22-23, 1978, 206, documentos occitanos); y Teruel: *como si era de día* (*Historia antigua* de los Amantes, s. XV o anterior).

Los rasgos aragoneses típicos de *Rams* son, obviamente, numerosos, dada la base aragonesa de la compilación. Pueden ser también ortográficos, morfológicos, léxicos y sintácticos.

Ortográficos. La solución al grupo latino *-ct-* alterna entre la forma aragonesa *-yt-* y la castellana *-ch-*, en *feytos-fechos*, *muyt-mucho*, con predominio de las formas castellanas. Pero hay también formas sin vacilación, como el grupo inicial *cl-*, siempre: *clamar, clamado*, etc.

Morfológicos. Diptongación de la "e" en *tiengo*, *sierve*, *reprienda*, etc. Son significativos los pretéritos, tanto los casos: *daron* 'dieron', *estasse* 'estuviese', etc, como las típicas formas en *-oron*, como *leuoron* (fo. 225d), *ligoron* (fo. 226d) y *empeçoron* (fo. 245c). Son también de señalar estos usos de formas verbales, algunas de ellas de carácter reconocidamente aragonés, como la segunda persona *es* 'eres', o la primera *fue* 'fui'. Pero a ellas conviene añadir otras no menos interesantes, como: *creyé* 'creyó', *fizo* 'fize', *corré* 'corrí', *perdió* 'perdí', *querió* 'quiso o quería', *naçíen* 'nacemos'; o las seis formas en *-i* de la 3ª persona del pretérito.[47]

Léxicos. Véanse algunos: la preposición *ad*, el demostrativo *esti*, el indefinido *otri*, los sustantivos *cadiera*, *guchiello*, *mingua*, *modorro*, etc., o las formas del adverbio latino *inde*: *yde*, *ide*, *ende* en *no yde á* 'no hay', o *vet'ende* 'vete de aquí'; *ent'acá* 'hacia aquí', etc.

Sintácticos. Las formas pronominales nominativas usadas con la preposición: *yo daré a tú*; el empleo de *lo* con valor de complemento indirecto; la utilización de las voces *aquello*, *aqueyllo*, de forma aparentemente neutra, con valor de pronombre personal masculino; la concordancia del participio con el verbo haber; el abundante uso de los participios de presente: *malquerient*, *recordantes*, etc.

---

[47] Algunas pueden explicarse por las típicas confusiones del copista (confusión *e/o*: *perdió* por *perdié*, *querió* por *querie*, *fizo* por *fize*) o por influencia catalana (*naçíen* por *naçiem* variante de *nasçem* 'nacemos'), aunque ocurren en contextos muy claros. Véanse unos ejemplos: *aquellas oras yo era derecho e después perdió el oio en la pelea con los osos* (fo. 185c); *por tal como [él] los querió auer muyt priuados* (fo. 184c); *yo he voluidas muchas batallas en la çibdat et fizo por manera qu'el sposo murió en las bodas* (fo. 208b); *aduzí*, *exí*, *humplí*, *instituí*, *mordí* (*la qual* [*culebra*] *lo mordí delant su mugier* fo. 158d), *restituí*. No deberían pasarse por alto en un estudio completo de la lengua de *Rams de flores*.

Conviene comentar el proceso de traducción porque últimamente, respecto al mundo medieval, Peter Russell le prestó nueva atención, poniendo de relieve la extensión del método de traducción oral en el ámbito catalán. Geijerstam, basándose en la técnica del dictado, ha creído ver manifestaciones de ese tipo de trabajo en *Rams de flores*. En su reciente estudio sobre la presencia de catalanismos léxicos en aragonés y castellano, cuyo elemento transmisor serían las obras de Juan Fernández de Heredia, dice: "tenim aqui [en *Rams*] un excel.lent exemple de com el mateix copista tractava de traduir directament a l'aragonés el text dictat en català" (1989: 505). A continuación da una lista de diez palabras para apoyar su aserto. Esto implicaría que *Rams de flores*, o parte de él, es producto de una traducción, o si se quiere transmisión, oral. Pero no creemos que esa hipótesis esté tan firmemente avalada por los hechos como parece indicar la afirmación de esta hispanista, excelente conocedora, por otra parte, de la obra herediana. Conviene hacer un análisis de esos ejemplos probatorios.

Aturadat 'autoritat'. Es posible, pero no tenemos el texto catalán que la recompruebe.

Aurassar 'abraçar'. No entiendo las razones de Geijerstam. En primer lugar el infinitivo *aurassar* no ocurre en *Rams*. En las formas de *abraçar* (*abraçado*, *abraçados*) que sí aparecen, no veo huellas de transmisión oral. Mucho me temo que Geijerstam haya caído aquí en el error que proporciona el *Lexicon* que ella tanto corrigió, justamente, en su reseña. En efecto, el vocabulario madisoniano recoge la forma: *aurassen* como subjuntivo del hipotético **aurassar*, al que, por influencia provenzal, le da, tentativamente, el significado de 'abrasar' 'embrace'. Pero la consulta de los mss catalanes, fuente de ese pasaje, revela que todos traen: *honrassen* (VAB). Por lo tanto, la forma de *Rams*: *aurassen* es falsa grafía por *onrassen* (confusión *n/u* y cambio *o/a*), debida, probablemente, a ese "scriuano qui no era de la mía lengua", y nada tiene que ver con 'abraçar'.

Calayasse 'callasse'. De nuevo Geijerstam se basa en una lectura incorrecta de *Rams*. Como indicamos en la nota 403, la forma *calayasse* es una falsa grafía, a través de la confusión común *c/t*, por *talayasse*, de *talayar*, variante de *atalayar*, 'observar, fijarse, darse cuenta'. Las lecturas de V: *talayás*, B: *taleyás* (A da *calayás*), corroboradas por M: *parase miente*, lo confirman plenamente.

Contralliedat 'contrariedat'. No veo catalanismo en la forma aragonesa. Es más, los cuatro mss catalanes actuales dan *aduersitat* (VABC), que no da pie a esa transmisión oral.

Defurgamiento 'desuergonyament'. Si algo demuestra esta forma es transmisión visual. La confusión *s/f* junto con la omisión de la abreviatura de la sílaba *-ver-* explican perfectamente la palabra aragonesa.

Dolo 'dolor'. Ciertamente que podríamos tener aquí un catalanismo de transmisión oral, pero el hecho de que la forma *doló* sea el único ejemplo entre los 18 casos de *dolor* apunta a una simple omisión accidental. Más significativa sería, para la transmisión oral, la forma *de lo* (sic) (fo. 211b) de *Rams*, correspondiente a *dolor* (MVAB).

Emparant 'imperant'. Este podría ser el único catalanismo auténtico de trasmisión oral. Todos los otros mss traen V *inperant*, AB *imperant*, M *imperante*.

Deserpar 'dissipar'. El infinitivo no aparece en *Rams*, solamente el participio *deserpado*. Todos los mss catalanes dan V *disipat*, A *dissipat*, B *dicipat*. Si la primera "e" puede reflejar la pronunciación catalana, no veo lo mismo en la equiparación *i/er*. La pronunciación vulgar es 'desipat' no 'deserpat'.

Latura 'lectura'. Aunque este catalanismo no resulta fácil de explicar, es posible. Pero falta el texto catalán referencial que lo recompruebe.

Finalmente, para reforzar la teoría del dictado, aduce la forma *pona* 'pone'. Nuevamente Geijerstam parece forzar la situación. Todos los mss catalanes traen *posa*, cuya "s" no favorece la presencia de la "n".

El hecho de que tan sólo uno o dos casos puedan apoyar la idea de la traducción oral hace que sea muy problemática esta conclusión de Geijerstam: "resulta obvi que es tracta d'un text dictat en català I traduït alhora a l'aragonés" (1989: 505). Hay sin embargo abundantes ejemplos que revelan que el texto actual de *Rams* es resultado de una traducción y copia visuales.

Las falsas traducciones debidas a errores visuales son las más significativas. Hay muchos ejemplos, como explicamos en las notas. Entresacamos algunos. *Rams de flores* da:

quel guiés (fo. 114a) por *que laguia* 'que deje para después'. Ver nota 55;

lugares (fo. 117d) por *lechs* 'legos', leído como *lochs* 'lugares'. Ver nota 79;

como saben (fo. 135d) por *Absalon*, como traen todos los mss (MABC). Sólo V lee: *ab sabon*, probable causa visual de la interpretación de E. Ver nota 153;

en la II part (fo. 211a) por *en lo Apochalipsi II*, error explicable por V que trae: *en lo pot II*. Ver nota 620.

También los numerosos saltos de igual a igual. Muy significativo es este extraño caso: *estant mientre* (fo. 146a) por *filar a polze* ***estam. E de la instructio de les verges bastant ment*** *han parlat los sants*. El mismo tipo de error y salto se da en el *Libro del gobernador*, prueba de que se produjo ya en la traducción aragonesa inicial. Ver nota 200.

Significativo es el error visual de la grafía *Antolín*, confusión muy frecuente (9 casos en los fos. 149b, 165b, 210ab, 211b) por *Ancelm*. Ver nota 212.

Hay igualmente abundandes reflejos de copia visual en los constantes casos de falsas grafías, cuya distribución hemos presentado anteriormente. Muchas de ellas son obvios errores de interpretación ocular. Añádanse estos casos inconfundibles: el numeral romano *.iiii.* (fo. 131d) por *mi*, *ímas* (fo. 138b) por *mías*, *veya* (fo. 147c) por *no y a*, *vnos* (fo. 211d) por *míos*, entre otros.

No cabe duda de que tanto el prototipo aragonés como el códice actual de *Rams de flores* son producto de traducción y copia visuales.[48]

---

[48] Hemos llegado a esta conclusión después de comprobar que la inmensa mayoría de los errores responde a una causa visual. Pero como no tenemos el prototipo aragonés, siempre podría pensarse que esa versión se hizo con el método de traducción oral. Los ejemplos seguros son pocos y no siempre explicables por el texto catalán de la *Suma de col.lacions*. Vaya, sin embargo, la lista, tal como la hemos podido confeccionar, de los casos que podrían reflejar copia/traducción oral. *Aturatat* (?), *latura* (?), *emparant*, *deló*, *crexan* por *crexen* 'crecen'

Traductor. Desconocemos quién fue el traductor del prototipo aragonés. Por lo tanto, tampoco tenemos indicio de cuál era su lengua nativa. De todas formas, por el resultado de su traducción debió ser de la zona oriental, ya que hay bastantes detalles del catalán que le son familiares. Sin embargo, como hemos indicado en las notas, su dominio de la lengua vecina debió ser un tanto superficial, como lo ponen de relieve, entre otras, las falsas interpretaciones: *ad aquellos que* (fo. 120b) por *e daquen* 'y de ello' (partitivo),

a ell no uenga prouecho (fo. 120c) por *a ell ne sdeuengua profit* (A) (*ne* partitivo),

que non fagan mal (fo.114d) por *qui.ns fan mal* 'que nos hacen mal',

emperador (fo. 213a) por *en perdre,*

biuir ciego et que non tuuiesse oios (fo. 218a) por *viure orbat o priuat de fills*. Ver nota 671, donde explicamos que su interpretación superficial de *orbat* es la causa de la confusión.

El corrector y el copista. No siempre es fácil determinar la labor de cada uno de ellos. La primera consideración que viene a la mente, respecto al copista, es la afirmación que aparece en el prólogo de *Rams de flores*, en el pasaje tantas veces citado: "por tal como yo l'é feyto scriuir a vno scriuano qui no era de la mía lengua" (fo. 113c). El tono autobiográfico del pasaje implica que el copista no era de la misma área lingüística que el autor del prólogo, presumiblemente Fernández de Heredia. Por lo tanto, no era aragonés. Se ha intentado identificar, a veces, con el escriba que firma en el *explicit* de *Rams de flores*: Ferdinandus Metinenssis. En principio, si le suponemos un origen castellano, podría explicar los abundantísimos errores de transcripción, debidos a incomprensión del texto aragonés que copiaba. Pero no parece que éste fuera el caso. La tercera parte de la *Grant Crónica de Espanya* fue copiada por un tal Ferdinandus, personaje que se suele identificar con el escriba de *Rams*. Con esa suposición, Geijerstam

(fo. 128a). Pero de nuevo, este último término, obvio en apariencia, es sólo un doblete añadido por el traductor aragonés, pues se da en la frase: *crexan et multiplican amigos* (fo. 128c), con el mismo doblete en castellano: *multiplican e acresçentan amigos* (M, fo. 39b), que corresponde en los mss catalanes a esta frase sencilla *multipliquen amichs* (V fo. 33a, AB).

compara los dos textos y, tras observar diferencias sustanciales en su labor interpretativa, concluye que los errores de copia de *Rams* no debieron ser obra de Ferdinandus Metinenssis. Sin embargo hay algunos errores que parecen delatar una formación legalista o culta:

en do culpa o peccado ne natura merentis atal nonbre (fo. 170d) por *on culpa e peccat e no natura meresqué aytal nom*, traducción del texto agustiniano *nomen igitur illud culpa meruit non natura* (*De civitate Dei* 15.19),

assín como a Claudianus nos eslemus sobre la tierra (fo. 202d) por este texto del prototipo aragonés: *assín como el augua nos eslenamos sobre la tierra*, correspondiente al catalán: *axi com laygua nos esleneguam sobre la terra*.

Otras lecturas corroboran este prurito cultista, como las cinco formas en *-mus* del presente de indicativo: *possidimus* (fo. 155b), *cumplimus*, *corrigimus*, *amonestamus*, *instruymus* (todas en fo.161b), cuya proximidad indica que se debieron, al menos en este caso, al corrector que se encargó de ese cuadernillo. Pero hay también a lo largo de todo *Rams de flores* una construcción latinizante consistente en la repetición reforzadora *et ... et ...*, usada con cierta frecuencia; o los abundantes casos de ultracorrecciones: *diclección*, *acffecçción*, *apçetable*, formas con *h-* hiperculta, etc.

Finalmente conviene recoger la hipótesis de que el traductor o copista pudo estar relacionado con el provenzal. Aunque nunca se ha explicitado, esta teoría se halla detrás de muchos de los significados que el *Lexicon* atribuye a los términos de *Rams*. Con frecuencia, interpreta las palabras del texto aragonés acudiendo a una base provenzal. Por lo general, se trata de explicaciones innecesarias: como *auidar* por *aiudar*, o sin base auténtica: como el ya mencionado *aurassen*, error gráfico por *onrassen*, y el más incomprensible: *nascas*, falsa transcripción por *nafras*. Como hemos señalado, el no utilizar la *Suma de col.lacions* como fuente de *Rams de flores* es la causa de esta interpretación innecesaria y desenfocada de la lengua herediana.

En conclusión, *Rams de flores* es una compilación hecha a base de un texto aragonés, el cual es, a su vez, traducción de una versión catalana de la *Suma de col.lacions*. La lengua de *Rams* tiene, pues, una base aragonesa, impregnada de los otros dos elementos típicos de las obras heredianas: catalanismos y castellanismos, con predominio, probablemente, de los primeros, debido a esa versión catalana que sirvió de fuente inicial del prototipo aragonés. La influencia del traductor inicial y sobre todo la del copista y corrector parecen más bien haber deturpado un original que les era en parte ininteligible, debido a esa conjunción de características lingüísticas.

CRITERIOS DE LA PRESENTE EDICIÓN

El manuscrito de *Rams de flores*, como ocurre con la inmensa mayoría de los códices medievales, tiene una ortografía vacilante. En el caso de las obras de Fernández de Heredia las vacilaciones pueden multiplicarse debido a que en el proceso de elaboración intervinieron varias manos. Este hecho dificulta la adopción de una actitud regularizadora que refleje los usos del autor. Un caso típico es la alternancia *n/m* (casos de *princep/primcep* con una proporción de 42/96, *fundamiento/fumdamiento* con 1/3, *continuamientre/comtinuamientre* con 9/2, *conclude/comclude* con 15/2, *entendimiento/entemdimiento* con 8/2, etc.). El editor estaría tentado a tratar las grafías con *m* como errores de copista o atracciones de una bilabial contigua, especialmente cuando la variación ocurre una sola vez. Pero el hecho de que una palabra como *volumtad* se escriba siempre con *m* indica que esa grafía es un rasgo típico del idiolecto del autor, copista o corrector. Por eso hemos conservado prácticamente todas las alternancias del manuscrito. Por otro lado, como hemos puesto de relieve anteriormente, el texto contiene abundantes errores que creemos son producto de la impericia del copista o corrector. Los explicamos en las notas. Estos dos hechos hacen que la edición de *Rams de flores* esté llena de dificultades. Como nuestra finalidad es dar una versión lo más correcta posible, conservando, al mismo tiempo, el texto del códice escurialense en su mayor fidelidad, conviene explicar nuestro criterio.

CORRECCIONES

Hemos corregido las lecturas originales según el cuadro de errores gráficos típicos que explicamos en la página 41-42. En estos casos no indicamos la corrección con ningún signo tipográfico, aunque dejamos constancia de ella en el aparato de variantes.

RESOLUCIONES

Resolvemos las abreviaturas sin ninguna indicación tipográfica.

ADICIONES

Utilizamos los corchetes o paréntesis cuadrados [ ] en las siguientes ocasiones. Para indicar:

a) la adición de alguna letra o letras que no está sugerida por la lectura de otros manuscritos. Si la corrección está sugerida por la lectura de otros manuscritos no usamos los corchetes, aunque dejamos constancia del cambio en el aparato de variantes,

b) la inclusión de los numerosos saltos de igual a igual. Dejamos también constancia del cambio en el aparato de variantes,

c) la numeración de folios, capítulos y autoridades.

Hacemos uso del acento circunflejo (^) para indicar que la vocal "a" se halla embebida en la palabra anterior. En algún caso, para evitar ambigüedades, la hemos introducido en el texto.

SUPRESIONES

Cuando el copista inadvertidamente repitió letras, palabras o frases, suprimimos la repetición sin indicarlo tipográficamente, aunque dejamos constancia del fenómeno en el aparato de variantes. Sólo en tres ocasiones (ver págs. 91, 154 y 218) hemos mantenido el texto, por juzgarlo de interés. En estos casos usamos el paréntesis normal ( ) para indicar su supresión.

REGULARIZACIONES

Hacemos muy pocas. Hemos regularizado solamente en tres situaciones:

a) el uso de consonantes dobles iniciales: *ff*-, *rr*-, y *ss*-, reduciéndolas a una,

b) el uso de la *c/ç* ante las vocales fuertes (*a*, *o*), dada su constante alternancia, casos de *coraçón/coracón*, *braço/braco*, *cabeça/cabeca*, *sperança/speranca*, *çaga/caga* etc., ya que de lo contrario tendríamos, en las grafías sin cedilla, una pronunciación que no corresponde a la realidad; anotamos el cambio en el aparato de variantes,

c) el uso de la *u/v* consonánticas, en dos casos únicamente: para evitar las confusiones de *vuo* con el significado de *uvo*, y de *enuiar* con valor de *enviar*; siempre lo consignamos en el aparato de variantes.

En los otros casos hemos conservado las vacilaciones gráficas u ortográficas del manuscrito, es decir, las alternancias: *h/Ø* (con *h* etimológica, casos de *hauer/auer*; antihiática, casos de *caher/caer*, *ahun/aun*; o hipercultа, casos de *hedificados/edificados*, *hobra/obra*, *hir/ir*, *husar/vsar*, etc.), *b/bb*, *b/u*, *c/ç* (ante *e*, *i*), *f/ff*, *n/m*, *nr/nrr* (predominante), *p/pp*, *rr/r*, *s/ss*, *t/tt*, *v/u* (ya sea con valor vocálico/consonántico o en posición inicial/interna). También conservamos, lógicamente, las distintas grafías de una misma palabra, por ejemplo: *oios*, *oiios*, *oyos*, *oyxos*; *consello*, *conssellyos*, *conssellio*, *consseiio*, etc. por su valor fonético, ya que reflejan las diferentes representaciones gráficas de un mismo sonido. No afectan al significado.

SEPARACIÓN DE PALABRAS

Seguimos el criterio moderno.

En los casos de aglutinaciones y elisiones, separamos los componentes con un signo tipográfico, generalmente el apóstrofre ('), como en: *d'aquí*, *d'armas*, *d'él*, *l'avinenteza*, *n'e*, *n'í*, *no.s'* (no se), *qu'elos* (que ellos), *s'í*, *s'ufiertan*, *t'an* (te han), *vet'ende*, etc.

PUNTUACIÓN

Puntuamos según el criterio moderno. Tan sólo hemos adoptado el convencionalismo de acentuar las formas verbales *é* y *á* para evitar la confusión con la conjunción y la preposición correspondientes. Con el mismo criterio hemos acentuado los adverbios *í* e *ý* para distinguirlos de la conjunción.

Al no tratarse de una edición paleográfica, no hemos reproducido el uso de la *s* larga ni de la sigma (σ) que aparece en una o dos ocasiones. En cambio mantenemos el uso de la grafía *i* corta tanto con valor vocálico como consonántico. Tampoco reflejamos el uso interno de mayúsculas. En otros casos utilizamos éstas con el criterio actual.

Una última observación. El manuscrito está lleno de pasajes deturpados debidos a falsas traducciones o correcciones inapropiadas. Nuestra actitud, ante estas evidentes deturpaciones, intenta corregir el texto respetando la intención del autor. Por lo tanto, cuando el texto de E contiene un claro contrasentido, lo hemos corregido con la ayuda de los otros manuscritos. Es la situación más frecuente. Sin embargo, hay algunas ocasiones en que el compilador, copista o corrector introdujo una frase que, aunque cambia el significado del original catalán o del prototipo aragonés, tiene sentido. En estas circunstancias no hemos corregido el texto de E, aún a sabiendas de que no reproduce fielmente la fuente, porque el cambio no afecta al sentido básico del pasaje. En estos casos creemos que es necesario conservar el prurito, a veces embellecedor, que guió al compilador, copista o corrector.

En nuestras notas a la edición utilizamos frecuentemente los testimonios de los otros manuscritos sin dar referencia al folio de donde provienen. Creemos que no siempre es necesario, ya que se puede hallar el lugar siguiendo el sistema de *parte* + *distinción* + *capítulo* que utilizan tanto el *Communiloquium* como la *Suma de col.lacions*. Al final añadimos una tabla de correspondencias de todos los capítulos de *Rams de flores* con la *Suma de col.lacions* y las fuentes de ésta. Permite comprobar la fuente de cada autoridad, ya sea catalana, castellana o latina. Sirve, por lo tanto, de guía referencial. Aunque la división de capítulos varía ligeramente en algunos manuscritos (por ejemplo, 2.7.1-2=2.6.3-4) como indicamos en la tabla, por lo general es un sistema seguro de referencia que permite encontrar con facilidad la fuente a fin de justipreciar la fidelidad de cada versión romance o valorar la labor de los traductores y copistas.

CONRADO GUARDIOLA

BIBLIOGRAFÍA DE LAS OBRAS CITADAS EN LA INTRODUCCIÓN Y EN LAS NOTAS CRÍTICAS DE LA EDICIÓN

ABIZANDA BROTO, Manuel y Gaudencio AMANDO MELÓN. 1914. "Carlo Magno según la *Crónica de Conquistadores* de don Juan Fernández de Heredia." *RABM* 31: 400-432.

ALVAR, Manuel. 1953. *El dialecto aragonés*. Madrid: Gredos.

ALVAREZ RODRÍGUEZ, Adelino. 1983. "Las 'Vidas de hombres ilustres' (Nos. 70-72 de la Bibl. Nac. de París): estudio y edición." Ph. D. Dissertation. Madrid: Universidad Complutense.

AMADOR DE LOS RÍOS, José. 1864. *Historia crítica de la literatura española*. Madrid. Vol. 5. Esp. págs. 240-53 y 484-97.

ANDOLZ, Rafael. 1977. *Diccionario Aragonés*. Zaragoza: Librería General.

AVENOZA, Gemma. 1991. "Traducciones y traductores. El libro de Valerio Máximo en romance." En *Homenaxe ó profesor Constantino García*. Santiago de Compostela. Vol. II: 221-229.

BELINCOURT, Marjorie A. 1972. "The Relationship of Some Fourteenth Century Commentaries on Valerius Maximus," *Medieval Studies*, 34: 361-387.

Bibliography of Old Spanish Texts (*BOOST*). 1984. *Third Edition*, compilada por Charles B. Faulhaber et al. Madison: Medieval Seminary of Hispanic Studies.

BLAMIRES, Alcuin, Karen PRATT y C. W. MARZ. 1992. *Woman Defamed Woman Defended, an Anthology of Medieval Texts*. Oxford: Clarendon Press.

BOSIO, Giacomo. 1629. *Dell'istoria della sacra religione et illustrissima militia di San Giovanni Gierosolimitano*. 2 vols. Roma.

BUESA OLIVER, Tomás. 1989. *Estudios filológicos aragoneses*. Zaragoza: Universidad de Zaragoza.

CACHO BLECUA, Juan Manuel. 1991. "Introducción a la obra literaria de Juan Fernández de Heredia," en *I Curso sobre lengua y literatura en Aragón (Edad Media)*. Zaragoza: Institución Fernando el Católico. Págs. 171-195.

——. 1996. "El prólogo del *Rams de flores*", en Aurora Egido y José M.ª Enguita, eds., *Juan Fernández de Heredia y su época. IV curso sobre lengua y literatura en Aragón*. Zaragoza: Institución Fernando el Católico. Págs 69-109.

——. 1997. *El Gran Maestre Juan Fernández de Heredia*. Zaragoza: Caja de Ahorros de la Inmaculada. Col. "Mariano de Pano y Ruata" 12.

CANALS, Antoni. 1914. *Llibre anomenat Valeri Maximo dels dits y fets memorables, traducció catalana del s. XIV per Frare Antoni Canals*. Edició per Miquel y Planas. Barcelona. L'Avenç.

Concordances. 1982. *Concordances and Texts of the Fourteenth-Century Manuscripts of Juan Fernández de Heredia*. Madison: Hispanic Seminary of Medieval Studies, Ltd.

CONERLY, P. P. 1977. "An edition, study and glossary of the *Eutropio* of Juan Fernández de Heredia." Dissertation. University of North Carolina.

COROMINAS, Juan, y J. A. PASCUAL. 1980. *Diccionario Crítico Etimológico Castellano e Hispánico*. Madrid: Gredos.

——. 1980-1991. *Diccionari Etimologic i Complementari de la Lengua Catalana*. Barcelona.

CORTÉS ARRESE, Miguel. 1987. "Manuscritos miniados para don Juan Fernández de Heredia, conservados en España: II. Textos e imágenes." *Seminario de Arte Aragonés*, 41: 237-263.

DELAVILLE LE ROULX, J. 1913. *Les Hospitaliers à Rhodes jusqu'à la mort de Philibert de Naillac (1310-1421)*. Paris. Reedición moderna con intro. de A. Luttrell en Variorum Reprints 1974.

DI STEFANO, Giuseppe. 1961-62. "Per la fortuna di Valerio Massimo nel Trecento: Le glose di Pietro da Monteforte ed il commento di Dionigi da Borgo S. Sepolcro." En *Atti della Accademia delle Scienze di Torino. II Classe di Scienze Morali, Storiche e Filologiche*, 96: 777-790.

——. 1963. "Ricerche sulla cultura avignonese del secolo XIV," *Studi Francesi*, 7: 1-16.

——. 1963a. "Tradizione esegetica e traduzioni di Valerio Massimo nel primo Umanesimo Francese," *Studi Francesi*, 7: 401-417.

DOMÍNGUEZ BORDONA, J. 1920. "Los libros miniados en Aviñón para D. Juan Fernández de Heredia." *Museum, Revista mensual de arte español antiguo y moderno, y de la vida artística contemporánea*, 6: 319-327.

DUNSTAN, Robert T. 1928. "A Critical Edition of Fernández de Heredia's Translation into Aragonese of Guido delle Colonne's *Cronica troyana*." Dissertation. University of Winsconsin.

EGIDO, Aurora y ENGUITA, José M.ª, eds. 1996. *Juan Fernández de Heredia y su época. IV curso sobre lengua y literatura en Aragón*. Zaragoza: Institución Fernando el Católico.

FOULCHÉ-DELBOSC, Raymond. 1909. *Gestas del rey don Jaime de Aragón*. Madrid.

FUNES, Juan Agustín de. 1626. *Corónica de la Ilustríssima Milicia y Sagrada Religión de San Juan Bautista de Ierusalem*. En Valencia por Miguel Sorolla.

GEIJERSTAM, Regina af, ed. 1964. *Juan Fernández de Heredia, 'La grant cronica de Espanya, libros I-II'*. Uppsala: Almqvist & Wiksells.

——. 1980. "Sobre Heredia i el bilingüisme medieval aragonès-catalá," en J. Bruguera y J. Massot i Muntaner, eds., *Actes del cinquè col.loqui internacional de llengua i literatura catalanes, Andorra 1-6 d'octubre de 1979*. Abadía de Montserrat.

——. 1985. "A Lexicon of Juan Fernández de Heredia." *Journal of Hispanic Philolgy*, 9: 153-161.

——. 1989. "Juan Fernández de Heredia, transmissor de catalanismes lèxics a l'aragonès-castellà?" en A. Ferrando, ed. *Segon Congrès Internacional de la Llengua Catalana. VIII Àrea. 7 Història de la Llengua*. Valencia: Institut de Filologia Valenciana. Págs. 499-511.

GEIJERSTAM, Regina af y WASICK, Cynthia M. 1988. eds. *Lucas de Tuy. Obra sacada de las crónicas de Sant Isidoro, arcebispo de Sevilla. Text and Concordance of Kungliga Biblioteket, stockholm ms D 1272a*. Madison: HSMS.

GUARDIOLA ALCOVER, Conrado. 1981. "Fernández de Heredia, Juan (Munébrega, Z., h. 1310-Aviñón 1396)" *Gran enciclopedia aragonesa*. Zaragoza: Unali. Vol. V, págs. 1352-1354.

——. 1989. "Juan de Gales, Cataluña y Eiximenis." *Antonianum*, 64: 330-365.

——. 1996. "Noticias sobre libros y bibliotecas medievales turolenses." En *Homenaje a Purificación Atrián*. Teruel: Instituto de Estudios Turolenses, págs. 425-446.

HERQUET, Karl. 1878. *Juan Fernandez de Heredia, Grossmeister des Johanniter Ordens (1377-1396)*. Mühlhausen in Th.

KASTEN, Lloyd. 1931. "*Secreto de los secretos*. Translated by Juan Fernández de Heredia. An Edition of the Unique Aragonese Manuscript with Literary Introduction and Glossary." Dissertation. University of Wisconsin.

KNUST, H. y S. STUEBE. 1902. *El Libro de Marco Polo*. Leipzig.

LAGÜÉNS GRACIA, Vicente. 1996. "Caracterización Lingüística de la prosa herediana (a través de la bibliografía)" en Aurora Egido y José M.ª Enguita, eds. *Juan Fernández de Heredia y su época. IV curso sobre lengua y literatura en Aragón*. Zaragoza: Institución Fernando el Católico. Págs. 285-355.

LESLIE, M. R. C. 1966 "An Edition of Juan Fernández de Heredia's 'Rams de Flores,' with a Study of the Dialectal Features of its Language." B. Litt. Dissertation. Oxford University.

——. 1973. "A Source for Juan Fernández de Heredia's *Rams de Flores*." *Studia Neophilologica*, 45: 158-170.

——. 1981. "The Valencian Codex of Heredia's *Orosio*." *Scriptorium* 35: 312-318.

Lexicon, ver Mackenzie J. G.

LONG, Wesley R., ed. 1934. *'La flor de las ystorias de orient' by Hayton, prince of Gorgios; edited from the unique ms., Escorial Z-I-2, with introduction, bibliography and notes*. Chicago: University of Chicago Press.

LÓPEZ MOLINA, L. 1960. *Tucídides romanceado en el siglo XIV*. Anejos del Boletín de la Real Academia Española, Anejo 5. Madrid.

LUTTRELL, Anthony. 1960. "Greek Histories Translated and Compiled for Juan Fernández de Heredia, Master of Rhodes, 1377-1396." *Speculum* 35: 401-407.

——. 1970. "Coluccio Salutati's Letter to Juan Fernández de Heredia." *Italia medioevale e umanistica* 13: 235-243.

——. 1972. "Juan Fernández de Heredia at Avignon: 1351-67." En *El cardenal Albornoz y el Colegio de España*, ed. Evelio Verdera y Tuells. Bologna: Publicaciones del Real Colegio de España en Boloña. Vol. I, págs. 287-316.

——. 1987. "Juan Fernández de Heredia and Education in Aragón: 1349-1369." *AEM* 17: 237-244.

LUTTRELL Anthony y David MACKENZIE. (Forthcoming in 1984). *El libro de los fechos et conquistas del prinçipado de la Morea: Juan Fernández de Heredia's Aragonese version of the Chronicle of Morea*. Madison: Hispanic Seminary of Medieval Studies.

MACKENZIE, Jean Gilkison. 1984. *A Lexicon of the 14th-Century Aragonese Manuscripts of Juan Fernández de Heredia*. Madison: Hispanic Seminary of Medieval Studies.

MARÍN PINA, María Carmen y MONTANER FRUTOS, Alberto (1996). "Estado actual de los estudios sobre la vida y la obra de Juan Fernández de Heredia" en Aurora Egido y José María Enguita (eds.), *Juan Fernández de Heredia y su época. IV curso sobre lengua y literatura en Aragón.* Zaragoza: Institución Fernando el Católico. Págs. 217-283.

MARTÍN ACERA, Fernando, trad. 1988. *Publio Valerio Maximo. Los nueve libros de hechos y dichos memorables*. Torrejón de Ardoz: Akal.

MARTÍNEZ DEL VILLAR, Miguel. 1648. *Tratado del Patronado, antigüedades, govierno y varones ilustres de la Ciudad y Comunidad de Calatayud y su arcedianado*. En Çaragoça, por Lorenço de Robles. (Especialmente págs. 490-92)

MIGUÉLEZ, M. F. 1917. *Catálogo de los códices españoles de la Biblioteca de El Escorial*. Madrid. Vol. I.

MONTANER FRUTOS, Alberto. 1996. "Una aproximación a Juan Fernández de Heredia". *Turia*, 35-36: 253-283.

MOREL-FATIO, Alfred. 1885. *Libro de los fechos et conquistas del principado de la Morea compilado por mandamiento de Don Fray Johan Fernández de Heredia*. Geneva: Société de l'Orient Latin. Reimpresión facsimilar 1968.

——. 1889. "Une version aragonaise d'Eutrope sous les auspices de Juan Fernández de Heredia." *Romania* 18: 491-493.

NITTI, John J., ed. 1980. *Juan Fernández de Heredia's Aragonese Version of the 'Libro de Marco Polo.'* Madison: Hispanic Seminary of Medieval Studies, Ltd. Antes fue su tesis en 1972.

PALUMBO, Joseph A. 1976. "An edition, study and glossary of the second part of the *Corónica de los conquiridores* by Juan Fernández de Heredia." Dissertation. University of Wisconsin.

PARKER, Evangeline V. 1971. "The Aragonese Version of Guido delle Colonne's *Historia Destructionis troiae*: Critical Text and Classified Vocabulary." Dissertation. Indiana University.

RAMÓN I FERRER, Lluis. 1993. "La tradició textual de la traducció catalana del *Communiloquium* de Joan de Gal.les," en Antoni Ferrando y Albert Hauf, eds., *Miscel.lània Joan Fusted, vol. VII*. Barcelona: Departament de Filologia Catalana-Valencia: AILLC. Abadia de Montserrat. Págs. 45-64.

RODRÍGUEZ VILLA, A. 1885. "Un códice de la Real Biblioteca del Escorial en dialecto aragonés," *Revista contemporánea* (Madrid) 56: 163-198.

RUBIÓ Y LLUCH, Antonio., ed. 1908-1921. *Documents per l'Historia de la Cultura Catalana Mig-eval*. 2 vols. Barcelona: Institut d'Estudis Catalans.

——. 1917-18. "Joan I Humanista i el primer periode de l'humanisme català." *Estudis Universitaris Catalans* X: 1-117.

SCHIFF, Mario. 1905. *La bibliothèque du marquis de Santillane*. Paris: E. Buillon.

SCHULLIAN, Dorothy M. 1960. "A Preliminary List of Manuscripts of Valerius Maximus." En Lillian B. Lawler et al., eds., *Studies in honor of Ullman*. St. Louis University

SERRANO Y SANZ, Manuel. 1913. *Vida y escritos de D. Juan Fernández de Heredia, Gran Maestre de la Orden de San Juan de Jerusalén*. Zaragoza: La Editorial. Discurso leído en la solemne apertura de los estudios del año académico de 1913 a 1914.

SPACCARELLI, Thomas Dean. 1975. "An edition, study and glossary of the *Libro de los enperadores*, translated from the Greek for Juan Fernández de Heredia." Dissertation. University of Wisconsin.

SWANSON, Jenny. 1989. *John of Wales: A Study on the Works and Ideas of a Thirteenth- Century Friar*. Cambridge: Cambridge University Press.

TERRADO PABLO, Javier. 1991. *La lengua de Teruel a fines de la edad media*. Teruel: Instituto de Estudios Turolenses.

UMPHREY, G. W.: 1907. "Aragonese Texts now Edited for the First Fime." *Revue Hispanique*, 16: 244-287.

——. 1911. "The Aragonese Dialect," *Revue Hispanique*, 24: 5-45.

VELASCO SANZ, Mario. 1992. "Edición y estudio del 'Libro de Actoridades' de Juan fernández de Heredia, tesis doctoral dirigida por D. César Hernández Alonso (Valladolid, 1990)." Valladolid: Secretariado de Publicaciones e Intercambio Científico, Universidad de Valladolid (microfichas).

VERTOT, René Aubert, abbé de. 1726. *Histoire des Chevaliers Hospitaliers de S. Jean de Jerusalem, appellés depuis Chevaliers de Rhodes, et aojour d'hui Chevaliers de Malthe, par l'Abbé de Vertot*. Paris: Rollin (otras eds.1727, etc.), Heredia en vol. II: 79-112 parte del libro V.

VIVES, José. 1927. *Juan Fernández de Heredia, Gran Maestre de Rodas. Vida, obras, formas dialectales*. Barcelona: Biblioteca Balmes. (El mismo estudio y con el mismo título apareció en la revista *Analecta Sacra Tarraconensia* 3: 100-179.)

ZARCO CUEVAS, Julián. 1924-1929. *Catálogo de los manuscritos castellanos de la Real Biblioteca de El Escorial*. San Lorenzo del Escorial. 3 vols. Vol. III.

RAMS DE FLORES
O LIBRO DE ACTORIDADES

[TABLA ALFABÉTICA DE CAPÍTULOS]

[105a] Aquesta vida es breu.
Viuir bien entre los malos es cosa digna et de grant lahor.
Monestaçión de los ricos hombres.
Monestaçión de los hombres pobres.
5 Comunidat quiénta cosa es.
Cómo se faze la comunidat.
Cómo la comunidat deue seyer fundada en iustiçia.
Cómo la comunidat deue seyer por virtuosas costumbres ennobleçida.
Cómo la comunidat deue seyer por lealtat aiudada.[1]
10 Cómo la comunidat deue seyer ordenada por derecha intençión.
Cómo de seyer deue ordenada por concordia, aunida et aplegada la comunidat.
[105b] Cómo la comunidat deue seyer por saludables conssellos endereçada.
15 Cómo caye et viene a destrucçión la comunidat por fallimiento de no auer derecha intención et virtuosos conssellos, por no auer saludables costumbres, et por no auer lealdat, et por no seyer aunida et aplegada, et por no seyer fundada en iusticia, et por no seyer virtuosament regida et consseruada et ordenada la comunidat.
20 Cómo senyoria deue seyer recebida.
Cómo el prínçep es cabeça de la comunidat.

---

2 lahor] labor E (*confusión* b/h, *en capítulo 2* lahor). **9** aiudada] auídada E (*con signo diacrítico sobre la* í; *en capítulo 10* aiudada). **11** aunida] auuida E (*confusión* n/u). **17** aunida] auuida E (*confusión* n/u).

---

[1] El ms da *auídada*, con signo sobre la í. El ***Lexicon*** lo interpreta como provenzalismo, 'sostenida', 'alentada', que parece tener sentido. Pero es inseguro porque en el mismo título del capítulo 10 dice *aíudada*, con signo sobre la í. Parece, pues, error del copista, que corregimos.

Cómo el prínçep es puesto a lazerio.
Cómo el prínçep deue regir virtuosament.
Cómo el prínçep deue seyer pros et largo et qué[2] deue dar.
Cómo el prínçep deue seyer illuminado de lumbre de sauieza et de
5 sçiençia spiritual.
Cómo el prínçep se de- [105c] ue guardar de iniustiçia, crueldat et de cruel senyoría.
Cómo el príncep deue seyer menos de toda tacha, quiere dezir, sines pecado de luxuria et de suziedat.
10 Cómo el príncep deue seyer egualdat et iustiçia.
Cómo el prínçep con paçiençia et con benefiçios vince sus enemigos.
Cómo los clérigos deuen amar castedat.
Cómo se deue hombre acompanyar con buenos hombres
Cómo deue hombre esquiuar companya de malas perssonas.
15 Cómo el prínçep deue seyer humil a Dios et a la eglesia, et deue honrrar a Dios verdaderament et a la suya eglesia.
Cómo los iudges del príncep deuen seyer diligentes en disputar por fallar la verdat de los fechos.
Cómo los offiçiales o [105d] lugartenientes de senyor se deuen guar-
20 dar de vana gloria et que no lieuen persseguidores.[3]
Cómo el rey o príncep deue regir sí mismo virtuosament porque no aya nombre de rey de baldes.
Cómo los consselleros del rey deuen seyer prouados en iustiçia.
Cómo se deuen aiustar los vnos con los otros.
25 Cómo deue hombre amonestar los enfermos.
Cómo deue hombre amonestar aquellos que viuen en sanidat.

---

3 que] *om.* E (*pero en el título del capítulo 19* que) **4** prínçep] prnçep E. **15** *2º* deue] de E (*en capítulo 28* deue). **16** verdaderament] verdaderamet E.

---

[2] El ms. omite aquí *que*, pero en el título del capítulo 19 da correctamente: *que deue dar.*

[3] Sic. Los títulos de los mss catalanes (VA) dicen: *que no menen per seguidors ni per companyons persones no profitoses* (V). Debería, pues, interpretarse: *por seguidores*, es decir, 'como seguidores', pero la frase resulta incompleta, por eso no corregimos. La confusión proviene del prototipo aragonés, ya que la versión castellana (M) da también: *non lieuen perseguidores nin por conpanneros personas non prouechosas*. La misma confusión en caps. 30 y 167.

Cómo deue hombre star luent de roydo.
Cómo deue hombre star aparellado a la muert.
Cómo los clérigos deuen seyer curosos de las eglesias a ellos recomendadas.
5 Cómo los clérigos deuen seyer ornados de buenas costumbres.
Cómo el bispe deue auer abundançia de largue- [106a] za.
De la informaçión de los testimonios.
De la informaçión de los actores.
De la informaçión de los ladrones.
10 De la informaçión que los padres deuen dar a los fillos criando et castigándolos.
De la informaçión de l'amor et bienquerençia de los ermanos.
De verdadera amor et verdadera dilecçión.
De la amonestación de aquellos que stan en pecado.
15 De qué deuen seyer amonestadas las moças.[4]
De la amonestación de los bienauenturados, los quales han mucho bien, et del cuytoso mudamiento de bienauenturança.
De diuerssos estamientos de los muertos et a qué les aprouechan los bienes que les fazen.
20 De los fillos que aman [106b] et honrran a los padres de coraçón et de volumtat.
De falssa trasfeguería de calumpniar o de fazer penar a los otros.
De la temor de la muert del enemigo que apare en la muert, non tan solament en los malos spíritos, antes encara de los buenos.
25 De verdadera humillitat et quál deue seyer.
Del castigamiento de la muller.
Del prouecho que viene de verdadera amigança.
De la instrucçión de los viellos spperados[5].

---

6 de] *om.* E (*en capítulo 40* de). **15** amonestadas] amonestados (o *add.al margen*) E. // las moças] los moços E. **17** bienauenturança] bienauenturanca E (d *add.* al margen). **25** seyer] d *add.* E (d *tachada*).

---

[4] Ver n. 198.

[5] Sic. Posible error gráfico por *spoderados*, variante aragonesa de *despoderados*; esta última forma aparece cuatro veces (129c, 149d, 181a, 184c) en ***Rams***. Sorprendentemente, en el título del capítulo 57, dice: *despedaçados*, aunque los mss. dan: *despoderats* (VABC) y *desapoderados* (M).

De la amonestación de los hombres que aplegan grandes et muchos méritos en aquesta breu et poca vida.
De verdadera et deuota oración.
De dignidat de sauieza.
5 De la informaçión de los auocados en común.
De lealtad menos de [106c] todo defallimiento.
De la amor que deue seyer entre marido et muller.
De la instrucçión de los nobles que non se deuen gloriar.
De la instrucçión de aquellos que non puyan a estamiento de bie-
10 nauenturança.
De la instrucçión de aquellos que son en el primer grado de clerezía, los quales son dichos hostiarios, que quiere dezir porteros de la eglesia.
De la instrucçión de aquellos que son en el II grado de clerezía que son apelados lectores.
15 De la grandeza del loguero de la vida religiosa.
De aquellos que son en el III grado de clerezía que son dichos exorçices, que quiere dezir coniuradores, et de la lur moniçión.
De aquellos que son en el V, VI, VII grado que son dichos clérigos ho [106d] préueres, diaches, euangelistas, subdiaches ho apistoleros.
20 De la perlaçía eclesiástica.
De la castidat del bispo.
De la grandeza del loguero de la vida eclesiástica de religión.
De peruerssidat ho malicia de aquellos que biuen mal en religión.
De la instrucçión ho establimiento et començamiento de religión.
25 Del periglo de la obediençia.
De la humildat que deuen auer los saçerdotes eclesiásticos.
De la honestedat et de la vida de los predicadores et de las virtudes que deuen auer.
De las virtudes de aquellos que han la cura de las ánimas, quiéntos
30 deuen seyer.
De los departimientos de los religiosos antigos.
De los vicios desorde- [107a] nados.
De la amonestaçión de los pobres et del prouecho de la pobreza.

---

4 dignidat] digindat E. **11** de aquellos] *om.* E (*en capítulo 67* de aquellos). **24** començamiento] comencamiento E. **29** ánimas] aminas E (*en capítulo 80* ánimas). **31** departimientos] departimien o tos E.

De las abusiones que los monges que están en la cort ho palaçio.
De biuir entre los malos es cosa digna et de grant lahor.
EN quál manera el príncep se deue auer con los vassallos.
EN quál manera el príncep se deue comportar en tiempo de guerra ni
5 cómo deue regir la suya companya.
EN quiéntos conssellos deuen seyer oydas sentencias de muchos conssełleros.
EN quál manera deue hombre ayudar a lures vezinos.
EN quál manera los pobres antigos lazraron a tirar los hombres a tal
10 estamiento.
El prínçep en tiempo de pelea et de guerra se deue specialment guardar [107b] que non ofienda a Dios ni a la suya eglesia.
Hombre deue squiuar amigança falssa et enganyosa.
Honestat et castedat de mugeres.
15 Instrucçión que non se deue hombre gloriar en las exellentes naturales.
Instrucçión que los nobles non se deuen gloriar.
Instrucción de aquellos que non puyan en bienauenturança, antes biuen en lazerio et en mesquindat, et del prouecho que viene.
Los conssełleros del prínçep deuen seyer por esperiençia instruydos
20 et intricados.
Los conssełleros del rey deuen seyer firmes et sauios et verdaderos.
Los curiales non sean reçibideros de donos ni de seruicios.
Los ofiçiales non deuen seyer cobdiçiosos [107c] de tomar ofiçios que non los sepan regir.
25 Cómo el príncep deue seyer misericordioso, piadoso et clement.
Cómo el prínçep deue seyer gracioso de paraulas, alegre et pagado.
La muert corporal deuen temer los malos.[6]
Los curiales no sían mentidores ni falagueros.

---

2 lahor] labor E. **13** Hombre] Nombre E. **17** bienauenturança] bienauenturanca E. **19** Los] Ios E (*en capítulo 102* los). **20** intricados] nítricados E (*confusión* ni/in). **27** deuen temer los malos] deue tener los males E (*en capítulo 108* deue temer los males), deuen mucho temer los malos M (*en título del capítulo 7.2.2*) es de temer a los malos (*en título del capítulo 7.2.3*).

---

[6] El ms. da *tener los males*, aunque en el título del capítulo108 corrige parcialmente a *temer los males*. En ambos casos tiene poco sentido. Los mss. cats. dan *tembre los mals* (VA), que explica el error. Corregimos con M que, en el título del capítulo 7.2.2, trae: *deuen mucho temer los malos*.

10 començamiento] comencamiento E. **26** son] son *iter.* E.

Por quál manera deue seyer ordenada la comunidat et por concordia vnida et aplegada.[7]
Por quál manera los antigos sostuuieron muchos danyos por saluamiento de la comunidat.
5 Por quáles razones senyoría ho principado non deue seyer desigada.
Los curiales et ofiçiales et lugartenientes de senyor se deuen guardar de vana gloria, et que non lieuen porsiguidores por companyones.[8]
Los curiales non sean [108c] mentidores nin falagueros ni lagoteros.
Instrucción qu'el padre deue dar a los fillos.
10 Los fillos cómo deuen honrrar et amar a los padres.
De la instrucción de la amor et bien querençia de los ermanos.
Que los que son en matrimonio nunca se deuen departir el vno del otro.
Que non se deue hombre gloriegar en las excelencias naturales ni en las bienauenturanças del mundo.
15 Quáles cosas son prouechosas et necessarias a consseruar castedat.
De veieza et de iuuentut.
De reuerençia et de honor.
De verino recibidero volenterosament.
De disçiplina caualleríual.
20 Qué quiere dezir censoria, esto es, viuir iustament et temprada.
[108d] De fortaleza.
De paciencia.
De fiança.
De costancia et de firmeza.
25 De temprança et mesuramiento del coraçón.
De abstinençia.
De pobreza.

---

2 vnida] vinída E (*con signo diacrítico sobre las dos íes* í; *semejante lectura y signo diacrítico en el título del capítulo 164* vínida), unidad M (*en título de 1.1.5*). **7** porsiguidores] porsiguiadores E (*en capítulos 30 y 167* porseguidores *y* perssiguidores). **12** matrimonio] matrimon E (*en capítulo 172* matrimonio). **14** bieanuenturanças] bienauenturancas E. **17** reuerençia] reuençia E (*en capítulo 177* reuercia). **19** caualleríual] E (*en capítulo 179* caualleríuul). **20** censoria] consoria E.

---

[7] El ms da *vínída* con signo diacrítico sobre las dos íes. Semejante lectura y signo en el título del capítulo 164, *vínida*. Se trata de error de lectura, como lo indica el título del capítulo correspondiente (1.1.5) de la ***Suma de col.lacions*** (A): *En qual manera la comunitat deu esser per concordia vnida e aiustada.*

[8] Confusión semejante a la de la nota 3.

De vergüença.
De amor coniugal.
De liberalidat.
De conoxença.
5 De piedat enta padre et madre, et enta ermanos, et enta la patria.
De pietat enuers los ermanos.
De piedat et castedat.
De los fechos et dichos liberalment et francament dichos.
De rigor et seueridat greument fecha o dicha.
10 De iusticia.
De la fe pública.
De la fe de las mulleres enuers los maridos.
De la fe de los sieruos enuers los senyores.
Del mudamiento de las costumbres de fortuna.
15 [109a] De bienandançia, es a saber, de buena fortuna.
De los dichos fechos sauiament.
De las cosas dichas et fechas scaltridament.
De cobdiçia de gloria.
De luxuria.
20 De crueldat.
De auariçia.
De error.
De venganças.
De las muertes singulares, no comunas ni vulgares.[9]
25 De la muert de Philomens filósofo.
De diligent guardia de aquellos a los quales fueron lures familiares sospechosos et de los de casa.

---

4 conoxença] conoxenca E. **5** *1ᵉʳ* enta] entre E. **24** no] ho E (*confusión* h/n). // ni] ho E.

---

[9] El ms. dice, un tanto confusamente: *de las muertes singulares ho comunas ho vulgares* 109a. La misma contradicción se repite en el título del capítulo 212: *de las muertes singulares ho comunas uulgares* 249b. Sin embargo, en la autoridad siguiente, 213, aludiendo a los hechos recién narrados, dice: *porque l'actor ha dada doctrina de l[a]s muert[e]s singulares, no comunas ni uulgares* 249c. Esta es la expresión correcta, como lo indica el título de Canals: *De les morts de diuerses homens que foren fort stranyes e singulars* II:356, y sobre todo el de Valerio Máximo: *de mortibus non vvlgaribus* (9.12). Se trata, pues, de una confusión (*h/n*) de la adversativa *ho* por el negativo *no*. Corregimos en ambos casos de acuerdo con la lectura de 249c.

[PRÓLOGO][10]

[109b] Como en muytas cosas sía de grant alegría el fecho de la scriptura, mayorment como don o alegría en aquello que no contras-
5 ta longitut de tiempo et distancia de lugar, que es ca[u]sa de tristor a los grandes senyores; et amigo faze seyer present, el vno ha amigo a lo otro;[11] et non sostiene que sían desheredadas ni posadas en oblidança las cosas que son dignas de saber. Porque las artes fueran[12] per-

5 causa] casa E. **6** ha] ho E. // a] ho E. **7** sostiene] sostienen E. // desheredadas] desheredados E. // posadas] posados E. **8** fueran] fueron E.

[10] Desconocemos la fuente inmediata de este prólogo. Guiados por la fuerte dosis de catalanismos, como observaron Leslie y Geijerstam, hicimos unas primeras correcciones basados en correlatos catalanes. Cuando teníamos ya el texto casi ultimado, tuvimos noticia del artículo del profesor de la universidad de Zaragoza, Juan Manuel Cacho Blecua, "El prólogo del *Rams de flores*," donde se edita el prólogo de ***Rams*** tomando como base el prólogo del ***Policraticus*** de Juan de Salisbury. Tras el estudio de Cacho Blecua, no cabe la menor duda de que el prólogo del ***Policraticus*** es la fuente de la mayor parte del prólogo de ***Rams***, pero no directamente, sino a través de una versión catalana. Hay además cuatro párrafos que no se hallan en el prólogo del ***Policraticus***, en cambio se encuentran en el prólogo de la ***Suma de col.lacions***, como indicamos en nota. Agradecemos al profesor Cacho Blecua la suma amabilidad de permitirnos la consulta y utilización de su excelente trabajo, cuyos datos nos han servido, en varias ocasiones, para confirmar o mejorar nuestras correcciones iniciales del estragado texto aragonés.

[11] Pasaje oscuro. El original dice: *el vno ho amigo ho lo otro.* Aventuramos una corrección cuyo significado es 'el uno tiene como amigo al otro'.

[12] La construcción original de este párrafo es sintácticamente defectuosa debido a las apódosis *fueron...fueron...fue* seguidas de la prótasis *si no hubiese proueydo.* La sintaxis correcta pide condicional en la apódosis. Por eso no dudamos en corregir esos indicativos con las formas similares del imperfecto de subjuntivo *fueran...fueran...fuera*, perfectos sustitutos literarios del condicional. El prólogo del ***Policraticus***, con sus formas *perierant...euanuerant...corruerant... defecerat*, confirma nuestra corrección. Posiblemente el copista no entendió los subjuntivos originales del ms y los cambió arbitrariamente a indicativos, que tendrían más sentido para él.

didas, los derechos de fe fueran pasados,[13] los offiçios de religión fueran endereçados, el vso de la derecha parlería fuera deffallido, si la misericordia diuinal no huuiesse proueydo a la flaqueza humanal de remedio de scriptura. E aprés, los exemplos [109c] et los fechos de
5 los grandes hombres passados, los quales son stados entendemiento et nudrimiento de virtudes, no mourien los corages de ninguno si la diligencia de aquellos qui an scriptos los fechos passados no huuiesse declarados los suios fechos por scritura a las gentes sdeuenidoras. Porque aquesta breu vida et grossa de entendemiento et negligençia,
10 de pereza et vana occupaçión, son causas que los hombres del mundo sapian pocas cosas virtuosas et nesçessarias a consseruaçión [et] a instrucçión de las suyas ánimas, [et] con aquellas que saben fuerachitan continuamientre de la suia pienssa por bien que sía. E aquesto por exablidaçión que es enemiga de la natura. Et no es ninguno
15 que sapia de los fechos de los grandes Alexandres ni de los Céssares empeg- [109d] radores, ni es ninguno que se marauillás de la sçiencia de los filósofos ni de la predicación de los santos apóstoles et profectas ni [de] la exposición de la Santa Scriptura feyta por los santos doctores de la santa madre eglesia, si no fues dechorada ho posada
20 por scriptura diuinal, [o de][14] los arcos victuriales o triunfales, antiguamientre edificados por el mundo a gloria de los nobles varones passados, sino en quanto es possado et declarado por scriptura de quí son ni por quáles razones son estados hedificados. Aquel que tuuo et rigió la tierra en paz, es a saber, Constantino emperador, las horas fue

---

1 *1er* fueran] fueron E. // pasados] posados E (*confusión* a/o). // *2º* fueran] fueron E. **2** el] al E. // fuera] fue E. **8** suios] fínos E (*con signo diacrítico sobre la* í). **11** *2º* et] *om.* E. **12** et] *om.* E. // fuerachitan] fuerachican E (*confusión* t/c). **13** suia] sma E (*con signo de abreviatura sobre la* m) (*fort.* suia *con abreviatura superflua ?*). **18** de] *om.* E. // exposición] exposicio E. **20** o de] *om.* E. // arcos] otros E. // triunfales] triufales E. **23** quales] qules E.

---

[13] El ms. da *posados*, que tiene poco sentido. Pero el prólogo del ***Policraticus*** dice *euanuerant* 'se habrían perdido'. Lo cual indica que es error gráfico por *pasados* (confusión *a/o*).

[14] Añadimos: *o de* porque esta oración depende de las frases verbales principales: *no es ninguno que sapia de... ni es ninguno que se marauillás de...*, base de esa retórica defensa de la escritura, como en la fuente (***Policraticus***, prólogo), aunque aquí la idea se ha expresado con dos oraciones independientes.

conoxido como fue declarado por scriptura por aquellos qui leyen o guardan el su títol victorial. Porque iamás no fue declarada gloria de ningún hombre sino por la suya propria scrip- [110a] tura o de otro. Porque semblant gloria serie de vna bestia o de qual se quiere pers-
5 sona depués de algún tiempo, sino en quanto es declarado por benefiçio de scriptura.

E posado que muytas et diuerssas perssonas son estados de los quales en ningún lugar por scriptura no es feyta memoria, por que[15]
10 es buen conssello ad aquellos que dessean memoria, gloria et fama que hayan et tiengan perssonas letradas, las quales posan en scripto los feytos de aquesti mundo. Porque las obras de grant valor posadas et scondidas en los corages de los hombres viuientes a pocos aprouecharíen si perpetualment stauan ascondidas en tinebras de oblidança
15 et no eran declaradas por luz de scripturas. Porque quando hombre ha en aquesti mundo de fauor o de fama o de gloria atanto se vale con la [110b] boz, la qual ressona en los valles quando hombre crida, la qual tantost passa, si depués no es declarada o posada por scriptura. Como la scriptura dé plazer et solaz, quando hombre es scripto, da
20 recreación en el treballo, da treballo en tiempo de pobretat, faze auer temprança en los delicios carnales, et en las riquezas temporales aconssella, et instruex en tiempo fortunal et discordant. Porque por el studio de scriptura la pienssa de los hombres se lunya de pecar et se alegra marauellosamientre en tiempo de aduersitat. Et no res
25 menos que no trobarés en los negocios humanales ninguna occupaçión de tanta alegría ni tanto prouechosa a instruçión del penssamiento humanal como con estudio de las scripturas antigas, sino es oración deuota con punymiento de pienssa a mouimiento [110c] de grant amor o caridat en uos, Nuestro Senyor Dios, o meditación o

10 memoria] menoria E. **11** et] et *iter.* E. **15** quando] qua quando E, (*Cacho sugiere* quanto *basado en el* quicquid *del Policraticus*). **21** temprança] tempranca E. **24** aduersitat] edusitat E (*sin signo de abreviatura; adoptamos la lectura de Leslie y Cacho*).

[15] La argumentación de esta frase pide que este *por que* tenga el sentido de 'por lo tanto'.

penssamiento de las marauillas et de los grandes fechos de Dios todopoderoso. Et por aquesta razón es presa la aturadat de Sénecha, scripta en primera ***epístula***, que dize que aquell que a menudo[16] va al philósofo o leye las sus buenas virtuosas obras algún bien faze a sín
5 matex: "O s'en torna más sano que non va o más sauio o sçient que como hi va".[17] Et de todas aquestas cosas deue seyer creydo aquell qui ha spiriencia, con[18] todas las cosas deleytables de aquesti mundo, comparadas a los exerçiçios o studios de suso dichos, son amargosas, o[19] aquell hombre qui ha seso liuiano[20] et la razón incorrupta, et qui
10 ha sotil el iudiçio del entendemiento.

Et ninguno non se deue marauillar de aquesto, que algunas per- [110d] sonas muytas vegades han murmurado et murmurauan et faulauan indiferentment, esto es, porque yo despiendo aquesto de lo
15 miyo en fazer tantas scripturas et tantos volumes de libros, recontando et posando los fechos antigos de los grandes et nobles hombres passados, los quales eran virtuosos en la vida et virtudes morales, et

---

3 a menudo] antenudo E. **4** leye] leyee E. **8** amargosas] amargosos E. **9** o] o de E. **15** scripturas] scriptubras E.

---

16 E da: *antenudo*. El copista, interpretando la *m* como *nt*, deturpó el adverbio original *a menudo* creando esa extraña forma *antenudo*. La confirmación se halla en el prólogo de la ***Suma de col.lacions***, de donde tomó el pasaje ***Rams de flores***. Las lecturas de los manuscritos catalanes: *tots jorns* y castellano: *cada día*, con significado semejante, avalan nuestra suposición.

17 El pasaje: *Et por aquesta razón...como hi va* no aparece en el prólogo del ***Policraticus***; se halla en el prólogo de la ***Suma de col.lacions*** catalana (B fo. 12d, con la lectura más cercana). Su fuente es Séneca, ***epistola*** 1(=108.4).

18 *Con* usado con valor de adverbio o conjunción modal-temporal 'como'. Se encuentra a veces en el catalán medieval y en los mss A y V de la ***Suma de col.lacions***. La lectura: *quia* del ***Policraticus*** confirma nuestra suposición. ***Rams*** comparte este uso, y otros rasgos, con el ***Eutropio***.

19 E da: *o de aquell hombre*; pero ese *de* parece adición del copista. Por eso lo suprimimos. *Aquell hombre* es el segundo elemento dependiente del verbo principal *deue seyer creydo.*

20 Así dice E. Pero a la vista del ***Policraticus*** y la traducción francesa (*sensus intergior* y *le sens plus entier*, vid. Cacho Blecua) habría que interpretar 'más sano'.

que viuás[21] assín con[22] aquellas qui caualgan en el mont caçán con canes et con falcones, dando reposo a la mía perssona; la qual cosa he aborrida et lexada por sola dotrina de los antigos. A los quales, qui d'aquesto faula puede responder por la paraula et actoridat de aquell
5 philósofo Sócrates, al qual fue dicho por qué fazía tantos volumens de filosofía. Qui respuso: "Las cosas que aquesti lugar non las entiende [111a] yo no las sé; et las cosas que yo entiendo et sé aquesti lugar no las entiende ni las sabe."[23] Et por aquesto aquel mártir Sócrates[24] respuso a vn cauallero qui le dixo por qué studiaua tanto.
10 Et díxolo que, por aquell que fazía, sabía responder a cascuno segunt que se conviníe sines de paor et sines de error.[25] Et por aquesto como

---

1 aquellas] que *add.* E. // caçán] cacan E. **7** las] los E. **8** mártir] martin E. **9** Sócrates] Sotratres E.

---

[21] Interpretamos como forma aragonesa del imperfecto de subjuntivo, *viuás*.

[22] Creemos es el mismo uso (*con* 'como') que en la nota 18. La incomprensión de ese *con* llevó al corrector a añadir un *que* espurio: *con aquellas* ***que*** *qui* (quizá leer 'con aquellas que aquí').

[23] El pasaje: *las cosas que...ni las sabe* se halla también en el prólogo de la ***Suma de col.lacions*** (A fo. 11a), que remite al *libre dels Saturnals*. ***Rams de flores*** (fo. 168a-b) recoge otra variante del mismo dicho en el capítulo 82, "De los vicios deshordenados de los curiales" (autoridad 4), tomada, a su vez, del ***Communiloquium***, 1.8.7. Éste da como fuente "in prologo Policrati", e identifica autor y obra con estas palabras "Joannes Salobinensis intitulavit librum suum, qui dicitur Policratus, De nugis curialium philosophorum" (Venecia, fo. 57d). En ambos casos la frase se atribuye a Sócrates. Sin embargo la edición de Webb trae correctamente Isócrates, señalando como fuente Macrobio, ***Saturnalia*** VII.1.4. El cambio de Isócrates a Sócrates, fácilmente comprensible, debió producirse en cualquiera de las copias medievales que utilizó el traductor catalán.

[24] El ms da claramente: *martin sotratres*. Velasco y Cacho Blecua lo adaptan a *mártir Sócrates*. Aceptamos esta corrección tras las buenas razones de Cacho Blecua para explicar la probable transformación del filósofo y moralista griego en *mártir* a través de la cristianización del personaje (desde la gran estima de San Justino hasta el *San Sócrates* de Erasmo).

[25] El pasaje: *Et por aquesto...sines de error* no aparece en el prólogo del ***Policraticus***; aunque se encuentra en el capítulo 5.17, no proviene de ahí sino del prólogo de la ***Suma de col.lacions***, donde se da como fuente: *lo libre de Deo S[o]cratis*. El proceso es complejo pero seguro. El ***Communiloquium*** es la base de la ***Suma de col.lacions***. En el ***Communiloquium*** la respuesta se atribuye a Aristipo, no a Sócrates, citándose como fuente el ***Libro de deo Socratis***. Aunque Juan de Gales usa con frecuencia la obra de Salisbury, el cap. 5.17 del ***Policraticus*** no pudo ser la fuente, pues no menciona el ***Libro de deo Socratis***. La verdadera fuente de la cita del ***Communiloquium*** es la obra de Apuleyo, filósofo del s. II que

yo menosprecio aquello que los caualleros dessean, et ellos menospreçian ço que yo deseo.[26]

Et déuese marauillar todo hombre por qué no rompe la cuerda del
5 mundo si en otra manera no la puede desligar, la qual me á tenido tanto preso et ligado en los enganyos del mundo en seruiçio de los grandes senyores de las partidas del mundo, los quales son hoy desconoxiéns. Et desplázeme fuert que sía stado enganyado cerca de xl anyos. E pínet- [111b] me mucho cómo, aprés que fue[27] instruydo en
10 los feytos et scripturas de los antigos, no he persseuerado en atales obras enantes que no al collegio de los grandes senyores de las partidas del mundo, los quales son huey desconoxientes. Et desplázeme fuert que sía estado enganyado cerca de xl anyos catiuo, desconoxiente. E conosco que grant res de los hombres del mundo son pas-
15 sados por semblança cars[28] et condiçiones, si pues no son sauios, et que fagan aquello que se pertanye de fazer, et que sean firmemientre fundados en virtud moral, et que liugerament no s'en luenyen, et que non quieran seguir los deliçios mundanales, mas que quieran senyorear a la fragilitat et vanedat. La qual senyoría el mundo á a present

---

1 caualleros] caualllos E (*sin signo de abreviatura*). // menospreçian] menospreçia E. **4** que] que *iter.* E. **13** fuert] fuer E. // desconoxiente] desconoxientes E. **15** semblança] semblanca E. **19** á] *om.* E (*absorbida por la* a *siguiente*).

Juan de Gales conocía muy bien, como se ve en esta mención de su ***Compendiloquium***: *Apuleus...fecit librum qui dicitur De deo Socratis* (3.3.1, fo. 185b). La absoluta literalidad de la cita del ***Communiloquium*** con el ***Libro de deo Socratis*** de Apuleyo, frente al ***Policraticus***, revela la procedencia sin lugar a dudas (véanse los textos latinos en Cacho Blecua, p. 82 y n. 23). Es en la traducción catalana, la ***Suma de col.lacions***, donde se produce el primer cambio al omitir el nombre de Aristipo. Sobre esta base, el prologuista de ***Rams*** elevó a Sócrates a la categoría de mártir de acuerdo con esa diginificación a la que alude Cacho Blecua.

[26] La repetición de *et... et...* es un rasgo de imitación latina que encontramos con alguna frecuencia en ***Rams de flores***. Probablemente indica un prurito latinizante del compilador.

[27] Velasco y Cacho corrigen: *fui*. Pero en vista de los otros dos casos seguros de: *yo fue* (autoridad 119.6), creo debe mantenerse como aragonesismo.

[28] Sic. No entiendo el valor de esta partícula. Leslie y Cacho la interpretan como 'casos'; Velasco como 'por qués'. Aún así la frase carece de sentido. Al parecer, el copista omitió texto.

tiempo. Et por aquesto yo he presa aquella [111c] actoridat de Sant Agostín posada en el primero libro de ***Trinidat***, en el prohemio, que dize: "Vtil cosa es et prouechosa fazer muytos volumnes de libros de diuersas razones et maneras et de sola vna fe."[29]

5

Et como por longitut de leyr scripturas largas, los corages de los hombres del mundo, leyén[30] aquéllas, liugerament son aýna enuiados,[31] empero, por amor de aquesto, a instrucçión de los corages de los lientes, assín en las cosas spirituales por allegaçiones, actoridades, exemplos et dotrinas de los santos profectas et apóstoles, por exposiçión de la santa scriptura, como por dotrinas de la sçiençia de los philósofos sauios antigos, los quales mostrauan et instruýen la moral vida a hombre, e assín matex por exemplos de los sauios actores romanos, los quales vsauan [111d] virtuosamientre en los lures fechos de la vida mundanal, he ordenado aquesti libro de deyuso breues capítoles. Et dize de los deyuso a paraulas breues et prouechables, por aquesto que stan más liugeramientre retenidas por los leydores de aquéllos.[32] Al qual he posado nombre ***Rams de flores***.

10

15

3 volumnes] volunmes E (*transposición*). // de libros] de libros *iter.* E. **6** largas] largar E. **13** a] *om.* E (*absorbida por la* a *anterior de* vida). **18** Rams] Ranís E (*con signo diacrítico sobre la* í).

[29] ***De Trinitate***, I.3 § 5 (PL 42, 823). Esta cita no aparece en el prólogo del ***Policraticus***.

[30] Forma aragonesa del gerundio, 'leyendo'.

[31] Interprétese 'enojados'.

[32] Este párrafo no tiene correspondencia con el ***Policraticus***. La idea de la utilidad de las citas breves, por quedar mejor fijadas en la memoria, proviene de Juan de Gales. La implica en el prólogo del ***Communiloquium*** y la expone claramente en el ***Moniloquium***, conocido también como ***Collectiloquium*** y ***Tractatus de vitiis et virtutibus***, donde dice: *In hac collatione sunt haec collecta breviter ut habeantur aliqua in promptu de praedictis quando non vacat praedicatore /studere diffusius in aliis* (fo. 5bc). ('En esta colación se han recogido estos datos brevemente para que se tenga algo a mano cuando al predicador le falta tiempo para estudiar lo dicho más ampliamente en los textos,' traducción nuestra) Y lo corrobora con esta remisión a Séneca: *Ut enim ait Seneca, epistola xciiii* [94.26], *loquens ad praeceptorem vel doctorem. Reducendus, inquit, es ad memoriam: non enim illa reposita esse oportet, sed in promptu. Quaecumque salutaria sunt, saepe agitari debent, saepe versari, ut non tantum nota sint nobis, sed etiam parata* (fo. 5c). ('Como dice Séneca, epístola 94, hablando al preceptor o doctor. Debes recordar esto: no sólo conviene tener esas cosas almacenadas, sino listas para usarlas. Todo lo que es saludable debe

Por assín como lo ramo es bello por las flores, assín aquesti libro es bello por la flor de los dichos que hi son, queriendo ressemblar a la abella, la qual de diuerssas flores plega et conpila la miel, et la departex por bresca.[33] Los quales son stados striados en diuerssos volúmi-
5 nes, tomando la paraula la qual dize Virgilio a aquell qui le demandaua demientre que studiaua et copilaua libros: ¿qué fazía? Respuso que triaua oro entre fiemos.[34] Assín aquestas actoridades o [112a] dichos son stados triados de diuerssas ystorias.

---

2 dichos] dicho E.

---

discutirse y recordarse a menudo para que no sólo lo conozcamos, sino que lo tengamos preparado', traducción nuestra.) Esta es la razón utilitaria que lleva a Fernández de Heredia, en su ***Rams de flores***, a realizar una compilación de breves sentencias de carácter práctico, que participan tanto del espíritu de la literatura sentenciosa bíblica como de la sabiduría moral de los Padres de la Iglesia y de la filosofía de los autores ilustres clásicos y paganos.

[33] Para el significado de estas imágenes de la miel-panal, véase el artículo de Cacho Blecua. Compleméntese con el testimonio del mismo Juan de Gales en el prólogo del ***Compendiloquium de vitis illustrium philosophorum***, que, con su extensa cita de Séneca y Virgilio, es un claro exponente del interés por los clásicos, todo lo medieval que se quiera, de este epígono del llamado renacimiento del siglo XII: *Cum enim debeamus apes imitari, quae flores ad mel faciendum ydoneos carpunt, et deinde quicquid attulerint, d[is]ponunt ac per favos digerunt, ut ait Seneca epistola lxxxviii [84.3], secundum illud Virgilii, libro I Eneydos: Liquentia mella stipant et dulci distendunt nectare cellas [I.432-33], quaecumque ex diversa lectione congressimus, separare debemus, id est, distinguere, melius enim distincta servanter, prout ait ibidem [84.5]. Ad imitationem igitur apis..., collecta sunt dicta philisiphorum gentilium illustrium notabilia, predicabilia et exempla imitabilia* (Ven fo. 167a). Por esta finalidad predicadora de sus selecciones, muchos de sus ejemplos pasaron a las colecciones de *exempla* medievales, contribuyendo así a extender, indirectamente, entre el pueblo, abundantes historietas del mundo clásico, todo lo moralizantes que se quiera, repito, durante los siglos XIV y XV. No en vano, uno de los leitmotivos del ***Communiloquium*** es: *Si ergo pagani et gentiles, Deum ignorantes, fidei inexpertes, divinum iuditium non precogitantes, nec beatitudinem sperantes, fuerunt sic in iuditiis diligentes, quales esse debent fideles, non solum in suis iuditiis, sed in iuditio quod Dei est?* (I.4.4 fo. 43b). Idea proveniente de San Agustín, pero repetida, con machacona frecuencia, en los ejemplarios, con fines predicadores o de otro tipo, durante los siglos XIV y XV. Convendría seguirle la pista con detenimiento.

[34] El pasaje: *tomando la paraula...oro entre fiemos* no aparece en el prólogo del ***Policraticus***; se halla en el prólogo de la ***Suma de col.lacions*** catalana (A fo. 12c), donde remite a Cassiodoro, ***De institutione divinarum litterarum***, I § 1 (PL 70, 1112).

Como el entendemiento del hombre mundanal no podríe enprender tantas cosas como en aquesti libro son scritas si pues no auía spiración o illuminación del Santo Spíritu ni era instruydo por la qual, migançant la ayuda del glorioso aduocado et senyor mío, Sant Ioham
5 Bautista, el qual con el suio santo derecho muestra el cordero de saluación et prepara la corona de salud, me ha illuminado a fazer aquesta conpilación deiuso breue et sauias paraulas et capítolos, preueyendo la actoridat scripta por lo sauio ***Eclesiástico***, capítulo xxi, diziendo: "Las paraulas sauias et sauiamientre dichas pessarán possadas en el
10 peso de las valanças iustas."[35] (Esti que) Assín como aquesti libro no ha razón que a todos los ligientes [112b] plaze et deua, por tal como no ha bel dittado ni paraulas faziendo por el tiempo present, asín no pot ad aquellos desplazer si quieren guardar la instrucçión e affecçión del dictador.[36]
15

E si en aquesti libro ha algunas paraulas o terrositades que sían a[s]pres a alguno, no.s' prende[37] que sían dittas por él, mas por mí o por semblant[s] de mí que desean esser corregidos o por aquellos qui son de tal condiçión que toda represssión virtuosa sostienen alegra-
20 mientre.[38] E si aquell tiempo et la edat present á menester que souén

---

3 ni] no E. **4** migançant] migacant E. // aduocado] aduocada E. **5** suio] síuo E (*con signo diacrítico sobre la* í). **9** possadas] passadas E, pessadas M, posades AB, pesades C. **10** valanças] valancas E. **17** aspres] apres E. // sían] sian *iter.* E. **18** semblants] semblant E.

---

[35] El pasaje: *lo sauio Eclesiastico...valanças iustas* no aparece en el prólogo del ***Policraticus***; se halla en el prólogo de la ***Suma de col.lacions*** catalana (A fo. 11a) con redacción algo diferente. ***Eclesiástico*** 21.28.

[36] Este pasaje no se halla ni en el ***Policraticus*** ni en la ***Suma de col.lacions***. Su redacción actual resulta oscura. Velasco y Cacho Blecua suponen que tiene un falso comienzo y suprimen la expresión *Esti que.* Probablemente la oscuridad obedece a la supresión de alguna palabra, hecho muy frecuente ***Rams***. La falta de un texto referencial hace difícil su corrección.

[37] E da: *nos prende*. El significado de esta oscura expresión es 'no se lo tome'. Así se deduce del texto del ***Policraticus***: *non in se quicquam dictum noverit* 'no se juzgue que todo lo que se dice va contra él' (traducción de Miguel Angel Ladero). Podría leerse: *uos*, pero no aclara el sentido.

[38] Pasaje cuya redacción resulta confusa. Corregimos y puntuamos según el prólogo del ***Policraticus***: *si quid autem cuipiam asperius sonat...reprehensionem aequanimiter ferunt.*

sía corregida, quanto a la edat passada es represa de sus deffallimientos, en aquesta manera Orati reprendíe los sus seruidores, et sabíen todos lientes et scuchauan que paraulas de diuerssos auctores que pueden aproue- [112c] char a la instrucçión de la vida humanal,
5 he posadas en esti libro,[39] es a saber, de Abraam, Dauid, Moysés, Salamón, Saúl, Éxoda, Thobías, Iosué, Ester, Chato, Amos, Roboam, Libro de los Reyes, Ieremías, Ysaýas, Abachuc, Daniel, Samuel, Iudith, Iob, Iosefus, Libro de los Santos Padres, Iohanes, Mathía, Matheus, Barnabás, Petrus, Paulus, Iacobo, los Actos de los apósto-
10 les, Agostinus, Ambrosius, Gregorius, Ieronimus, Bernardus, Boeçius, Grisostomus, Eclesiastra, Hugo de Sant Víctor, Aurelio,[40] Demaceno, Ancellmus,[41] Angelie,[42] Graciano, Vigeno,[43] Isidoro, Pulicrato, Catonal, Maestro de [112d] las sentençias,[44] Libro Devtronumerii, Libro de Sauieza, Libro de Clemençia, Constantino, Plato,

---

1 represa] represa *iter.* E. **8** Iudith] Iudich E (*confusión* c/t). // Iosefus] Iesefus E. **11** Boeçius] Boccius E. // sant] satton E. **12** Ancellmus] Amcllíms E (*con signo diacrítico sobre la* í).

---

[39] El párrafo: *e si aquell tiempo...he posadas en esti libro*, con su confusa redacción, es una traducción bastante cercana, de este pasaje del prólogo del ***Policraticus***: *sic dum corrigatur...curaui inserere*, igualmente confuso. Para su mejor comprensión interprétese así: *E si aquell tiempo et la edat present á menester que souén sia corregida, en aquesta manera —[es decir, como] Orati reprendíe los sus seruidores et sabíen todos...que paraulas de diuerssos auctores...pueden aprouechar a la instrucçión de la vida humanal—, he posadas en esti libro [palabras] de Abraam...* La explicación entre guiones cambia ligeramente la idea del original, pero el resultado es el mismo. Respecto a la lista de autoridades, el autor del prólogo sigue la moda del momento, como puede verse en Dionisio de Burgo Santo Sepulcro, comentador del Valerio, a principios del siglo XIV.

[40] Falsa grafía por *Amelio*, nombre que ***Rams*** usa para referirse a Lucius Aenneus Florus.

[41] Se trata de S. Anselmo, cuya grafía catalanizante *Ancelm*, da lugar a abundantes y repetidas confusiones por parte del escriba de ***Rams***. Ver más adelante nota a autoridad 50.9.

[42] Se trata de Aulo Gelio, autor que no sólo en ***Rams*** sino en muchas obras medievales recibe la forma de Angelio o Agelio. Ver más adelante nota a autoridad 55.1.

[43] Al parecer se trata de Vegecio, autor que ***Rams*** cita en varias ocasiones.

[44] Es decir, Petrus Lombardus, autor al que la ***Summa de col.lacions*** llama siempre *Maestre de les sentencies*. A veces lo aplica también a Graciano.

Sénecha, Sozomenuus, Lindenio,[45] Solinus, Corgion,[46] Lelio, Virgilii, Valerio, Tullio,[47] Astipio,[48] Plato, Iuuenalis, Auidi,[49] Palustino.[50]

De todos los de suso nombrados, todas aquellas actoridades las
5 quales é podidas hauer he posadas en la present obra, conffiando que, si por auentura en aquesta obra ha res que se lunye de virtud, que será perdonado. Porque yo no tiengo ni prometo que todas las cosas contenidas en aquesti libro contienen verdat. Mas empero, si quiere sean verdaderas o falssas, todas son a seruiçio de aquellos qui legirán
10 aquesti libro. [113a] Porque yo no son tan fuerahitado de entendemiento que tienga que sían verdat que vna mula pariés vna liebre,[51] et semblantes faulas no tiengo que hayan virtud. Mas no dubto que aquestas faulas no sían a instrucçión de los lientes et scriuientes. Et ya que sean estranyas et ditas por otras, empero todo aquello que es
15 bien dicho es prouecho de la instrucción de la vida del hombre. Et dígouos que yo so de tal condición que todos aquellos que yo trobo que quieran vsar de sauieza en obras et paraulas fago que sían mis priuados et yo d'ellos, et sosmétome a lur seruiçio. Porque yo iamás no he visto Alexandre ni César ni huyé desputar Sócrates, Zeno, Pla-
20 to, ni Sócrates, ni Aristótil, empero yo reconto muytas cosas d'ellos et de [113b] otros que yo [no] he conoxido sino por las lecturas de las

1 Sozomenuus] Soromenuus E (*confusión* r/z). // Solinus] Colinus E. // Lelio] Selio E. **8** si quiere] si quieren E. **12** virtud] vrtud E. **14** sean] sea E. // estranyas E (s *última, interlineada*). **21** no] *om.* E. // lecturas] laturas E (*Geijerstam la considera catalanismo oral*).

[45] Probablemente se trata de Isidorus, a quien identifica como Lidonis en la autoridad 18.5.

[46] No aparece ninguna autoridad con este nombre.

[47] El nombre típico medieval con que se conoce a Marco Tulio Cicerón.

[48] Probablemente se trata de Aristipo, personaje que aparece en la autoridad 161.8.

[49] Se trata de Ovidio.

[50] No aparece ninguna autoridad con este nombre, aunque probablemente se refiere a Salustio, a quien llama Celestino (en autoridad 14.4) y Salustino (en 110.1, 119.6 y 181.1).

[51] Alusión al caso recogido en el capítulo 162, "Los curiales non sean recibideros de donos ni de seruiçios" (autoridad 9), proveniente a su vez de la ***Summa de col.lacions***, 1.6.3.

sciencias suyas, et aquesto ha vtilidat[52] et prouecho de aquellos qui leyrán. No tendré por amigos aquellos qui me reprendrán de falssía o me corregirán de error. Et si por auentura era trobada diuerssitat en las allegaçiones que yo he posadas en aquesti libro de los actores, no
5 me piensso que por aquesto yo diga mentira, porque los actores de las ystorias, los quales yo he seguidos, sonan et discordan entre sí matex. Empero yo he vsado por testimonio de la Santa Scriptura et de las corónicas antigas con condeçión que no sían contrarias a la santa fe cathólica ni ha buenas costumbres; et la examinaçión de todo lo que
10 se contiene en aquesti libro sía reserua- [113c] da [...]. Lo qual corresca segunt la suya buena descreción, por aquesto que mayor gloria et honor sía de la obra; et assín matex por tal como yo l'é feyto scriuir a vno scriuano qui no era de la mía lengua, lo qual é tirado a mi seruiçio por aquesto que no vagás ni perdiesse su tiempo, infor-
15 mantlo et diziéndole que repors menos de letras es reposamiento o sepultura de hombre biuo.

E suplico atanto como puedo deuotament a todos aquellos qui leyrán o oyrán aquesti libro que me quieran recomendar a Dios, qui es
20 padre de toda misericordia, que me quiera perdonar las mis erradas que son multiplicadas en fuert grant nombre. Porque yo spero seyer partiçipant con todos aquellos qui son temientes de Dios; et [113d] ruego a Dios omnipotent et misericordiós de coraçón et de boca que me quiera perdonar las mías erradas. Et por tal que no sía vmflado
25 ni tirado a error, el cordero de grant conssello, es a saber, Ihesu Christo, fillo de Dios, migançant las pregarias de la gloriosa Virgen Santa María, madre suya, et el glorioso Sant Iohán Bautista, quiera inlluminar la mía pienssa con la lumbre del Santo Spírito. Amen.

---

1 vtilidat] validat E. 10 [...] (*el ms. deja una línea y media en blanco*). **11** corresca] E (*fort. error por* corregesca, *véase* corregescan *en la autoridad 140.2*) **13** lengua] legua E (*omisión de la abreviatura de la* n). **21** spero] spo E (*sin signo de abreviatura*). **23** omnipotent] omnipopotent E. **24** vmflado] vínflado E (*con signo diacrítico sobre la* i). **26** migançant] migancant E. **27** Bautista] Bautistista E.

---

[52] E da: *validat*, creo es error gráfico por: *vtilidat*. Cacho lo confirma con la lectura (*utilitatem*) del ***Policraticus***. La corregimos porque es el único caso, ya que el ejemplo que aparece en la autoridad 18.1 (*sen validat*) es falsa interpretación del escriba por: *sensualidat*.

[1.] AQUESTA VIDA ES BREU. CAPITULO PRIMERO.

[1] **Agustinus**. Sant Agostín, en el IIII libro de las ***Conffessiones***,[53] dize: Aquesta vida [114a] es penetençial; es quasi volable por el
5 volar de su passamiento, et continuament defallecén si entrepassa por la su caplomnidat; es cierta en su terminación et es no retornable en su retornamiento antes de la general resucrrección. Et de aquestas cosas clama et crida la Santa Scritura comtinuament.[54]

5 entrepassa] E (*posible homoioteleuton*), sin comparaçion o entreponimiento de tiempo e es erumpnosa e vituperosa *add.* M, sens entrepaulacio o entreposament de temps es erupteosa o vituperosa *add.* V, sens entrepaulacio o interposament de temps erupnosa e vituperosa *add.* A, sens entrepaulacio o entreposament de temps e erumpnosa e vituperosa *add.* B. **6** cierta] E, inçierta M, incerta VAB. **8** comtinuament] E, comunalmente M, comunament VAB.

[53] Falsa atribución por contigüidad (fac). Es un error muy común en ***Rams***. El compilador toma un texto de la ***Suma de col.lacions*** y lo atribuye a la autoridad más cercana que ve en el texto. La consecuencia es dar como de un autor palabras que pertenecen a otro. Como ocurre en este caso. La cita atribuida a San Agustín corresponde a un comentario de Juan de Gales que aparece a continuación, basado en conceptos y palabras tomadas de la Biblia. Véanse las notas 54 y 56.

[54] Texto lleno de dificultades, debidas a cierto descuido en la copia -posible homoioteleuton- o a un intento de resumir y adaptar la idea. Para la comparación usamos el texto completo de M, dadas sus semejanzas con el aragonés, pues es fiel traducción castellana del pasaje de la ***Suma de col.lacions*** catalana: *aquesta vida es muerte de aquellos que en ella biuen, segund que dize Sant Agustin en el IIII° libro de las Confesiones. Aquesta vida es penitençial e es commo volatible por la veloçidat [voluntat AB] de su pasamiento e es en su traspasamiento continuamente defallesçer [deffallent VABC] sin conparaçion o entreponimiento de tienpos e es erunpnosa e vituperosa por la su calamidat o mesquindat e es subitamente terminable por su defallesçimiento e es inçierta en su terminaçion e es non retornable en su tornamiento antes de la general resurecçion. E de aquestas cosas llama e da bozes la escriptura comunalmente.* En vista de este texto podríamos corregir *volar* a *veloçidat*; *caplomnidat* a *calamidat*; *comtinuament* a *comunalment*. Pero la presencia de pasajes resumidos (*si entrepasa por la su caplomnidat*) o adaptados (*cierta* por *inçierta*, el concepto básico es esencialmente el mismo) nos lleva a conservar el texto tal como aparece en ***Rams***. Nótese que la falta de puntuación permite atribuir a San Agustín el comentario subsiguiente de Juan de Gales.

[2] ——. Item el mismo dize en el xvii ***sermón***: ¿Qué es luengo tiempo biuir sino luengo tiempo sufrir turment?

[3] ——. Item dize el mismo en el xl ***sermón***: ¿Qué es biuir sino que
5 a la fin hombre corre? Et síguese que la vida aquesta es semblant a la muert.

[4] ——. Item dize en el xvi sermón, en el libro ***De las paraulas de Nuestro Senyor***: ¿Qué laguies[55] de cras en cras? Que si luenga es la
10 vida, pues luenguos son los bienes; mas si poca es la vida, benefiçio [114b] es que sea buena. Et ¿por qué quieres auer luengo mal?

[5] **Gregorius**. Sant Gregorio, sobre esto, en el II libro ***Sobre los euuangelios***,[56] capítulo xvii, dize: Primerament se deue hombre
15 esmaginar en aquellas cosas que son spetantes en la muert, esto es, no se fíe hombre en la durablitat de la vida, que es erumpnosa et plena de defecçión por su prolexidat en muert et en dolor. Porque aquesta vida es muert et dolor de aquellos que biuen.

20 [6] ——. Item el mismo, en el VIII libro de los ***Morales***: Deuen seyer amonestados aquellos que son en pecado que non se tarden a conuertirse a Nuestro Senyor Dios. [57]

---

8 xvi] xxi E, xvi VAB // las] las *iter.* E. **9** qué laguies] quel guies E, que llagase M, que laguia VA, que laguie B. **13** sobre] sobre *iter.* E. // los] el E, los M, les VAB. **16** erumpnosa] corrumposa E, erumpnosa MAB, erupnosa V.

---

[55] El ms dice *quel guies*. Así transcriben casi todos los editores. Pero se trata del catalanismo *laguiar* 'dejar para después', 'posponer', como indican Leslie y el ***Lexicon***, y corroboran las lecturas de los mss catalanes: *que laguia de dema en dema* (VA), *laguie* (B) y el error de M: *llagase*; interpretación correcta de la frase del ***Communiloquium***: *Quid differs in crastinum?*

[56] Fac. Las palabras auténticas de San Gregorio (*prolixitas mortis*), no recogidas en la cita, van seguidas de un comentario de Juan de Gales y un texto de San Agustín. Así dice el texto latino: *vita mortalis est "prolixitas mortis," prout ait Gregorius, super evangeliis, libro II, omelia xvii. Ideo primo admonendi sunt homines ne confidant de vitae huius durabilitate, que est aerumnosa mortis prolixitas. "Ista enim vita est mors viventium" ait Augustinus IIII Confessionum.*

[57] Fac. Es comentario de Juan de Gales que viene a continuación de una cita de los ***Morales*** (8.13). La frase se halla, casi al pie de la letra, en el comentario sobre la ***Exhortatio***

[7] **Sénecha**. Item Sénecha, en la li ***epístola***, dize: Infinida es la liugería del tiempo. Et después: Poco es tiempo en que biuimos, qui es [114c] çierca[58] de no res.

5 [8] ——. Item dize en el libro ***Breuidat de la vida***, en do posa los verssos de Virgilio que dizen assín: *Optima dies miseris mortalibus*.[59] Que quiere dezir que más bueno es qu'el día de la eternitat de los mesquinos que moeren en gracia de Dios, que non es el día de la vida present.

10

[2.] BIUIR BIEN ENTRE LOS MALOS ES COSA DIGNA ET DE GRANT LAHOR.

[1] **Gregorius**. Sant Gregorio, en el primero libro de los ***Morales***, 15 dize que no es cosa de grant laor seyer bueno con los buenos; mas seyer bueno con los malos esta es cosa digna de grant laor. Et por esta razón fue loado Loto, porque staua en Sodoma entre los malos et biuía como bueno, segunt que es scripto en el ***Génes***- [114d] ***si***, xix capítulo.

---

3 çierca] çierta E (*confusión* t/c), çerca M, prop VAB. **6** Optima] Itima E, Optima MVAB, (*MSHS lee* Itura). **11** Biuir] A biuir E (*en el prólogo sólo* Viuir, *aunque la alfabetización implica* A biuir).

S. Cypriani de poenitentia: *generatim peccatores...monentur autem ne differant reverti ad Deum* (PL 4, 1182), en la ***Expositio in psalmos*** de S. Bruno (PL 164, 962) y en el ***Eclesiástico*** (5.8). Pero el hecho de que la frase no aparezca en los ***Morales***, aunque sí el tema, y que aquélla sea un lugar común entre los predicadores, nos lleva a considerarla como un auténtico comentario de Juan de Gales.

[58] El ms da: *çierta*, error por *çerca* (M), fiel traducción de: *prop* que traen todos los mss catalanes. La lectura de E revela ingerencia del copista, no del traductor o compilador aragonés. El copista, que usa un texto ya aragonés, vio *çierca* y, al no comprenderlo, corrige —*lectio facilior*— a *çierta*. Este error, como otros que señalaremos posteriormente, se debe probablemente a ese "scriuano qui no era de la mía lengua" de que habla el prólogo.

[59] Verso de Virgilio, ***Geórgicas***, III.66, que el compilador de ***Rams***, toma de la ***Suma de col.lacions***/***Communiloquium***, 7.1.1, el cual lo tomó a su vez de: "Seneca *De brevitate vitae*" (X.9.2). ***Rams*** vuelve a citar el mismo verso de Virgilio en la autoridad 57.10, tomándolo en esta ocasión del ***Communiloquium***, 3.2.6, donde da como fuente ahora: "Seneca *epistola centessima decima*" (=108.24 y 26), donde, en efecto, se repite la cita virgiliana.

[2] **Mateus**. Sant Matheo, en el v capítulo, dize que amemos nuestros enemigos et que fagamos bien ad aquellos que nos fagan mal,[60] et que fagamos oración por aquellos que nos perssiguen. Assí como es mandado en la dotrina de Ihesu Christo.
5
[3.] AMONESTACIÓN DE LOS RICOS HOMBRES ET CAPÍTULO XIII.

[1] [**Gregorius**]. Sant [Gregorio],[61] esponiendo la paraula de Iob que
10 dize *El rico hombre quando se adormirá* eçétera, dize: Nosotros perdemos las cosas terenales guardando et scondiendo aquéllas, et consseruámoslas quando las damos piadosament por Dios. El nuestro patrimonio es perdido quando es retenido, et quando es dado en cosas piadosas es consseruado.
15
[115a] [2] [**Agustinus**].[62] Item, en el libro de los ***Prouerbios***[63] ***Domini in monte***, xii sermón, dize assí: ¿Qué te aprouecha a tú la archa plena de bienes si la tuya conciencia es vazía? Tú quieres auer buenas cosas, mas tú non quieres ser bueno. Vergüença deueríes auer de
20 los bienes que as, si as buena casa plena de bien, et la casa buena et los otros bienes han a ti por senyor, que no eres bueno.

---

2 que nos fagan mal] et que non fagan mal E, quins fan mall V, quins fan be A, quins fan mal B. **3** perssiguen] perssigen E. **9** Gregorius (*epígrafe*)] Agustins E (*por influencia del texto atribuido erróneamente en* EMVC *a san Agustín*). // Gregorio] Agostin E, Augustin M, Agosti VC, Gregori AB. **13** retenido] retetenido E, detenido M, teu tengut V, tengut B, retingut C. **16** Agustinus (*epígrafe*)] *om.* E. **17** dize] et dize E. **18** bienes] biene E, bienes M, bens VAB. // conciencia] conciencias E, conçiençia M. **19** vergüença] verguenca E.

---

[60] E trae: *et que non fagan mal*, con falsa interpretación del catalán: *qui.ns fan mal* (VB), es decir, 'que nos fan mal', e introducción espuria de *et*.

[61] Los mss EMVC atribuyen esta autoridad erróneamente a San Agustín, por eso el iluminador escribió San Agustín en el epígrafe; sólo AB la atribuyen correctamente a San Gregorio. Este error vincula a ***Rams*** con el grupo VM.

[62] El ms no pone epígrafe en esta autoridad porque supone, correctamente, que corresponde al mismo autor anterior. Pero al estar equivocada la atribución anterior, debemos restituir el nombre de la autoridad correcta aquí.

[63] Es ***De verbis domini***, como indicamos en la tabla de correspondencias.

[3] ——. Item dize en el libro clamado ***De Verbis Domini***, en el xxxiii sermón, que amor de los bienes temporales es carrera de las penas spirituales, porque retienen la volumtat por cobdiçia, et la retardan et la retienen. Porqu'el amor del mundo faze adúltera a la ánima
5 et l'amor del criador la castiga.

[4] **Eclesiastiçi**. El sauio ***Eclesiástico***, [115b] en el capítulo v, dize que aquel que quiere o ama las riquezas non reçibrá fruyto de aquéllas.
10

[5] ——. Item dize aquí mismo: Non quieras seyer orgulloso en las riquezas non iustas.

[6] ——. Item dize en el xxix capítulo que alimosna es assí como a
15 saco de trasoro de aquel que la da. Et por esto ha quesido Dios que algunos fuessen pobres, a los quales fue dado la limosna; et qu'el regno celestial fuesse venal, et que lo comprásemos con alimosna.

[7] **Gregorio.** Item Sant Gregorio, en el segundo libro de los ***Mora-***
20 ***les***, dize que nosotros no podemos mucho estar ni durar con las riquezas ni con las nuestras cosas, porque vna de dos cosas han de hacaeçer: O nosotros por la nu- [115c] estra muert los desampareremos ho ellos en la nuestra vida dessemparíen, que nos falleçerán ho nos pereçerán.[64]

1 Verbis] Gerbis E, berbis M, verbis VAB. **7** dize] dzze E (*con signo diacrítico sobre la primera z*). **12** iustas] vistas E, justas (*j larga*) M, uistes V, justes (*j larga*) AB. **24** peresçerán] proçeran E, peresçeran M, periran VAB.

[64] El mss da: *proçerán*. Leslie hace esta forma futuro del verbo aragonés *proceir* 'proceed' 'seguir'. Pero con esta derivación debería dar *proceirán*. El ***Lexicon*** y Velasco simplemente la derivan del aragonés *proceder*. Sin embargo, los manuscritos traen las siguientes lecturas: *nos fallescerán o nos peresçerán* (M); *fallirán o perirán* (VAB), fiel traducción del texto de San Gregorio: *aut nos eas moriendo deserimus aut ille nos utentes quasi deserunt pereundo* (Ven). Por eso creemos que *proçerán* es error gráfico por *pereçerán*, por confusión de la abreviatura *per* por *pro* y *e/o*. Corregimos con M.

[8] **[Gregorio]**.[65] Item dize en la xvi ***omelía***, declarando la paraula de Sant Luch diuso scripta, que por esto son comparadas las riquezas a espinas, porque los penssamientos et las ansias que fazen auer al hombre aguiian et fieren el comidimiento del hombre et lo rompen
5 todo. Porque Nuestro Senyor Dios dixo que los hombres fincan enganyados por las mezquinas de las riquezas.

[9] **[Gregorio]**. Item dize en el lugar ya allegado que verdadera cosa es que las riquezas tienen en sí muchas mentiras, et que fazen al hom-
10 bre mentiroso, porque no pueden luengament [115d] fincar con ellos, et tiran al hombre su defallimiento. Porque son assín como a sombra, et assín como a fumo que aýna passa, et assín como a flor de campo que poco dura.[66]

15 [10] **Sant Luch**. Sant Luch, capítulo xvi, dize: Fagamos que ganemos amigos con las riquezas de iniquidat.

[11] **Sant Luch**. Item dize en el capítolo vi que los ricos hombres qui en las riquezas an lur conssolación serán maldichos.
20

[12] **Luchas**. Item, en el viii capítulo: Las riquezas son assín como espinas que afogan el trigo. Todo assí las riquezas afogan la paraula de Dios en los cuerpos de los hombres.

25 [13] **Ieronimus**. Sant Gerónimo, en la xcvii ***epístula***, dize que todo hombre rico es inico o fillo de iniquidad.

---

1 Gregorio (*epígrafe*)] Eclesiastiçi E. **5** fincan] finca E. **8** Gregorio (*epígrafe*)] Eclesiastiçi E. **11** sombra] hombres E, sonbra M, ombra VAB. **19** riquezas] riqueras E (*confusión* r/z).

---

[65] El ms da: *Eclesiastiçi*. Pero se trata de un error del epigrafista, guiado probablemente por el segundo epígrafe anterior. La cita entera, que combina textos de San Lucas (8.7) y San Mateo (13.22), se halla en San Gregorio, ***In evangelia***, libro I, homilía 15 (I.15.1, PL 76, 1131).

[66] La parte final de esta autoridad, es decir, las conocidas imágenes negativas de la riqueza, aparece también en la ***Suma de col.lacions***, fiel traducción del texto del ***Communiloquium***. Los dos remiten a San Juan Crisóstomo, ***In Joannem***, homilía 33, aunque aquí tiene un texto ligeramente diferente: *Umbra inanis, fumus evanescens, flos foeni* (PG 59, 192).

[14] **Iob**. ***Iob***, xxvii capítulo, [116a] dize que el rico honbre, quando se adormirá, quiere dezir, quando se morrá, non se adurá cosa.

[15] **Sénecha**. Séneca, en la ***epístola*** lxxix, dize que aquellos que
5 quieren bien iutiar el hombre, si es bueno o malo, todo esnudo lo deuen guardar et iutiar, et saber quiénto es; et deue dexar sus riquezas et su patrimonio et sus honores et las otras mentiras de fortuna; et déuese guardar del hombre acabal. Et pues faga departimiento en el cuerpo et en l'alma et la consçiençia; et guarde los bienes que el hom-
10 bre posside si son suyos o de otri, et cómo los ha ganados.

[16] **Paulus apostolus**. Item Paulo, capítulo vi, dize, ***ad Thimoteum***, que aquellos que dessean que sean ricos cayen en muchas tem- [116b] taciones.
15
[17] ——. Item en el capítulo suso: Tú farás mandamiento a los ricos d'esti mundo que no sean orgullosos ni loçanos et que no hayan sperança en la no certenidat de las riquezas. Porque no los ha Dios escogidos por las lures riquezas.
20
[18] ——. Item dize en el lugar ya allegado: Faga mandamiento a los ricos hombres d'esti mundo que fagan bien et que sean ricos de buenas obras, et lo que han que lo den piadosament a los pobres. Los quales son medianeros entre Dios et los ricos hombres d'esti mundo, porque por la
25 lur mano envían la almosna a Dios quando ie las dan, la qual reçibe Dios por la lur mano a prouecho et a mérito de los ricos que la han dada.[67]

1 el] es E, el M. **4** *2º* que] *om.* E. **5** iutiar] iuciar E (*confusión* c/t). **6** deuen] deue E. // et saber quiento es] es a saber a saber quanto es E, e saber qual es M, e saber quiny es V, e saber quin es AB. // et deue dexar] et quanto deue dexar E, e deue dexar estas M, e deu lexar star les VA, e deu estar e lexar les B. **7** patrimonio] matrimonio E (*lectio facilior*), patrimonio M, patrimoni VAB. **8** déuese guardar] do se guarda E, de se cata M, deuse guardar V, deuse pendre guarda AB. **9** l'alma] E (*posible homoioteleuton*), e pare ojo qual es el cuerpo por si mesmo e qual es el alma *add.* M, e veia quiny es lo cors per si matex e quina es la anima *add.* V, e veges quins es lo cors per si matex e quina es la anima *add.* A, *om.* B. **17** sean] sea E. // loçanos] locanos E. **18** sperança] speranca E. **23** han] ha E, han M. **24** medianeros] medianos E, medianeros M, migancers V, migançers A, miyancers B. **25** envían] enuian E. **26** a mérito] amorio E, a meresçimiento M, a merit VAB.

[67] Esta última oración es un comentario de Juan de Gales basado, como indica la ***Suma de col.lacions***, en el ***sermón*** iii (=60 PL 38-39, 406, ver también sermones 18 y 38) de San Agustín.

[19] ——. Item dize ***ad Philopen-*** [116c] ***ses***, iii capítolo, hi[68] dize aquél, que á stimado[69] las riquezas tan poco como a estiércol ho l[o]do.[70]

[20] **Matheus**. Sant Matheu, capítulo xix, dize: Aquel que quiere seyer perfecto o acabado venda todo lo que ha et délo a los pobres. Porque más liugera cosa es el camello passar por el forado de vna aguiia que el rico hombre ganar el regno de Dios.

[21] ——. Item dize en el vi capítulo que moneda es riqueza de iniquidat.

[22] **Salamón**. Salamón en los ***Prouerbios***, capítulo xi, dize que aquell que fía en las riquezas cayerá et non le ayudarán ni le aprouecharán al día de la vengança.

[23] [**Abachuch**]. ***Abachuch***, capítulo ii, dize que enfermo es aquel qui aplega non cosas suyas, porque él plega assí contra sí [116d] mismo lodo speso.

[4.] AMONESTACIÓN DE LOS HOMBRES POBRES. CAPÍTULO IIII°.

[1] **Agustinus**. Sant Agustín, ***Sobre Sant Iohán***, omelía xxv, dize: Aquell benauenturado rico tiene oro en el arca, et aquel pobre tiene a

1 hi] lxi E **2** á stimado] asignado E, han pensado M, ha stimades VB, a estimades B. // ho lodo] holado E, o varro M, o fanga VA, o fangua B. **4** xix] xx E, xix MA, xviiii VB. **9** moneda] moneda EM, nomenada V, Mamona AB. **16** *1er* Abachuch (*epígrafe*)] *om.* E.

[68] E da claramente: *lxi*. No entendemos esas grafías. Probablemente se trata de una confusión o glosa del copista por *axí* o mejor *hi* 'aquí', es decir, 'aquí dize aquél, o sea, el apóstol'. La frase entre comas es una adición de E, que no se halla en los otros mss. Por eso corregimos con cautela.

[69] El ms da: *asignado*, que no tiene sentido. El error probablemente se hallaba ya en el prototipo aragonés, dada la lectura inadecuada de M (*ha pensado*). Las lecturas de los mss catalanes (*ha stimades*) nos ayudan a corregir el error.

[70] El ms da: *holado*. Podría pensarse que es grafía por *hollado*. Pero los dobletes de los otros mss: *fems o fanga* 'estiércol o barro', (VABC) y *basura o varro* (M) nos llevan a corregir *ho lodo*.

Dios en la consçiençia. Faziendo comparaçión quál es más rico: El rico tiene aquella cosa la qual puede perder et lo puede fazer perir; et el pobre tiene Dios, el qual no puede perir ni le puede seyer tirado. Pues clara cosa es que aquell que tiene Dios en su consçiençia es más
5 rico que aquell que tiene el oro en el archa, et ha riqueza de mayor durada. Porque él ha Dios, el qual es riqueza de coraçón et de la volumtat.

[5.] AMONESTAÇIÓN DE LOS HOMBRES POBRES. IDEM
10 CAPÍTULO QUARTO.

[1] **Agustinus**. [117a] Item reconta Sant Agostín en el VI libro de ***Conffesiones*** que, él passando por una carrera, él vido vn pobre mendicant que se tenía alegre et pagado et en grant iuego et solaz. Et Sant
15 Agostín sospiró et gemeçó, et boluióse a sus companyeros et díxoles: No ha cosa en el mundo que tanto deseyemos como auer alegría que mucho nos dure, et esti pobre mendicant hala alcançada antes que nosotros.

20 [2] ——. Item dixo que el hombre pobre yaze en todo lugar seguro.

[3] ——. Item reconta que vn pueta dize que el hombre que va uazío et non aduze cosa passa alegrament et cantando delant de los ladro-
25 nes, porque no ha miedo de los ladrones.[71]

[4] **Sénecha**. Séneca dize en la ii ***epístola*** que alegra pobreza es cosa honesta, et [117b] si alegra es ia no es pobreza, antes es riqueza. Por-

2 perder] E, pereçer M, perir VAB. **12** VI libro] V li libro E, VI libro M, VI libre VB, segon libre A.

[71] ***Rams*** atribuye esta cita a San Agustín. Es fac. El poeta es Juvenal, ***Sátiras*** X.22. Esta autoridad no se halla en las ***Confesiones*** de San Agustín, pero aparece en la ***Suma de col.lacions*** a continuación de tres citas de las ***Confesiones***.

que aquel que bien se abiene con pobreça es rico. Et aquel es pobre no qui ha poco, mas aquell que dizía[72] más que no ha.

[5] ——. Item dize en el lugar ya allegado: Non cuydo que sea pobre
5 aquello[73] que alguna cosa sobrecumpla, et es assí como a rico, ia sea que assaz ha pus que.l' cumpla.[74]

[6] **Apocalisi**. En l'***Apocalipsi*** es escripto, en el capítulo iii: Tú dizes qui es[75] richo, et no sabes que es mesquino et pobre et miserable et seco
10 et snudo, es a saber, despuyado et priuado de riquezas spirituoales.

[7] **Ierónimo**. Sant Ierónimo, en la ***epístula*** xcv, dize: Pobreza non faze el hombre más digno de laor si non se cata de pecado entre las sotzures.

---

1 aquel es pobre no qui ha poco] aquel no es poco pobre qui ha poco E, aquel es pobre non quien ha poco M, aqell es pobre no qui a poch VAB. **2** dizía] dízía E (*con los puntos diacríticos sobre las* íes), desea M, desija VA, desiya B. **5** sobrecumpla] et es assi como a rico *add.* E, por poco que haya pues sea que asaz ha pues que le cumple M, per poch que haia cor asats ha pus que li sobra V, per poch que haia cor asats ha pus que li abast o li cumpla A, per poch que aye quar asats ha pus que li baste B. **6** pus] pues EM, pus VAB. **13** digno] digo E, digno M, digne VAB.

---

[72] El ms. da: *dízía* claramente, con puntos diacríticos sobre las "íes". Su significado es 'desea'como lo revelan todos los mss. cats. y cast. Es un catalanismo obvio, como señaló ya Leslie en su *Glos.* Se trata del imperf. del verbo aragonés **desiiar*, formado sobre el cat. *desitjar* 'desear'. Quizá convendría leer *dizíia* con la segunda "i" palatalizada. Ténganse en cuenta los casos de *desigada* 'deseada' (108b, 189b, 217b) y *desiguada* 'deseada' (243b).

[73] Forma aragonesa del pronombre demostrativo masculino, usada con alguna frecuencia (ocho ocasiones) en ***Rams***.

[74] El copista de E omitió texto (*sobreabaste/sobrecumple...baste/cumple*) y, al darse cuenta, intentó enmendarlo añadiendo a la cita de los ***Proverbios*** parte de lo suprimido. Véase la versión de B, la más nítida para apreciar el salto: ...*alguna [cosa] sobreabaste per poch que aye, quar asats ha pus que li baste* (Séneca, ***epistola*** 1.5). *E es axi com a rich, jat sie que aye quaix no res* (***Proverbios*** 13.7). Damos a continuación el texto de M, ya que no sólo pone de relieve la complicación inherente del pasaje sino que revela el mismo error de E (traducir *pus* 'más' como *pues*), reflejo de un antecedente común: ... *alguna cosa sobrecumple por poco que haya, pues sea que asaz ha pues que le cumple; e es assy commo a rico, [ia] sea que aya quasi non cosa.*

[75] Esta y la siguiente son formas aragonesas de la segunda persona del presente de indicativo del verbo *ser*, es decir, *eres*.

[6.] [COMUNIDAT QUIÉNTA COSA ES.][76]

[1] [**Agustinus**].[77] Sant Agostín, en el li- [117c] bro de la ***Ciudat de Dios*** quinto, capítulo xviii, dize que comunidat e[s] res [pública],[78] pues
5 que es cosa del pueblo et cosa comuna et cosa de la ciudat. Porque es cosa manifiesta que todo hombre que entende el bien comuno et el prouecho del pueblo o de la tierra o de la ciudat creçer o consseruar o defender con iustiçia, et entiende la comunidat creçer et consseruar.

10 [7.] CÓMO SE BASTECE LA COMUNIDAT.

[1] **Agustinus**. Sant Agostín, en el II libro de la ***Ciudat de Dios***, capítulo xxi, dize que la comunidat es bien regida et gouernada por vn rey o por vn prínçep o por pocos hombres buenos et virtuosos o por todo
15 el pueblo, quando el pueblo es atal, [117d] esto es de saber, como aiustamiento de gent por conssentimiento de derecho o por complimiento de prouecho aconpanyado.

[2] **Agustinus**. Item más dize sobre el dicho feyto, en el libro, en el
20 capítulo ya allegado: Paz et concordia de la comunidat o de la ciudat es semblant de la concordia o a melodía o a bueno sono de sturmentes et de canto.

---

3 Agustinus (*epígrafe*)] *om.* E. **4** comunidat es res pública pues que es cosa del pueblo] comunidat eres pues que es cosa del pueblo E, cosa publica es cosa del pueblo M, res publica es cosa del poble VAB. **8** iustiçia] et entender la comundat crecer et consseruar o defender con iustiçia *add.* E. // comunidat] comunida E. **13** xxi] xiii E, beint e vno M, xxi VAB. **14** virtuosos] victoriosos E, virtuosos M, uirtuosos VB, virtuoses A. **21** sono] sano E, son M, so VB, sen A.

---

[76] El ms omite el título de este capítulo pero deja una línea y media en blanco. Tomamos el título de la tabla alfabética inicial.

[77] El ms omite el epígrafe, aunque deja un espacio en blanco.

[78] El ms da: *comunidat eres pues que es cosa del pueblo*. Podría interpretarse, considerando *es* como aragonesismo, como 'comunidad eres, pues que eres cosa del pueblo'. Pero la consulta de los demás mss revela que el copista de E no comprendió del tecnicismo latino *res pública*, creando la forma *eres*, omitiendo *pública* y añadiendo *pues que*. En efecto, los mss catalanes (VABC) traen: *res pública es cosa del poble*; y M *cosa pública es cosa del puebo*. No hemos dudado en corregir.

[3] **Agustinus**. A semblança posada sobre el dicho feyto por Sant Agostín en el segundo libro de la ***Ciudat de Dios***, capítulo iii, pues manifiesta cosa es que la comunidat deue seyer et auer perssonas de la mayor mano, de la mediana et de la menor, que sean concordantes
5 a vna buena volumtat, porque assín deue seyer ordenada la comunidat de los legos[79] como la comunidat [118a] eclesiástica et spiritual.

[8.] CÓMO LA COMUNIDAT DEUE SEYER FUNDADA EN IUSTICIA.

10

[1] **Agustinus**. Sant Agustín, en el libro II de la ***Ciudat de Dios***, capítulo xix, recontando las sentençias[80] de los sauios antigos, dize que la comunidat non puede seyer bien regida menos de grant iustiçia.

15 [2] **Agustinus**. Item el mismo, en el IIII libro de la ***Ciudat de Dios***, capítulo iiii, dize que regno menos de iustiçia no es otra cosa sino ladronizios. Et sobre éstos posa yde vn exemplo de Alexandre [et] de vn corsario de mar, segunt que se recomta en el libro apellado ***Breuiloqui de virtutes***, en la primera part, en el primero capítulo.

20

[3] **Agustinus**. Item el mismo, en el libro XIX de la ***Ciudat de Dios***, capítulo i: Que iusticia es virtut por la qual es dado a cada vno lo [118b] que suyo es.

25 [4] **Agustinus**. Item el mismo, en el primero libro de ***Doctrina christiana***, capítulo vi: La iusticia de Dios amonesta o dize a los iutges de

---

1 semblança] semblanca E. **5** la] la *iter.* E. **6** legos] lugares EM (*confusión del catalán* lechs 'legos' *por* lochs 'lugares'), lechs VAB. **12** sentençias] sumas E, sentençias M, sentencies VAB. **17** et] *om.* E, e MVAB. **21** xix] *om.* E, xix MVAB. **22** i] xix E, primero M, i VB, primo A. // es dado] EM, es donat A, ret VC, es de B.

---

[79] EM traen: *lugares*, obvio error conjuntivo proveniente de la interpretación del catalán: *lechs* 'legos', (VAB) como: *lochs* 'lugares'.

[80] El ms da claramente: *sumas*, pero es lectura errónea de la abreviatura: *snias* (catalán *snies*) por *sentençias*, como traen todos los manuscritos (MVABC) y el texto latino de San Agustín.

la comunidat que quieran et amen iustiçia, segunt que es scripto en el libro de ***Sauieza***, capítulo primo, diziendo: Vosotros, iutges, qui iutgades la gent de la tierra, amat iusticia.

5 [5] **Agustinus**. Item el mismo, en el ***Verdadera religión***, dize: Aquesta es verdadera iustiçia por la qual las menores cosas menos amemos et mayorment las mayores. Mucha iusticia pecado es; temprada iustiçia faze perfecçión, et sabrosa correcçión trobó la muert de Ihesu Christo, et dileción de su próximo como sal de iustiçia sía ordenada.[81]

10

[6] **Agustinus**. Item el mismo: Çertas, aquello que con drecho se possedexe no [118c] es aleyno; aquello [es iusto que se possedexe] por drecho; aquello que iustament [se possedexe], que bien [se possedexe]. Pues assín es: aquello por derecho que mal se possedexe allyeno es; et

15 mal posedexe qui mal vsa.[82]

[7] [**Bernardus**]. Sant Bernat, en un ***sermón del auiendo***, dize que iusticia es virtud la qual da a cada uno lo que suyo es, esto es, al mayor, al mediano, al menor.

---

1 quieran et amen] quieren et aman E, amen VA, amon B. **6** iustiçia] de iustiçia E. **12** es iusto que se possedexe] *om.* E (*reconstruimos con texto latino, ver nota 82*). **13** se possedexe] *om.* E (*reconstruimos con texto latino, ver nota 82*). // se possedexe] *om.* E (*reconstruimos con texto latino, ver nota 82*). **17** Bernardus (*epígrafe*)] *om.* E.

---

[81] No hemos encontrado esta cita en ninguno de los manuscritos (Madrid BN) o ediciones (Venecia, Estrasburgo) del ***Communiloquium*** ni en la ***Suma de col.lacions*** (MVABC). Algunas ediciones, como la de Estrasburgo tienen extensas adiciones. Es posible que se halle en alguna copia glosada. El pasaje contiene citas del ***De vera religione***: *Hanc est perfecta justitia, qua potius potiora, et minus minora diligimus* (48.93) y de las ***Quaestiones ex Veteri Testamento***: *Nimia justitia incurrit peccatum, temperata vero justitia facit perfectos* (15) de San Agustín; y del ***Commentarium in evangelium secundum Marcum***: *Salsitudinem correctionis amor proximi temperet, et dilectionem proximi sal justitiae condiat* (9, vers. 9.49) de San Jerónimo.

[82] Como en el caso anterior, tampoco aparece esta autoridad en ninguno de los manuscritos ni ediciones del ***Communiloquium*** ni de la ***Suma de col.lacions***. La autoridad está tomada de la ***epistola*** 153.26 de San Agustín: *Hoc enim certe alienum non est, quod jure possidetur; hoc autem jure quod juste, et hoc juste quod bene. Omne igitur quod male possidetur, alienum est; male autem possidet, qui male utitur.* (PL 33, 665) La fuente nos permite reconstruir el confuso texto de ***Rams***.

[8] [**Ambrosius**]. Sant Ambrós, en el primero libro ***De los ofiçios***, dize que hombre iusto todas cosas tiene por suyas et las suyas tiene por todos. Et dize que la primera part de iustiçia es en Dios, et la segunda en la tierra, et la tercera en los parientes, et de aquí adelant
5 es en todos los hombres. Mas verdadera iustiçia no es sino en la comunidat, et el fumdador et el regidor de la qual es Ihesu Christo. Et verdadera iustiçia es en aquella çiudat de la qual dize el [118d] profecta: ¡O ciudat de Dios, gloriosas cosas son dichas de tú!

10 [9] [**Lelio**]. Dize qu'el peor enemigo que puede auer la comunidat es iniustiçia, et non puede fazer cosa que dure mucho si non s'í serua grant iustiçia.

[10] **Tullio**. Tullio, en el libro ***De officios*** II, en el capítulo xi, dize
15 que iustiçia et la suya obra es menester a todas gentes del mundo; hoc encara a los solicitarios et a los compradores, et a los vendedores, e aquellos que logan, et aquellos que fazen algún contrato ni se entremeten de algunos negocios.

20 [9.] CÓMO LA COMUNIDAT DEUE SEYER POR VIRTUOSAS COSTUMBRES ENNOBLEÇIDA.

[1] **Agustinus**. Sant Agostín, en el II libro de la ***Ciudat de Dios***, capítulo xx, en vn versso,[83] la sentençia del qual es que *La çiudat de*
25 *Roma auie uida por* [119a] *antigas costumbres*, et la comunidat de aquella çiudat duró tanto como las costumbres antiguas virtuosas. Esti versso recibió Sant Agostín assí como si fuesse profeçia que Dios le huuiesse dicho por reuelaçión.

---

1 Ambrosius (*epígrafe*)] *om.* E. **3** por todos] por todas E, por de todos (de *interlineado*) M, per tots VAB. // en Dios] Dios E, en Dios M, en Deu VAB. **8** gloriosas] glorioriosas E. **10** Lelio (*epígrafe*)] Tullio E (*por confusión de la capital e influencia del epígrafe siguiente*), Clelio M, Lelius V, Cellius A, Clellius B. **11** iniustiçia] iusticia E, iniustiçia M, iniusticia VAB. **16** solicitarios] E, solitarios M, solitaris VAB, salutaris C, soliatrio Ven. **23** Ciudat] *om.* E. **25** uida] auida EM, uida V, vida AB.

---

[83] Se trata, como dice la fuente, del verso de Enio: *Moribus antiquis res stat Romana virisque*, apud San Agustín, ***Ciudad de Dios*** (2.21).

[2] ——. Item el mismo, en el V libro de suso allegado, capítulo xiiii, en vn cantar[84] que fizo, dize: No uos querades penssar ni comedir que los mayores nuestros e uuestros anteçessores por fuerça d'armas hayan puyada la ciudat de baxo estamiento en tan grant honor, de chicha que
5 era l'ayan fecha tan grant. Porque si assí fuesse fecho, más gloriosa sería la ciudat en esti tiempo que non era antiguament, porque más armas et más cauallos ý á que non auía en el tiempo que era más gloriosa. Otras cosas hi auía antiguament [119b] que fazían la çiudat bela et de grant gloria, las quales no hide son agora. Antes hi ha defalli-
10 miento, porque los vuestros antecesores auían en lur casa maestría, et de fuera iusto inperio, et lur corage franco en consello a dar.

[3] ——. Item el mismo faulando de Çipión, en el libro primero de la ***Ciudat de Dios***, capítulo xxx, dize que Cipión no iutgaua que la
15 ciudat fues en buen estamiento estando los muros firmement, cayendo buenas costunbres.

[4] ——. El mismo, en el II libro de la ***Ciudat de Dios***, capítulo ii, dize que la ciudat de Athenas[85] antiguament biuíe tenpradament et
20 mesurada por treballos et por buenas obras de los antigos.

[5] ——. Item el mismo, en la [119c] ***epístola*** v, dize que los corages malos et peruerssos de los hombres mortales se pienssan que las

---

3 nuestros e uuestros] uestros e uestros E, vuestros e nuestros M, nostres e uostres V, nostres e vostres AB. **14** xxx] xiii E, xxx MVAB. // dize] diziendo E, dize M, diu VAB. **19** biuíe] bieien E, biuia M, uiuia V, viuia A, viuie B. **23** peruerssos] peruerslos E.

---

84 ***Rams*** usa los sustantivos *cantar* y *cançión*, en la frase: *faulando a manera de cançión* (22.2), con el significado de 'discurso.' Se trata de la traducción, a través de la ***Suma de col.lacions***, del participio latino *contionans*, de *contionari* 'pronunciar un discurso o arenga ante una asamblea,' que aparece en el ***Communiloquium***.

85 ***Rams*** da: *Athenas*, como MABC, en cambio V trae: *Roma*. El texto de San Agustín (***De civitate Dei***, 2.2) dice: *Romam quippe partam veterum auctamque laboribus foediorem stantem fecerant quam ruentem*. El ***Communiloquium*** trae *portam*, aunque los editores de ***De civitate Dei*** anotan: "mss constanter habent *partam*" (PL 41, 48). Quizá la incomprensión del participio *partam* causó el cambio de Roma a Atenas. Ramón i Ferrer (59-60) ve una posible contaminación. En todo caso es lectura significativa, que vincula E con AB, frente a V, apuntando al prototipo aragonés.

cosas et las possessiones humanales sean más bienauenturadas quando han resplandient regidor.

[6] **Agustinus**. Item dize en el libro ya allegado, capítulo xix, recon-
5 tando la hubusión d'aytales, que los regidores no.s' dan aguarda quáles son buenos o quáles non. Mas danse aguarda quí es lur sosmeso o quién non.

[7] **Agustinus**. Item dize el mismo en la ***epístola*** xxxiiii que buenas
10 costumbres et malas costumbres non salen sino de buenos amores et malos amores.

[8] **Paulus apostolus**. Sant Paulo, en la primera epístola ***ad Corintios***, dize que buenas costumbres et malas costumbres non sallen sino
15 de buenos amo- [119d] res et malos amores.

[10.] CÓMO LA COMUNIDAT DEUE SEYER POR LEALDAT AIUDADA.

20 [1] **Ambrosius**. Sant Ambrosio, en el libro II ***De los offiçios***: ¿Quál es aquell que tiene por fieles aquellos los quales ha obligados a sí mismo por moneda o por seruiçios o por bellas paraulas? Et si alguno dize que aquellos atales tengan por fieles, vaya a comprar amigos fieles a la plaça por dineros et sean sus fieles. Lealdat se gana et se
25 mantiene con iustiçia et con sauieza, segunt que dize él mismo en el mismo libro, capítulo xii.

[2] **Chato**. Chato dize que lealdat habitaua o staua en un templo mismo con aquel dios que era Iouis, el qual era dios de alegría, et que era

1 humanales] humales E, vmanales M, humanals VA, humanalls B. **4** recontando] et recontado E, recuenta M, recomptant VA, recomte B. **5** que] et dize que E (*repite* et dize). **21** tiene] tienen E, tiene M, te VAB. // fieles] fillos E, fieles M, feels VAB. // ha] han EM, ha VAB. **22** mismo] mismos EM, matex VA, mateix B. **24** plaça] placa E. // se gana] segura E, se gana M, se guanya VA, se guanye B. **25** mantiene] mantienen E, mantiene M. **26** mismo] *om.* E, mesmo M, matex VA, mateix B. **28** templo] tiempo EM, temple VAB. **29** aquel] aquellos E, aquel MB, aquell VA.

veiina de aquel dios que staua en el Capitolio de [120a] Roma, el qual era lugar de grant honor.[86]

[3] **Eclesiastici**. El sauio ***Eclesiástico*** dize en el capítulo iii: Si as
5 amigo que sea leal en caridat, fes lo que él querrá.[87]

[4] [**Tullio**].[88] Tulio, en el libro ***De los offiçios*** primero, en el capítulo vii, dize que fumdamiento de iustiçia es lealdat et fermedat de paraulas et de conuinenças.
10

[5] **Tullio**. Item el mismo, en el libro ya allegado en el capítulo xii, dize que en dos maneras puede seyer fecha iniuria ad alguno, esto es, ho por fuerça, assín como a león, o por enganyo, assín como rabosa. Et cada vna de aquestas maneras deue seyer stranya al hombre, et
15 seyer mucho apartada. Et dize que la peyor iniustiçia que puede seyer fecha es de aquellos que fazen grant enganyo [120b] et de aquello[89] quieren seyr loados.

[6] **Tullio**. Item el mismo dize en el lugar de suso allegado que
20 muchos son que han enganyosa lealdat, et muchos son que la han en

---

1 *3ᵉʳ* que] que q E. **4** el sauio Eclesiástico dize] E, dize el sauio en el Libro de la Sauiduria M, diu lo saui Sapiencie VAB. // iii] ii E, iii MVB, tercio A. **7** Tullio (*epígrafe*)] *om.* E. **8** lealdat] E (*posible homoioteleuton*), cor leeltat es *add.* V, car leyeltat es *add.* A, car lealtat es *add.* B, *om.* EM. **15** la] lo E, la MVAB. **16** et de aquello] ad aquellos que E, e de aquellos que M, e daquen VAB (*incomprensión en* EM *del catalán* daquen 'de lo cual').

---

[86] Apud Cicerón, ***De officiis*** III 29 § 104, aunque, como dice Holden (392, nota a pág. 133 l. 2), no se sabe a cuál de los discursos de Catón se refiere Cicerón.

[87] Típico fac.El compilador toma una cita de Salomón, ***Proverbios*** 3.9, (*si as amigo...querrá*), y la atribuye al ***Eclesiástico***, porque viene a continuación en el texto de la ***Suma de col.lacions***. Véase: *E per axo diu lo saui, Sapiencie capitulo iii: Si as amich qui sia leal, fe co que ell uolra. E diu lo saui Ecclesiastich, capitulo vi: Amich leyal es fort defendedor* (V). La verdadera versión de E debe ser: **Sauiduría**. *El sauio dice en el libro de la Sauiduría, en el capítulo iii: Si as amigo...lo que él querrá* (nos basamos en M).

[88] E omite el epígrafe sin dejar espacio en blanco. Lo suplimos por el contexto.

[89] E y M traen la misma lectura errónea. E lee: *ad aquellos que* y M: *e de aquellos que*. Ambas versiones reflejan incomprensión del catalán: *e daquen* 'y de lo cual'. Error que de nuevo revela el origen común de E y M.

vn tiempo et en otro tiempo la pierden. Assí lo dize Egesofas,[90] en el libro primero, de vno que muchas vezes perdió su lealdat por esto como no era firme.

5 [7] **Tullio**. Item dize el mismo en el libro ***De benefiçios***,[91] capítulo xxiiii, que lealdat se reposa en el más alto lugar del templo. Et que ningún hombre non deue seyer dicho leal que a los suyos mismos sea desleal.

[11.] CÓMO LA COMUNIDAT DEUE SEYER ORDENADA POR
10 DERECHA INTENCIÓN.

[1] **Tullio**. Tullio, en el libro III ***De ofiçios***, capítulo v, dize que todos [120c] aquellos que se pertenesçen a vna comunidat deuen auer vna proposiçión e una volumtat, que cascún ame el bien común[92] assín
15 como el suyo propio. Porque comedir se deue cada vno que, si el bien común desfalleçíe, la companya del humanal linage se dapnaría et cascún[93] auríe a beuir solitariament.

---

14 que cascún ame el bien común] como el bien E, que cada vno con el buen camino M, que cascu am lo be comu V, que cascun ab lo be comu AB, que cascu sia ab lo de comu C (*pasaje oscuro ya en catalán, por confusión de* ab 'con' *y* am 'ame', *que produjo las extrañas soluciones de* EM). **17** cascún] constumbre E, consumeria M, cascu VAB (*de nuevo la incomprensión del catalán dio traducciones extrañas en* EM). // solitariament] solitariamet E.

---

[90] Se trata del historiador judeo-romano Flavius Josephus, conocido con frecuencia como Hegesippus/Egisipus/Egippus en la ***Suma de col.lacions***.

[91] Error por *De ofiçios*. MVC dan como fuente: *De benefficiis,* frente a AB, que omiten el título de la obra. Lo cual vincula a E con el grupo de V.

[92] En esta frase E y M presentan unos errores semejantes que arguyen origen común. Ambos implican confusiones basadas en el pronombre catalán *cascú* y la forma verbal *am*. En efecto, la versión correcta de V: *que cascú am lo be comú* se deturpó en AB a: *que cascú* (*sia*, *add.* C) *ab lo be comú*, con cambio de *am* 'ame' a *ab* 'con'. La versión de AB debió servir de base al prototipo aragonés, que traería: **que cascún con el bien común*, origen de las lecturas de E: *como el bien [común]* y de M: *que cada vno con el buen camino*. La forma de E: *como*, podría interpretarse también como confusión de la frase: **c'ame el bien común*. Pero no hemos encontrado en ***Rams*** ningún ejemplo de aglutinación con la *c*. Nuestra corrección: *que cascún ame el bien común*, intenta combinar las lecturas de EM y restaurar la versión correcta de V y del prototipo aragonés.

[93] También aquí E y M traen lecturas erróneas basadas en la falsa comprensión de *cascú*. En efecto, la versión catalana: *e cascú hauria a viure solitariament* (VAB), se ha

[2] **Tullio**. Item el mismo dize que más es contra natura de hombre dar danyo a otro porque a éll ne[94] venga prouecho, que non es muert ni enfermedat o otro mal corporal. Porque por esta razón se sigue departimiento del humanal lignage de comuna habitación, la qual se
5 perteneçe a hombre por natura.

[3] **Tullio**. Item el mismo, en el libro V ***De ofiçios***, capítulo viii, dize [120d] que Terençiano no se penssaua que neguna cosa del mundo, de qualque hombre que fuesse, fuesse a éll asín como a cosa no suya o
10 estranya.

[4] ——. Item el mismo dize de sí mismo en el libro ***De amiçiçia***, capítulo vi: Él no auía millor ansia en quiénto estamiento sería la comunidat aprés la suya muert que en la su vida.
15

[5] **Tullio**. Item el mismo dize en el libro II ***De natura de los dioses***, que quando sallíe algún valient hombre d'esta vida, el qual era stado prouechoso a la comunidat, fazían d'ello remenbrança assí como si fuesse dios, por tal que los otros tomassen buen coraçón de mantener
20 el bien común et que non dubdassen del prouecho de la comunidat.

[6] **Sénecha**. Séneca, en la ***epís***- [121a] ***tola*** xix, dize: Yo no me pienss-so que ninguna cosa del mundo fuesse suya más que de otri, la qual cosa se perteneçe a conseruación del bien común de auer conpanya. Et
25 dize que los sauios eran semblantes al sol et a la luna, los quales dan la lur lumbre a todos. Porque dize el mismo: Yo deuo mucho al sol et a la luna, empero non sieruen a mí solo. Porque los sauios non tan

2 ne venga] no venga E (*lectio facilior)*, le venga M, se souinga V, ne sdeuengua A, ne sdeuengue B (*confusión del partitivo catalán* ne *como adverbio de negación*). **3** o] *om.* E, o MVAB. // por] *om.* E, por M, per VAB. **9** *2º* fuesse] *om.* EAB, fuesse M, fos V. **13** millor ansia] E, meior ansia M, menor cosa e ansia V, menor cura ne ansia A, menor cura e ansia B. **19** coraçón] coracon E. **26** mucho] muchos E.

transformado en: *et costumbre aurie a beuir solitariament* (E) y *e comsumería e abría de veuir solitariament* (M), donde *costumbre* y *consumería* son errores conjuntivos del *cascún* que tendría el prototipo aragonés.

[94] ***Rams*** da: *no* por confusión del partitivo catalán *ne* 'de ello' con el adverbio de negación.

solament en lur vida huuieron cura del bien común, antes avn aprés lur muert asín como antes.

[7] **Aristótil**. Aristótil, en el II libro ***Del çielo et del mundo***, dize: La
5 naue que es de grant peso estando en tierra métenla los marineros, tirándola, en la mar, tirándola todos a vna intençión.

[8] **Aristótil**. Aristótil, el mismo, dize que vna [121b] grant huest de hombres armados, que sean todos de vn acuerdo et de vna intençión,
10 á más priuada victoria que si fuesse apartada de muchas et diuersas intenciones. Et assí es en cada comunidat.

[12.] CÓMO DEUE SEYER ORDENADA POR CONCORDIA VERDADERA ET APLEGADA COMUNIDAT.
15

[1] **Ierónimo**. Sant Ierónimo, en la ***epístola*** xcii, dize que antigament los regidores de la comunidat auían concordia entr'ellos mismos, et, ya sea que algunos n'í huuiesse que fuessen enemigos los vnos de los otros que antes que fuessen regidores, luego, como empeçaron de regir la comuni-
20 dat, fueron amigos et concordantes por prouecho de la comunidat.

[2] **Sénecha**. Sénecha, en la ***epístola*** xcix: Yo vos liu- [121c] re[95] el regno firme et perdurable si vosotros soes buenos; et si no será flaco et de poca durada, si sodes auols o malos.

1 solament] solamet E. **2** antes] adelant E, antes M, dabans VAB (*posible confusión entre* dauant 'adelante' *y* dabans 'antes'). **5** que] *om.* E, que MA, qui VB. **6** intençión] a mas privada victoria *add.* E (*por influencia de la cita siguiente*). **9** acuerdo] cuerdo E, acuerdo M, acort V, acord A. **17** auían] auia E, auian M, hauien VA, auien B. **18** *3er* que] *om.* VAB (que *pleonástico, típico del aragonés, que aparece tanto en* E *como en* M). **19** empeçaron] empecaron E. 122 liure] lauze E, abredes liure M, liure V, tindre A, regire B.

[95] El ms da: *lauze*. El ***Lexicon*** acepta esta lectura (por *lapsus calami* da: *lauzo*, aunque en la microficha transcribieron fielmente: *lauze*) y la deriva del verbo provenzal *lauzar* 'give up' [entregar], 'give' [dar]. Pero las lecturas de V (*us liure lo regne*), B (*us tindre lo regne*) y M (*vos abredes libre el regno*) apuntan a que debería interpretarse como: *l'auré liurado* o simplemente: *liure*, catalanismo por 'libro, doy, entrego', lectura que adoptamos por la confusión gráfica *z/r* que detectamos en otras ocasiones. La hipótesis de un compilador o escriba provenzal de ***Rams***, aunque no está expuesta en ninguna parte, sub-

[3] **Mateus euangelista**. Sant Matheo euangelista, en perssona de Ihesu Christo, capítulo xii, dize que todo regno departido por discordia viene a defallimiento; et por contrario, quando vnidat et concordia hi es, cresce et multiplica.

5

[13.] CÓMO LA COMUNIDAT DEUE SEYER POR SALUDABLES CONSSELLOS ENDREÇADA.

[1] **Salamón**. Salamón, en el libro de los ***Prouerbios***, capítulo xxiiii,
10 dize que allá do ha muchos et buenos conssellyos allí ha saluamiento et salud.

[2] **Sénecha**. Sénecha, en el libro ***De tranquilidat de corage***, cerca en el començamiento del libro, dize: No tan solamientre [121d] es
15 prouechoso a la comunidat aquell qui la defiende et la mantiene armado et la ha amada por defenssión de aquélla, antes avn aquell qui amonesta a la mancebía et que muestra a los otros camino de virtud et posa mantdamiento et conssellio contra viçios et refrena los luxuriosos et los avaros.
20

[3] **Iob**. ***Iob***, en el capítulo [ii, dize que en los antiguos es sabiençia. Et en el III ***Libro de los Reyes***, capítulo] xii, dize que Roboam perdió el regno porque dexó el consello de los antigos et túuose al consello de los mancebos.[96] Consello de los antigos mucho vale.

---

3 concordia] contrario E, concordia MVAB. **7** conssellos] como fuesse E (*en el índice da* conssellos). // endreçada] endrecada E. **16** amada] amda E, libra M, es combat VAB. // aquella] aquellas E. **21** ii...capítulo] *om.* E (*homolioteleuton*), ii que en los antiguos es sabiençia e en el libro III de los Reyes capitulo *add.* M, ii que en los antichs es la sauiesa El libre III dels Reys capitulo *add.* V, secundo que en los antichs es la sauiea El libre terç dels Reys capitulo *add.* A, ii que en los antichs es la sauiesa E ell libre III dels Reys capitulo *add.* B.

---

yace en buen número de las explicaciones que ofrece el ***Lexicon*** para aclarar el significado de las palabras oscuras de ***Rams***. Diríase que este ejemplo parece apoyarla. En realidad, es innecesaria y a menudo inadecuada, pues no tiene en cuenta la base catalana del texto aragonés, que explica la mayoría de los innumerables errores gráficos de ***Rams***.

[96] E atribuye a Job el caso de Roboam. Claro indicio de homoioteleuton.

[4] **Tullio**. Tullio, en el libro ***De veylleza***, capítulo x, dize que aquellos que dan buen conssello a la comunidat más fazen que los otros, porque ellos son assí como aquel que serua la nao con el thimón.

5 [5] **Agustinus**. Sant Agostín, en el libro [***De la Ciudat de Dios***, V, capítulo xii, et Tullio, en el libro] ***De oficiis***,[97] capí- [122a] tulo xxii, dize que poco aprouechan armas de fuera si dentro de casa no ha buen conssello.

10 [14.] CÓMO CAYE ET VIENE A DESTRUCCIÓN LA COMUNIDAT POR DEFALLIMIENTO DE NO AUER DRECHA INTENCIÓN ET VIRTUOSAS COSTUMBRES; POR NO HAUER SALUDABLES CONSSELLOS; POR NO HAUER LEALDAT; ET POR NO ESSER AVNIDA ET APLEGADA; POR NO ESSER FUNDADA 15 EN IUSTICIA; ET POR QUÁLES VIRTUDES DEUE SEYER REGIDA ET CONSSERUADA, ORDENADA LA DICHA COMUNIDAT.

[1] **Agustinus**. Sant Agostín, en el libro II de la ***Ciudat de Dios***, capítulo ii, recontando las paraulas de Tullio en el V ***Libro de la comunidat***, 20 dize que tanto se era mudado el stamiento de la ciudat que la comunidat no era atal como antiguament ni en color ni en forma ni en liugereza[98] ni en belle- [122b] za ni en nobleza. Dixo que tanto era camiada que no trobaua maestro que la supiesse reparar, porque no ý auíe res fincado de las constumbres antigas ni en obra ni en remen- 25 brança de hombres.

3 serua] seruan E. **5** De la...libro] *om.* E (*homoioteleuton*), de la Çibdat de Dios V capitulo xii e Tulio en el libro *add.* M, v de la Ciutat de Deu capitulo xii e Tulli libre *add.* VB, quint de la Ciutat de Deu capitulo duodecimo e Tulli libre *add.* A. **7** dize] *om.* E, dize M, diu VAB. **14** avnida] avíuda E (*con signo diacrítico sobre la* i). **19** de la comunidat] *om.* E, de la comunidat M, de la comunitat AB. **20** *2º* que] porque E, que M. **23** trouaua] que *add.* E (*pleonástico, común en aragonés*).

[97] E atribuye a San Agustín el ***De oficiis*** de Cicerón. Otro claro indicio de homoioteleuton.

[98] Así dicen EM. Pero los mss. cats. traen: *luminament* (V) 'iluminación, *lineament* (A), *lo niament* (B), *linyament* (C) 'alineamiento'; en cambio la cita ciceroniana del ***Communiloquium*** da: *liniamenta* por *lineamenta* 'líneas, trazos', 'rasgos, contornos'. Esto indica que *liugereza* es falsa lectura por 'alineamiento', que ya se hallaba en el prototipo aragonés.

[2] **Agustinus**. Item el mismo, en el capítulo xix, dize: ¡Quántas vezes es stada ferida la comunidat et escarnida por defallimiento de las dichas cosas! Et sobre esto dize assí: ¿Quí es aquel qui compara la comunidat, no diré al imperio sino a la casa de aquel rey que auíe
5 nombre Napolio,[99] el qual assí quería complir sus deliçios et fazer propria uolumtat que él fizo scriuir de suso de su çiminterio que no auía de ninguna cosa gloria après la muert sino de lo que auía despendido et consumado viuiendo et com- [122c] pliendo sus uolumtades?

10 [3] **Agustinus**. Item el mismo dize recontando las paraulas de Sçipión, libro primero de la ***Ciudat de Dios***, capítulo xix, diziendo que quando Cathón consellasse a los romanos que destruyessen Cartagenya, la qual era mal querient lur et quería struyr al imperio ho apropriar a sí mismo, que Sçipión contradixo al consello de Cathón temiendo la
15 emfermedat de los coraçones de los romanos et la fermedat de los aduerssarios, pensándose que los romanos aurían menester comunal tudor, assín como a huérfanos, porque los vidíe espantados, que auíen grant miedo. De lo que Sçipión se temía se conteçió por obra, que luego qu'elos huuieron destruy- [122d] da la çiudat de Cartagenya, de allí
20 adelant no huuieron miedo ni temieron a nenguno, et fueron assín como a pubiles menos de tudor que faze sus volumtades desordenadament. Porque ellos se daron a deliçios et ha riquezas, et cada vno quiso complir sus deseos. Et d'allí se siguié tan solament que començaron entre ellos de auer discordia et a perder paz et discordia.
25 D'allí vino destrucçión et decaymiento de la comunidat.

[4] **Agustinus**. Item el mismo, en la ***epístula*** v, recontando las paraulas de Celestino,[100] dize que la comunidat de Roma, digna de lohor, et

---

3 aquel] alquel E. **4** diré] dize E, diere M, dire VC, dix AB. // al] el EM, al VABC. // casa] cosa E, casa MVAB. **5** Napolio] E, Sardanapalo M, Sardena Palli V, Sardinopoli AB, Napalli C. **6** su] suso E, su M. **12** consellasse] bosellasse E, consejo M, consellas VA, conseyllas B. **14** Cathón] Cartagen E, Caton M, Cato VAB. **16** aurían menester] ... nester E, avrian menester M, haurien mester VA, auren mester B. **18** temía] te temia E. **19** qu'elos] que los E, que ellos M, que ells VA, que els BC. **22** *2º* et] *om.* E, e MVAB. **24** començaron] comencaron E. **27** Celestino] E, Salustio M, Salusti VAB.

---

[99] Deformación de *Sardanápalo*, semejante a C: *Napalli*, En V: *Sardena Palli*.

[100] Se refiere a Salustio, como dan todos los mss.

la su honor et reuerençia començó a cayer et vino a perdeçión en aquell tiempo en el qual los regidores de la çiudat, que solíen seyer, assín como [123a] a dios, iustos et virtuosos, non corrigieron los malos, et perdonaron a los enculpados, assín como a ladrones et roba-
5 dores, por tal como los regidores eran cobdiçiosos de auería[101] et de robería.

[5] ——. Item el mismo dixo vna actoridat de Iuuenalio que dixo: Agora sufrimos mal que nos ha venido por auer luenga paz. La paz
10 vieia ha tomado armas de luxuria, con las quales fiere et mata la ciudat, et vénganse los nuestros malos querientes de nós después que la pobreza fue echada de la ciudat.

[6] **Gregorius**. Sant Gregorio, ***Sobre Hezechiel***, libro primero, ome-
15 lía viii, dize que cauallería armada es terrible a los enemigos quan es bien aplegada de vna concordia, así que en res no sean discordantes ni menos de [123b] ninguna razón. Et posa yde exemplo de ***Iudit*** capítulo xv.

20 [7] **Ambrosius**. Sant Ambrosio, en el ***Examerón***, omelía v, dize que las leyes deuen seyer comunas a todos et todos las deuen conseruar et obedir, et todos deuen a sí mismos con las leyes regir et reglar. Et no se deuen pensar ninguno que le sea deuido ninguna cosa que sea por la ley vedado a otros. Mas lo que es deuido a vno es deuido a todos,
25 et lo que es vedado a vno es vedado a todos.

[8] **Grisostomus**. Grishótomus, ***Sobre Sant Iohán***, omelía xxxvi, dize: Leyes son assín como a cabestro ho ha freno ho a trauas por tener los hombres viçiosos et la uolumtat viçiosa.

---

1 començó] comenco E. **5** auería] auariçia M, auaricia VAB. **12** pobreza] probreza E. **14** Hezechiel] Hezechil E, Ezechiel MVAB. **17** Iudit] Iudic EM, Iudicium VAB. **23** le] la E, le M, li VAB. **24** es] *om.* E, es MVAB. **29** viçiosos] victuosos E (*fort.* virtuosos), viçiosos MAB, uiciosos V. // et] et *iter.* E.

---

[101] Todos los mss traen: *avaricia*. ***Rams*** trae: *auería*, término que mantenemos como sinónimo de 'deseo de posesiones.' Cf. Terrado (232) con amplia documentación.

[9] **Sant Paulo appóstol**. Sant Paulo, en la ***primera epístula ad*** [123c] ***Romanos***, capítulo xii, dize que en la comunidat eclesiástica ý á muchas perssonas, et de muchos grados fazen vn cuerpo et cada perssona es partida de aquéll.

[10] ——. Item dize el mismo en la ***primera epístula ad Corintios***, capítulo xii, que todos aquellos que han recebido babtismo son aiustados por vn spíritu et son assín como vn cuerpo.

[11] [**Actus apostolorum**]. Scripto es en ***Actu apostolorum***, capítulo iiii, faulando, que allá en do no ha caridat no es verdadera comunidat, porque en verdadera comunidat deue seyer ley de caridat.[102]

[12] **Salamón**. Salamón en los ***Prouerbios***, capítulo viii, en perssona de la ley de Dios: Por mí regnan los reyes, et aquellos qui fazen las leyes iutgan verdade- [123d] rament por mí.

[13] [**Salamón**].[103] Léyese en los ***Prouerbios*** de Salamón, capítulo xvii, que aquello que iustifica el maluado et comdapna el iusto entramos son delant Dios abhominables et desplazientes.

[14] **Sénecha**. Sénecha dize que los antiguos menospreçiauan todas cosas por el bien común ho de la comunidat, diziendo que

2 xii] vii E, dozeno M, *om.* A, xii V, xi B. **3** *2º* et] *om.* E, e MVAB. **7** xii] EV, dozeno M, *om.* AB. **10** Actus Apostolorum (*epígrafe*)] *om.* E. **11** en verdadera comunidat] *om.* AB. **14** *2º* Salamón] Lalamon E. **15** regnan] regnar E, regnan M, regnen VAB. **18** *1er* Salamón] Ieyese E (*usa mecánicamente como epígrafe la primera palabra del texto*). **19** xvii] xvii EM, xix V, septimo A, vii B.

[102] La presencia de ese extraño: *faulando*, indica que la redacción de esta autoridad fue descuidada, contiene un salto o es fac, atribuyendo a los ***Hechos de los apóstoles*** el comentario de Juan de Gales. Véase el texto de M: *mas por tal como verdadera concordia non puede seer menos de verdadera caridat, la qual faze "aquellos que la siguen de vn coraçon e de vna voluntat," segunt que es scrito en los Fechos de los apostoles, capitulo iiii* [4.32]; *por esta razon se sigue que alli do non ay caridat non es verdadera comunidat, porque verdadera comunidat deue seer ley de caridat.*

[103] El epigrafista escribió: *Ieyese*, porque descuidadamente tomó como nombre del autor la primera palabra del texto.

ellos eran pobres de lures riquezas, et la tresorería del común era plena.[104]

[15] **Sénecha**. Item el mismo dize en la ***epístola*** liii,[105] que no es
5 prouechoso aquell, la vida del qual no es prouechosa a los otros.

[16] **Tullio**. Tullio, en el primero libro ***De los ofiçios***, capítulo xxxix, dize que en la comunidat ha III maneras de gentes, estos son regidores et mayorales, et perssonas baxas et priuadas, et pers- [124a]
10 sonas estranyas. Et assigna los lures offiçios. Et dize que los regidores et mayorales deuen auer tal condeción que sea entemdemiento lur de representar la comunidat, et de fazer las obras de aquélla, e leuar la carga assín como lieuan la honor, et deuen seruar las leyes et mantener los derechos, et deuen seyer recordantes de la comanda que
15 han reçebida, que la guarden lealment.

[17] ——. Item el mismo faulando de las perssonas baxas et priuadas, las quales dize que deuen viuir con los ciudadanos por egualdat de derecho, et por comunaleza, segunt lur grado, et non deuen seyr
20 menospreçiados por los mayores, [nin se deuen tanto presçiar que quieran seyer eguales con los mayores], et deuen querer lo que se perteneçe a paz et concordia de la comunidat, et conssentir et tener estamiento de hu- [124b] mildat.

---

4 epístola liii] epistola secretament liii E (*¿Es acaso reflejo de la* C, *por* 'centessima' *del mss. M?*), epistola c liii M, epistola liii VABC. **7** xxxix] xxxxi E, treynta e nueue M, xxxix VA, xxxviiii B. **9** et mayorales] mayores E, e mayorales M, e maiorales VAB. **13** lieuan] lieua EM, porten VAB. **18** dize] dizen E, dize M, diu VAB. **20** nin...mayores] *om.* E (*homoioteleuton*), nin se deuen tanto presçiar que quieran seer eguales con los mayores M, nes deuen tant prear que uullen esser eguals als maiors V, nes deuent tant prear que uullen esser eguals ab los maiors A, nes deuen tant prear que sien eguals ab los maiors B. **23** humildat] EM, honestat VAB.

---

[104] Fac fácilmente comprensible por la disposición del texto. La ***Suma de col.lacions*** habla de San Agustín (***Ciudad de Dios***) y Séneca (***epístola***), seguidos de esta cita, identificada como: *ibidem*. El compilador supuso lógicamente que aludía a Séneca; sin embargo se refiere a la ***Ciudad de Dios*** de San Agustín, que había mencionado antes.

[105] El ms dice: *epístola secretament liii*. *Secretament* no tiene sentido. ¿Es acaso reflejo de la *C* del texto de M, interpretada como "centésima"? En cualquier caso se trata de una lectura espuria que rechazamos.

[18] ——. Item el mismo faula de los estrangeros. Dize que non se deuen entremeter sino de lures negocios, ni deuen fazer cuytadament en estranya comunidat. Et que tales deuen seyer los mayores et los regidores, los baxos, los estrangeros de la comunidat.

5

[19] **Graciano**. Graciano, qui fizo el ***Decreto***, dize que ley es assí como interpretador ho torcimani de egualdat, esto es, poderosa sobre las cosas diuinales et humanales, segunt que dize Iosephus.[106] Porque ha gouernar el pueblo son necessarias leyes iustas, segunt que dize

10 Séneca en la ***epístola*** xcix: Que, pues que los regnos se conuertieron en tirannía et crueldat por viçios et pecados [124c] sobreuinientes, neçessarias fueron las leyes.

[20] **Iosephus**. Iosephus, libro VI, dize de sí mismo que, quando

15 Titus Vespesiano[107] assitió Gerusalem, fue ferido en la cabeça con pie-

---

2 negocios] (*posible homoioteleuton*) nin deuen fazer inquisiçion de los negoçios de los otros *add.* M, ne deuen fer inquicio dels afers dels altres *add.* V, ne deuen fer inquisicio dels afers dels altres *add.* A, ne deuen fer inquisio dells affers dels altres *add.* B. // ni] no E, nin M, nes VB, ne A. // fazer] fazen E. **6** Decreto] Derecho E, Decreto M, Decret VAB. **7** poderosa] poderoso E, poderosa MVA, poderos B. **8** Iosephus] Iesophus E, Hegisipus M, Egisipus V, Eigisipus A, Egipsipus B. **10** xcix] capitulo *add.* E. // conuertieron] cometieron E, conuertieron M, conuertiren VAB. **14** *2º* Iosephus] EVC, Josep AB. **15** Titus Vespesiano] Çirus Vespesiano E, Titus e Vespasiano M, Tirus e Vespesianus V, Titus e Vespesianus AC, Ticus e Uespesianus B. // assitió] E, *om.* M, asetiauen VAB, assetyaran C. // cabeça] cabeca E.

---

[106] La atribución a Graciano es fac debido a que la ***Suma de col.lacions*** lo cita en la línea anterior. En la atribución a Josefo hay una curiosa corrección del compilador basada en una falsa interpretación del nombre del autor. Todos los mss lo dan como Egisipus (MVAB), nombre que el compilador corrigió a Josefo. Ver nota siguiente. Pero el pasaje no proviene del Egisipus medieval (aunque hay algo en el CSEL I.32.6), sino del ***Policraticus*** 4.2, donde dice: *Lex vero eius interpres est, utpote cui aequitatis et iustitiae uoluntas innotuit. Vnde et eam omnium rerum diuinarum et humanarum compotem esse Crisippus asseruit.* Luego el autor verdadero no es Egisipo/Josefo, sino Crisipo. Webbs, en su documentada edición, remite al ***Digestum*** 1.3 §§ 1,2.

[107] E presenta en esta línea dos lecturas interesantes. En primer lugar atribuye el pasaje a *Josephus* (VC) frente a AB que dan *Josep*. Error disyuntivo, como señala Ramón I Ferrer (52), que vincula E a la rama VC. En segundo lugar, la referencia al sitiador refleja una corrección curiosa. Todos los ms catalanes describen el pasaje así: *en lo temps que Titus* [*Tirus* V, *Ticus* C] *e Vespesianus asetiauen aquella*, es decir, Jerusalén (VABC). Esta frase es versión libre del ***Communiloquium***: *Tito eam obsidente*, donde el traductor catalán, en un aparente alarde de erudición, debió glosar el nombre del general romano Titus,

dra et desseaua morir de aquel colpe por tal que no viese la destrucçión de la ciudat. Et por deseo de la muert él ploraua.

[21] [**Iob**]. ***Iob***, en el xxxviii capítulo, dize: Tú as conocido el orden
5 del çielo et has puesta la razón de aquéll en tierra. La razón del cielo ha puesta en tierra quando la ciudat terrenal es semblant a la çelestial, en la qual todos han vna volumtat con el lur rey glorioso. En la
ciutat celestial la uolumtat de Dios es assín como a ley, segunt que
dize Sant Agostín, libro II de la ***Çiudat de Dios***.
10

[22] ——. Item dize el [124d] mismo, capítulo xi, que plazer l'ía[108]
que Dios faulasse al hombre et que ende hubriesse la suya santa boca
et le mostrasse los secretos de la suya sauieza, como la ley es multiplicada por sus obras. Mas fazer et posar ley no es cosa prouechosa
15 sino es a aquel qui la tiene et la guarda.

[15.] CÓMO SENYORÍA DEUE SEYER RECEBIDA ORDENA-
DAMIENTRE ET LEGÍTIMAMIENTRE.

20 [1] **Agustinus**. Sant Agostín, en el libro V de la ***Ciudat de Dios***, capítulo xviii, dize que Quinto Quintinato[109] tenía iiii yuuadas de tierra, la
qual él mismo de sus manos araua. El qual fue leuantado del aradro
et fue fecho dictador, que era mayor honor que seyer cónsul. Et quando fueron vencidos los enemigos et él huuies- [125a] se alcançada

---

1 viese] viuiessen E, viese M, vees VB, vehes A. **4** Iob (*epígrafe*)] *om.* E. **11** plazer l'ía] plazer ha E, plazer le ya M, plauriali VA, plaurieli B. **15** tiene] tiene EM, tinga V, iutge AB. **21** tenía] toma E (*confusión* e/o, ni/m), teni M, hauia VA, auia B. **24** huuiesse] huuesse E. // alcançada] alcancada E.

---

llamándolo correctamente Titus Vespasianus. Luego, en una nueva ingerencia, los copistas lo transformarían en dos personajes añadiendo la conjunción *e*. Frente a las lecturas catalanas, E vuelve a reducir a uno los dos generales romanos poniendo el verbo en singular. ¿Fue influenciado por la versión de M: *en el tienpo de Titus e Vespasiano acaesçio que fue ferido en la cabeça* o acaso las lecturas de E y M responden a la del prototipo aragonés?

[108] E da: *ha*, pero es falsa lectura de *lia*, como revelan los otros mss: *plazer le ya* (M), *plauriali* (VA) y *plaurieli* (B).

[109] Se trata de Lucio Quincio Cincinato.

grant gloria, él s'en tornó al primero oficio assín pobre como d'antes, et biuió en aquella pobreza.

[2] **Gregorius**. Sant Gregorio, en el V libro de los ***Morales***, a la fin, dize
5 que Dios faze lo que fazen los malos regidores en quanto sufre que se faze, mas no lo faze en quanto lo reprueua. Assín como el mismo, es a saber, Gregorio, que dize: Non deue seyer imputado ho cargado a la ordinación de Dios que los malos regnen, mas a la maliçia de los subiectos.

10 [3] [**Iob**]. ***Iob***, en el xxxiii capítol, dize que Dios faze regnar el ypócrita por el pecado del pueblo.

[4] **Iob**. Item el mismo, en el capítol xxvi, dize: *Los gigantes gemecan dius de las aguas*. Sant Gregorio, en el XVII libro de los ***Morales***, expo-
15 ne esta paraula diziendo: [125b] Por gigantes son entendidos los hombres poderosos del mundo, et por aguas son entendidos los pueblos. Et sobre esta paraula dize Sant Iohán, ***Apocalibsi***, xvii capítulo, que muchas aguas son muchos pueblos. Pues los gigantes gemeçan dius de las aguas.

20 [5] **Dauit et Moysés**. Léyese en el ***Libro de los Reyes*** que Dauid et Moysés fizieron oración a Dios que proueiesse el pueblo de hombres, que lo mantuuiesse et que pudiesse entrar et sallir delant la multitud del pueblo.[110]

---

6 como] con E, commo M, com VAB. **8** regnen] regne E, regnen MVA, regon B. // mas] *om.* E, mas MAB, mes V. **10** *1er* Iob (*epígrafe*)] *om.* E. // capítol] ca iii capitol E. // ypócrita] ypocata E, ypocrita MVA, ypocrit B. **11** por] *om.* E, por M, per VAB. **17** esta] esto E. **20** Libro de los Reyes] E (*resume, aunque es probable que haya homoioteleuton*), capitulo xvii e leese eso mesmo en el libro de los Nonbres *add.* M, capitulo xvi se lig axi matex el libre de Nombres capitulo xxvii *add.* V, capitulo xvii ligse axi matex en lo libre dels Nombres *add.* A, capitulo xvii liygse axi mateix el libre dels Nombres *add.* B. **21** proueiese] prendiese E, proueyese M, prouehis VAB.

---

[110] El compilador, en su labor de resumen, combinó descuidadamente dos autoridades en una, confundiendo, en el proceso, la referencia bibliográfica. En efecto, la petición de David se halla en el ***Libro de los Reyes*** (***I Samuelis*** 16.13). Esta es la única autoridad que menciona ***Rams***. En cambio, el caso de Moisés, que es el que describe con más detalle, no se encuentra ahí sino en ***Numerorum*** 27.16,17. Sin embargo, las dos autoridades se hallan seguidas en la ***Suma de col.lacions***. La versión de M, la más cercana a E, dice: *Axy es escripto de David en el Libro de los Reyes, capítulo xvii, e léese eso mesmo en el Libro de los Nombres, que Moysén...* El compilador simplemente tomó los dos hechos y los aplicó a la primera autoridad.

[6] [**Osee**]. Osee[111] profecta, capítulo xiiii, dize, et es paraula de Dios al pecador: Yo daré a tú reyes en la mía sanya, esto es, merescimientos de los pecados a pena de aquéllos.

[125c] [7] **Salamón**. Scripto es en los ***Prouerbios***, capítulo viii, et es paraula de la sauieza de Dios: Por mí regnarán los reyes, et dan iustas sentençias aquellos que fazen las leyes. Por mí los primçeps usan de lur imperio, et por mí los senyores usan de iustiçia. Esta actoridat no es contraria ad aquella paraula que dize Osee profecta, capítulo viii, que dize: Ellos regnaron et no de part de mí; ellos fueron prinçeps et yo non los conosçí. Porque poder et senyoría de Dios biene, mas mal usar de la senyoría esto es de part de aquel que mal ne vsa.

[8] **Sant Paulo appóstol**. Sant Paulo, ***ad Romanos***, capítulo viii, dize que toda senyoría et todo poder deualla et viene de nuestro senyor Dios. [125d] Et Ihesu Christo dize a Pilato en el tiempo que fue liurado a muert, assín como es scripto en el ***euangelio de Sant Iohán***, capítolo xix: Tú no aurías poder de suso de mí si no te era dado de suso, es a saber, de Dios.

[16.] CÓMO EL PRÍMÇEP ES CABEÇA DE LA COMUNIDAT, ET DE LAS PROPIEDADES DE LA CABEÇA.

[1] **Ambrosius**. Sant Ambrosio, en el libro clamado ***Examerón***, capítulo vi, en la çaguera omelía, dize: Nos veyemos que la cabeça nuestra es metida en el más alto lugar de nuestro cuerpo, de suso de todas las otras partidas del cuerpo, a mayor cumplimiento de virtudes et perfección que las otras partidas. Et assí es por comparaçión de las

1 *1er* Osee (*epígrafe*)] Iosue E (*la falsa atribución proviene del error del texto*). // *2º* Osee] Iosue E (*lectio facilior*), Osee MVAB. // de] *om.* E, por M, per VAB. **9** Osee] Iosu E, Oseas M, Osee VAB. **11** biene] bieno E, viene M, ve AB, uen V. // mas] mal E, mas M, mes VAB. **18** dado] *om.* E, dado M, donat VAB. **21** cabeça] cabeca E. **22** cabeça] cabeca E. **25** cabeça] cabeca E.

[111] El ms da: *Iosué*. En consecuencia el epigrafista atribuyó la autoridad, erróneamente, a este profeta. Restituimos en ambos casos la autoridad correcta, es decir: *Osee*.

otras partidas, como es el çielo por comparaçión de los IIII elementos, et la torre por comparaçión [126a] de los muros de la çiudat.

[2] [**Aristóteles**].[112] El sauio, en el libro segundo de las ***Éticas***, que
5 quiere dezir de buenas costumbres, dize que etc.

[3] [**Eclesiastés**].[113] El mismo [***Eclesiastés***], capítulo ii, dize: Los oios del sauio son en la cabeça de aquéll porque es más firme que las otras partidas. Porque de la cabeça viene et desçiende virtud o fuerça o
10 prouidençia a todas las otras partidas.

[4] [**Ambrosius**].[114] Item el mismo dize que natura ha más endreçada et millor la cabeça que las otras partidas por esto como allí es el meollo, que es començamiento de los neruios et de las virtudes sen-
15 sitiuas.

[5] **Gregorius**. Sant Gregorio, en el libro de los ***Morales*** IX, dize qu'el prímçep es *bassa*, et sostenimien- [126b] to del pueblo, por esta paraula griega. Et nómbrasse en griego *basileas*, que quiere dezir

---

4 Aristóteles] Eclesiastiçi E (*por influencia del epígrafe siguiente*). // El] l E (*espacio en blanco para la capital del comienzo del párrafo*). // sauio] Eclesiastico *add.* E. **7** Eclesiastés (*epígrafe*)] *om.* E (*por considerarla del mismo autor que la cita anterior atribuida al Eclesiastiçi. En realidad es una cita del Eclesiastés, 2.14, que hace san Ambrosio en su Hexamerón*). // Eclesiastés] Eclesiástico EMVB, Eclesiastes A. **8** las otras] los otros E, las otras M. **12** Ambrosius] Eclesiastiçi E (*por influencia de la atribución en MVB. En realidad es una cita del Hexamerón de san Ambrosio*). // Item] tem E (*espacio en blanco para la capital del comienzo del párrafo*). **19** griega] estiga E (?), griega M, grega VAB.

---

[112] La atribución de esta cita le creó dificultades al epigrafista. El texto original de E dice: *El sauio Eclesiástico en el libro segundo de las Éticas*, obvia confusión entre el sabio por antonomasia, Aristóteles, a quien E alguna vez identifica simplemente como *el sauio*, y el libro bíblico, que ciertamente recibe casi siempre la calificación de *el sauio Eclesiástico*. Por eso el epigrafista adjudicó esta autoridad al *Eclesiástico*, aunque el ***Communiloquium*** la atribuye al *Philosophus* y la ***Suma de col.lacions*** simplemente al *saui*.

[113] E deja esta cita sin atribuir, implicándose que pertenece al mismo libro anterior, es decir, al ***Eclesiastiçi***. Sin embargo, el texto corresponde al ***Hexamerón*** de San Ambrosio, donde se remite, en las versiones catalanas de la ***Suma de col.lacions***, al ***Eclesiastés*** (A) o al ***Eclesiástico*** (MVB).

[114] El ms da: *Eclesiastiçi* por influencia de las versiones catalanas que atribuyen este texto al libro bíblico. El pasaje, sin embargo, proviene del ***Hexamerón*** (VI.9) ambrosiano.

bassa, tanto como es sostenimiento del pueblo. Et es nombre que pertenesce a prímçep, que por su ofiçio deue sostener en sí el pueblo.

[6] **Iob**. ***Iob***, capítulo xi, comparando o figurando el prínçep a *bassa*
5 ho ha colona, dize que aquellos que lieuan el mundo se enclinen desús aquéll, esto es, dius el prímçep.

[17.] CÓMO EL PRÍMÇEP ES PUESTO A LAZERIO, A CURA ET NO ART, EN MIEDO ET ANSIA ET NO STA OCÇIOSO.

10

[1] **Agustinus**. Sant Agostín, libro III ***ad Cresconium***, diçe: Los reyes seruan a Dios en esto, si en lur regno mandan qu'el bien sea fecho et squiuan los malos que non se fagan.

15 [2] [**Tullio**].[115] Tullio, en el libro V ***De questiones***, dize [aquello mesmo. Et Sant Pablo, ***ad Romanos***, capítulo xii, dize] que [126c] aquell que es puesto en grado de senyoría es ansioso. Et [aquellos que son puestos en grado de senyoría] son puestos en grant seruitud et casi en vna captiuitad.[116]

---

4 *2º* Iob] ob E (*espacio en blanco para la capital del comienzo del párrafo*), Iob MVAB. **5** dize] et dize E (et *espurio*). **9** miedo] medio E. **11** Agustinus (*epígrafe*)] *om.* E. // Cresconium] Christianorum E, Crisostomum M, Cristomum VAB. **12** seruan] E, siruen M, seruexen VA, serueixen B. **13** malos] E, males M, mals VAB. **15** *1er* Tullio] *om.* E (*espacio en blanco para el epígrafe*). // *2º* Tullio] ulio E (*espacio en blanco para la capital del comienzo del párrafo*). // aquello...capítulo xii dize] *om.* E (*homoioteleuton*), aquel[lo] mesmo e sant Pablo ad Romanos capitulo xii dize M, allo matex e sent Pau ad Romanos capitulo xii diu VC, *om.* AB (*por homoioteleuton*). **17** aquellos...senyoría] *om.* E (*homoioteleuton*), Item aquellos que son puestos en grado de sennoria M, Item aquells qui son posats en grau de senyoria VBC, *om.* A.

---

[115] El ms deja un espacio en blanco para el epígrafe.

[116] Dos dificultades presenta esta autoridad. 1) Simple caso de homoioteleuton, por el cual unas palabras de San Pablo pasan a ser de Cicerón. Damos la solución en el texto, basados en M. 2) Un intento de adaptación con supresión de texto poco afortunada. Conviene dar todos los textos para apreciar mejor los hechos. El primer caso podría indicar que E está estrechamente relacionado con el grupo AB, ya que comparte el mismo homoioteleuton con ellos, si no es casual, frente a MVC, que traen esencialmente el mismo texto. Véase la versión de M: *Item Tullio, libro V De questiones, más adelante del medio libro, dize aquel[l]o mesmo. E Sant Pablo, ad Romanos, capítulo xii, dize que aquel que es puesto en grado de sennoría es muy cuydoso. Item aquellos que son puestos en grado de sennoría son puestos con gran seruidunbre commo en vna captiuidat.* En esta cita, la mención de Cicerón corrobora el ejemplo de Dionisio, cuya vida, ciertamente, estaba llena de ansie-

nimyo. Isidorus.
Ysidorus en el libro. i
x. de las hetimologi
as capitulo. iii. dize rey
aprendi aquesta obra
que es Regir et gouer
nar Como aquel es rey
verdadero ho princep
el qual ha senyoria de
gouernar de sobre sus
dessecos carnales et a
quel merege seyer Rey.
Sant gre. gregorius
gorio en el libro. xi. de
los morales capitulo.
xxi. dize que aquellos
son clamados Reyes
los quales seyendo en
senyores de los mo
uimientos carnales
et refrinan el desseo de
luxuria et temtan el fu
ego de auariçia et endi
uia et abaxan et strabã
te suggeçiones et de y
nuidia et de mala vo
luntad el fuego de fu
ror et de sanya et atales
son apellados Reyes.
Sant. Gregorius
gregorio en el libro de
los morales. xi. que a
quellos son princeps
los quales han senyo
ria desuso de sus desse
os. Job.
Job en el capitulo. x
xii. dize que dios echa
et derrama menos pre
ciamiento de suso de los
princeps.
Item el mismo dize
que nuestro senyor des
liga et afluxa et afluxa
el braço de los Reyes.
Como el princep de
ue seyer pros et largo
et que deue dar. am
brosius.
Sant ambros en el
libro primero de
oficios dize que no es
buena vasallia ni largue
za tirar a vno et dar a o
tro ni dar cosa a otro q
sea danyosa a daquell qui
la reçibe ni dar por vfa
na mas por misericor
dia et aquella prodeza
es acabada la qual fa
ze la obra suya callando
et çilento et a las nesces
sidades de cada vno y
escondidamient ra mi

·Joan Boqui:·

[3] [**Senécha**]. Scripto es en el libro ***De clemençia***, capítulo primero, que Sénecha dixo al emperador: Yo puedo yr por la çiudat todo solo menos de miedo, ya sea que ningún hombre non me acompanye, et menos de spada et de guchiello, et tú, qui eres emperador, que as paz, no puedes star ni viuir sino armado et acompanyado de grant gent. Atal es tu fortuna.

[4] [**Macrobio**]. Reconta Macrobio en el libro primero, capítulo xiii, de Dionisio prímçep tiranno, que vn su familiar se penssaua que el dicho Dionisio viuiesse en grant comedio et reposo, et en grant auenturança. Et Dionisio, queriéndole decla- [126d] rar que no era assín como él se penssaua, conuidólo a grant fiesta et honrrada, et fízolo assentar a su taula en do auía muchas maneras de muyt notables viandas, et fizo colgar vn guchiello muyt agudo et tallant de suso de la cabeça del conuidado. Et colgaua aquell guchiello en vn filo muy delgado, el qual liugerament semblaua que se pudiese crebar. Et si el filo se crebás, el guchiello deuía cayer con la punta primera desús de la cabeça del conuidado. Et el conuidado vidiendo esto, estaua con grant miedo que el filo non crebás. Asín que res que vidiesse ni uyesse nin comiesse non le era sabroso ni le fazía goyo. Tanto auía de miedo que el filo non se crebasse et que el guchiello non le cayese de sus- [127a] so de la cabeça. Et la ora dixo Dionisio al conuidado: Atal es la mía vida et la mía consolación, la qual tú te penssauas que fuesse muyt bienauenturada, como es la tuya agora de present, porque continuadament ueo la muert que me está delant et non sé quándo me matará.

---

1 Sénecha (*epígrafe*)] *om.* E. **2** Yo] Non E, Yo MV, Io AB. **8** *1er* Macrobio (*epígrafe*)] *om.* E. // *2º* Macrobio] Matrobio E (*confusión* c/t), Macrobio M, Macrobi V, Mantrobi AB. **9** el] El E (*fort.* Vel), el M. **12** honrrada] homrrada E. **18** cabeça] cabeca E.

---

dad, pero no tiene, con las palabras de San Pablo, más relación que la puramente conceptual. Frente a ella, la versión de AB contienen el mismo homoioteleuton que E. Véase el texto de B: *Item Tulli, libre V De questions, mes auant del mig libre, diu que aquel qui es posat en grau de senyoria es ansios. Item aquels qui son posats en grau de senyoria son possats en gran seruitut e caix en vna captiuitat.* Sobre este texto A intentó un resumen semejante al de E. Véase: *Item Tulli, libre quint De questions, mes auant del mig del libre, diu que aquell qui es posat en grau de senyoria es quaix en vna captiuitat.* Demasiadas coincidencias para ser casuales.

[18.] CÓMO EL PRÍMÇEP DEUE REGIR VIRTUOSAMIENTRE.

[1] **Agustinus**. Sant Agostín, en el libro de la ***Ciudat de Dios***, capítulo xxiiii, reconta et dize que Orati poeta dixo en el dictado que
5 fizo, clamado ***carmen liricum***, a reprender los príncipes:[117] O tú prínçep, consélloте et prégote que más fagas tu sfuerço de regnar sobre tú mismo et de subiugar a la razón sensvalidat que en conquerir Libia ni las tierras ni los regnos [127b] del mundo. Et si lo fazes tú finalment aurás senyoría sobre todos [defallimientos et] desuso de
10 muchas gentes.

[2] [**Gregorius**]. Item el mismo dixo sobre Iob, en el libro IIII de los ***Morales***, que aquellos son reyes que saben regir lures cosas, los quales tempran lures mouimientos de los lures desseos, et rigen las lures
15 cogitaçiones.

[3] **Agustinus**. Item el mismo, en el libro IIII de la ***Ciudat de Dios***, capítulo iii, dize que más vale aquel qui senyorea su coraçón que aquel que combatiendo toma senyoría suso de las ciudades.[118]
20

[4] **Eclesiastiçi**. El sauio ***Eclesiástico***, capítulo xi, dize que aquella tierra es bienauenturada el rey de la qual es noble; et maldicha es aquélla el rey de la qual es [127c] ninyo.

25 [5] **Isidorus**. Isidorus, en el libro IX de las ***Hetimologías***, capítulo iii, dize: Rey, aprendi aquesta obra que es regir et gouernar. Co-

---

5 liricum] lititum E, lirico M, licuicum V, licitum A, liticum B. **6** mas] non E (*lectio facilior*), mas M, mes VAB. **7** subiugar] subuígar E (*con signo diacrítico sobre la* í). // a la razón sensvalidat] la razon sen validat E, la sensualidat a la razon M, a la raho la sensualitat VA, a la rao la sensualitat B. **9** todos] EM, tots VB, tos A. // defallimientos et] *om.* E (*posible homoioteleuton*), deffallimentos e *add.* M, deffalliments e *add.* VAB. **10** muchas] muchos E, muchas M, moltes VAB. **12** Gregorius (*epígrafe*)] Agustinus E (*por influencia del epígrafe anterior*). **13** cosas] EMC, coses V, corsos AB. // los] las E, los MVAB. **25** *2º* Isidorus] Lidonis E.

---

[117] Se trata de los ***Carmina*** (oda 2.2 vv. 9-12) de Horacio.

[118] Fac. La mención de San Agustín y la ***Ciudad de Dios*** se refiere a un texto anterior, no recogido en ***Rams***, el cual va seguido de esta cita proveniente de los ***Proverbios*** (16.32).

mo:[119] Aquel es rey verdadero ho prímçep el qual ha senyoría de gouernar de sobre sus desseos carnales, et aquel mereçe seyer rey.[120]

[6] **Gregorius**. Sant Gregorio en el libro XI de los ***Morales***, capítu-
5 lo xxi, dize que aquéllos son clamados reyes los quales se renden senyores de los mouimientos carnales et refrenan el desseo de luxuria et temtan el fuego de auariçia et enclinan et abaxan et scrabanten suggeçiones de inuidia et de mala volumtad [et amatan] el fuego de furor et de sanya. Et atales son apellados reyes.

---

7 temtan] E, tienpran M, tempren VAB. // enclinan] enclina E, enclinan M, enclinen V, inclinen AB. // scrabanten] strabanten E (*confusión* c/t), quebrantan M, screbanten V, escrabanten A, escrebanten B. **8** *1*[er] de] et de E. // et amatan] *om.* E, e amata[n] M, e appaguen VA, he apaguen B.

---

[119] Velasco inicia con estas palabras un nuevo capítulo, guiado, al parecer, por el estilo de la frase, semejante a otros títulos. Ni la fuente de este pasaje ni la práctica del ms corroboran esa interpretación. En primer lugar, la fuente, como se ve en la nota siguiente, revela que la idea continúa. En segundo lugar, el ms, para señalar el comienzo de los capítulos, utiliza dos métodos de forma consistente: a) los títulos de los capítulos están en su inmensa mayoría en rojo; b) la capital de la primera autoridad de cada capítulo tiene por lo general mayor tamaño que las demás. La consulta directa del ms corrobora que ninguno de estos métodos se ha utilizado en la frase mencionada. Por lo tanto creemos que no forma nuevo capítulo.

[120] El texto de E es una adaptación de la fuente catalana. Por eso lo conservamos, aunque contiene 1) una incompresión y 2) un posible homoioteleuton. Veámoslos: 1) La lectura de E —*Rey, aprendi aquesta obra que es regir et gouernar*— revela incomprensión del texto que traen todos los mss catalanes y castellano —*Rey pren nom daquesta obra que es regir e gouernar*. El estilo declarativo de la versión catalana se ha convertido en una exhortación muy interesante, pero inexistente en el original. Ese imperativo de E, *aprendi*, no es sino una falsa traducción del catalán *pren* 'toma', o incomprensión del prototipo aragonés *prende*. 2) Respecto al posible homoioteleuton, los mss catalanes revelan que se produjo por la repetición de *donchs...donchs*. Usamos el texto de V por ser el más completo. Véase: *Rey pren nom de aquesta obra qu[e] es regir [e] gouernar. Donques, com ell regeix dretureramente, ell reten nom de rey. E quant pecca e erra ell pert aquell nom. Rey seras si dretur[er]ament les obres fas, e si dretur[er]ament no les fas, rey no seras. Donchs, segons aço, aquell es rey e princep verdaderament lo qual ha senyoria e gouern sobre si matex e sobre sos desigs carnals. E aquell mereix esser rey...* La forma en que aparecen los correlativos en M, *pues como...pues segunt esto*, no sólo posibilita el homoioteleuton, sino que explica ese extraño *Como* de E. No incorporamos el homoioteleuton en nuestro texto porque a veces el compilador de E parece tener tendencia a resumir. Sin embargo, hemos ofrecido en nota el pasaje completo porque con la versión abreviada de E se pierde una de las máximas políticas más famosas y repetidas de la Edad Media de origen isidoriano: *rex eris, si recte facies; si non facias, non eris* (***Etimologías*** 9.3).

[7] **Gregorius**. Sant Gregorio, en el libro de los ***Morales*** XI [dize] que a- [127d] quéllos son princeps los quales han senyoría de suso de sus desseos.

5 [8] **Iob**. ***Iob***, en el capítulo xii, dize que Dios echa et derrama menospreciamiento de suso de los primceps.

[9] ——. Item el mismo dize que Nuestro Senyor desliga et afluxa el braguero de los reyes.

10

[19.] CÓMO EL PRÍMÇEP DEUE SEYER PROZ ET LARGO, ET QUÉ DEUE DAR.

[1] **Ambrosius**. Sant Ambrós, en el libro primero ***De ofiçios***, dize
15 que no es buena vasallía ni largeza tirar a vno et dar a otro, ni dar cosa a otro que sea danyosa ad aquell qui la reçibe, ni dar por vfana, mas por misericordia. Et aquella prodeza es acabada la qual faze la obra suya callando et çilenti, et a las nescessidades de cada vno escondidamientre aiu- [128a] dar.

20

[2] **Boeci**. Boeci, en el libro II ***De consolación***, dize que auaricia faze a los prínçipes seyer enoyosos, et largueza honrrados. Porque proheza et franqueza deue seyer multiplicada en el prínçep. Empero deue bien guardar lo suyo poder et su riqueza et la calidat de aquellos a
25 quien lo da.

[3] **Senécha**. Séneca, en el libro II ***De benefiçios***, capítulo xi, dize que cada vno deue guardar su poder et sus riquezas por tal que non dé más que dar non puede ni menos que dar non deue, et deue come-
30 dir la persona a la qual quiere dar, et deue iutgar quién es aquell a qui es dado.

---

1 dize] *om.* E, dize M, diu VAB. **5** menospreciamiento] menospreciamianto E. **8** et afluxa] et afluxa *iter.* E. **9** braguero] braço E (*lectio facilior*), bragero M, brangur V, braguer A, brager B, bras C. **18** çilenti] E, con silencio M, en scilenci V, ab sciencia A, ab cilencia B, amagadament C. **22** enoyosos] E, enbidiosos M, enueiosos VA, enueyos B. // proheza] pobreza E, proeza M, prohea VA, proesa B. **28** tal] tal *iter.* E. **30** a] *om.* E (*embebida en la* a *anterior*). // quiere] quieren E. // aquell] E, (*posible homoioteleuton*), que da e a quien es aquel *add.* M, a qui ho dona e qui es aquell *add.* V, qui dona e aquell *add.* AB.

[4] **Sénecha**. Séneca sobre esto posa yde un exemplo de Alexandre que dio vna ciudat a vn honbre que no era de grant compte, guardando el dono, diziendo assín: Yo no he cura qué perteneçe a ti de recebir, mas quiero [128b] guardar qué se perteneçe a mí de dar.
5
[5] **Sénecha**. Porque dize Sénecha que aquell Alexandre fauló aquí assín como a proz et a bueno donador, empero dize que fauló nesçiament. Porque cuerda perssona, quando faze dono o seruiçio, non tan solamientre a sí mismo deue talaiar,[121] antes deue catar qué da, a quí
10 lo da, et en quién tiempo, et por qué, et en quién lugar, menos de las quales condeçiones non dará cuerdamientre. Et por el contrario pone exenplo de Antiógono,[122] al cual vn pobre filósofo demandó vn marcho de plata, et respuso Antiógono: Mayor cosa ha demandada que non deuia demandar. El filósofo pobre demandóle vn dinero. Et res-
15 puso Antiógono: Poco has demandado, porque non se pertaneçe a mí de dar vn dinero sólo, como yo sea rey. Este rey deson- [128c] ró sí mismo, negando vilanamientre el besant al[123] pobre. Porque si le dasse vn dinero, hauría dado al pobre segunt que su condición de su pobreça et auríase tenido por pagado; et podríe auer dado vn marcho
20 de plata, et auría a sí mismo honrrado. Porque ha hombre de baxo estamiento puede seyer fecho chico seruiçio et ha hombre rico lo puede fazer grant.

---

3 pertenesçe] perteçe E. // a ti] a qui E, a ti M, a tu VAB. **9** deue] *om.* E, deue M, deu VAB. // talaiar] caliar E (*confusión* c/t), atalear e considerar M, guardar V, sguardar A, esguardar B. **11** pone] pose E (*quizá catalanismo por* posa), pone M, posa VAB. **13** demandada] damandada E. **17** besant al] bien fecho del E, bien fecho al M, benifet al V, besant al AB. **21** rico] chico E, rico M, persona riqua VA, richa B.

---

[121] E da: *caliar*. Todos los editores mantienen esta grafía con el significado de 'callar'. Pero se trata de un error gráfico por *talaiar* (confusión *c/t* y omisión de la *a*), con el significado de 'atalayar', 'mirar', 'fijarse en'. Así lo corroboran las lecturas de V: *guardar*, A: *sguardar*, B: *esguardar*, y, sobre todo, M: *atalear e considerar*, que, con el doblete, aclara el sentido traslaticio del aragonés *talaiar*. Véase otro caso semejante en la autoridad 106.2.

[122] Obvia deformación por Antígono.

[123] El ms da: *el bien fecho del pobre*. Esta lectura implica incomprensión de la palabra original *besant* (AB), moneda bizantina de oro. Pero esa *lectio facilior* no es achacable al copista de E, ya que la tienen V (*benifeyt*) y M (*bien fecho*) y probablemente el prototipo aragonés. En cualquier caso, pone en estrecha relación a los mss EMV, como en otras ocasiones.

[6] **Sénecha**. Item el mismo, en el primero libro ***De clemençia***, capítolo xiiii, dize que non es liberal qui [de los otros es liberal, sino aquel es liberal qui] da a los otros lo que sosaca a sí mismo.

5 [7] **Salamón**. Salamón, en los ***Proberbios***, capítulo xix, dize que riquezas dadas crexan et multiplican amigos. Et ésta es vna condeçión de las quales fazen multiplicar amigos a los prínçipes.

[8] **Tullio**. Tullio, en el libro II ***De offiçios***, capítulo [128d] xxiii, dize
10 que non ý á uisto pecado en el mundo más malo en el prínçep como es auariçia, en special en prímçep que gouierna comunidat. Et dize que aquel dios clamado Apolo dio respuesta que la çiudat Sparsso[124] non se perdió por nenguna otra cosa sino por auariçia.

15 [9] **Tullio**. Item el mismo, en el libro ya allegado, capítulo xviii, dize que por lo contrario largueza et proheza faze los prímcipes seyer amados et preciados et famosos et honrrados.[125]

[20.] CÓMO EL PRÍMÇEP DEUE SEYER ILLUMINADO DE
20 LUMBRE DE SAUIEZA ET DE SÇIENÇIA SPIRITUAL, ET DEL ESTUDIO DE LOS ANTIGOS.

[1] **Boeçi de Conssolaçión**. Boeçi, en el primero libro ***De conssolaçión***, capítulo iiii, recontando como dixo Platón que la comunidat empeçaría
25 a seyer bienauenturada si la re- [129a] gían aquellos que de grado studian en sauiençia. Esto mismo dixo Valerio, libro VII, capítulo ii.

---

2 de los otros...liberal qui] *om.* EM, daltry es liberal mes aquel es liberal qui V, daltruy es liberal [mas aquel es liberal] qui A, daltre es liberal mas quel es liberal qui B. **3** a sí mismo] a los otros E, a sy mismo M, a si matex VA, axi matex B. **10** pecado] *om.* E, pecado M. **12** Sparsso] Sparsso *add.* E (*además al margen derecho, de otra mano*, Sparso), Sparsa MA, Sparca V, Esparza B. **24** empeçaría] empeceria E, començaria M, comença V, comencaria A, comenzaue B.

---

[124] Se refiere a Esparta. Además de repetir dos veces el nombre *Sparsso* dentro del texto, una mano posterior añadió otra vez *Sparso* en el margen derecho.

[125] Fac. Aunque la autoridad se atribuye a Cicerón, corresponde en realidad a Boecio, ***De consolación*** 2.prosa.5.

[2] **Eclesiastiçi**. Escrito es ***Eclesiastiçi*** capítulo x, que iuge sauio iutgará su pueblo, et rey que non ha sauieza perderá el pueblo suyo.

[3] **Eclesiastiçi**. Item el mismo, en el capítulo, iii dize planiéndose
5 porque auía visto inpiedat en lugar [de iudicio, et en lugar] de iustiçia ha visto iniquitat. Et por esto Dauid en sí mismo tenía Natán profecta et Sadoch clérigo.

[4] [**Reyes**].[126] Léesse en el ***Libro de los Reyes***, capítulo iii, que Sala-
10 món demandó a Dios sauieza por regir el pueblo de Dios, al qual Dios dio coraçón sauio et entendido. Porque dize aquí que prímçipe neçio et menos de sauieza es assí como a modorro que tiene el guchiello o spada en la ma- [129b] no, et asín como aquel que no'nde sabe l'art de guouernar la nao et tiene el gouerno en la mano en tiempo de grant
15 tempestat, et asín como aquel que non sabe las leys ni el derecho et sta assentado en cadira de iutge que da semtemcias et peruerteçe los iudicios.[127]

[5] [**Deuteronomio**].[128] Léesse en el libro ***Deuteronomii***, capítulo
20 xvii, qu'el prínçep, luego que sea coronado et aurá recebida la cadera real, él scriurá la ley de Dios en un volum, de la qual le darán

1 Eclesiástico (*epígrafe*)] Eclesiasticia E // Escrito] Eclesiastici E. **4** planiéndose] pluiendose E, *om.* M, plany VA, playn B. **5** de iudicio et en lugar] *om.* E (*homoioteleuton*), de juyzio e en lugar M, de juhi e en loch VAB. **6** Natán] Uaban E, Nathan MA, Natan VA. **7** clérigo] clerigos E, saçerdote M, preuere VAB. **9** Reyes (*epígrafe*)] Geyesse E. // Léesse] Geesse E. **10** al] el E. **11** coraçón] coracon E. **12** guchiello] guchchielo E. **14** guouernar] guauernar E. **17** iudicios] iudicos E, juyzio M, judicis VB, juhis A. **19** Deuteronomio (*epígrafe*)] Geyese E (*toma mecánicamente como epígrafe la primera palabra del texto*). // Léese] GEesse E. // Deuteronomii] Devtromimi E, Deuteronomio M, Devteronomi V, Devteronomii AB. **20** que] *om.* E, que MVAB. **21** de] *om.* E, de MVAB.

[126] El ms da: *Geyesse*. Influenciado por la primera palabra del texto, el epigrafista creó una imaginaria autoridad, como en otras ocasiones.

[127] El ms. da: *iudicos*; semejantemente en 129d y 135c, donde lee: *iudico*. A pesar de estos tres casos, regularizamos por dos razones: a) por el predominio de las formas con "i" *iudiçio -s* (17 casos) frente a *iudicio -s* (11 casos) y, sobre todo, b) porque, de conservar la grafía *iudico -s* (3 casos), habría que palatalizarla, dando *iudiço*, pero no sabemos que esté documentada.

[128] El ms da: *Geyese*. El epigrafista comete el mismo error que en la autoridad anterior.

enxenplar los clérigos de los trips de Leuí. Esto quiere dezir qu'el prínçep deue screuir en su coraçón la ley de Dios.

[6] **Séneca**. Séneca en la ***epístola*** xiiii sobre vna paraula que fue
5 scripta por Passidorio, que dixo: ¿Quí es rey? Que rey que non sabe letras [129c] es semblant de asno coronado.[129] Et por aquesto dixo que, en aquel mundo el qual es clamado mundo dorado, quando los sauios hombres regnauan, los prínçipes refrenauan las manos de los malos fazedores et defendían los despoderados que los poderosos
10 non les fiziessen mal, et metían adelant honestat, et fazían tornar a çaga deshonestedat por la lur sauieza.[130]

[7] **Tullio**. Tullio, en el libro ***De diuinaçiones***, dize que obra real es saber et iutgar.[131] La qual obra el rey non puede fazer si non ha saber

7 *1er* mundo] EM, segle VAB. **8** regnauan] rogauan E, regnauan M, regnauen VAB. // refrenauan] et refrenauan E, refrenauan M, refrenauen VAB. **9** los despoderados] et los despoderados E. **13** De diuinaçiones...iutgar] De donaçiones de obra real es a saber de iutgar E, De diuinaçion obra real es a saber de iudgar M, De diuinacio que obra reyal es saber e iutgar VAB, regale enim opus est sapere et diiudicare Ven.

[129] La frase: *rex illiteratus quasi asinus coronatus* tuvo amplia repercusión en la Edad Media. La atribución, que hace ***Rams***, a Posidonio, a través de Séneca, es fac. Juan de Salisbury la explica, en su ***Policraticus*** 4.6, basándose en la carta de Conrado III a Ludovico VII. Juan de Gales, tomando los datos del ***Policraticus***, la utiliza en el ***Breviloquium de virtutibus*** (2.1) y en el ***Communiloquium*** (1.3.7). Aquí, lo mismo que en la ***Suma de col.lacions***, la mención de la frase va seguida de la cita de Séneca (***epístola*** 90.5) sobre la edad dorada en tiempos de Posidonio, por eso el compilador la atribuyó a este personaje clásico. Pero la frase no se halla en Séneca ni proviene de él.

[130] La redacción original de esta autoridad dejaba el sentido trunco. Véase: *Et por aquesto dixo que en aquel mundo el qual es clamado mundo dorado, quando los sauios hombres rogauan los príncipes et refrenauan las manos de los malos fazedores et los despoderados que los poderoros no les fiziesen mal et metían adelant honestat et fazían tornar a çaga dehonestat por la lur sauieza.* Esa inconclusión se debe al uso indiscriminado de la conjunción *et* en dos ocasiones y la diferente ordenación del texto: a) *rogauan los príncipes **et** refrenauan*, y b) *et defendían **et** los despoderados.* Su omisión permite restituir el verdadero sentido. Corregimos según los manuscritos catalanes.

[131] E y M tienen el mismo error conjuntivo, frente a los mss catalanes (VAB) que traen la versión correcta. Dice E: *en el libro De donaçiones de obra real, es a saber, de iutgar.* M, aunque da bien el libro, comete el mismo error de la frase explicativa: *Libro de diuinaçión, obra real es a saber judgar.* Corregimos según los mss catalanes: *obra reyal es saber e jutgar* (VAB).

et sçiençia por la qual conosca el departimiento et la diuerssitat entre obra et iudicio.[132]

[21.] CÓMO EL PRÍMÇEP DEUE CATAR DE INIUSTICIA,
5 CRUELDAT ET DE CRUEL SENYORÍA.

[1] [**Aristótil**]. Aristótil, en el libro segundo de las ***Éti-*** [129d] ***cas***, pone departimiento entre rey et tirano. Et dize que aquéllyo es tirano que vsa de senyoría a proprio prouecho, et aquél es rey que vsa a proue-
10 cho de los súbittos.

[2] **Aristótil**. Item el mismo dize en el IIII libro de las ***Éticas***: Atal es el prímçep et el pueblo como el padre et los fillos, et el pastor et las ouellas.

15 [3] **Eclesiastiçi**. Scripto es ***Eclesiastiçi*** capítulo x: El regno se muda de vna gent et de otra por iniusticias et por villanías et por muchos enganyos. Assí como fue de Saúl et Ieroboam, que perdió x trips, et non senyorió sino dos, assí como es scripto en los ***Libros de los Reyes***, capítulo xii.

20 [4] **Isaías**. Ysaýas profecta, capítulo lxi, dize: El iudicio de iustiçia es buelto a çaga [130a] et luent stuuo, et cayó en la plaça uerdat et egualdat, et non puede entrar delant el iutge.

[5] **Isaías**. ***Ysaýas***, en el primero capítulo, clamándose[133] en perssona
25 de Nuestro Senyor, dize assín: ¡Ho pueblo, los tuyos prinçeps malos son leales a los ladrones!

---

1 et] *om.* E. **2** iudicio] iudico E, juyzio M, judici AB, juhi, V, juhy C. **7** *1er* Aristótil (*epígrafe*)] *om.* E. **13** fillos] filos E. **17** Ieroboam] Ioroboam E (*confusión* e/o), Ieroboam VAB, Roboam Ven. **21** çaga] caga E. **22** puede] pueden E, puede M, pot VB, poth A. **24** clamándose] camado so E, se reclama M, se clama VAB. **25** dize] et dize E (et *espurio*).

---

[132] Así dice E. Pero en vista de las lecturas unánimes de los otros mss: *entre obra e obra e entre juhi e juhi* (V), *entre obra e obra e judici e judici* (AB), *de la hobra a hobra e de juhy a juhy* (C), *entre obra e obra e juyzio e juyzio* (M), convendría corregir: *entre obra et obra et iudicio et iudicio.*

[133] E da: *camado so*. Podría interpretarse de varias formas, pero ante las lecturas de VABC: *se clama* y M: *se reclama*, creemos que el copista quería escribir: *clamándose*.

[6] **Iob**. ***Iob***, en el capítulo xv, dize que inçierto es al tirano, que quiere dezir prímçep cruel, el comto de los suyos anyos.

[7] **Sénecha**. Séneca, en el libro IIII ***De questiones naturales***, capí-
5 tulo primero, dize: Miior cosa es fazer obras diuinales que cometer ladronicios ni rapinas, asín como fazía el rey Filipo et Alexandre et Aníbal et muchos otros.

[8] **Salamón**. Salamón, en el xviii capítulo de los ***Prouerbios***, faulan-
10 do de los tirannos, dize que hombre cruel et menos de piedat es suso de [130b] pueblo pobre assín como león rugiente, et assín como honsso fambriento, ho que ha fambre.

[9] **Salamón**. Item el mismo dize que prínçep que no es sauio a
15 muchos hombres faze calumpnia et opresión.

[22.] CÓMO EL PRÍMÇEP DEUE SEYER MENOS DE TODA TACHA, QUE QUIERE DEZIR SINES PECCADO DE LUXURIA.

20 [1] **[Eclesiastiçi]**. Scripto es en ***Eclesiastiçi***, capítulo x, que mal va a la tierra o'l rey de la qual es moço ho ninyo, et los príncipes de la qual comen manyana. Et bienauenturada es la tierra de la qual es el rey noble, et los prínçipes de la qual comen en tiempo conuinient, et comen tempradament por tal que biuan et non sean luxuriosos.
25

[2] **[Iosefus]**.[134] Iosefus dize en el libro primero que Erodas, faulando a manera de cançión delant del em- [130c] perador Agusto contra

1 al] el EM, al VAB. **2** el] et el E, el M, lo VAB. **5** cometer] comer E, cometer M, cometre VAB. **9** faulando] dize faulando E (dize *repetición anticipada*). **10** dize] et dize E (et *espurio*). **11** pueblo pobre] EM, poble VAB. // rugiente] rugiene E. **20** Eclesiastici (*epígrafe*)] *om.* E. **24** sean] sea E. **26** Iosefus (*epígrafe*)] *om.* E (*espacio en blanco para el epígrafe; lo suplimos con el texto*). **27** emperador Agusto] emperador empero mas vencido era agusto E (*repite anticipadamente la frase* empero mas vencido era), emperador augusto M, emperador august VAB.

[134] E ms deja espacio en blanco para el epígrafe. Lo suplimos con la primera palabra del texto, que representa la autoridad correcta. Sin embargo, debe ser una corrección del compilador, ya que todos los mss dan: *Egisipus* (MVC), *Egipcius* (AB), *Egippus* (***Communiloquium***). Este es el nombre más común del historiador judeo-latino Josefus durante la Edad Media.

Antonio, dixo si era vencido Antonio por las virtudes del emperador. Empero más vencido era por sus proprias costumbres et malos criamientos.

5 [3] **Gerónimo**. Sant Ierónimo, en la ***epístola*** xxxiiii, dixo: Non fue otro más fuert que Sanssón ni más sauio que Salamón ni más santo que Dauit, empero cada vno d'éstos fue enganyado. Porque allá do regna pecado de luxuria en el prímçep no ý á imperio de mucha durada ni primcipado de verdadera fermedat.

10

[4] **Ierónimo**. Item el mismo, en la ***epístola*** xxxvii et xxxiii, dize que vientre escalentado de vino fuert echa spuma de luxuria. Porque aquella cosa que más aýna faze cayer a hombre en pecado de luxuria suele seyer [130d] pecado de gola.

15

[5] **Iob**. ***Iob***, capítulo primero, dize que los fiios de Iob biuíen vino en casa de lur ermano primero engendrado, et la casa cayóles de suso et murieron en vn colp. Et sobre esta paraula dize Sant Gregorio, libro II de los ***Morales***, que quando los mayores viuíen en deliçio del

20 pecado de gola ho de luxuria a los menores son alargados los frenos ho las riendas, que pueden cunplir lur deliçio.

[23.] CÓMO EL PRÍNÇEP DEUE SEYER YGUALDAT ET IUSTIÇIA.

25

[1] **Agustinus**. Sant Agostín, en el IIII libro de la ***Ciudat de Dios***, capítulo iiii,[135] dize que el prínçep es fumdamiento del pueblo et padre del regno et cabeça de la comunidat. Et en quanto es fumdamiento

---

1 Antonio] Antonia E. // dixo] et dixo E (et *espurio*). **2** proprias costumbres] proprias virtudes costumbres E (*añade espuriamente* virtudes), propias costunbres M, propries costumes VAB. **7** enganyado] E, por muger *add.* M, per fembra *add.* VAB. **28** cabeça] cabeca E.

---

[135] Fac, por comentario de Juan de Gales que sigue a una cita de San Agustín que el compilador no recoge. En su comentario Juan de Gales utiliza, explayándolos, conceptos expuestos en capítulos precedentes (16.1-6 y 21.2).

deue sallir et manar [de aquél][136] iustiçia et posar en los otros. En [131a] quanto es padre deue la su iustiçia seyer regla et mesura de la iusticia de los otros. [Et en quanto es cabeça deue dar complimiento a su iusticia] que no aya defallimiento ni sobrería a ninguno.[137]

5

[2] ——. Item el mismo, en la ***epístola*** xxii, dize que aquell que es rey sierue a Dios quando guarda las leyes iustas et anulla aquellas que son contrarias a la ley de Dios.

10 [3] ——. Item el mismo, en el IIII libro de la ***Ciudat de Dios***, capítulo iiii, dize que remouida iustiçia los regnos no son sino grandes ladroniçios et furtos.

[4] **Gregorius**. Sant Gregorio, en el libro XX de los ***Morales***, dize
15 que el prínçep ho senyor non deue seyer senyor, mas la razón. Et aquéll es verdadero prímçep que guarda et obserua iustiçia.

[5] **Pollicrato**. ***Policrato***, en el libro V, capítulo xii, dize que Alexandre [131b] huuo contrast con sus caualleros et fueron puestos en

---

1 deue] deuen E, deue M, deu V. // manar de aquél] demandar E, mandar de aquel M, manar de aquell V, *om.* AB, manar C. **3** Et en quanto es cabeça...iustiçia] *om.* E (*homoioteleuton*), e en quanto es cabeça el deue dar conplimiento a su iustiçia M, en quant es cap ell [deu] donar compli(da)ment a la sua iusticia V, e en quant es cap ell deu donar compliment a la sua iusticia C, (AB *tienen una gran laguna aquí*). **4** aya] ay E, aya M, haia V, aia C. **14** libro] primero *add.* E. **18** V, capítulo xii] vi libro capitulo xii E, v capitulo xi VAB, (*La referencia correcta es* 5.12).

---

[136] E da: *demandar* y M: *mandar de aquel*. Los dos interpretan incorrectamente la expresión catalana de V: *manar de aquell*, tomando *manar* en el sentido común de 'mandar'. Sin embargo en esta frase tiene el mismo sentido que en castellano, 'manar', 'fluir', como lo revela el doblete: *exir e manar de aquell justicia*. Corregimos con M y V restituyendo: *de aquél*.

[137] Autoridad con redacción confusa en la mayoría de los mss debido a frecuentes saltos y omisiones. Sólo V tiene el texto completo, no exento de errores, por eso lo damos como punto referencial de las correcciones. Dice así: *Lo princep es fundament del poble e pare del regne e cap de la comunitat, axi com dit es. En quant es fundament deu exir e manar de aquell iusticia e posar en los altres. En quant es pare deu la sua iusticia esser retgla(da) e mes[ura] de la iusticia dels altres. En quant es cap ell [deu] donar compli(da)ment a la sua iusticia, que no haia defalliment ne haia sobreria*. Corregimos por V. Fac, todo el párrafo es comentario de Juan de Gales.

mano de iutges, los quales condepnaron a Alexandre. Et él humilment recibió la comdepnaçión, et fizo graçias a los iutges, que auían puesto más honrrada iustiçia que la suya perssona. Porque era marauellosa egualdat de Alexandre que se quiso sotsmeter a la sen-
5 tencia de iustiçia con sus súbditos en vno.

[6] **Devteronomio**. Scripto es en el libro ***Deuteronomii***, capítulo xvii, qu'el prímcep non deue enclinar a la part derecha ni a la part siniestra, porque ell non deue seyer assín piadoso que dexe la disçiplina de
10 iusticia.

[7] **Sénecha**. Sénecha, en el libro ***De las questiones naturales***, dize que nesçesaria cosa es qu'el príncep sea prouechoso et non danyoso a los vas-
[131c] sallos. Et por esto los prínçipes gentiles, por tal que iustiçia no
15 periesse, stablecieron algunos que uviessen poder de contrastar a ellos.

[8] **Salamón**. Salamón, en los ***Prouerbios***, capítulo xx, dize que misericordia et verdat catan el rey, et su cadiera real et es fortificada por piedat et clemençia.
20

[9] **Salamón**. Item el mismo, en los ***Prouerbios***, xxix capítulo, dize que a los reyes iusticia los endereça su tierra. Et deue seyer iusto assín que él mantenga las leyes de Dios et las faga seruar a los otros atanto como a él se perteneçe. Et que no faga ley que non sea acor-
25 dant a la ley de Dios et reglada por aquélla.

[10] ——. Item dize el mismo, capítulo viii, faulando de la sauieza de Dios: Por mí iutgan los reyes, et aquellos que fazen las [131d] leys iutgan por mí[138] cosas iustas. De las quales leys es dicho de suso.

---

7 Deuteronomio (*epígrafe*)] Vtromío E. // Deuteronomii] de vtronini E. **9** non] *om.* MVAB. **15** poder] porder E. **21** xxix capítulo] libro xxix capitulo iii E, viçesimo nono capitulo M, xxviiii capitulo V. **22** endereça] endereca E. **27** el mismo] el mismo *iter.* E. // de la] de la *iter.* E. **28** mí] .iiii. E (*confusión visual entre el cardinal* .iiii. *y el posesivo* mi)

---

[138] El ms da: *.iiii.*, como si fuera numeral romano, con los puntos de delimitación. Claro reflejo de copia visual.

[24.] CÓMO CON PASCIENÇIA DE BENEFICIO VENCE HOMBRE SUS ENEMIGOS.

[1] **Agostinus**. Sant Agostín, en la v ***epístola***, dize qu'el hombre iusto et poderoso deue sofrir pacientment la maliçia de los maluados en lur sanya, los quales él quiere que sean buenos feytos[139] por tal qu'el nombre de los buenos cresca. Et non, por semblant maliçia, el que es bueno se faze del nombre de los malos.

[2] **Agostinus**.[140] Item el mismo, en el lugar ya alegado, dize que por buena volumtat retornauan los contrarios a buen estamiento et estamiento de paz et de concordia con aquellos que tales cosas fazen.[141]

[3] **Matheus euangelista**. Sant Matheo euangelista, ca- [132a] pítulo v, dize que más se deue hombre studear en auer paciençia que en veniança. Et que honbre deue menospreçiar las cosas temporales por las eternales, assín como hombre menospreçia la part siniestra por conseruar la drecha.[142]

[4] **Paulus apostolus**. Sant Paulo apóstol, ***ad Romanos*** capítulo vii, dize: Non quieras seyer vencido del mal, mas ayas victoria del mal con bien.

[5] **Paulus apostolus**. Item el mismo, ***ad Romanos*** capítulo xii, dize: Si tu enemigo ha fambre dal' de comer et si ha set dal' de beuer. Et si lo fazes, echar le as brasas de fuego de suso de la cabeça.

---

1 vence] viene E. **4** qu'el] quela E (*Leslie sugiere disimilación* que la hombre). **5** poderoso] E, piadoso M, piados VB, piadors A. **8** faze] E, fa AB, faça V. **10** Agostinus] Agostinu E. **21** quieras] quiera E. **26** si] *om.* E, si VAB.

---

[139] Interprétese: *feytos buenos*, es decir, 'transformados en buenas personas'.

[140] El ms da: *agostinu*, con una tachadura a continuación en la cual aún pueden leerse tres letras: *auc* o *aut*.

[141] Fac. El texto es comentario de Juan de Gales que sigue a una cita de San Agustín.

[142] Fac. La cita corresponde a San Agustín, ***In Johannem***, homilía 138.12 (PL 33, 350), precedida de la mención de San Mateo.

[6] **Salamón**. Salamón, en los ***Prouerbios***, capítulo xv, dize: Respuesta blanda et amorosa crebra la yra, et paraula dura despierta sanya.

[7] **Eclesiastiçi**. El sauio ***Eclesiástico***, capítulo xxiiii, dize que
5 [132b] pelea quexada ençiende fuego et si hi soflas cremará asín como a fuego, et si hide scupes adormirse á.

[25.] CÓMO LOS CLÉRIGOS DEUEN AMAR CASTEDAT.

10 [1] **Agustinus**. Sant Agostín reconta que non conssentió que con él estasse su ermana, diziendo que las mulleres que son con mi ermana no son mis ermanas. Porque el diablo tiempta continuamientre los santos hombres por las mulleres.[143]

15 [2] **Gregorius**. Sant Gregorio, en el III libro de los ***Morales***, dize qu'el demonio, enemigo nuestro, tiene el coraçón de la mugier assí como a escala por la qual él puede sobir[144] al coraçón del hombre. Et a prouar esto aduze et pone aquel exemplo del bispo en el ***Dialogorum***, scripto en el libro III, capítulo vii, de Andre- [132c] as, bispo, en la
20 casa del qual staua aquella santa dona monya, de la qual el bispo fue

---

6 scupes] scupe E, scups VA, escups B. **10** que con] como E, que con M, que ab VAB. **11** diziendo] dizie dubdo E, diziendo M, dient VAB. // mi ermana] las ermanas E, mi hermana M, ma germana V, germa AB. **12** mis] mas E, mis M, mes VAB. **16** coraçón] coracon E. **17** sobir] sobrar E, sobir M, pujas V, montar A, muntar BC. **18** Dialogorum] Bialogorum E.

---

[143] El copista, o quizá ya el compilador, trabucó este texto con errores y ultracorrecciones que oscurecen y desvirtúan el significado original. El texto de E dice: *Sant Agostín reconta que non conssentió como él estasse su ermana; dizie dubdo que las mulleres que son con las ermanas non son mas ermanas*. Hay en este texto cuatro errores: 1) la oración de *como* no tiene sentido; 2) la frase *dizíe: dubdo que las mulleres...* introduce una idea interesante, aunque no está en la fuente catalana ni latina; 3) el plural generalizador *las ermanas* desvirtúa el testimonio personal del texto agustiniano; y 4) en el sintagma *mas ermanas*, el traductor interpretó el posesivo catalán *mes germanes* como adverbio de cantidad *más* (en E nunca se usa *mas* como posesivo catalanizante). Por eso no hemos dudado en corregir según el criterio de los *codices plurimi*. Todos los mss, catalanes y castellano, que utilizamos para la comprobacción, corroboran la lectura que damos en el texto.

[144] E da: *sobrar*, que tiene poco sentido. Por eso corregimos con M: *sobir*, fiel reflejo de los mss catalanes: *muntar* BC, *montar* A, *pujas* V.

inpunado et temtado por el diablo muchos anyos. El qual dio vna palmada en el hombro d'una muller, et fue reuellado en el conssello de los demonios delant de vn iudio. El qual dixo al vispo la reuelación que li era fecha, et que se repentiesse del pecado que auía fecho.
5

[3] **Gerónimo**. Sant Ierónimo amonesta los clérigos que sean puros por castedat et aredrados de la companya de las mulleres. En do dize al clérigo: En tu cambra o en tu casa tarde o nunqua piedes de muller no passen la puerta, ni deyuso vno cubierto con muller no quieras
10 habitar. Ni non fíes en la pasada castidat,[145] porque no eres más santo que Dauid ni más sauio que Aristótil ni Salamón, ni pue- [132d] des seyer más fuert que Àdam ni Sant Pedro ni Santsón, los quales son caydos por mulleres.[146]

15 [4] **Ierónimo.** Item el mismo dixo en la iiii ***epístula*** que embió a Oceano de la vida de los clérigos diziendo: Sepades que las primeras temtaciones que vienen a los clérigos son plegamiento continuamientre de mulleres. Et fágote a saber que las mulleres son del linage de aquéll el qual faze seyerlos dignos de grant represssión. ¡O tú,
20 clérigo, que continuamientre faulas con las mulleres por mal enten-

1 diablo] *om.* E, diablo M, diable VABC. **4** fecha] fecho E, fecha M, feta VA, feyta B. **7** dize] dizen E. **9** passen] passe E. // quieras] quiera E. **10** fíes] sias E, fies M, confius VAB. // la pasada castidat] la posada casa E, la pasada casta M, la passada cestedat VB, la castedat passada A. **11** puedes] puede E. **17** plegamiento] pregar miento E

[145] EM tienen el mismo error. E da: *la posada casa*; M trae: *la pasada casta*, reflejo de un origen común. Error que puede corregirse fácilmente con VB: *la passada castedat*.

[146] Los ejemplos bíblicos típicos de hombres seducidos por mujeres son tres: David, Salomón, Sansón. Así lo trae San Jerónimo en su conocida carta 52 a Nepotiano y así lo reproduce el ***Communiloquium***. Pero la traducción catalana añade los ejemplos de Aristóteles, Adán y San Pedro. De ahí entraron al ***Libro del gobernador*** y a ***Rams***. La inclusión de Adán y San Pedro es fácil de explicar. Menos comprensible es la de Aristóteles. El que no esté en el ***Communiloquium*** (ca. 1270) arguye posterioridad. Su inclusión entre los engañados por mujeres se explica a partir del ***Liber lamentationum Matheoluli*** (ca. 1295) de Mathieu de Boulogne, o su traducción francesa de Jehan Le Fèvre (ca. 1371-72). Estas obras son la base de la leyenda según la cual las mujeres se burlaron de Aristóteles y una de ellas logró ponerle cabezal y freno y montarse en él a caballo. Es la leyenda de Phyllis y Aristóteles en el ***lai d'Aristote*** de Henri d'Andeli. Esta irrisoria imagen fue tan famosa que se plasmó en un tapiz germano de ca. 1320-30 (Blamires 180 e ilustración 5).

demiento! ¿cómo porás faular de suso del altar con Nuestro Senyor dignamientre? La conuerssación de las mulleres por ningún pacto o conuinença no deue seyer aiustado con los clérigos. Porque sabet que la muller es puerta del diablo et [133a] carrera de iniquitat, lengua de
5 escurpuón, linatge de greu dapnage. Quando la scoba o la palya se aplegan al fuego ençiéndese grant [flama; asý la muller non es sinon] fuego ardiendo. Quando está con el clérigo, quema los fundamientos de los corages. Et yo iutgo que si con los hombres stan las mulleres [que no deffallesca lazo al diablo. Et de las mulleres] uvo naximien-
10 to de pecado. La luxuria de las mulleres faze adomar et ablandeçer la fortaleza de las almas de los hombres. Et ¿cómo puede el hombre esconder el fuego en su seno que non queme su vestido o sus ropas? Pues crede a mí que sepas que no puede ningún clérigo habitar de todo su coraçón con Nuestro Senyor Dios si quiere él mis-
15 mo copilar o star con las mullieres. Et por esto Tamar fue corronpida por su ermano, segunt que se reconta en el II ***Libro de los Reyes***, en el xiii [133b] capítulo.

[26.] CÓMO SE DEUE HOMBRE ACOMPANYAR CON BUENOS
20 HOMBRES.

[1] **Agustinus**. Sant Agostín, en el ***Libro de questiones***, en la lxxi questión, dize qu'en ninguna cosa non puede hombre meior prouar el amigo como en aduzir con éll el cargo del hombre. Et pone exemplo
25 de los cieruos que aquellos que passan primeros la agua aduzen las cabeças de los otros en las anquas, et assín aiudan los vnos a los otros del primero ata'l çaguero.

---

3 conuinença] conuinenca E. // clérigos] mugeres M, fembres VAB. **4** lengua] E, llaga M, nafra VAB. **6** ençiéndese] ençiendense E. // flama...sinon] *om.* E (*homoioteleuton*), llama asy la muger non es sinon M, flama axi la fembra no es sino VAB. **7** con] como E, con M, ab VAB. **9** que no deffallesca...et de las mulleres] *om.* E (*homoioteleuton*), que no deffallesca lazo al diablo e de las mugeres M, que no defall visch al diable de les fembres VA, no deffall vi[s]ch de diable de les fembres B. **14** habitar] hitar E, habitar o morar M, habitar VAB. // de todo su coraçón] de su coraçon E, de todo su corazon M, de tot son cor VAB. **15** copilar] copular MVAB. **16** ermano] ermana E, hermano M, frare VAB. **23** qu'en ninguna cosa] que ninguna cosa E (*posible error de copia oral*), que en res VAB. // prouar] *om.* E, prouar VAB. **24** hombre] hom hombre E. **25** que aquellos] que aquellos *iter.* E. **26** anquas] aguas E (*lectio facilior*), anques VAB. **27** çaguero] caguero E.

[2] **Agustinus**. Item el mismo, en el III libro de ***Confesiones***, dize que aquella companya de los hombres es iusta la qual sierue a Dios.

[3] **Ambrosius**. Sant Ambrós, en el primero libro ***De los offiçios***, dize que companya es partida en dos ma- [133c] neras o partidas: et la vna part es iusticia, et la otra es beneficençia et liberalidat o begninidat. La iustiçia es más alta. Liberalidat et beneficençia es más graciosa et más plazient. Iustiçia tiene dereitura. Et benefiçençia tiene bondat.

[4] **Ambrosius**. Item el mismo dize que hombre deue auer companya con los viellos et con los ióuenes, por esto como los viellos son a los amigos buen testimonio, et los ióuenes sonles conssolaçión et plazer. Et los viellos son asín como a maestros, et los ióuenes fazen veuir en dilecçión.

[5] **Eclesiastiçi**. El ***Eclesiástico***, en el capítulo xii, dize que vergonya deue hombre auer del amigo et del compannero si hombre li faze iniustiçia.

[6] **Iohanes**. Sant Iohán euangelista, en el primero capítol [133d] del ***Apocalipsi***, dize: Yo so Sant Iohán, ermano vuestro et companyón vuestro en tribulación. Porque muchos son que quieren seyer companyeros en las prosperidades et en las consolaciones, mas pocos son aquellos que quieren auer part de las tribulaciones, ni companyeros de aquellos qui las sufran ni las tengan.

[7] **Sant Paulo apóstol**. Sant Paulo, en el xi capítulo ***ad Galatas***, dize, amonestándonos, que leuemos la carga el vno al otro. Quiere dezir que nos compartemos los vnos a los otros.

[8] **Sénecha**. Séneca, en el primero libro ***De las questiones naturales***,[147] dize que companya non puede seyer salua sino por amor o por guardia de las partes.

---

8 dereitura] de iura E, dretura VAB. **11** *2º* con] como E, no ab V, ab B. **13** dilecçión] bilecçion E. **15** capítulo] catulo E. **23** *1er* las] los E, les VAB // *2º* las] los E, *om.* VAB. **25** Galatas] Galatos E, Galathas MVAB.

---

[147] Típico fac. La cita corresponde a ***De ira*** II.31.7, que sigue a las ***Naturales quaestiones***.

[27.] CÓMO DEUE HOMBRE SQUIUAR COMPANYA DE MALAS PERSSO-[134a] NAS.

[1] **Bernardus**. Sant Bernart dize que aquell compannero deue seyer
5 amado el qual no es a ninguno pesado et a todos faze plazer, et es a Dios deuoto et a su próximo benigno et a sí mismo hamesurado et otras muchas cosas ha con sí.

[2] **Gregorius**. Sant Gregorio, ***sobre Ezechiel***, en el libro primero,
10 omelía ix, dize, declarando la dicha paraula, que los enfermos se deuen aredrar de la companya de los maluados, de los periglosos, que a menudo veyen et castigar no les pueden. Et pone exemplo natural et diçe qu'el ayre malo et corrompido, si el hombre lo quiere comtinuamientre, corrompe el cuerpo et fázelo enfermo.
15

[3] **[Ysaýas]**. ***Ysaýas***,[148] capítulo v, dize que no es couinent companya de lumbres et de tinebras. [134b] Non uos querades acompanyar con los fornicadores. Mas con los buenos se deue hombre acompanyar.

20 [4] **Sant Paulo apóstol**. Sant Paulo, en la ***primera epístola ad Corintios***, dize, en el capítulo xv, que malas paraulas corrompen buenas costumbres.

[5] **Sénecha**. Séneca, en la cvii ***epístola***, dize tanto como tú serás
25 allegado al hombre scasso, atanto se tomará a tú auariçia. Et quando

5 *2ª* a] *om.* E, a MVAB. **11** maluados] E (*posible homoioteleuton*), per tal que nos deliten en resemblar los mals nels perills *add.* V, per tal que nos deliten en resemblar los mals e los perills *add.* A, per tal que nos deliton en resemblar los mals els perylls *add.* B. **13** diçe] naçe E, diu VAB. // quiere] E, respira VAB. **14** cuerpo] cuepo E. **16** Ysaýas (*epígrafe*)] *om.* E. // capítulo v] capitulo v *iter.* E. **25** Et] de E, e VAB.

[148] Error basado en los mss catalanes. Todos (VABC) atribuyen erróneamente esta frase a Isaías. Pero la causa del error es explicable. El ***Communiloquium*** dice: *Unde I Corintiorum vi et x: Nolo, inquit Apostolus, socios vos esse demoniorum*. Y sigue: *Et II vi c: Que societas luci(s) ad tenebras?* Aunque *II* se refiere a *II Corintiorum*, donde en efecto se halla esa cita (2 Cor 6.14), el traductor catalán interpretó el numeral romano *II* como Isaías, por eso tradujo *E Ysayias en lo vi capitol*, error que pasó a todos los manuscritos romances.

serás con companyón luxurioso tú aurás scalentamiento de luxuria. Porque dize el profecta en el salmo que con santo serás santo et con pecador, pecador. Et dize el apóstol ***ad Corintios***, en el VI et Xº capítulo, que non quiere que seamos en companya de demonios.

[6] **Séneca**. Item el mismo en el lugar ya allegado: Aplégate a los millores, [134c] assín como aquel sauio Sócrates; et viue con ellos, asín como el sauio Seno et Crispo et Pasidonio; que dígote que éstos te pornán en connosçençia de las cosas diuinales et humanales. Éstos te demuestran por obra que sepas cuerdamientre faular, et paraulas locas reprender o esmender, et auer paciençia en do á menester, et non temamos menazas quando las hoyrás contra tú fazer.

[7] **Exemplo puesto por Sénecha**. Sénecha, en la primera ***epístula***, pone vn exemplo de luxuria e vn exemplo de auariçia, et dize que mucho mal faze âquel que come et beue con el hombre si lo faze veuir ociosamientre o bagarosa et delictado como a perezoso, et tírale la fuerça. Vezino rico comete al hombre a cobdiçia; maluada com- [134d] panya dexa en el honbre de su corrupçión.

[8] **Salamón**. Salamón, en el xxii capítulo de los ***Prouerbios***, dize que non quieras seyer amigo ni conpanyón de hombre yroso ni vayas con hombre sanyoso ni loco por tal que no aprendas sus malas costumbres.

[28.] CÓMO EL PRÍMÇEP DEUE SEYER HUMIL A DIOS ET A LA EGLESIA, ET DEUE HONRRAR A DIOS VERDADERAMIENTRE ET A LA SU EGLESIA.

[1] **Costantín emperador**. Léyese de Costantín emperador que dixo: No es cosa dina que nós iutgemos los dioses, et no es marauella si la nuestra piedat quiere aquéllos honrrar. Los quales Dios, él mismo, por su paraula quiere honrrar, et los clama dioses e ángeles.

---

3 pecador pecador] pecador EA, pecadores pecador M, peccador seras peccador V, pecador pecador B. // VI et Xº] vi xº E. **10** demuestran] demuestra E, mostraran VAB. **15** de luxuria e] xiria a E, de luxuria o V, de luxuria e A, de luxuria B, de lutxuria e C. **16** *2º* faze] fazer E, fa VAB. **27** et] *om.* E.

[2] **Costantín emperador**. Item el mismo: Si yo con mis proprios oios [135a] vidiés el clérigo de Dios o algún religioso o perteneçén en hábito de religión pecando, yo desplegaría mi manto et couillarlo ýa por tal que non fues visto por otri. D'esto li faze testimonio
5 Nicholao, bispe de Roma. Esti emperador fizo todo su poder que por todo el mundo fues examplada la honor et lo seruiçio de Dios.

[3] ——. Item el mismo fizo cessar que en ell domingo çessasen pleytos de cort iudiçiales. Et aquesto fizo porque Ihesu Christo res-
10 suscitá en domingo.

[4] [**Historia eclesiástica**]. Scripto es ***Historia eclesiástica***,[149] quarto libro, capítulo ii, que Costantín emperador dixo que Dios auía stableçidos los clérigos et los auía dado poder de iutgar. Por esta razón
15 derechamientre los clérigos iutgauan, mas los hombres non podían iutgar derechamientre [135b] los clérigos, porque s'í conuiene que ellos esperasen que Dios tan solamientre los iutgás.

[5] **Gregorius**. Sant Gregorio, en el ***Registro***, libro V°, amonestando
20 Mauricio emperador a deuida reuerençia que deuen dar a los ministres de la eglesia de Dios, dizíe assí: El mi senyor no sea indignado contra los clérigos; mas, por honor et por reuerençia de aquél del qual ellos son seruidores, senyoree ad aquéllos en guisa que los faga honor et reuerençia.

25 [6] [**Deuteronomio**].[150] Léyese en el libro ***Deuteronomii***, capítulo xviii°, que Nuestro Senyor Dios declara et de quál et de quáles con-

---

6 examplada] exemplada E, fizo cresçer e ensanchar M, feu crexer e examplar VAC, feu creixer e examplar B. **12** *1ª* Historia Eclesiástica (*epígrafe*)] *om.* E. // *2ª* Historia eclesiástica] Eclesiastiastiçi E, Estoria eclesiastica M, Istoria ecclesiasticha V, Ystoria eclesiastica AB. // quarto] primero E, IIII MVB, quarto A. **21** indignado] nídignado E (*con signo diacrítico sobre la primera* í), indignado M, indignat VAB. **22** del] el E, del MVAB. **23** senyoree] senyoreen E, sennoreen M, sonyoreig V, senyoregen AB. **25** Deuteronomio (*epígrafe*)] Ieyesse E (*falso epígrafe utilizando la primera palabra de la cita*). // Devteronomii] Devtronumi E.

---

[149] E da: *Eclesiasti(asti)çi*, obvio error por *Historia eclesiastica*, como traen todos los mss (MVAB).

[150] E da como epígrafe: *Ieyesse*, utilizando la primera palabra del texto como si fuera el autor. Obvio error por *Deuteronomio*, como indica el texto y el origen de la cita.

deçiones deuen seyer el prímçep o el rey, et dize asín: Aquel que será puesto en rey no retornará el pueblo en Egipto ar- [135c] mado et exalçado con nombre et conto de cauallería, et mayormientre como el senyor Dios vos haya mandado que d'aquí [adelant no] tornedes por [aquella][151] carrera.

[29.] CÓMO LOS IUTGES DEL PRÍMÇEP DEUEN SEYER DILIGENTES EN DISPUTAR POR FALLAR VERDAT DE FECHOS.

[1] **Bernardus**. Sant Bernart, en el ***Libro de grados de humilitat***, dize que IIII maneras hi á de iudicio: de verdat et de malquerençia et de temor et de amor carnal.

[2] **Bernardus**. De la primera manera dize Ihesu Christo en el ***Euangelio de Sant Iohán***, capítulo v: Yo iutgo asín como hugo.[152]

[3] **Bernardus**. Del segundo es scrito en el dicho ***Euangelio***, capítulo xi, que los maluados iudíos dixieron que Ihesu Christo deuía seyer liurado a mu- [135d] ert segunt la ley.

[4] **Bernardus**. El III es scripto aquí mismo, que los iudíos dixieron que, si ellos lexauan yr et biuir Ihesu Christo, a miedo auían que viniessen los romanos et les tirassen lures lugares et lures gentes.

[5] **Bernardus, exemplo.** El IIII auemos exemplo en el II ***Libro de los Reyes***, capítulo xviii, que Dauid non quería que matasse hombre

---

3 *1er* et] a E, e M. **4** adelant no] *om.* E (*espacio en blanco, raspado*). **5** aquella] *om.* E (*espacio en blanco, raspado*). **7** deuen] deue E (*en la tabla inicial* deuen). // diligentes] diligent E (*en la tabla inicial* diligentes). **11** iudicio] iudico E, juyzio M, juhi VA, juhy B. **14** primera] prinera E. **22** Ihesu Christo] *om.* E (*raspado*). **25** II] III E, II M, segon VAB, quart C.

---

151 El ms deja dos espacios en blanco, que rellenamos con M.

152 El ***Lexicon*** y Velasco consideran esta palabra como nombre propio, es decir, Hugo (de San Víctor). Sin embargo, como explica Leslie (I: 150) y pone de relieve la ***Suma de col.lacions***, en sus versiones catalanas (*hoig* VAB) y castellana (*oyo* M), *hugo* es la primera persona del presente de *oyr* (variantes en ***Rams***: odir, huir), es decir, 'oigo'.

su fiio Absalón,[153] el qual mereçíe muert, como esto dezía por amor carnal que li hauía.

[6] **Bernardus**. Item dize el mismo Sant Bernart que es estado orde-
5 nado en derecho qu'el iutge non sea amigo speçial d'aquél contra el qual deue dar la sentençia por tal que amor non lo enganye.

[7] **Gregorius**. Sant Gregorio, en el XIX libro de los ***Morales***, dize qu'el iutge non deue seyer cuytoso pora dar sentençia antes que
10 [136a] haia diligentment los afferes uistos et studiados, ni.s' deue sobergament meter a dar sentençia por los clamos o querellas que la vna part lo posa d'aquí que los aya prouados.

[8] ——. Item el mismo en el lugar ya allegado dize que los iutges tar-
15 de deuen creyer los maiores crímenes quando los conoxen. Porque qui liuianamientre creye liugeramientre da sentençia iniusta. Et de esto hauemos exemplo en el ***Génesi***, capítulo xxxix°, de Suçifar, que liugeramientre creyé a su muller, la qual le acusó Iosey.[154]

20 [9] ——. Item dize el mismo que defallimiento de buscar verdat es occasión et razón de iudiçio iniusto. Así apar por Daniel, capítulo xiii°, de Susanya.[155]

1 Absalón] como saben E, Absalon MABC, ab sabon V (*probable causa del error de* E). **10** ni.s'] mas E, nin se M, ni V, nes AB. **11** sobergament] E, apresuradamente M, soptosament VB, sobtosament A. **15** crímenes] terminos E (*lectio facilior, confusión* c/t, *de la abreviatura* ri/er *y* e/o), crimines M, crims VAB. // quando los conoxen] E (*posible homoioteleuton como en* MABC frente a V), quando los conosçen M, quant los conexen A, quant los coneixen B, que no conexan C, quant los hoen dir e tost los deuen punir quant los conexen V. // qui] *om.* EM, qui VABC.

[153] El ms trae: *que matase hombre su fiio como saben*. Esta extraña traducción de la frase de la ***Suma de col.lacions***: *que aucis hom son fill Absalon* permite relacionar a ***Rams*** con V con gran seguridad. Todos los mss dan: *Absalon*. Solamente V trae: *ab sabon*, lectura que explica la extraña versión de ***Rams***.

[154] Se refiere a la mujer de Putifar, que acusó a José, porque no quiso yacer con ella.

[155] El epigrafista deja esta autoridad sin atribuir, implicando que pertenece a San Gregorio, pero no hallo la cita en sus obras. Es fac, por comentario de Juan de Gales al conocido caso de Susana y los ancianos, aludido al final de esta autoridad.

[10] **Graçiano**. Graçiano, en el ***Decreto***, XI° causa, questione iii°, en el capítulo que dize [*Quot modis*][156] *etc.*, que en IIII maneras [136b] se peruerteçen iudiçios: primera por temer, por mala uolumtat, por amor et por cupiditat. Porque los iutges deuen catar d'estas IIII
5 maneras si quieren seyer semblantes al iutge sobirano, el iudicio del qual ellos fazen et ponen.

[11] **Iob**. ***Iob***, en el xix° capítulo, en perssona de los iutges, dize: El pleyto o capsa que yo non sabía diligentmientre la buscaua et la dis-
10 putaua.

[12] [**Deuteronomii**].[157] Scripto es en el libro ***Deuteronomii***, capítulo primero, diziendo a los iutges assí: Pertenece a los pocos como a los grandes que non sean acceptadores de personas porque el iudiçio
15 es obra diuinal.[158]

[13] **Salamón**. Salamón, en los ***Prouerbios***, capítulo iiii°, dize a cada vno de los iutges: Los tus oios vean iustiçia et derechura.

20 [14] [**Tullio**]. Tullio, en el III° libro ***De los ofiçios***, capítulo [136c] xi°, dize que aquel que es puesto en oficio de iutge deue meter apart toda

---

2 Quot modis] si prouideat EMVABC (*corregimos por el Decretum*). **3** peruerteçen] perteneçen E, paresçen M, peruertexen VA, peruerteixen B. // temer] E, temor MVAB. **12** Deuteronomii (*epígrafe*)] Eclesiastici E (*error del epigrafista*). **20** *1er* Tullio (*epígrafe*)] *om.* E.

---

[156] E (y MVABC) dicen: *Sy provideat*, como si fuera rúbrica del ***Decretum***. Pero no es así. El capítulo se titula: *quot modis humanum judicium pervertitur* y comienza: *quatuor modis* (P 2, c 11, q 3, cap 78, PL 187, 867). El error del compilador proviene de considerar el comienzo del comentario de Juan de Gales: *Sed prouideant*, como inicio de párrafo en el ***Decretum***.

[157] Por alguna razón, inexplicable para mí, el epigrafista escribió: *Eclesiastici*. Corregimos según el texto, pues la cita corresponde, ciertamente, al ***Deuteronomio*** 1.17.

[158] El compilador ha cambiado la idea del original. La idea, en todos los mss, es que Dios, en el ***Deuteronomio***, dijo esas palabras a los jueces: *dize en el Deuteronomio, capítulo primero, a los juezes que asý oyan a los pequennos commo a los grandes, e que non sean aceptadores de personas* (M). No corregimos el texto de E porque no hallamos razón gráfica que explique el cambio de *que así oyan* a *pertenece*. Consideramos el texto de E como adaptación del compilador.

amigança, porque nenguno no es verdadero iutge que iutga por amor o por malquerençia lo que deue iutgar segunt la ley derechurera.

[30.] CÓMO LOS OFICIALES O LUGARTENIENTES DE SENYOR
5 SE DEUEN GUARDAR DE VANA GLORIA ET QUE NO LIEUEN PORSEGUIDORES.[159]

[1] **Eclesiastici**. El sauio ***Eclesiástico***, capítulo x°: Atal como es el iutge del pueblo atales son los sus ministros.

10

[2] [**Eclesiastici**]. Item el mismo, en el lugar ya allegado, dize que atal es el pueblo de la comunidat como es aquel qui la ha a regir o a gouernar.

[3] **Matheus**. Sant Matheo, en el suyo ***euangelio***, capítulo xviii°, dize assí:
15 Se conuiene aquí de fazer misericordia [como yo he misericordia] de ti.

[31.] CÓMO [136d] EL REY O EL PRÍMÇEP DEUE REGIR SÍ MISMO VIRTUOSAMIENTRE PORQUE NO AYA NOMBRE DE REY DE BALDES.

20

[1] **Sénecha**. Séneca, [***epístola***] xcvi, dize que muchos son estados los quales, por tal que vencen lurs enemigos, vencieron codiçia.[160] Mas agora ninguno non contrasta a codiçia ni âmbiçión ni a crueldat ni a vicios ni a pecados.

25

[2] **Sénecha**. Item el mismo, en la ***epístola*** xxxviii, dize: Si quieres todas cosas sotmeter a ti, somete ti mismo a razón. Et si la razón te

---

5 se] *om.* E (*en la tabla inicial* se). **11** Eclesiástici (*epígrafe*)] Matheus euangelista E (*por influencia de la autoridad siguiente*). **12** el] *om.* E, el M, lo VAB. **15** como yo he misericordia] *om.* E (*homoioteleuton*), commo yo oue misericordia M, com yo he misericordia V, com yo he (*om.* misericordia) AB. **21** epístola] capítulo EB, epístola MV, epistole A. **22** codiçia] *om.* E, cobdyçia M, cobeiança VA, cobeyanca B.

---

[159] Véase nota 3 a pág. 76.

[160] La versión de E, así como la de los mss catalanes y castellano, traduce inadecuadamente este pasaje. El original latino dice: *multi, ut hostem vincerent, victi sunt cupiditate* 'muchos, antes de vencer al enemigo, fueron vencidos por la codicia' (traducción nuestra).

regeçe, tú bolueríás mucha gent. Razón te demuestra qué deues empeçar et por quál manera.

[3] **Sénecha**. Item el mismo, en la ***epístola*** cxvi, dize: El nuestro
5 corage adiesso es rey, adiesso es [137a] cruel prímçipe. Rey es quando se pienssa en cosas honestas, et quando á cura de la salud del cuerpo e a él acomendado, et aquél non manda ninguna cosa fea ni nenguna deshonestedat.

10 [32.] CÓMO LOS CONNSSELLEROS DEUEN SEYER PROUADOS EN IUSTICIA ET EN DERECHO.

[1] **Ambrosius**. Sant Ambrosio, en el II° libro ***De los officios***, dize que âuer buen consello deue hombre buscar conssegero de santa
15 vida et de prouada, et que haya exçlerençia de virtudes, et sea hombre que vse de bien querençia, et que de grado faga graçia. Et posa yde atal exemplo et dize: ¿Quí es aquel que busca en lugar suzio o en el muradal fuent biua et clara et de buena sabor? ¿Quién es aquel que desea beuer agua suzia et turbia? Allá do ha luxuria, allá do no
20 yd'á temprança,[161] allá do ha confusión [137b] de pecado ¿quién s'ende yrá a conssellar? Et ¿quién no menspreçiará el conssello de atal? Et la respuesta que s'en leuará será sosacarle todas virtudes.[162]

1 boluerías] E, bolueras M, regiras VAB. **19** et turbia...temprança] et troba luxuria a la no oyda temprança E, e fallala lixosa e sin tenprança M. et terbola la hon ha luxuria la hon no ha temprança VAB. **20** allá do ha confusión] llena de confusion M, la hon ha confusio VAB. **22** et la respuesta...virtudes] Et la respuesta que sen leuara et sosacale todas virtudes E, e la respuesta que dende leuara sera sosacarle de todas las virtudes M, e la tempesta qui sen portara e li sostrau totes virtuts V, e la resposta que sen portara e li sostrar totes virtuts AB.

[161] ***Rams*** dice: *et troba luxuria a la no oyda temprança*. Al parecer el compilador herediano no entendió el texto catalán y adaptó libremente. Pero el texto debía estar ya corrupto en el prototipo aragonés porque M trae una confusión semejante. El error proviene de confundir el adjetivo catalán *térbola* 'turbia' con el verbo *trobar*, y no entender la frase *hon no yde ha* 'donde no hay', transformándola en ese extraño *no oyda*. Pero se trata de una expresión impersonal típica aragonesa que usa el pronominal latino *inde*, en la combinación *yde á*, con sus variantes *yd'á*, *íde á*, utilizada con frecuencia en ***Rams***.

[162] La lectura original de E, como de todos los mss catalanes, suprime el verbo *será*, con lo cual la frase resulta oscura. Sólo M trae la lectura correcta: *¿E quién non menos-*

¿Quién cuyda auer buen consello de aquel que no lo sabe auer bueno pora sí mismo?

[2] **Ambrosius**. Item el mismo, en el capítol ya allegado, dize que
5 más sufiçient et más complido deue seyer aquel que da conssello que aquel que lo reçibe.

[3] **Eclesiastiçi**. El sauio ***Eclesiástico***, capítulo vi, dize: Conssegero sea a ti vno de mil. Et por esta razón los antigos scullieron por con-
10 selleros los vieios, segunt dicho es.

[33.] CÓMO SE DEUEN AIUSTAR LOS VNOS CON LOS OTROS.

[1] **Iohanes euangelista**. Sant Iohán, en la ***primera cannónica***, capí-
15 tulo iii°, dize que aquel que aurá la sus- [137c] tançia d'esti mundo et veurrá su ermano que aurá nesçesitat et le cercará[163] la sua volumtat, que no le ayudará et no le querrá ayudar ni partir de su sustançia ¿quién puede dezir que ésti haia caridat de Dios?

20 [2] **Sant Paulo apóstol**. Sant Paulo, en la ***primera epístola ad Corintios***, capítulo xii, dize: Quando vn miembro sufre pasión, todos los miembros han conpasión de aquéll.

[3] ——. Item el mismo, ***ad Efesios***, capítulo iiii: Subportat los vnos
25 a los otros en caridat.

---

16 veurrá] venrra E (*confusión* u/n), veura VAB. **17** et] *om.* E. **18** que] que *iter.* E. **24** subportat] subporta E, soportad M, supportats VAB.

---

presçiará el consejo del tal? E la respuesta que dende leuará será sosacarle de todas virtudes, con lo cual se restituye el sentido. Es el texto que adoptamos. Sin embargo, el original latino da solamente: *Quis non despiciet morum colluvionem?* Son las traducciones romances las que, al introducir una respuesta a la pregunta retórica de San Ambrosio, oscurecen el significado.

[163] El ms. da claramente *cercara*. Perece error gráfico por *cerrara* (confusión *c/r*). En efecto, los mss. cats. dan: *tanquar ha* (VA), *tancar ha* (B); C y M no traen la frase. Pero es confusión infrecuente, por eso matenemos con cautela la lectura de ***Rams*** con el sentido de 'cerrar'.

[34.] CÓMO DEUE HOMBRE HAMONESTAR LOS ENFERMOS.

[1] **Gregorius**. Sant Gregorio, en la ***omelía*** dize que Dios viene quando se quexa[164] al iudiçio, et Dios tanye a la puerta quando enbía
5 emfermedat et denuncia que la mu- [137d] ert es çerca, al qual nosotros abrimos la puerta.

[2] **Ierónimo**. Sant Ierónimo, en la lxvii ***epístola***: No sías tristo si no has lo que han las formigas et las moscas et las sierpes, esto es, oiios
10 corporales. Mas alégrate si has atales oios como aquellos de quien es scripto en el libro clamado ***Cantica canticorum***, en el iiii capítulo, el qual dize: Tú me has ferido en vno de tus oios.

[3] **Ierónimo**.[165] El dize que la blandeza de la plaga limpia et purga
15 los malos et los defallimientos de los hombres.

[4] **Sant Luch euangelista**. Sant Luch euangelista, capítulo xii, dize que bienauenturado es aquel seruidor el qual Dios, quando vendrá, lo fallará veylando.

[5] (**Maestro de las sentencias**. Reconta el Maestro de las sentençias [138a] que)[166] Scripto es en el ***Libro de los Padres Santos*** IIº, la vii

---

4 tanye] caye E, tanne M, toqua VA, toque B. **5** al] a la EB, al MVA. **6** puerta] MVB, ad aquella *add.* E, aquell *add.* V. **9** que] *om.* E, que MVAB. **11** Cantica canticorum] MVAB, Quantica E. **12** oios] o *add.* E **14** et] *om.* E, e MVAB.

---

[164] La lectura: *se quexa* (EM) es traducción literal del catalán: *se cuyta* (VAB). El texto latino trae: *properat* 'apresurarse con ansiedad'. Quizá convendría corregir: *se aquexa*.

[165] E dice: *Ieronimo*, por influencia del epígrafe anterior. La autoridad correcta es: *Prouerbios* 20.30, como dice el ***Communiloquium***, apud la ***Regula pastoralis*** III.12 (PL 77, 69) de San Gregorio, donde, en efecto, se cita este texto de los ***Proverbios***; en cambio todos los mss de la ***Suma de col.lacions***, catalanes y castellano, dan como fuente el libro de Job. Esta unanimidad nos hace pensar que el prototipo aragonés traía probablemente también incorrectamente *Job*. No corregimos ni en un sentido (*Job*) ni en otro (*Proverbios*), pero dejamos constancia de los errores.

[166] Esta atribución falta en todos los mss. ¿De dónde la tomó E? Suponemos que la frase es un falso comienzo del copista, comienzo que dejó sin tachar, lo cual causó el error del epigrafista. El pasaje proviene, como dice el texto, del ***Libro de los Santos Padres*** V.7.17 (PL 73, 895-896).

part, que vno frayre dixo: Si la enfermedat no[s] es mal ens[a]nyada [e] trista [e] sanyosa,[167] non nos deuemos turbar ni seamos tristos, porque comedir nos deuemos que no podremos star tan luengamientre en oraçión ni en loor de Dios tanto como dura la enfermedat. Et
5 todos estos malos deseos nos tiran et vienen a nosotros por destruyr los malos desseos corporales. Asín como por grant et fuert mediçina guarecen las enfermedades corporales, [así las enfermedades corporales] son medeçina contra viçios et cuentra pecados.[168] Et auer buena pasciencia en la enfermedat es muyt grant virtut, mayormientre
10 quando el hombre faze graçias a Dios. Si perdemos los oios [138b] non podemos nós ensanyarnos, porque auemos perdidos instruimientos los quales nos fazíen seyer ergullosos et locos. Si somos tornados sordos, penssémosnos que auemos perdido la oyda vana con la qual oymos muytas vanidades. Et asín de las otras perduas. Et assí,
15 si la enfermedat tiene todo el cuerpo, faga su poder el enfermo que cresca la caridat de su coraçón.

1 enfermedat...sanyosa] enfermedat no es mal ensenyada ni trista ni sanyosa E, enfermedad non es mal ensennada nin triste nin sannosa M, malaltia no es mal ensenyada ni trista no fellona V, malaltia no es mal ensenyada en trista ne fellona A, la malaltia no es mall ensenyada ne trists B, la malaltia es mall ansenyada e trista e felona C. **2** non nos] nos nos E, non nos M, nons VC, no sen A, *om.* B. **6** mediçina] cuentra vicios et cuentra pecados *add.* E (*repetición anticipada de la misma frase que se halla más adlante*). **7** guarecen] guarece E, guaresçen M, guarexen VA, guareixen B. // así...corporales] *om.* EM (*homoioteleuton*), axi les malalties corporals VAB. **11** non podemos nós ensanyarnos] non podemos nos ensenyamos E, nos ensannamos M, nons enfellonescam V, nons enfelloniscam A, nons enfeloniscam B. **14** oymos] oymo E. // perduas] E, partidas M, perdues VAB. **16** coraçón] coracon E.

[167] La lectura de EM: *no es mal ensenyada ni trista ni sanyosa*, es fiel traducción de la versión catalana: *no es mal ensenyada ni trista n[i] fellona* (VAB). Pero tiene un sentido contradictorio y además no recoge correctamente la idea del ***Communiloquium***, que dice: *si infirmitas nobis molesta fuerit*. Supongo que el prototipo catalán decía: *nos es mal ensanyada e molesta e fellona*. Sugiero, pues, corregir *no* a *nos*, *ensenyada* a *ensanyada* y dar la frase como afirmativa, tal como aparece en C: *es mall ansenyada e trista e felona*.

[168] E da este texto confuso debido a una repetición y a un salto: *asín como por grant et fuert mediçina* ***cuentra vicios et cuentra pecados*** *guarece las enfermedades corporales son medeçina contra viçios et cuentra pecados*. Para corregir este texto podemos acudir a los mss catalanes, que dicen: *axi com per gran e fort medecina guarexen les malalties corporals, axi les malalties corporals son medecina contra vicis e contra peccats* (VAB). Esta versión revela los dos errores de E: a) una repetición espuria y b) un homoioteleuton. Corregimos con los textos catalanes. M no trae la falsa repetición de E, pero comparte el mismo homoioteleuton.

[6] **Paulus apostolus**. Sant Paulo, ***ad Corintios segunda epístola***, capítulo xiiº, dize: Yo me gloriaré de grado en las mías enfermedades del cuerpo et del alma en la desús dicha manera, por tal que la virtud de Ihesu Christo se esté en mí. Ya sea que en muchas otras et
5 diuerssas maneras podiessen los hombres seyer amonestados, empero por tal como Sant Grego- [138c] rio, en el II libro ***Pastoral***, pone aquéllos suficientmientre.

[7] **Salamón**. Salamón, en los ***Prouerbios***, capítulo iii, dize que non
10 se deue enoyar porque Dios castiga hombre o reprende.

[35.] CÓMO DEUE HOMBRE AMONESTAR AQUELLOS QUE BIUEN EN SANIDAT.

15 [1] **Eclesiast[és]**. El sauio ***Eclesiast[és]***, capítulo xi, dize:[169] O tú, iouen, alégrate en tu iouentut, et tu coraçón sía en bien en tu iuuent.

[2] **[Eclesiastici]**. Item, en el xxxvº, dize: ¿Cómo se puede fazer que tú falles en tu belleza aquellas cosas que no aurás aplegadas en tu
20 iouentud?

[3] **Eclesiastici**. Item dize en el xxxviiº capítulo, que por sobras de comer muchos son perdidos et muertos, et aquell que se abstiene de aquello es alongamiento de su vida. Et muchos comeres fazen enfer-
25 medades.

---

1 Paulus] aPaulus E. **2** mías] ímas E (*con signo diacrítico sobre la* í), mis M, mies VAB. **3** en] et E, en MVAB. **5** los hombres] *om.* E, los ommes M, los homens VAB. **6** pone] ponen E. **7** suficientmientre] E, e esto agora de present abaste *add.* M, e aço ara de present sia abastant *add.* V, e aco ara de present sie bastant *add.* B, e per ço ço qui es dit cumple e es bastant *add.* A. **15** Eclesiastés (*epígrafe*)] Eclesiastiçi E (*por influencia del texto*). // *2º* Eclesiastés] Eclesiastiçi EMVABC. **16** et] en E, e MVAB. // coraçón] coracon E, coraçon M, cor V, cors AB. **18** Eclesiastici] *om.* E (*restituimos la atribución a causa de la corrección anterior*). **19** belleza] E, vejez M, vellea VA, veylesa B. // no] *om.* E, non M, no VAB. **22** por sobras] E, por mucho M, per massa V, per massa sobres A, per massa B. **23** muchos] muchas E, muchos M, molts VAB. // perdidos et muertos] EM, punits e perits VB, perits e punyits A.

---

[169] E, así como MVABC, da: *Eclesiastiçi*, pero la cita pertenece al ***Eclesiastés*** 11.9. El error proviene de los mss romances, ya que el ***Communiloquium*** trae la atribución correcta. Esto nos obliga a restituir el epígrafe de la cita siguiente que corresponde al ***Eclesiastici***.

[138d] [4] **Gregorio**. Sant Gregorio, en el II° libro ***Pastoral***, capítulo xiii°, dize que los hombres sanos et pagados deuen seyer amonestados que vsen de la salud del cuerpo a la salud de la ánima, por tal que si despienden el dono de gracia et de salud en el mal vso non sean
5 fechos peores; et que non menospreçien l'avinenteza de ganar la salud eternal.

[5] **Sénecha**. Séneca, en la xcix ***epístola***, dize que muchas comeres han feyto muchas enfermedades sin nombre allí do ha muchos
10 comeres.[170]

[6] **Salamón**. Salamón, en los ***Prouerbios***, capítulo v, dize: Non des a los estranyos la tu temor o la tu honor nin non des tus anyos al cruel, por tal que por auentura los estranyos non sean plenos de tus fuerças.
15

[36.] [139a] CÓMO DEUE EL HOMBRE STAR LUENT DE ROYDO MUNDANAL.

[1] **Ierónimo**.[171] Sant Ierónimo, en la ***epístola*** lxxii, allí do dize: ¿A
20 qué deseamos el entrar en la ciudat a menudo, nosotros que sintimos la seguridat? Porque dize: la soledat es a mí paradiso et obrar en el mi campo.

---

2 sanos et pagados] E, sanos e purgados M, sans e alegres VAB. **4** *1er* el] en E, el M, lo VA. **5** et] *om.* EVA, e MB. // menospreçien] menospreçian E, menosspresçien M, menysprehen V, menyspreen A, menyspresen B. **8** epístola] *om.* E, epistola MVAB. **13** temor o la tu honor] temor o la tu temor E (*2° temor tachado*), temor o el tu honor M, honor V, temor A, temor o la tua honor B. **14** fuerças] fruytas E, fuerças M, forçes VA, forzes B. **21** seguridat] E, singularidat M, singularitat VAB. // obrar] obra E, obrar MVAB.

---

[170] Autoridad con redacción confusa que revela un posible homoioteleuton. No la corregimos porque EMABC tienen esencialmente la misma versión abreviada; lo mismo debía ocurrir con el prototipo aragonés. Sólo V trae la versión completa. La damos para que se pueda apreciar el posible salto (*malalties...malalties*). Dice V: *molts meniars han fetes moltes malalties ¶ Item diu aqui matex not marauelles si son moltes malalties e sens nombre la hu ha tantes maneres de diuerses meniars.*

[171] El ms da dos veces el título y el epígrafe de este capítulo: *Como deue el hombre star luent de roydo mundanal. Ieronimo.* La primera al final del fo.138d, la segunda al comienzo del fo.139a.

[37.] CÓMO DEUE EL HOMBRE STAR APPARELLADO A LA MUERT.

[1] [**Apocalipsi**]. Scripto es en la ***Apocalipsi***, en el iii capítulo: Si tú
5 no veylas, yo vendré a tú así como a ladrón et non sabredes en quál ora vendré.

[2] **Ambrosius**. Item, en el lugar ya allegado, dize: Cada vno deue seyer aparellado cada ora así como si la ora deuía morir.[172]
10

[3] **Gregorius**. Sant Gregorio, en el XII libro de los ***Morales***, dize sobre la paraula de Iob que es scripta en el capítulo xii, diziendo: *El nombre de los anyos es incierto a los* [139b] *tiranos del mundo*. Dize Sant Gregorio exponiendo la dicha paraula: Et deuen star todos apa-
15 rellados assí como a ministros asistentes en piedes delant del rey.

[4] **Matheus euangelista**. Sant Matheo, en el xxiiii° capítulo, dize: Veylat porque non sabedes en quiénta ora deue venir Nuestro Senyor.

20 [5] [**Lucas**]. Item el mismo, en el xxii° capítulo, dize: Sean los uuestros lomos ligados; et vosotros seyet semblantes a los honbres que speran su senyor quando vendría de sus bodas. Et síguese: Bienauenturados son aquellos seruidores los quales quando vendrá su senyor [los trobará veylando].[173]
25

[6] [**Lucas**]. Item el mismo, en el xi capítulo, dize: Stad aparellados porque aquella ora que non vos penssades lo fillo de la Virgen vendrá.

---

4 Apocalipsi (*epígrafe*)] *om.* E. // si] se E, si MVAB. **5** veylas] veyelas E, velas M, vetles VA, velles B. **12** sobre] se bien E, sobre MVAB. **13** anyos] E, annos M, anys V, sants AB. **15** asistentes] asitentes E. **20** Lucas (*epígrafe*)] Matheus idem E (*por influencia del epígrafe anterior*). **24** los trobará veylando] *om.* E, fallare velando quando viniere M, los trobara uetlants VA, los troba vellants B. **26** Lucas (*epígrafe*)] Matheus E (*por influencia del epígrafe anterior*).

---

[172] Fac. El epígrafe dice: *Ambrosius*, posible error por *Apocalipsi*, que aparece en la cita anterior. Pero el texto no proviene ni de San Ambrosio ni del Apocalipsis, sino que es comentario de Juan de Gales.

[173] E concluye la cita en *senyor* y deja la frase sin terminar. Véase la terminación en el aparato de variantes. Corregimos con los mss catalanes.

[139c] [7] **Salamón**. Salamón, en el libro de los ***Prouerbios***, capítulo vi: O perezoso, ves a la formiga la qual aplega en las miesses aquellas cosas que s'í fazen menester por la vida en el iuierno. ¿O perezoso, entro a quándo dormirás? Assín como los hombres en
5 tiempo de las miesses se leuantan manyana et continualment cuellen et antes de la noche no.s' dexan de coller, [así todo fiel christiano deue coller manos plenas de meresçimientos buenos].[174]

[38.] CÓMO LOS CLÉRIGOS DEUEN SEYER CUROSOS DELANT
10 DE LA EGLESIA A ELLOS COMENDADA.

[1] **Bernardus**. Sant Bernat, en los ***Cánticos***, lxxiiii omelía, dize que los eclesiásticos que son buenos veyladores, porque dormiendo nosotros ellos veylan, et deuen rendir cuento de las almas que les son acomendadas.
15

[2] **Iohanes**. Sant Iohán, en el capítulo x, dize: El buen [139d] pastor su alma pone por sus ouellas.

[3] **Isaías**. ***Ysaýas***, en perssona de Dios, dize, en el lxi capítulo:
20 Gerusalén, de suso de tus muros he puesto guardianos; todo el día et toda la noche perpetualmientre non calien.[175]

[4] **Isaías**. Item el mismo, en el capítulo lxii, dize: Alegrarse á el esposo de suso o sobre la sposa. Et déuenla paxer con pastura así
25 como los buenos pastores.

---

6 así...buenos] coller E (*homoioteleuton*), asi todo fiel christiano deue coger manos de meresçimientos buenos M, axi deu cullir cascun feel christia los maniples e les mans plenes de bones obres o de bons merits VA, axi deu cuyllir algun feel christia los maniples o les mans plenes de bones obres o de bons merits B. **12** Cánticos] las canonicas E, los Canticos M, los Cantichs VAB. // omelía] *om.* E, omelia MVAB. **19** el] la E. **20** Gerusalén] Gerusales E. **21** calien] E, callaran MAB. cayll V. **24** déuenla] EMAC, deula VB.

---

[174] El ms deja la frase sin terminar. Todos los mss la completan. Corregimos con M.

[175] La mayoría de los mss (MAB) da: *callarán*, fiel traducción del latín: *tacebunt*. Pero V trae: *cayll*, forma que explica la lectura de E. El ***Lexicon*** deriva *calien* (para ellos imperfecto de indicativo) del verbo *caler* 'ser apropiado'. Pero *calien*, lo mismo que *cayll*, es forma del presente de subjuntivo, con valor de futuro, del verbo *callar*. Por eso conservamos la lectura de E como subjuntivo con valor de futuro.

[5] **Sant Paulo**. Sant Paulo, en la epístola primera, capítulo iii ***ad Corintios***, dize: Vosotros sodes lauradores de Dios et edificaçión de Dios.

5 [39.] CÓMO LOS CLÉRIGOS DEUEN SEYER ORNADOS DE BUENAS COSTUMBRES.

[1] **Sant Paulo apóstol**. Sant Paulo apóstol, en la epístula ***ad Filipenses***, dize de vn clérigo el qual dio [140a] paz et podíale[176] la boca
10 al vino, et díxole assí: Esto non es paz, antes es dar a beuer vino.[177]

[2] ——. El mismo, en la epístula de ***Titho***, en el primero capítulo, da[p]na los clérigos vinatosos. Esto mismo vieda la ley de Muysés viella en lo libro ***Lebíticos***, capítulo xº.
15

[3] **Ierónimo**. Sant Ierónimo, en la xxxxiiii ***epístula***, dize así: Son algunos hombres de mi orden los quales desean presbiterado et diachonado, por tal que con mayor liçençia vean las mulleres. Todos éstos han grant cura de auer grandes vestiduras et buenas hodores de
20 musquet et otras, gentilment hir calçados, et andar pentinados, lures dedos curan que los puedan honrrar de sortillas con piedras preçiosas. Porque se sigue que quando veyas estos [140b] atales iutga que más son sponssos que clérigos, et más seglares que reglares.

---

1 capítulo] capitula E. **2** edificaçión] E, hedifiçio M, edifficadores V, edifficacio A, edificadors o edificacio B. **12** Titho] Ticho E (*confusión* c/t). **13** da[p]na] dana E, danna M, dampna V, dampne AB. **17** mi orden] quatro ordenes M, meu orde VAB. // et] *om.* E, e MVAB.

---

[176] Forma del verbo *pudir* 'heder', 'tener mal olor', es decir, 'hedíale la boca'.

[177] Curiosa confusión basada en la carta 52 de San Jerónimo ad Nepotianum. Ahí la frase equivalente latina: *hoc non est osculum porrigere sed poculum propinare*, se atribuye a un innominado filósofo: *illud philosophi*. Pero al ir seguida de la reconvención de San Pablo contra los clérigos vinolentos (***ad Titum*** 1.7), dio lugar a la falsa atribución. En efecto, la abreviatura de la palabra *philosophi* y su proximidad a la mención de San Pablo dio pie al traductor catalán a interpretarla como: *Philippenses*, error que pasó a EM. Sería interesante seguir las huellas de esta frase que debió tener gran aceptación. Sólo puedo aducir un testimonio en el ***Poema de mio Cid***, cuando se describe a Asur González, recién almorzado, con términos casi idénticos: *a los que das paz fártaslos aderredor* (v. 3385).

[4] ——. Item el mismo, en la ***epístula*** xxxiiii, la qual enviaua a Nepociano, en la qual enformaua en muchas maneras a los clérigos en speçial en comer et en beuer, et por esto nunca quieras oler a vino.

5 [40.] CÓMO EL BISPE DEUE AUER ABUNDANÇIA DE LARGUEZA.

[1] **Gregorius**. Sant Gregorio, en el libro ***Dialogorum***, capítulo primo, dize: Mucho es accetable a Dios el bispe que da muchas limos-
10 nas por piedat et que haya piedat en la limosna, que da mucho plazer a Dios, segunt que se leye en la ***Vida*** suya de Sant Gregorio.[178]

[2] **Sant Paulo apóstol**. Sant Paulo, ***ad T[it]um***,[179] dize qu'el bispo non sea avaro en semblant de neçesitat [140c] et que sea hospitalero
15 et de buena volumtat.[180]

[41.] DE LA INFORMACIÓN DE LOS TESTIMONIOS.

[1] **Agustinus**. Sant Agostín, en el ***sermón de las plagas de Farahón***,
20 en la viii plaga, dize que vino en Egipto la lagosta animada que auía

1 enviaua] enuiaua E. **3** oler] *om.* E, oler M, olre VAB. **15** volumtat] subirana *add.* E (*posible homoioteleuton*), e soberanamente deuese de esquiuar la cobdiçia de auariçia en los obispos *add.* M, que haia benuolenca etc sobiranament donchs se deu squiuar la cobeiança de auaricia en los bisbes *add.* V, e que haia benuolenca etc sobiranament se deu donques squiuar la cobeiança de auaricia en los bisbes *add.* A, e que age benuolenza etc sobiranament dochs se deu esquiuar la coueyança de auaricia en los bisbes *add.* B.

[178] Cita tomada descuidadamente. Es fac por comentario de Juan de Gales a la ***Vita Gregorii Magni*** de Juan Diácono, donde, en efecto, se recogen los casos de caridad limosnera de San Gregorio, especialmente el de la escudilla de plata, por la que Dios le otorgó el papado (PL 75, cols. 95 y 113). De ahí lo tomó Juan de Gales para su ***Communiloquium***. La mención del ***Dialogorum*** es también fac; se refiere a una cita anterior que ***Rams*** no recoge.

[179] E da: *ad Thimoteum*. El error proviene de la ***Suma de col.lacions***. Todos los mss catalanes y castellano dan como fuente: *ad Thimoteum*, aunque el ***Communiloquium*** dice simplemente: *apostolus*, sin concretar más. La precisión de la ***Suma de col.lacions*** es errónea. Las cualidades que San Pablo exige al obispo en esta cita (*non sea avaro..., et que sea hospitalero et de buena volumtat*) corresponden a ***Titum*** 1.7-8 (*non turpis lucri cupidum, sed hospitalem, benignum*), no a ***I Timoteum*** (I.3.2), cuya lista es diferente.

[180] E añade: *subirana*. Pero esta palabra, como revelan todos los mss (ver aparato de variantes), es el comienzo de una nueva oración. Al parecer, el compilador la tomó descuidadamente. Por eso la suprimimos.

malos dientes, que singnificaua falsso testimonio, porque falsso testimonio ha volumtat de dar dapnage et de morder et destruyr mordiendo.

5 [2] **Ambrosius**. Sant Ambrós, en el ***sermón de passión***, dize que Ihesu Christo es verdat, paz et iustiçia, et éstos lexan paz et verdat por falsía, et por tenporal preçio dexan et venden iusticia.

[3] [**Historia eclesiástica**]. Scripto es en el libro VIº de la ***Istoria***
10 ***eclesiástica***, capítulo ix, que iii falsos testimonios se leuantaron contra [140d] Narcís, bisbe de Girona,[181] et afirmaron con iura [que Narcís, bisbe, era hombre de mala vida].[182]

[4] [**Exodi**]. ***Éxodo***, xx capítulo, dize: Non dirás falsía testimonial.
15 Sant Ysodoro, explicando esta paraula en el libro III ***De Summo bono***, capítulo lxix, dize que testimonio que dize mentira n'í faze iniuria a Dios que lo menospreçia, al iutge que lo enganya, et al ignorant, el qual fiere et le tira su drecho.

20 [5] **Matheus euangelista**. Sant Matheu, capítulo xxvi, dize que testimonios se son leuantados contra Ihesu Christo, quiere dezir, testimonios falssos.

---

7 *3er* et] *om.* E. **9** Historia eclesiástica (*epígrafe*)] *om.* E. **11** Girona] E, Gerona MAB, Iherusalem V. // que...vida] *om.* E (*homoioteleuton*), que Narçiso obispo era omme de mala vida e suzia M, que Narcis bisbe era hom de mala vida e de sutzea V, que Narcis bisbe era mal hom de vida e de sutzea A, que Narcis bisbe hera hom de mala vida B. **14** Exodi (*epígrafe*)] *om.* E. // Exodo] Exo E. **15** Summo] Símínío E (*con signos diacríticos sobre las* íes), Summo MVAB. **22** falssos] falfossos E.

---

[181] E, junto con MABC, hace a Narciso obispo de Gerona. En cambio, V y las versiones latinas lo hacen correctamente obispo de Jerusalén. La confusión pone de relieve el catalanismo de ABC. En efecto, ambas sedes tuvieron un prelado con ese nombre en los primeros siglos del cristianismo. El de Jerusalén murió hacia 222 y el de Gerona en 307. Pero la alusión de la ***Suma de col.lacions*** se refiere al de Jerusalén, ya que sólo éste fue calumniado por tres falsos testigos, que sufrieron las consecuencias de su falsa acusación. Ver ***Bibliotheca Sanctorum***, t. 9 (Roma: Istituto Giovanni XXIII, 1967), s.v. "Narcisso vescovo di Gerusalemme" y "Narcisso vescovo di Gerona".

[182] Oración incompleta en E. Todos los mss añaden el contenido del falso testimonio. Corregimos con M.

[6] **Sant Paulo apóstol**. Sant Paulo apóstol, ***ad Galatas***, iii° capítulo, amonestándonos que nós no fagamos falso testimonio el vno contra l'otro, dize en asín: Vosotros comedes en vno et mordedes, catat que non uos [141a] consumedes los vnos a los otros. Porque falsos testi-
5 monios matan verdat.

[7] **Salamón**. Salamón, en los ***Prouerbios***, capítulo xix, dize que testimonios mentideros perirán et morirán. Porque a él deue seyer rendido lo que él se pienssa de mal contra los otros próximos suyos.
10

[42.] DE LA INFORMACIÓN DE LOS ACTORES.

[1] **Agustinus**. Sant Agostín, en el ***sermón de la degolación de Sant Iohán***, dize que peor es aquell hombre que faze periurar alguno otro
15 et le faze fazer falsa iura que si era matador de hombres. Porque el matador mata el cuerpo et ésti mata el alma, et antes mata dos almas, es a saber, la suya et aquella de aquell que lo faze periurar.

[2] **Gregorius**. Sant Gregorio, libro XXXIII [141b] de los ***Morales***,
20 sobre aquella paraula de Iob xxxvii que dize assín: De baldes se laçdró menos que ninguno miedo [non le ende forçaua. E dize aquí Sant Gregorio que maior miedo] deue hombre auer del danyo que los ladrones et los robadores sufren quando fazen ladroniçio o ropía que de los bienes temporales a perder por ropía et por ladroniçios.
25

[3] **Gregorius**. Item el mismo, en el ***Dialogorum***, dize de vno ortolano que mandó a vna sierpe que le catasse vn portiello del uerto Et vn ladrón, el qual le solía a menudo entrar, querie entrar. Et la sierpe tomólo et retúuolo asín ligado. Et vino el ortolano et falló al
30 ladrón preso. Et díxole por qué auía furtado lo que los monges auí-

---

3 dize] et dize E (et *espurio*). **5** matan] E, mudan M, aucien VB, ocien A. **8** morirán] mentira E, morira M, *om.* VAB. **9** contra] cont E, contra MVAB. **14** es] *om.* E, es MVAB. **20** laçdró] lacadro E, ha trabajado M, ses treballat V, se es treballat A, ses trebayllat B. **21** non...miedo] *om.* E (*homoioteleuton*), non le ende forçaua e dize aqui sant Gregorio que mayor miedo M, nol ne forçaua e diu aqui sent Gregori que maior pahor V, qui nol ne forçaua e diu aqui sent Gregori que maior pahor A, nol ne forzaue diu aqui sent Gregori que mayor pahor B. **22** deue] auer *add.* E. **27** portiello] perriello E (*confusión* e/o, t/r), portillo M, portell VAB. **28** ladrón] ladro E. **29** falló] faulo E (*lectio facilior*), fallo M, troba VAB.

an mucho laçrado. Et desligóle las camas, las quales la sierpe [141c] le tenía liguadas, et díxole buenamientre que d'aquí adelant no fiziesse furtos, mas quando auría alguna cosa menester del uerto que hi penssás de venir menos de pecado porque el ladrón no perdiesse l'al-
5 ma por ladroniçio ninguno.

[4] **Paulus apostolus**. Sant Paulo apóstol, viº capítulo ***ad Corintios***: Ya d'aquí adelant ha pecado dentro de nosotros después que enpeçamos a pledear los vnos contra los otros; et en esto sofrides mayor
10 enganyo que d'antes. Pues como el apóstol reprienda iudicios et pleytos et varallas[183] en las cosas recibideras, muyto de mayor reprenssión son las acusaciones feytas en iudicio que se fazen menos de caridat de que han condepnación de muert. Porque los santos, queriendo esti pecado esquiuar, dan a los ladrones del lur, por tal que
15 se stuuiessen de to- [141d] mar lo del otro, contra volumtat de aquellos de quien era.

[43.] [DE LA INFORMAÇIÓN DE LOS LADRONES.][184]

20 [1] **Augustinus**. Sant Agostín.[185] Al hombre iusto se partanye rogar con drecha intençión. Havn más, qu'el iutge deue iutgar derechamientre.

---

1 las quales] las quales *iter.* E. **3** cosa] *om.* E, cosa M, res VA. **5** ladroniçio ninguno] ladroçios ninguno E, ladroniçio ninguno M, ladronici VAB. **8** enpeçamos] enpecamos E. **11** pleytos et varallas] pleytos et varial E, pleytos e barajas M, plets letigiosos V, plets litigioses A, pleyts litigiosos B, plets e litigis C. **14** dan] demandan EM, donen VA, demanen B. **21** con] *om.* E, con M, ab VAB.

---

[183] El ms. da: *pleytos et varial*, lectura que se aclara con los otros mss., VA: *plets litigioses/litigiosos*, B: *pleyts litigiosos*, C: *plets e litigigis* y sobre todo con M: *pleytos e barajas*.

[184] El ms omite el título de este capítulo. La tabla inicial, de donde lo tomamos, da sólo: *De la información de los ladrones*. Pero creemos que es lectura incompleta. El ***Libro del gobernador*** (M) titula el capítulo 1.5.7, donde se halla esta cita, así: *De los ladrones e de los acusadores*. Título que está acorde con el contenido de E. El mismo doblete: *ladres/acusadors* aparece en BC, aunque VA dan solamente: *acusadors*.

[185] Fac. En la ***Suma de col.lacions*** las palabras de San Agustín aparecen antes. Esta cita corresponde al comentario que hace Juan de Gales.

[2] **Ieremías**. ***Ieremías***, capítulo ix, dize que los acusadores han stendida la lur lengua et han ne feyto arco de mentiras et non de verdat en la lur lengua, assí como a sayeta firiendo.[186] Assí como la sayeta fiere assín aýna en vn colpe et el honbre no de se sospecha, asín la lengua del falso acusador a menudo fiere los ignorantes en lugar et en tiempo que no se lo cuydauan. Et atal archo es muyt malo et maldicho, porque d'él sallen sayetas de falssa accusaçión.

[3] **Tullio**. Tullio, en el libro II ***De offiçios***, capítulo ii, dize que de duro hombre se pertanye, o de aquell [142a] que es más que hombre,[187] poner muchos hombres a periglo de perder la cabeça.

[4] **Tullio**. Item el mismo, en el II libro, dize que periglosa cosa es, et sutza a la fama, que alguno sea clamado acusador et que lo sea. Et dize qu'el acusador se deue diligentment guardar que iamás non acuse en iudiçio ninguno que sea innoçent de crímino o de pecado por el qual le sea deuida pena capital.

[5] **Tullio**. Item el mismo, en el libro ***De offiçios***, capítulo vi, dize que aquel que iustamientre quiere rogar el iutge déuelo rogar que faga lo que puede fazer, salua su fe et la su honestad. Et del iutge se perteneçe que en iudiçio siegue esta verdat, et que de aquélla non se aparte por ningunas rogarias.

---

3 en la lur lengua assí] E, e la su lengua es asy M, e la lur lengua es axi VAB. **4** et] *om.* E, e MVAB. **6** cuydauan] cuydaua E, cuydan M, si son pensats VA, sen son pensats B. **7** maldicho] mal dercho E, maldito M, malayit V, maleyit A, malayt B. **10** más que hombre] E, mas que omme M, mes no hom V, no hom AB, mes que mall hom C, vel potius non hominis Ven. **20** rogar] ro rogar E. **21** *1er* et] a E, e MVAB. **22** perteneçe] perteçe E, perteneçe M, pertany VAB.

---

[186] Esta lectura revela adaptación del compilador, con ligero cambio de sentido. El prototipo aragonés, según todos los mss debía decir: *et non de verdat; et la lur lengua es assí como sayeta firiendo* (ver aparato de variantes). No corregimos porque el significado básico es el mismo.

[187] EM tienen esta misma lectura, que es traducción inadecuada del latín: *duri hominis vel potius non hominis est...* La versión: *es más que hombre*, vincula a EM con V, que trae: *qui es mes no hom*, donde *mes* es traducción descuidada del *potius* latino; en cambio AB traen simplemente: *qui es no hom*.

[6] **Gerónimo**. Sant Ierónimo dize:[188] O tú, buen hombre, perdona a los hombres malos. [142b] Et tanto como eras millor en más alta senyoría, atanto seas humil por fe et por piedat.[189]

5 [44.] DE LA INFORMACIÓN DE LOS PADRES QUE DEUEN DEZIR A LOS FILLOS CRIÁNDOLOS ET CASTIGÁNDOLOS ORDENADAMENT.

[1] **Agustinus**. Sant Agostín, en el libro ***De buenas costumbres de***
10 ***yglesia***, dize: II más maneras hi á de desciplina o de castigamiento. La primera es por la qual el hombre fuerça el moço de fazer alguna cosa o de dexar otra. La II es por la qual el hombre lo fuerça de aprender alguna art o ofiçio o alguna sciençia. Et la primera es complida [por] paor, et la II [por] amor.[190]

15

[2] **Boeci**. Boeci de conssolaçión, en el libro de ***Disçiplina escolástica***, dize que el fiio de Lucreçio auía nombre Sanguinio, et disçípol de en Zenio, et non fue bien criado ni castigado en dis- [142c] çiplina, antes fazía a todas sus volumtades en riqueza. Et fue grant iugador et

---

2 Et] en E, e MVAB. **10** II] iiº E. // castigamiento] castimiento E, castigament VABC. **11** fuerça] fuerca E. **12** lo] ha la E, M (abrevia), lo VABC. **14** *1er* por] *om.* EAB, per V. // et] a E, e VAB. // *2º* por *om.* E, per VAB. **16** Disçiplina escolástica] Consolaçion Disçiplina eclesiastica E, Disçiplina de los escolares M, Disciplina scolasticha VB, Disciplina ecclesiastica aliter scholasticha A.

---

[188] La cita pertenece a San Agustín, ***epístola*** 153 ad Macedonium (PL 33, 658). Pero todos los mss de la ***Suma de col.lacions*** (MVABC) la atribuyen erróneamente a San Jerónimo.

[189] La lectura completa de este pasaje, en todos los mss (MVABC), se presta a omisiones. La versión de E parece ser un adecuado resumen. Por eso no la corregimos. Sin embargo, al compararla con el original, se detecta un salto (*myllor es...com es*). Damos el texto de B para que pueda apreciarse tanto la *abreviatio* como el posible salto (*aytant com myllor es...aytant com es*): *O tu, bon hom, perdona als mals homens; e aytant com myllor es, aytant sies misericordios e pus suau; e aytant com es en pus alta senyoria, aytant sies pus humil per fe e per pietat.*

[190] Hay en este pasaje dos traducciones ligeramente inexactas. Primeramente, la versión de E: *el hombre ha la fuerça de aprender*, cambia el enfoque de la fuente catalana: *hom lo força de apendre*. En segundo lugar, en la frase: *la primera es complida paor e la II amor*, la palabra *complida* se usa en función de adjetivo, mientras que en el catalán es forma verbal pasiva: *es complida per temor...e per amor* (AB suprimen accidentalmente el primer *per*). Corregimos en ambos casos.

degastador, et degastó todo lo suyo al taulero iugando et vsando con mulleres. Et muchas vezes fue preso, et fuera enforcado a menudo sino qu'el padre lo redemía. Finalmientre que vna vegada fue preso et el padre non lo pudo redemir por tal como era venido a pobreça, et
5 plorando con lágrimas rogó a su padre que se aplegasse a él et que lo besasse. Et quando el padre se fue allegado él quiso besar el fillo. Et el fillo tomó el padre por la nariz et dixo: O padre, ¿por qué no me castigauas quando me auezaua a fazer mal et quando non quería fazer los mandamientos de mi maestro ni aquéllos obedir, ni quería apren-
10 der su dotrina et quando yo menospreçiaua mis compa- [142d] neros? Yo he castigado el padre del fillo mal criado. Perdonado me deue seyer. ¡O disçípol, mostrat buenas costumbres! Quasi que dixiesse a su padre que pues que su padre non lo auía castigado, antes lo auía lexado vsar en pecados, digna cosa es que fues veniado d'éll.
15

[3] [**Aristóteles**].[191] El sauio, en el VIII° libro de las ***Étichas***, dize qu'ell padre es al fillo razón et enpeçamiento de esser et de nodrimiento et de dotrina.

20 [4] **Eclesiastiçi**. Item el mismo, en el capítulo vii, en el libro ya allegado, dize que si as fillos, que les des dotrina et ensenyamiento.

[5] ——. Item el mismo, en el xxx° capítulo del libro ya allegado, dize qu'el padre liguará sus feridas por las almas de sus fillos. Quie-
25 re dezir que lo padre que por tiempo non [143a] castigará su fillo, lo fillo fará cosas por qu'el padre será ferido. Et dize que non des a tu fillo poder de fazer su volumtat.

---

4 pobreça] probeça E. **6** besar] besar *iter.* E. **7** el fillo] *om.* EV, lo fill AB. **16** Aristóteles (*epígrafe*)] Eclesiastiçi E. // sauio] Eclesiastico *add.* E. **17** padre] *om.* E, padre M, pare VAB. // enpeçamiento] enpecamiento E. **18** dotrina] dotria E. **26** fillo] et *add.* E.

---

[191] E atribuye esta cita al ***Eclesiastiçi***. Es fac. Además la ambigüedad del apelativo *sauio* contribuye a reforzar el error. Aunque el *sauio* por antonomasia es Aristóteles, ***Rams*** usa también con frecuencia expresiones como *el sauio Eclesiástico* y *el sauio en los Prouerbios*, o sea, Salomón. De ahí viene la confusión. Ver nota a autoridad 16.2.

[6] **[Salamón]**.[192] Item el mismo, en el capítulo vii, dize: Non sufras qu'el castigo non sía fecho a tu fillo o al moço.

[7] **Sant Paulo**. Sant Paulo, en la epístola ***ad Efesios***,[193] capítulo xii,
5 dize: ¿Quál es fillo el qual el padre non castiga? Porque por castigamiento los fillos se apartan de malos criamientos et reciben enformaçión de buenas costumbres et amánanse de sofrir cosas duras, por tal manera que ellos son feytos dignos de auer la heredat del padre.

10 [8] **Sant Paulo**. Item el mismo, ***ad Effesios***, capítulo xi, dize que cada uno deue criar sus fillos en disçiplina et en castigo de Nuestro Senyor.

[9] **Sant Paulo**. Item el mismo, en la [143b] epístula ***ad Thimoteum***, vº capítulo, dize por la duenya buena:[194] Es tenida criar sus fiios.
15

[10] **[Sant Gregorio]**. Sant Gregorio, en el libro clamado ***Dialogorum***, capítulo xvii, dize: Vn moço fue, o ninyo de v anyos, el qual maldezía Nuestro Senyor Dios, et fue castigado de la verga de Dios entre los braços de su padre et murió luego. Et esto fue feyto en
20 punyçión del padre que non lo auía castigado, et en pena al ninyo, el qual faulaua contra Dios. Et si más viuiesse et creçiesse, creçiera en malos criamientos.

[11] **Ierónimo**. Sant Ierónimo ***de suso Ysayas***, capítulo çaguero, dize
25 que las águilas quieren mucho sus fiios et fazen lur nido en lugares

---

1 Salamón (*epígrafe*)] Eclesiastici E (*todos los mss. atribuyen la cita a los* Prouerbios *de Salomón*). **4** Efesios] EABC, Hebreos V. **6** criamientos] criamiantos E. // reciben] reciban E, reeben VAB. **7** amánanse] amauanse E, apparellense VA, apareyllense B. // tal manera que] tal que manera *transposición* E. **13** el] el *iter.* E **14** buena] E (*fort.* bidua), vidua VAB. **16** *1er* San Gregorio (*epígrafe*)] *om.* E. **17** moço] moco E. **21** viuiesse] huuiesse E, visques VAB. //creçiera] *om.* E, cresquera VA, cresquere B.

---

[192] E dice: *Ecelsiastici*, por influencia del epígrafe anterior. La ***Suma de col.lacions*** atribuye la cita, correctamente, a los ***Proverbios***, por eso corregimos. M omite este pasaje.

[193] La fuente correcta es: *ad Hebreos* (V), frente a *ad Efesios* (ABC), a los que sigue E.

[194] Probablemente es *lectio facilior* por *bidua*, como traen los mss catalanes. M omite esta autoridad.

do sierpe no se puede alcançar por tal que non faga violençia a los fiios ho poleytos. Et dize que vna piedra preçi- [143c] osa, clamada *amastit*, pone en el nido en medio de los pollos con la qual piedra puedan sobrar todo verino. Et dize que Solinu, en el libro VIII, capí-
5 tulo vi, dize que aquella piedra preçiosa que se falla en el nido de las águilas ha nombre *eberites*, et en el ***Lapidario*** es clamada *ethicos*. Porque conclude que mucho más deurían guardar los fieles christianos los fillos de la sierp antigua, esto es, el demonio, et que l'ende mostrassen de fazer nido en aquella piedra preçiosa, Ihesu Christo, en
10 el qual ha firma habitaçión.

[12] **Sénecha**. Séneca, en el II libro ***De yra***, dize qu'el ninyo deue seyer criado con grant diligencia por tal como d'esto se sigue grant prouecho. Et dize que liugeramientre el coraçón cría el hombre a su
15 volumtat.

[13] **Tullio**. Tullio, en el [143d] II libro ***De questiones tosculanes***, dize que aquellas gentes que han nombre ligorgi crían et adotrinan la lur mançebía en caçar et correr et ha sufrir fambre et set et frío et
20 calentura.

[14] **Tullio**. Item el mismo dize que aquellos que han nombre sparsianos toman los ninyos chicos quando los destetan et pónenlos a tanto laçerio que fázenles derramar la sangre viua. Et dize que quando
25 él era en aquella tierra iamás non vido que ninguno hide plorás ni sospirás ni boçeás por mal que sufriesse. Porque quien bien es criado en chiqueza, quando son grandes, liuianamientre son enclinados ha bien.

[15] **Tullio**. Item el mismo, en el primero libro ***De offiçios***, capítulo
30 xxxiiii, dize: Aquell padre dará al fillo no- [144a] bla heredat de meior preçio que ningún otro patrimonio, et de mayor exçellençia et

---

1 alcançar] alcancar E. **2** piedra] priedra E. // preçiosa] preçisa E. **4** verino] vezino E, veri VAB. **5** dize] *om.* E. **6** eberites] E, aberites V, abariches A, aberita B. // ethicos] E, entes V, etites A, erites B. **7** deurían] deuria E, deuen M, deurien VAB. // fieles] fillos E, fieles M, feels VAB. **9** mostrassen] mostrasse E, mostrassen VAB. **17** tosculanes] costulanes E (*confusión* c/t), tusculanes V, cusculanes A, tasculanes B. **19** mançebía] mançeba E, iuuentut VA, youentut B. **26** mal] tal E (*lectio facilior*), mal VAB. // quien] *om.* E, qui VAB.

de mayor fortalleza ni gloria de grandes aferes o de grandes ponpas, quando le da criamiento o ensenyamiento de buenas costumbres et virtudes, et que s'í dé vergonça de todo mal et de todo viçio et de pecado, et que se sepa catar de todos estos males. Et de suso todas
5 cosas se deue catar el padre que los fillos non fagan peccado.

[45.] DE LA INFORMACIÓN DE LA AMOR ET BIENQUERENCIA DE LOS ERMANOS.

10 [1] **Agustinus**. Sant Agostín, en el primero libro de los ***Sermones***, dize que Ihesu Christo respondió al vno de aquellos que demandauan que partiessen la heredat: ¿Quién me ha feyto iutge en vostros feytos? Catatvos de toda cobdiçia et non querades departimiento, mas hunidat et aple- [144b] gamiento.
15

[2] **Luchas**. Recomta Sant Luch en el su ***euangelio***, capítulo xii, dize que el Saluador nuestro, Ihesu Christo, non quiso seyr iutge entre los tiranos que se contendíen de la eredat, ia sea qu'ende fues requerido, por tal como entr'ellos auía contençión et no amor ni caridat. Esta
20 paraula expone Sant Agostín.

[46.] DE VERDADERA AMOR ET VERDADERA DILECCIÓN.

[1] **Agustinus**. Sant Agostín, en la ***epístola*** xxxiiii°, et en el libro ***De***
25 ***doctrina christiana***, capítulo primero, dize que todo hombre es próximo a otro hombre por condeción de natura et por conffessión de religión. Et es çierta cosa: A dicelección et amor del próximo se perteneçe innocencia, por la qual seas catado que non vengas ad algún benefiçio, por el qual sea prouecho- [144c] so a otri.
30

[2] **Agustinus**. Item el mismo dize, en el libro ***De mendaçio***: Aquellos que son aplegados en vno por habitaçión o por vecindat ciuil,

---

3 vergonça] vergonca E. **4** todas] toda E. **11** Ihesu] Iesu E. // respondió] *om.* E, respos VAB. **13** toda] cada E, tota VAB. **18** tiranos] E, hermanos M, frares VAB. **19** contençión] conçençion E (*confusión* c/ç/t). **25** es] *om.* E, es VAB. **26** a] o E, a VAB. // religión] natura E (*por influencia del* natura *anterior*), religio VAB. **28** la] el E, la VAB. // qual] qual *iter.* E. // benefiçio] fiçio E, benifet VAB. **31** mendaçio] qui son *add.* E. **32** aplegados] aqegados E, allegados M, colligats e aiustats VAB.

assín como son los vezinos et los próximos, deuen seyer amonestados que non den dapnage a lures vezinos ni faziendo iniuria ad aquellos en perssona ni de[s]puyar[195] ad aquéllos de lures heredades faziendo furto escondido o manifiesto ni tirando ad aquéllos lur fama
5 o menguando aquélla.[196] Et de todas estas cosas es scripto en el ***Leuitich***, que es libro de la ley de Moysés.

[3] **Moysés**. Scripto es en el libro ***Leuitici*** que Dios dixo a Moysés, capítulo xix: Non farás calupnia a tu próximo ni le farás opresión por
10 fuerça; non maldirás el sordo et nin farás lo que es maluado de fer.

[4] [144d] **Matheus**. Ihesu Christo manda en el ***Euangelio de Sant Matheu***, capítulo xii, diziendo: Amarás tu próximo assín como tú mismo. Esto se entiende non tan solamientre por próximo parentes-
15 co, mas d'aquell que está cerca de ti, aquell que ha ofiçio como tú, e a aquell que ha alguno aplegamiento o companya con tú.

[5] **Salamón**. Salamón en los ***Prouerbios***, capítulo xxiiii, dize: Non deuyarás los términos de los despoderados et de aquellos que han
20 poco poder; porque aquell el qual es muyt çerca a ellos es fuerte.

[47.] DE LA AMONESTACIÓN DE AQUELLOS QUE STAN EN PECCADO.

25 [1] **Eclesiastiçi**. El sauio ***Eclesiástico***, xxi capítulo, dize: Fuie al peccado assín como a la cara de la culuebra entuxegada et el león

---

3 de[s]puyar] depuyar E, despojando M, despullant V, despullen A, despuyllar B, spoliando Ven. **8** Leuitici] Leuititi E. **10** el sordo] la suert E (*lectio facilior por confusión del catalán* sort), al surdo M, lo sort VABC. **19** deuyarás] denyaras E (*confusión* n/u), envasiras V, svehiras A, enbeyaras B, emvasiras C, attingas Ven. **20** poco] *om.* E, poch VAB. // es fuerte] *om.* E, es fort VAB.

---

[195] El ms. da: *de puyar*, en consecuencia todos los editores transcriben como dos palabras. Pero es traducción del catalán *despullar* (*despojando*M, *despullant* V, *despullen* A, *despuyllar* B) fiel versión del ***Communiloquium***, *spoliando*. Restituimos *de[s]puyar* en vista de las grafías: *despuyado* (5.6) y *despuiar* (52.4) de ***Rams***.

[196] Fac. Todo el párrafo es comentario de Juan de Gales que sigue a ***De mendacio*** de San Agustín.

deuorador et la espada tallant. Assín deue [145a] fuir hombre a peccado.[197]

[48.] DE QUÉ DEUÍEN SEYER AMONESTAD[A]S L[A]S
5 MOÇ[A]S.[198]

[1] **Ambrosius.** Sant Ambrós, en el libro ***De virginidat***, dize: ¿Quién es aquell que niega que vida virginal non sea venida del çielo, la qual liugeramientre no fallamos en las tierras sino después que Nuestro
10 Senyor descendió en las partidas d'esti cuerpo terrenal? Fállase empero que antes del avenimiento de Ihesu Christo que algunos seruaron verginidat, assín como Elías et Sant Iohán Bautista, María su ermana de Moysés, et aquellas vírgines que leýmos que fueron en el templo, stando aý seyer deputadas. Mas todas estas cosas seýen[199] figura por
15 tal que aquellos pocos fuessen figura et senyal de la multitud de aquellos que seruaron virginidat, que en aquéllas fuesse exemplo a los o-
[145b] tros quiénta vida deurían fazer las vírgines o moças.

---

1 hombre a pecado] pecado a pecado EM, peccat hom V, hom fugir a peccat B, *om.* V. **4** amonestadas las moças] amonestados los moços E. **8** niega que vida virginal] virginal vienga E, niege que virginidat M, nega que vida virginal V, negua que vida virginal A, nege que vida virginall B. // sea] se E, sea M, sia VA, sie B. **10** fallase] falla E, fallase M, trobase V, trobes AB. **12** verginidat] verdat E, virginidat M, virginitat VAB. **14** deputadas] deputados E, deputadas M, diputades V, deputades AB. // seýen] seyer E, son M, eren VAB. **15** et] en E, e MVAB. **17** moças] mocas E.

---

[197] Esta autoridad tiene probablemente un homoioteleuton originado por la repetición de *culuebra*. El texto de V, el único completo, lo pone de relieve. Pero el salto podría obedecer a *abreviatio*, por eso no lo incorporamos. Sin embargo debería ser antiguo, ya que aparece en ABC y EM. Por lo tanto estaría ya en el prototipo aragonés. Demasiadas coincidencias para ser casual. Véase el texto completo de V: *Fuig al peccat axi com a la cara de la colobra, cor les sues dents son axi com a dents de leo qui aucien e maten les animes dels homens, e tota iniquitat es axi com a estepa de ii darts tallants. Donques axi com hom deu fugir a la colobra entuxegada e lo leo deuorador e spasa tallant e matant, axi deu fugir peccat hom.*

[198] E dice: *amonestados los moços*, pero el capítulo se refiere a las vírgenes, como en todos los mss. M lee: *las moças vírgines*, reflejo del prototipo aragonés. Corregimos con M.

[199] Aceptamos con reservas la forma *seýen*, 3ª persona plural del imperfecto de indicativo del verbo *seyer*, por respetar en lo posible la grafía y porque ése es el sentido en la ***Suma de col.lacions***. No obstante esa forma tiene en ***Rams*** solamente valor de gerundio. El imperfecto es siempre *eran/eiran*. Sólo usa dos veces *seía/seýa*, de *seder*, con claro significado de 'se sentaba'.

[2] **Ambrosius**. Item el mismo, en el libro ***De virginitat***, dize que virginitat sobrepuya a la natura humanal, por la qual virginitad los hombres son semblantes a los ángeles. Los ángeles viuen menos de carne, et virginitad ha victoria en la carne.

5

[3] **Apocalibsi**. Scripto es en la ***Apocalipsi***, capítulo xiii, que ninguno non podíe cantar aquell canto virginal que.l' fue reuellado sino las vírgines, porque las vírgines siguen el agnus Dei en do quiere qu'él vaya, et cántanle aquell dulçe canto virginal.

10

[4] **Sant Bernart**. Sant Bernart, sobre el ***euangelio*** *missus est etc.*, faula de la humilitat de la Virgen Santa María, a la qual deue semeiar cada una virgen. La virgen deue seder, callar et tener silençio, et [145c] deue seyer vergonyosa et con virtuosa vergüença.

15

[5] **Sant Ierónimo**. Sant Gerónimo, en la xliiii ***epístula***, dize que virginidat non caye dius mandamiento de Dios porque de maior loguero es aquella cosa la qual no es por fuerça, mas es fecha et offreçida por grado.

20

[6] **Sant Ierónimo**. Item dize el mismo qu'ell fillo de Dios vino en esti mundo, et fizo et formó vna mugier nueua por tal que el que era adorado en los cielos por los ángeles huuiesse d'aquí adelant en tierra ángeles, es a saber, las vírgines.

25

[7] **Ierónimo**. Item el mismo, en la ***epístola*** ya allegada, dize: Si aquello el qual ha prouado alguna cosa es creydo, creye a mí en esta cosa. Primerament yo amonesto que la sposa de Ihesu Christo se cate de beuer vino assín como de tuxech o de yerbas, [145d] porque estas
30 son las primeras armas de los demonios contra la muller iouen. Et

---

2 por] a E, por M, per VAB. **4** et] et de E, e MVAB. **7** cantar] *om.* E, cantar M, dir VAB. // canto] tanto E, canto M, cant VAB. **8** *1er* vírgines] virgignes E. **9** cántanle] cantele E, cantanle M, li canten VAB. **13** seder callar] E, ser callante M, esser callant VA, esser calant B. **14** vergüença] virguença E (*por influencia del* virtuosa *precedente*). **17** loguero] logo E (*omisión de la abreviatura* 'uer'), lugar M, loguer VAB. **18** no] *om.* E, non M, no VAB. // fuerça] fuerca E. **21** fillo] fecho E, fijo M, fill VA, fiyl B. **23** huuiesse] huuiessen E. **26** si] *om.* E, si MVAB. **29** túxech o de yerbas] E, poçonna o de yerbas M, tuxech VAB. (*el mismo doblete en* EM)

luego d'esto él dize assín: El iouen aduze con sí fuego et flama de escalentamiento carnal. Pues ¿por qué, él dize, por qué allegamos óleo a la flama? Et ¿por qué administramos al cuerpo ardient hi enflamado criamento de fuego? Et síguese: El comer sea temprado, et
5 iamás el vientre non sea pleno, et todos días sea dayuno, et sea el comer tal que iamás el vientre non sea farto.

[8] ——. Item el mismo dize que paraula de virgen deue seyer paraula cuerda et temprada et firme et preçiosa; et firme non tan solamientre
10 quando es paraula bien dicha, antes aún porque es dicha en vergüença. Sey calant, en tanto que todo hombre s'en deue marauillar de tu ver-
[146a] güença. Quando faulará, iamás paraula de maldezir d'otri non salga de su boca, et que se guarde que non diga paraula occiosa.

15 [9] **Ierónimo**. Item Sant Gerónimo mismo, en la ***epístola*** lxxxix, amonesta la madre de la filla [et dize asý: Tu filla] rienda todos días lecçión de las obras de la Scriptura Sancta, et avézese ha oraçiones et ha salmos, et ha leuantarse de noche, et ha cantar maytinas, et star en oraçión a terçia, a VI, a IX, et a viespras, assín como a cauallero de
20 Ihesu Christo, el qual sta contra los enemigos. Et aprenda de obrar lana, et de tener rueca, et de rodar el fuso, et de filar con el pulgar es[tambre. Et de la instrucción de las vírgines bas]tant[200] mientre los fechos en las dichas epístolas et tractados lo demostraron.

4 criamento] triamenfo E (*confusión* c/t, t/f), criamiento M, ardiment V, nodriment AB. **9** *2º* et firme] E, *om.* MVAB. **10** aún] a mí E (*típica confusión por signo diacrítico sobre la* í), avn M, encara VAB. **11** calant] talant E, callante M, callant A. // tu] su E, tu M. **16** et...filla] *om.* E (*homoioteleuton*), e dizele asy tu fija M. e diuli axi la tua filla VA, e diuli axi la tua fiylla B. **17** las] la E. **20** aprenda] ayuda E, aprenda M, aprena VA, aprengue B. // obrar] E (*la segunda* r *interlineada*). **22** estambre...bastant mientre] estant mientre (*homoioteleuton*) E, estrannamente (*homoioteleuton*) M, estan e de la instruccio de la uerge e de les sues uirtuts e costumes e perills parlen sufficient ment V, estam e de la instructio de les verges bastant ment A, estam e de la instruccio de les verges vastant ment B. **23** fechos] E, sabios M, sants VA.

[200] Extraño homoioteleuton que demuestra sin lugar a dudas la estrecha dependencia de E y M. La semejanza entre *estam* 'estambre' y *bastant ment*, de la frase catalana: *filar a polze estam. E de la instructio de les verges bastant ment han parlat los sants* (AB) debió propiciar el salto de igual a igual en el prototipo aragonés. Las soluciones semejantes de E y M lo revelan. Dice E: *filar con el pulgar es tant miente*; y M da: *filar con el pulgar estranna mente*. La reproducción del mismo error es prueba irrefutable de que ambos textos provienen de un mismo texto incomprensible al que intentan dar sentido.

[10] **Gregorius**. Sant Gregorio, en el IIII libro ***Dialogorum***, faulando de aquella moça por nombre Mus- [146b] sa, a la qual apareçió Santa María con moças et donzellas vestidas de blanco. Et demandóli si querie beuir con su seruiçio. Et respondióle la moça que hoc.
5 Et la Virgen gloriosa díxole que se guardasse que de allí adelant non fiziesse cosa de xicheza nin pertanneçient a la velleza, et que se stuuiesse de redir et de iugar, et que al XXX día vernie a la companya de la Virgen María. La qual se mudó de todo en todo et al XXX día ella sallió d'esta vida. Et quando le deuía sallir la ánima del cuer-
10 po, ella dixo ad aquellas que le eran delant: Salitvos que qui es la Virgen Santa María que me dize que m'en vaya con ella. Et después respondiendo [a Senyora Santa María, dixo]: Senyora, guardat que m'ende vo con vós. Et diziendo estas paraulas ella sallió d'esta vida.

15 [11] **Isaías**. [146c] Ysaýas dize que Nuestro Senyor Dios, faulando a las vírgines, dízeles que él les dará en su casa et dentro sus muros melior nombre que a los fillos et a las fillas.

[12] **Iob**. ***Iob***, capítulo viccéssimo viii°, dize, de aquestos atales hom-
20 bres, que cada uno de los atales de noche pueden et deuen esser dichos et nombrados así como a ladrones. El vil del adultre mantiene obscuredat.[201]

[13] **Sant Matheo**. ***Sant Matheu***, en capítulo xiii, dize qu'el regno de
25 los çiellos es senblant a trasoro scondido en el campo. Sobre esta paraula dize Sant Gregorio en el libro primero, ***omelía*** xii, que aquél

3 moças] mocas E. **6** xicheza] xitheza E. // velleza] E, viresa M, ciutat V, vanitat o leuitat A, vanitats o leuitats B, leuitat C. **10** dixo] dexo E, dixo M, dix VAB. **12** a Senyora Santa María dixo] *om.* E (*homoioteleuton*), a sennora santa maria ella dixo M, a madona sancta maria ella dix VA, a la verge maria ella dix B. **19** *2°* Iob] Sob E. // de] que E, de MVAB. **21** vil] EM, ull VC, vll A, huyll B.

[201] Nueva prueba de la estrecha dependencia entre E y M. Ambos escriben: *vil*, grafía basada en el sustantivo catalán: *vll* 'ojo' (*ull* VC, *vll* A, *huyll* B). En un texto castellano no cabe duda de que *vil* sólo puede interpretarse como 'malvado'. En cambio, en un texto aragonés cabe la posibilidad de que se trate de grafía catalanizante por 'ojo'. Así lo suponemos. Leslie (1973: 164) utilizó esta lectura *vil* para demostrar que E depende de un manuscrito catalán.

dessea seyer ropado el qual públicamientre aduce tresoro por el camino. Porque aquellas vírgines las quales fazen muestra de lur belleza et [146d] andan públicament discorriendo et vagando si pueden auer miedo que sean ropadas por los ladrones et ropadores del demonio, 5 es a saber, por los hombres los quales son dados a peccados de carnelidat et de corrumpçiones.

[14] **Sant Paulo**. Sant Paullo apóstol, en la ***primera epístula ad Corinthios***, capítulo xii, declara quiéntas deuen seyer las moças, et 10 dize que la virgen o la moça comide en lo que es de Dios, por tal que sea santa de cuerpo et de spíritu.

[49.] DE LA AMONESTACIÓN DE LOS BIENAUENTURADOS, LOS QUALES AN MUCHO BIEN, ET DEL CUYTOSO MUDA- 15 MIENTO DE BIENAUENTURANÇA.

[1] **Agustinus**. Sant Agostín, en la v ***epístula***, dize que cosa no es tan mala como es la bienauen- [147a] turança de aquellos los quales pecan, porque tal bienauenturança es nudrita de iniquidat et de mala uolumtat, 20 et toma fuerça assín como a enemigo doméstico, et quando Dios la dexa crecer et multiplicar en prosperidat, ad aquellas horas es más greumientre indignado contra ellos. Et si Dios los dexa que non los punisca o la lur inniquitat penal es en ellos forçada, los es punició et pena de lur culpa. Et aquí el allega a su próposito aquella actoritat del 25 poeta,[202] el qual dixo qu'el coraçón de los hombres los quales han grant buena ventura suelen ergullar.

[2] **Sant Bernart**. Sant Bernart scriuió ***a Eugenio papa*** diziéndole que aquél es gran sauio el qual non se lexa enganyar a las cosas 30 plazientes et agradosas et bienauenturadas, etc.

3 vagando] vengando E, vagando M, vaguen VAB. **10** o] a E, o M. // moça] moca E. **11** cuerpo] cuerpor E. **18** bienauenturança] bienauenturanca E. // pecan] pecam E. **20** toma] to E, toma M, pren VAB. // la] E, los MVAB. **23** o] *om.* E, o M. // forçada] EM (*fort.* reforçada), vigorada VAB. // punició] punico E, puniçion M, punicio VAB, ponicio C. **25** poeta] EV, profeta M, propheta AB. // coraçón] coracon E. **28** scriuió] scruo E. **30** plazientes] pazientes E, plazientes M, plasents VAB.

[202] Se refiere a Ovidio, ***Ars amatoria***, II.437.

[3] [147b] **Gregorius**. Sant Gregorio, en la ***epístola*** lxxxi,[203] dize que ha visto el loco con raýz firme. Et dize que él dio malecdición a la bellea de aquell loco, porque aquell atal corre a la muert.

5 [4] ——. Item el mismo dize, en la ***epístula*** lxxxi,[204] que más perigloso es el mundo alegre que irado.

[5] **Gregorius**. Item Sant Gregorio mismo, en el libro VIII de los ***Morales***, dize que la prosperidat mundanal ligua los piedes del hom-
10 bre que non lo dexa andar, en guisa que apenas puede tornar a bien.

[6] **Gregorius**. Sant Gregorio en el III° libro de ***Registro***, antes de la çaguería, faula del mudamiento del mundo de fortuna et de prosperidat, et dize assín: Pues qu'el orden de mudança corrumpe todas
15 cosas en esti mundo, non nos deuemos [147c] ergullir de prosperidat. Et dize assín: Ni nos deuemos turbar por contrarietat, por tal que nós, humiles, vengamos en conoxença de nuestros deffallimientos et de nuestros peccados; et nós, exalçados, tengamos en nuestro penssamiento y en nuestra memoria remenbrança de aduerssidat, assí como
20 a firma áncora[205] de humilitat. En esta vida no ý á[206] cosa firme ni mudable. Mas somos assín como a uiandantes que adiesso ymos por

---

2 ha] *om.* E, ha MVAB. // el loco] el oro E, el loco M, lo foll VC, lo fill A, lo fol B. **13** çaguería] cagura E, fin M, fi VAB. // mudamiento] mandamiento E, mudamiento M, mudament VAB. **15** non nos] et non vos E, e non nos M, e nons VAB. **17** conoxença] conoxenca E. // et] *om.* E, e MVAB. **18** exalçados] exalcados E. **20** a firma áncora] lo afirma el autor E, afirma el autora M, a ferma ancora VB, a ferma anchora A. // no y a] veya E, non ha M, no ha VA, no a B. **21** uiandantes] uiandandantes E.

---

[203] La precisión bibliográfica: *epistola lxxxi*, es fac. El texto citado corresponde a ***Job*** 5.3, tomado de los ***Morales*** (VI.6) de San Gregorio (PL 75, 733). Todo lo cual va precedido, en la ***Suma de col.lacions***, de una cita de San Agustín, es decir la *epístola lxxxii* (=145, PL 33, 593). Esta proximidad es la causa del error del compilador.

[204] Fac. Se trata de la epístola 145 de San Agustín (PL 33, 593). El compilador la atribuye a San Gregorio porque, en la ***Suma de col.lacions***, aparece junto a la cita anterior de los ***Morales***.

[205] EM tienen el mismo error. E dice: *lo afirma el autor*; M da: *afirma el autora*. La ligera deformación de M revela la verdadera lectura del prototipo aragonés: *como a firma áncora*, base de la caprichosa interpretación del copista de E.

[206] E da: *veya*, falsa interpretación de: *no y a*, lectura que confirman los otros mss.

el plano, adiesso por montanya, adiesso es alto, adieso baxo, adiesso puya, adiesso desciende. Et esto no es senyal de la yra de Dios, antes es senyal de la suya gracia, por la qual aprendemos que nós deuemos consseruar sus donos tanto más verdaderamientre como los seruamos
5 humilmientre. Vento [147d] temprado en popa e bonança de mar non demuestra quí es buen marinero ni buen timonero. Mas quando viene la fortuna valida, aý se demuestra quí es regidor de la nao. Coraçón de hombre conuiene que sea prouado por alguna aduerssidat o contrariedat. Vergonyosa cosa es al timonero o gouernador al qual la onda
10 marina echa el timón o el gouierno de la mano, o quien dexa yr la vela en banda o a de part quando vido venir el viento contrario. Et aquél es digno que sea loado el qual contrasta a los dichos periglos.

[7] **Iob**. ***Iob***, capítulo xviii, faulando del loco, dize qu'el su consse-
15 llo lo crebará.

[8] **Sant Paulo**. Sant Paulo, capítulo iii° ***ad Filipensses***, dize: Yo son cierto et avisto[207] en todas cosas, porque sé soffrir men- [148a] gua et sé abundar.
20

[9] **Séneca**. Séneca, en el libro ***De prouidençia***, faula et dize que no es cosa tan maluada como es el hombre el qual no toma mal de nenguna cosa nin sufre en ninguna cosa dapnage ni perdua.

25 [10] **Séneca**. Item el mismo dize que muyta gordeza del campo et de la pieça faze cayer en tierra las miesses quando es en yerba. Sobra grant peso de muchas pomas o fructos faze crebar las brancas de los árbores. Sobre grant multitud de fruyta afoga la vna et la otra et non

---

5 bonança] bonanca E. **10** timón] rimon E (*confusión* r/t). **11** a de part] E, a de parte M, *om.* VABC **14** dize] et dize E (et *espurio*). **18** avisto] e visto E, he visto M, aiust V, auist AC, avist B. **21** prouidençia] proeza E, prouidençia M, prouidencia VC, prudencia AB. **27** pomas] posmas E, pomas M, poms AB, pomes C.

---

[207] EM dan: *e visto* y *he visto* respectivamente, error conjuntivo fácil de corregir con los mss catalanes, que dan: *avist* (B), *aujst* (AC), *auist* (V), es decir, 'avisado', 'prudente', 'astuto'.

viene a tiempo de madureça. Assín se acayeçe, ad aquellos los quales han sobras de habundancias de bienes terrenales corrumpe la suya conoscençia.

5 [11] **Sénecha**. Item el mismo, en la lxx ***epístola***, dize que vida queda o segura es semblant a la mar muerta, [148b] en la qual ha vn día las naues aurán iugado et en l'otro día pereçen.

[12] **Sénecha**. Item el mismo, en la vii ***epístula***, dize que los donos 10 de benefiçios de fortuna son aguaytos de benefiçios ençegados.

[13] **Séneca**. Item el mismo, en la xxvii ***epístula***, dize que filicidat es cosa mouediza et que non lexa al hombre reposar, antes da grandes colpes et percodidas et remece el medollo, et non remece al vno assí 15 como al otro, antes ha muchas artes de ferir. Porque los vnos fiere con poder, los otros con luxuria; los vnos entuxega, los otros despodera, los otros faze blandos. Et faze tales obras en el hombre como faze el vino, el qual turba la perssona como es veuido desordenadamientre.

20 [14] **Salamón**. Salamón, en los [148c] ***Prouerbios***, capítulo primo, dize que la prosperidat de los falssos perderá a aquéllos.

[50.] DE DIUERSSOS STAMIENTOS DE LOS MUERTOS ET A QUÁLES APROUECHAN LOS BIENES QUE LOS FAZEN.

25

[1] **Agustinus**. Sant Agostín, en el libro ***Encheredión***, capítulo lxxx, et semblantmientre en el libro ***De la cura ouedora de los muertos***, dize assín: Que es vna manera de beuir non del todo buena que non requiere de aquestos sufragios aprés la muert; et es hi otra manera de 30 beuir tan buena que non las requiere aprés de la muert; et es hi otra

---

1 madureça] madureca E. **5** queda] que E, queda M. **7** aurán] aura E, aueran M, auran VB, hauran A. **10** ençegados] EM, enuiscats VAB, viscata Ven. **14** *1er* remece] remete E (*confusión* c/t), remesçe M, somou VAB. // *2º* remece] remete E (*confusión* c/t), remesçe M, percut VAB. **15** fiere] fieren E, fiere M. **18** desordenadamiente] desordenadadamientre E. **21** falssos] EM, flors V, folls A, fols B. // perderá] perderan EMV, perdera AB. // a] *om.* E, a M. **27** dize] et dize E, dize M. **28** manera] cosa manera E, manera MVAB.

manera assín mala que por aquestos suffragios [no puede seyer aiudada después d'esta vida present. Los dapnados no son aiudados por los suffragios] de los viuos, mas aquellos que son en purgatorio an aiüda, et aquellos qui regnan en los çielos con Ihesu Christo nin las
5 han menester las suffragias. [148d] Aquesto dize Sant Agostín del lugar III: Los que hi son no les quala sperar ningún deliuramiento, porque los danados serán turmentados día et noche en infierno, en el firmamiento del stagno[208] et del fuego et del suffre.

10 [2] **Agustinus**. Item, el mismo, ***sobre Sant Iohán***, omelía xxviii, dize el Fillo de Dios bendicho: El día de mi fiesta será goyo sin fin, eternidat sin sotzura, fraternidat sin maleza.

[3] **Agustinus**. Item dize el mismo, en el çaguero libro de la ***Ciudat***
15 ***de Dios***, en la fin: Et quánta es la filiçitat allí en do no ha ningún mal, allí en do no se esconderá ningún bien.

---

1 no puede...suffragios] E (*homoioteleuton*), no aprouechan las cosas sobredichas despues desta vida present ¶ los dapnados non son aiudados por los bienes fechos M, no pora esser aiudat com daquesta uida sera passat donchs los dampnats no son aiudats per les suffragies V, no pot esser aiudat al hom com de aquesta vida sea passat ¶ donchs los dampnats no son aiudats per les suffragies A, no pot esser aiudat com de aquesta vida sera passat donchs los dampnats no son aiudats per les suffragies B. **3** viuos] viçios E, biuos M, vius VAB. **4** aiuda] auída E (*con signo diacrítico sobre la* í). // aquellos] aquell E. **7** en infierno...stagno] E, para sienpre en lago M, en flum de stany V, en lo flum de stany AB. **11** Dios] dos E, dios M, deu VAB. **12** sotzura] sotzina (*fort.* sotzura) E, fin sana M, sutzura VAB. **14** çaguero] caguero E. **15** en la fin] capitulo E, en fin M, en la fin VAB.

---

[208] En esta frase, el sintagma *firmamiento del stagno* es falsa traducción o adaptación inapropiada de la frase *flum de stany* 'río de estaño'. A su vez, la versión catalana de la ***Suma de col.lacions***: *los dampnats seran turmentats dia e nit en lo flum de stany e del foch e del soffre* (VAB), es traducción poco afortunada del texto del ***Communiloquium***: *damnati cruciabuntur die ac nocte in secula seculorum in stagnun ignis et sulphuris* (7.3.6), donde Juan de Gales combina dos citas del ***Apocalipsis*** (20.9-10). Obsérvese que la ambigüedad del catalán *stany* 'estanque' o 'estaño' hace que el sintagma *flum de stany* cambie el significado del *stagnum* 'estanque' latino. Que la adaptación de ***Rams*** proviene de ese ambiguo *flum de stany* se comprueba con otros dos textos del ***Communiloquium*** (7.2.3, donde se cita el mismo pasaje del ***Apoc***. 20.9-10 y 20.14), los cuales usan la misma expresión: *stagnum ignis*. La traducción catalana es ahora sencillamente *estany del foch* (VAB) 'estanque de fuego'. Consecuentemente ***Rams*** da: *stanyo del fuego* (fo. 186, autoridades 108.7 y 108.8). Las terroríficas imágenes ígneas del infierno, bien como 'estanque' (la más común), bien como 'río', han podido influir en los dos sintagmas catalanes que hemos detectado. Por eso, teniendo en cuenta el uso posterior de esa palabra en ***Rams*** (*çerca del flum Iordán* 164d), convendría corregir el texto así: *en el infierno, en el flum del stagno et del fuego*.

[4] **Apocalibsi.**[209] Scripto es en la ***Apocalipsi***, capítulo ii. El fuego de los comdepnados iamás se adormirá ni sus gusanos no morirán en [149a] los sieglos, asín como dize Ysaías.

5 [5] **Isaías**. ***Ysaías***, en el çagero capítulo, dize: A aquellos atales dirá el senyor en el día del iudiçio: It maledictus en el fuego eternal.[210]

[6] **Dauid**. Dauid faulando con Dios dize: Senyor bienauenturados son aquellos que habitan et están en la tuya casa, porque en el sieglo
10 de los sieglos te bendizirán.

[7] **Sant Matheo**. Sant Matheu, capítulo xxvº, dize que aquellos que son en el primero lugar, que es purgatorio, es possible el diliuramiento de las almas de purgatorio.[211]
15

[8] **Sant Paulo apóstol**. Sant Paulo, en la ***primera epístula ad Corinthios***, capítulo iiiº, dize: Empero axí.s' saluará quasi por fuego.

[9] **Sant Gregorio**. Sant Gregorio, en el IIIIº libro ***Dialogorum***, [149b]
20 capítulo xxxv, dize: En medio de los çielos será la bienauenturança eternal quando cada uno de los esleydos entrará en el goyo [de su senyor. Entonces todos goyosos entrarán en el goyo], no entrará en ellos tan solamientre, segunt que dize Sant Ancelm ***De mistica theologia***.[212]

---

2 en] en *iter.* E. **5** çaguero] caguero E. // a] *omit.* E, a MVAB. // dirá] diran E. **6** It] ic E (*confusión* c/t), yd M, anats VAB. **13** purgatorio] espurgatorio E. **14** almas] armas E, animas M, animes VAB. **21** de su senyor...goyo] *om.* E (*homoioteleuton*), del su sennor entonçes M, de son senyor car llauors tots goioses entraran en lo goig VAB. **22** entrará] entrarara E. **23** Ancelm De mística theología] Antholin de Nusita E, *om.* M, Ancelm de mistaca theologia V, Ançelm de mistacha teologia B.

---

[209] Fac. La cita corresponde a ***Isaías***, 66.24. Pero viene a continuación de una cita del ***Apocalipsis***, que ***Rams*** no recoge. Éste es el origen de la confusión.

[210] Fac. La cita corresponde a San Mateo, 25.41. Pero viene a continuación de la cita anterior de Isaías. Éste es el origen de la confusión.

[211] Fac. La cita corresponde al comentario de Juan de Gales. Pero viene a continuación de la cita de San Mateo que había hecho antes. Éste es el origen de la confusión.

[212] El ms dice claramente: *Antholín de nusita*. La falsa lectura de *Antolín* por *Ancelm* se da a lo largo de todo el manuscrito. Se debe a las típicas confusiones del copista *c/t, e/o, m/in*, con grafías absolutamente seguras, por tener el punto diacrítico sobre la í o el signo de abreviatura de n (~) sobre la vocal. Corregimos sistemáticamente a *Ancelm*. Igualmen-

[51.] DE LOS FILLOS QUE AMAN ET HONRRAN A LOS PADRES DE CORAÇÓN ET DE OBRA.

[1] **Ambrosius**. Sant Ambrós, en el libro clamado ***Examerón***, en la
5 vª omelía, pone I exemplo et dize que aquellas aues que han nombre en latín *ciconia* y en romanz çigüennas, quando enuellecen pierden la pluma et non pueden bolar, et lures fillos han ne pietat et apléganse a ellos et tiénenlas acouiliadas et callientas con sus alas et con lur pluma, et adúzenles que comer. Et si se quie- [149c] ren mudar d'un
10 lugar a otro, pónense deyuso et adúzenlas bolando, et sustiniéndolas que non cayan. Porque dizen que ninguna cosa no es pesada que se faga por piedat, et que res non es pesant que sea dehudo natural. Et por esto los romanos nombran la çigüenya aue de piedat.

15 [2] **Exodi**. ***Exodi***, capítulo xx, dize que todo hombre deue honrrar su padre o su madre.

[3] **Paulus apostolus**. Sant Paulo apóstol, en la ***primera ad Effesios***, capítulo vi, dize a los fillos que sean obedientes a los padres porque
20 esto es cosa iusta.

[4] **Paulus**. Item el mismo, ***ad Coloçençes***, capítulo iii, dize: Fiios, seet obedientes a los padres. [Et el sauio ***Eclesiástico***, iii] capítulo: Aquell que onra al padre viurá luengamientre sobre la tierra.[213]

2 coraçón] coracon E. **5** pone] pona E (*Geijerstam lo supone catalanismo oral*), posa VAB, poniendo M. // exemplo] exemempleo E. **6** ciconia] coçonia E, ciconia VB, ciconias A. **19** sean] *om.* E, sien VAB. **23** et el sauio eclesiástico iii capítulo] con E (*homoioteleuton*), e el sauio eclesiastico cº iiiº M, e lo saui ecclesiastich capitulo iiiº V, e ell saui ecclesiastich diu tercio capitulo A, el saui ecclesiastich diu ha iii capitulo B, e lo saui eclesiastich diu iiiº cº C. **24** onra] aura E, onrra M, honra V, honre A, honrara B, honrera C.

te extraña, aunque comprensible, es la interpretación de la obra, ***De mistica theologia***, como patronímico: *De Nusita*. Probablemente este cambio se produjo ya en alguna copia latina del ***Communiloquium***. La obra de San Anselmo de Canterbury es conocida como ***Prosologion***, en cuyo capítulo 26 se halla la cita de E. La atribución a San Gregorio es fac. Todo el pasaje proviene del ***Prosologion*** de San Anselmo.

[213] El ms da una lectura confusa. Dice así: *Fiios, seet obedientes a los padres con aquell que aura el padre viura luengamientre*. Este texto combina dos autoridades, la de San Pablo, ***Colosenses*** (3.20): *fiios, seet obedientes a los padres*, reconocida, y la del ***Eclesiástico*** (3.7): *aquel que onra al padre viura luengamientre*, sin reconocer. El copista de E

[5] **Séneca**. Sénecha, en el III libro [149d] ***De benefiçios***, faze question si los fiios pueden dar al padre o a la madre mayores benefiçios que aquellos que han recebidos de aquéllos. Et meneando aquesta question él comta muchas cosas de la piedat que los fillos han ouido a lures
5 padres. Et en special dize exemplo de Sçipión de cómo guardó su padre de muert en vna pelea. Et semblant cosa fizieron muchos d'otros. Et recomta, en el capítulo xxiiii, el exemplo de Eneas, el padre del qual era vieio et ançiano et despoderado, et su fiio Eneas leuantóse et subióselo en el cuello et passólo por medio de la huest de los enemigos, et vino a
10 vn lugar que non podía yr adelant sino por fuego, et delandes[214] del fuego pasó con su padre aduziéndolo toda ora en el cuello. Et como le fuesse demandado cómo auía podido sí mis- [150a] mo asín auenturar, respuso: Et ¿qué es que piedat non pueda fazer et vençer et sobrar?

15 [6] ——. Item recomta el mismo que aquell mont de Çiçilia, el qual ha nombre Etna, vna vegada echaua fuego et flama más que non auía acostumbrado, et quemaua campos et villas et çiudades. Et los hombres mançebos corrieron a los lugares más periglosos por aiudar a los padres et lures madres et auidarles.[215]

3 que aquellos] que aquellos *iter.* E. **5** de cómo guardó] *om.* E, de commo guardo M, lo qual restaura VAB. **7** *2º* el] et E, hun V, vn AB. **9** de los] *om.* E, dels VAB. **11** pasó con su padre] *om.* E, ab lo prohom son pare V, passa lo prohom son pare AB. **12** asín] sin E, *om.* V, axi A, tant B. **16** Etna] Encua E, Entna V, Ethna A, Eatna B. **19** auidarles] auídarles E (*con signo diacrítico sobre la* í), aiudar e desliurar V, aiudar e deliurar AB.

omitió texto como lo indica ese *con* revelador. En efecto, todos los mss introducen la segunda parte de la cita remitiendo al Eclesiástico. Pero algunos lo hacen de esta forma: *Eclesiástico cº iiiº* (M), *Eclesiastich diu iiiº caº* (C), donde la abreviatura de *capítulo* (*cº*) explicaría el *con* de E. Esta falsa interpretación le llevó a escribir *aurá* por *onra*. Semejante falsa lectura ocurre más adelante en la autoridad 138.1 (*aurassen* por *onrassen*). Por eso no dudamos en restaurar la lectura que suponemos tenía el prototipo aragonés.

214 No conozco esta forma en aragonés. Ni Leslie, ni el ***Lexicon***, ni Velasco explican esta palabra. Corresponde a *vltra* de los textos catalanes, en el contexto: *passà vltra per mig del foch* (V) o *e vltra lo foch passà* (AB). Por lo tanto *delandes* parece tener el significado de 'más allá'.

215 Grafía clara con punto diacrítico sobre la í. Menos seguro es su significado. El ***Lexicon*** supone que es provenzalismo con el significado de 'sostener', 'alentar'. Sin embargo todos los mss catalanes traen el doblete: *aiudar e deliurar* (VABC), traducción del latín: *ad liberandum parentes*. Dadas las continuas mutaciones del copista deberíamos corregir a *aiudar*, pero el hecho de que se varíe el verbo cuando la fuente trae un doblete con distinto significado nos lleva a mantener, con reservas, la lectura *auidar* con el significado de 'deliurar', 'liberar'. Ver nota 1 en pág. 75.

[52.] DE FALSSA TRASFEGARIA DE CALUMNIAR HO DE FER PENAR A LOS OTROS.

[1] **Aba[ch]uch**. ***Abachuc***, capítulo ii, dize: Maldicho es et será
5 aquell que haplega mala auaricia en su casa, porque la piedra de la paret cridará contra éll.

[2] [**Petrus Damianus**]. Et sobre esto recomta que Petrus Damianus poso en su ***tractado*** que vn hombre, el [150b] qual era maluado et
10 errant, et al punt de la su muert él voçeó et fauló fuertmientre por tal como él auía tomado iniustamientre xi dineros de una mugier pobre, la qual gelos auía demandados, et él non ielos quería render. Et fuele semblant que Sant Andreas et Sant Gregorio fuessen con él, et que lo açotassen fuertmientre. Et dixo que atantos açotes le auían dado
15 como la mugier auía fechos passos por demandar los xi dineros.

[3] **Eclesiastiçi**. El sauio ***Eclesiástico***, capítulo xº, dize: Atales son los ministros del iutge[216] como es él mismo.

20 [4] **Eclesiastiçi**. Item el mismo, capítulo xxx, dize que aquel que de grado exaudi[217] paraula de mentida haurá todos los ministros maluados et crudeles.[218] Porque ellos sean pla- [150c] zientes al senyor stu-

4 Abachuch (*epígrafe*)] Abauch E. **6** cridará] cridada E. **8** *1er* Petrus Damianus] Abauch E (*por influencia del epígrafe anterior y porque en la fuente aparecen las dos autoridades seguidas*) // *2º* Petrus Damianus] Peçius Dinnanus E, Petrus Damiani MB, Pere Damia V, Patrus Damianus A. **9** su] mano *add.* E **10** muert] míert E (*con signo diacrítico sobre la* í). // voçeó] veçeo E, dio muy grandes vozes M, crida VAB. **11** xi] E, seys M, vi VAB. **12** non] *om.* E, non M, no.ls VAB. **13** el] ellos E, el M, ell VA, el B. **14** açotes] acotes E. // auían] auia E. **15** xi] E, seys M, vi VB. **18** iutge] que iutgen E, iuez del pueblo M, iutge del poble VAB. **20** xxx] EM, xxviiii VB, tricesimo nono A. **21** exaudi] exa E, oye M, hou VB, ou A.

[216] E da: *del que iutgen*, lo que cambia la idea del original. Corregimos con M, fiel reflejo de los mss catalanes.

[217] El ms da sólo: *exa*, que no hace sentido. Los mss catalanes dan: *hou* (VC), *ou* (AB) ‘oye’, y M trae también *oye*. Por eso es fácil suponer que el copista quería escribir: *exaudi* ‘oye’, del verbo *exaudir* ‘oir’, que aparece en ***Rams*** y en otras obras del maestre.

[218] Fac. El compilador tomó esta cita (desde *aquel*... a *crudeles*) creyendo que pertenecía al ***Eclesiástico*** por estar contigua, en la ***Suma de col.lacions***, a otra cita de este libro. Por eso la identificó simplemente como: *Item*. En consecuencia el epigrafista la adjudicó a la misma autoridad anterior, aunque corresponde a los ***Proverbios*** (29.12), como dicen todos los mss (MVBA).

dean et comiden como puedan despuiar los pobres. Et éstos son semblantes a perros ladrantes et ha lobos que se comen las oueias et ha gauilanes plumantes las plumas de las palomas.

5 [5] [**Eclesiastiçi**]. Item el mismo, capítulo iiii, dize: Yo he uisto las penas que son feytas dentro[219] del cielo et las lácrimas de los innorantes.

[6] **Eclesiastiçi**. Item el mismo, capítulo xxxvº, dize: Las lágrimas de la viuda descenden a su cara et de su cara puyan al çielo, et Dios,
10 exaudidor, no se delitará en aquéllos.

[7] **Eclesiastiçi**. Item dize, capítulo xxxiiii, que quien offereçe sacrificio de la sustançia de los pobres assín li es reçebido delant de Dios como aquello que mata el fillo delant [150d] del padre.
15

[8] **Isaýas**. ***Ysaías***, capítulo xº, dize: Maldichos sean aquellos que fazen leyes maluadas o dan fauor et ayuda ad aquéllos, porque esto fazen por tal que opresión o senyoriamiento fagan en iudiçio a los pobres. De cada uno d'éstos es verdadera la paraula del ***salmista*** que dize assín:
20 Aquél está posado en alto[220] con los ricos en los lugares escondidos por tal que mathe el innorant. La qual cosa se cumple de fecho mayormientre quando el prímçep o el senyor es iniusto et mucho cobdiçioso.

[9] **Isaýas**. Item el mismo, en el capítulo primero, dize que todos
25 aman donos et seruiçios, siquiere porque [siguen logueros. Así] se

---

1 despuiar] desputar E (*intento de corregirlo a* despuiar), despoiar M, despullar VA, despuyllar B. **2** comen] clamen E, comen M, menien V, mengen AB. // las] la E, las M, les VAB. **3** *2º* las] la E, las M, les VAB. **5** Eclesiastiçi (*epígrafe*)] *om.* E. **6** dentro] E, de yuso M, deius VBC, dauant A. // innorantes] E, ynoçentes M, innocentes VAB, ignoscentes C. **9** viuda] vida E, bibda M, vidua VAB. **13** delant] de las E, delante M, deuant VAB. **17** et] *om.* E, e M. **18** fagan] faga E, fagan M. **20** en alto] E, en iuzio asecho M, en ag(a)uayt VB, en aguait A, en eguayt C. **25** siguen logueros así] *om.* E (*homoioteleuton*), siguen logros asy M, seguexen loguers e axi VA, se segeuixen loguers e ayssi B.

---

219 Sic. Probablemente falsa lectura por *deiuso*. Así dan M (*de yuso*), VBC (*deius*), aunque A da: *dauant*. Mantenemos la lectura de E con reservas.

220 Sic, pero los mss catalanes dan: *aguayt* (VC), *aguait* (A), *guayt* (B), y M trae: *asecho*. Estos testimonios indican que el original debía llevar: *aguayto*. No corregimos porque la lectura de E tiene sentido.

sigue que el pubil no es iutgado, et la razón de la viuda et el tuerto [151a] que le es fecho non viene delant d'ellos. Et estos atales a las vezes son assín enduridos en peccados que non los toma piedat de la innorançia [de los pobres nin de la chiqueza de los huérfanos nin de
5 la innocencia] de las viudas ni de la mengua que han los pobres.[221]

[10] **Iob**. ***Iob***, capítulo xxxv, dize: Las lágrimas voçearán et clamarse an a Dios por la multitud de aquellos que fazen calumpnia o enponerán a otri qualque mal.

10

[11] **Sant Matheo**. Sant Matheu, x° capítulo, dize que atal estar faze entre aquestos atales como ouellas entre lobos. Crisostomus dize: ¿Qué hacze la ouella entre lobos? Et ¿qué faze la paloma entre los gauilanes? Et ¿qué faze lo pobre entre los curiales? El prímcep o el
15 senyor es assí como al león sanyoso et assín como a onsso fambriento.

[12] **Salamón**. [151b] Salamón, en los ***Prouerbios***, capítulo xxviii, dize: Príncep maluado et menos de piedat es de suso del pueblo assín como ha león sanyoso et onsso fambriento.

20

[53.] DEL TEMOR DE LA MUERT, DEL ENEMIGO QUE APARECE EN LA MUERT, NON TAN SOLAMENT A LOS MALOS, ANTES ENCARA A LOS BUENOS.

25 [1] **Dauid**. Dauid, faulando a Dios et penssando[222] de la muert, dizía: Senyor, no entres en el iudiçio con el tuyo seruidor.

---

3 piedat de la] EM, pietat de la VB, pietat dels innocents ne de la A. **4** innorançia] E, ynoçençia M, innocencia VAB. // de los pobres...innocencia] *om.* E (*homoioteleuton*), de los pobres nin de la chiquez de los huerfanos nin de la ynoçençia M, dels pobres ni de la infantea dels orfens ni de la ignorancia V, dels pobres e dels pobles ne de la infantea dels orfens ne de la ignorancia A, dels pobles ne de la infantesa dels orfens ne de la ignorançia B. **8** enponerán] enponera E, enponen M. **12** Crisostomus] Crisostonnis E, Grisostomus M, Crisostomus VAB. **14** curiales] cariales E, curiales M, curials VA, corials B. **17** *1er* Salamón] Salamo E. // los] lo E. **18** menos] meno E. **25** penssando] et pea *add.* E (pea *tachado*).

---

[221] Podría pensarse que los dos saltos de este texto obedecen a un intento de *abreviatio*, actitud presente en ***Rams***. Pero la ligera incongruencia del primer salto y la obvia correlación del segundo nos han llevado a incorporarlos.

[222] El ms añade: *et pea*, tachando *pea*. VABC dan: *considerant lo dia de la mort*. Posiblemente *et pea* era error por *el día*, error que el copista no entendió y por eso tachó.

[2] **Iacobus appostolus**. Sant Iayme apóstol, en la su ***canónica***, capítulo primero, dize: En muchas cosas nueze[223] el criador todos quantos somos.

5 [3] **Eclesiast[és]**. El sauio ***Eclesiast[és]***, capítulo ix, dize: No sabe el hombre si es digno de l'amor[224] de Dios o de la yra o de [151c] mala volumtat. Porque cada uno deue temer en aquell instant del iutgamiento. Et aquesto por la inflexibilitat de la egualdat del iutge.

10 [4] **Salamón**. Salamón, en los ***Prouerbios***, capítulo xxvi, dize que aquell hombre podrá entender su vía o camino.

[5] **Salamón**. Item el mismo, en el capítulo vi°, dize: El celo [225] et la furor del varón virtuoso no perdonará al día de la vengança.

15

[6] **Salamón**.[226] Porque el mismo dize que cada uno deue temer el día del iuiamiento, et aquesto por los enemigos que aguiiarán la alma, los quales son enganyosos et proximolosos.[227] Porque la bestia cruel estuuo en el día de la muert delant Sant Martín por tal que.l' pudiesse temptar.

---

2 nueze] E, ofendemos M, offenen VA, ofenem BC. **5** Eclesiastés (*epígrafe*)] Eclesiastiçi E. // *2°* Eclesiastés] Eclesiastico EMB, Eclesiastes VA. // *2°* el] al E, el M, lom VAB. **6** l'amor] la muert E, amor MV, la amor AB. **8** inflexibilitat] infelixitat E, iustiçia M, imflexibilitat V, inflexibilitat ABC. **11** podrá] podia E, podera M, pora VAB. **13** celo] cielo E, zelo M, zel VA, cel B. **16** temer] tener E, temer M, tembre VAB. **18** proximolosos] E, prexeualosos V, prexeuols A, prexeuolls B, prexeuulosos C.

---

[223] El compilador o copista cambia la idea. Todos los mss traen el verbo en plural: *ofenen* (VA), *ofenem* (BC), *ofendemos* (M). Por eso convendría corregir a **nuezemos*/**nozemos*.

[224] E trae: *la muert de Dios*. Obvio error originado por la expresión catalana: *lamor de Deu*, interpretada como: *la mort de Deu*.

[225] E da: *cielo*. La lectura de B: *cel* (por *zel*, como traen los otros mss) pudo propiciar la interpretación de esta palabra como *cielo*, en vez de la correcta *zelo*.

[226] Fac. Es comentario de Juan de Gales que sigue a los ***Proverbios*** de Salomón.

[227] Palabra de difícil interpretación. Los mss catalanes dan: *prexeualosos* (V), *prexeuols* (AB) y *perexeuulosos* (C). Las ediciones latinas traen lecturas divergentes, aunque con la misma idea: *propter hostium insidiantium fraudulentiam* (Ven) y *et infestantium malignitatem* (añade Estrasburgo). El ***Lexicon*** remite a Leslie. Es ésta quien da la mejor interpretación. Relaciona esta palabra con el antiguo catalán *proxòvol, perexèvol* 'importuno', adecuada traducción del latín *insidiantium*.

[7] **Paulus apostolus**. Sant Paulo, en la ***primera epístola ad*** [151d] ***Corinthios***, en el iiii° capítulo, dize: Non me remuerde[228] de res la consciençia, mas por aquesto non son[229] iustificado.

5 [8] **Gregorius**. Sant Gregorio, sponiendo la paraula de Iob que dize: *en quál camino stará la lumbre o quál es el camino de las tenebras*, ***Iob*** xxxviii capítulo, porque Sant Gregorio, en el xxxix capítulo de los ***Morales***, dize: Dapnación es laudable vida de los hombres si son iutgados por el iutge Ihesu Christo, remouida piedat; porque de allá do se
10 pienssa que plazerá delant de los oios del iutge, de aquí caye en tierra.

[9] **Iohannes euangelista**. Sant Iohán, en la ***primera canónica***, capítulo primero, dize que si dezimos que no auemos peccado, nós mismos nos enganyamos. Et ¿qué farán las taulas flacas si las [152a]
15 fuertes colondas tremuelen? Et ¿cómo starán las vergas[230] inmobles si los çielos por la tribulaçión de aquesti iudiçio se esgladeçerán?

[54.] DE UERDADERA HUMILDAT ET QUÁL DEUE SEYER.

20 [1] **Gregorio**. Sant Gregorio, en los ***Morales***, libro XXXIIII°, en la fin, dize: ¡O quánta es la virtud de la humilitat, por la qual solament

---

2 remuerde] recuerde E, remort VBC, remord A, soy a mi culpado M. **3** son] E, soy M, som V, so B. // iustificado] iustificados E, iustificado M, iustifficats V, iustificat B. **8** dapnación] dapnaron E, dampnacio VAB. **14** enganyamos] engamos E, engannamos M, enganam VAB. **15** tremuelen] tremuelem E. // las vergas] virgines E, les uergens V, les vergues ABC. **21** solament] solemnitat E, solament VAB.

---

[228] El ms. da: *recuerde*. Posible corrección psicolingüística o error del copista por *remuerde*. Así lo sugieren los demás mss., VBC: *remort* y A: *remord*; M interpreta: *soy a mí culpado*.

[229] E da: *son iustificados*, como V: *som justifficats*. Pero en vista de las lecturas de los otros mss (M: *soy justificado*; B: *so justificat*; C: *som justificat*), consideramos la forma *son* primera persona singular del presente de indicativo 'soy justificado', fiel traducción del texto paulino: *iustificatus sum* (***I Cor***. 4.4). Corregimos con MB, aunque E parece seguir aquí la lectura de V.

[230] E da: *vírgines*. El texto latino trae: *virgulta* 'ramas', traducido correctamente como: *verges* en AB. Pero V lee: *uergens*, que parece ser la base de la interpretación de E. Nuevo error de ***Rams*** que lo vincula a V.

amostrar, Ihesu Christo, que es grant sin mesura et sin stimaçión, entro a la passión s'es fecho humil!

[2] **Ierónimo**. Sant Ierónimo, en la ***epístula*** lxxxvii^{a}, dize: Tú fuye
5 primçipalment a la humilitat [fenta, et sigue] aquella que es verdadera.[231] Porque muchos son que siguen la sombra de aquesta virtud, mas pocos son que siguen la verdat de aquesta virtud. Et pues dize: Leuántense delant todas las [fentas] paraulas, et cessen los [gestos] simulados,[232] porque el hom- [152b] bre virtuoso es mostrado en la
10 pasciençia de la iniuria. Porque verdadera humilitat es penssar sí mesmo que no es res.

[3] [**Bernardus**]. Sant Bernart, allí a do fabla de humilitat, dize asín: Buena es la carrera de la humilitat por la qual es inquirida la
15 verdat et es ganada la caridat et las generaciones de la sauieza son participadas.

---

1 amostrar] amonesta E, ensennar M, amostrar V, mostra AB. // stimaçion] E *add.* como. **5** fenta et sigue] fecha sin E, fenta ensegueix B, feyta enseguex V, fenta e seguexca C. **6** muchos] muchas E, molts VC, molt B. **7** dize] dizen E, diu VBC. **8** todas las fentas paraulas] todos los fechos paraulas E, totes les feytes paraules V, totes les fentes paraules B, totes paraules fentas C. // gestos] fechos E, gests VB, gets C. **13** Bernardus (*epígrafe*)] *om.* E. // dize] *om.* E, diu VAB. **16** participadas] participados E, participades VAB.

---

[231] E trae: *Tú fuye primçipalment a la humilitat fecha sin aquella que es verdadera.* Esta lectura tiene poco sentido. M abrevia excesivamente y no sirve para corregir. Pero la versión de los mss catalanes aclara los dos errores de este texto: *fecha* por *fenta* 'fingida' y *sin* por *sigue*. Veamos el primero. B dice: *Tu, principalment fugint humilitat fenta, ensegueix aquella que es vera*, fiel traducción del texto latino: *Praecipue fictam humilitatem fugiens eam, sectare quae vera est.* V trae: *feyta* por *fenta*, variante que explica ese *fecha* de E. El segundo error consiste en una adaptación. El hortativo catalán: *ensegueix*, 'sigue', se ha transformado en la preposición *sin*. Corregimos según la lectura de B, introduciendo el catalanismo *fenta* por *fengida* o *ficta*, término que no debe sorprender en la koiné catalano-aragonesa, tan abundante en los mss de Juan Fernández de Heredia.

[232] E trae: *Leuántense delant todos los fechos paraulas et cessen los fechos simulados.* Se da aquí el mismo error anterior. De nuevo el grupo AB trae la lectura correcta: *Leuense dauant totes les fentes paraules e cessen los gests simulats* (citamos por B porque A ha perdido una hoja), fiel traducción del latín: *Auferantur omnia figmenta verborum, cessent simulati gestus.* La variante de V, *feytes*, explica la versión de E. Pero el compilador introdujo dos cambios. En el primer caso, rompió el sintagma *fentes paraules* en dos vocablos independientes, *fechos, paraulas*; en el segundo, repitió mecánicamente *fechos* en vez del correcto *gestos*. Corregimos con AB.

[55.] DEL CASTIGAMIENTO DE LA MULLER.

[1] [**Angelio**]. Angelio,[233] en el primero ***Archiquarum Nocçium***, recomte que Alchipiades demandó a Sócrates por qué no echaua a su
5 muller de casa, que auía nombre Examçipes, la qual era perezosa a todo bien fazer et grant baralladora de noche et de día; de fecho o de paraula semellaua a las mulleres mal guiadas. Et respuso Sócrates que non la quería echar de casa porque ella li daua dentro casa occasión o manera de auer pasçiençia en toda villanía que ningu- [152c]
10 no le dexiesse ni le fiziesse quando sería fuera de casa. En do los fieles christianos deuen subportar los vnos a los otros.[234]

[2] **Sant Paulo**. Sant Paulo, ***ad Galathas*** capítulo vi, dize: Aduzir la carga el vno del otro.
15

[3] ——. Item el mismo, ***ad Colossensses***, iii° capítulo, dize: Subportar el vno al otro en caridat. Et si todo hombre deue esto fazer mucho más lo deuen fazer aquellos que son en orden de matrimonio.

20 [4] **Vallerio Máximo**. Valerio Máximo, libro, capítulo iii°, recomta que vn hombre era que auía.[235]

[5] ——. Valerio Máximo, libro II, capítulo primero, dize que grado de intemperança es çerca del vino, et suele adozir el hombre a peca-
25 do et luxuria, el qual es vedado.

---

3 *1er* Angelio (*epígrafe*)] *om.* E. // *2°* Angelio] E, Agellio M, Agelli VAB. // archiaquarum nocçium] E, archicarum noccium VAB. **4** Sócrates] Socratres E. **5** Examçipes] E, Exancipes V, Exantipes AB. **6** baralladora] ballaradora E (*transposición*). **7** Sócrates] Socratres E. **8** la] lo E, la VAB. **16** mismo] ad co *add.* E (ad co *tachado*). **23** dize] *om.* E, diu VAB.

---

[233] Las deturpaciones que han sufrido los nombres propios de este famoso *exemplum* son fáciles de comprender. *Angelio* es Aulo Gelio (variante *Agelio*; las dos muy frecuentes en los mss medievales, como dice Curtius, I:84); *Archiquaron Nocçim* es ***Atticarum noctium***, la conocida obra de Aulo Gelio; *Alchipiades* es Alcibiades; *Examçipes* es Xantipa, la mujer de Sócrates.

[234] Velasco crea un capítulo con este encabezamiento. Pero ni la fuente ni las características del texto en el manuscrito lo corroboran (ver nuestros criterios en nota 119 a autoridad 18.5).

[235] Autoridad incompleta en el manuscrito.

[6] **Vallerio Máximo**. Item el mismo, libro XI, capítulo iii°, dize que toda muller que vsa desmesuradamientre [152d] vino çierra las puertas a todas las virtudes et las obre a todo peccado. Et por esta razón los romanos vedauan el vino a las mulleres.

5

[7] **Vallerio**. Item el mismo dize que Materlio Çaconio[236] dio tantas tochadas a su muller entro a que fue muerta porque auía beuido vino.

[8] **Eclesiástico**. El sauio ***Eclesiástico***, capítulo xxv, dize: Non des 10 a la mugier mal criada occasión de mal fazer ni la dexes menos de punya del mal que haurá feyto.

[9] **Eclesiastiçi**. Item el mismo dize que si la mugier ha senyoría es contraria a su marido. Et si la mugier á algunos defallimientos no 15 mucho grandes en sus costumbres, el marido la deue buenamientre comportar tanto como pueda menos de todo peccado.

[10] [**Varro**]. [153a] Item dize qu'ell viçio de la mugier o lo deue hombre subportar o lo deue castigar. Aquell qui castiga el viçio de su 20 mugier la faze meyor que no era d'antes.

[56.] DEL PROUECHO QUE VIENE DE VERDADERA AMIGANÇA.

[1] **Boeçi**. Boeçi ***De conssolaçión*** dize: Aquell amigo tiene todos sus 25 amigos et todo lo lur et de los suyos, que todo lo posside. Porque amigança lo faze muyt rico et muyt poderoso, tanto que non puede seyer vencido.

---

3 virtudes] puertas E, virtudes M, virtuts VAB. **6** Martelio Çaconio] E, Metello M, Metelli V, Mathelli Salconi A, Mateli Salconi B, Matelli Zolconi C. **13** senyoría] sesenyoria et E. **15** mucho] muchos E. **18** Varro (*epígrafe*)] Eclesiastiçi E (*por influencia del epígrafe anterior. Todos los mss. atribuyen esta autoridad a Varrón*). // deue] done E, deu VAC, del B. **24** *2°* Boeçi] Goeçi E. **25** *2°* lo] que *add.* E.

---

[236] Así da E. Las variantes de los otros mss no contribuyen a identificar a este personaje latino. V da: *Metelli*, M: *Metello*, AB: *Mathelli Salconi*, C: *Matelli Zolconi*. Se trata de Egnati Meceni (Egnacio Meceno), como dice Valerio (VI.3.9).

[57.] DE LA INSTRUCCIÓN DE LOS VIEIIOS DESPEDAÇADOS.

[1] **Boeçi**. Boeçi ***De conssolaçión***, libro primero et capítulo primero, dize que velleza viene quexada a los males antes que sean penssados,
5 et viene con mal et con dolor. Et sepan los viellos que no han los [153b] annos que han passados, los quales ellos dizen que han, segunt que respondió Bellia[237] ad aquell que le dixo que hauía xl anyos, los quales no has. Et esto a verdat por tal como el tiempo passa assín como río et dexa ad aquellos qui lo cobdiçian. Et lo que es a uenir
10 del tiempo non es mío ni lo que es passado.

[2] **Gregorio**. Sant Gregorio, en el XVII libro de los ***Morales***, esponiendo la paraula de Ysaýas, dize que la más suczia cosa del mundo es hombre vieio el qual comiençe a beuir.[238]
15

[3] **Sénecha**. Sénecha, en la ***epístola*** lxi, dize que la veyeza es firme ediffiçio et podridura et caye de todas partes.[239]

---

4 viene] *om.* E, viene M, ve VAB. // quexada] EM, cuytosa VAB. **7** Bellia] E, Velio M, Bellius VAB, Lellius C. // anyos] E (*posible homoioteleuton*) EMAB, tu dix Belli dius que has xl anys *add.* V, tu dix Lellius dius que has xl anys C. **10** es passado] he passado E, pasado es M, passat es V, es passat AB. **13** dize] et dize E (et *espurio*). **14** comiençe] conuençe E (*confusión* nu/mi), comiença M, comença V, es passat AB. **16** firme] EM, femer V, fer AB.

---

[237] Se trata de Lelio (Séneca, ***Naturales quaestiones*** VI.32.11). La garfía errónea estaba ya en los mss catalanes VAB, que dan: *Bellius / Belli*. Sólo C trae correctamente: *Lellius*. Pero la grafía de la L mayúscula permite confundirla con la B.

[238] Fac. La cita es de Séneca, ***epístola*** 13.17. La confusión se debe a la ***Suma de col.lacions*** (VM) que atribuye la cita de Séneca a San Gregorio. Véase: *Del qual es scrit en Ysaya, en lo derrer capitol: Ifant de C anys morra. La qual paraula spon sent Gregori en lo XVII dels Morals, e diu que lo pus leig del mon es hom qui comença a uire / Cor diu Senecha en la epistola xiiii*[a] *quels vells se deuen studiar de gitar de si tots los acostumats delits desordenats*. La frase atribuida a San Gregorio: *lo pus leig del mon es hom qui comença a uire*, pertenece en realidad a Séneca, a pesar de que la barra del manuscrito separa claramente las dos frases.

[239] Pasaje en que la palabra latina *faex* 'hez' ha dado lugar a diversas interpretaciones. La ***epístola*** 58.33, 35 de Séneca, en la transcripción del ***Communiloquium***, dice: *Senectus est "fex" et "edificium putrefactum ruens" undique* (de Séneca sólo lo entrecomillado). V, la versión más cercana, da: *femer* 'estercolero'. En cambio AB, tomando *fex* como verbo, dan: *Senectut es fer edifici de podredura, que cau de totes parts*. EM, interpretando incorrectamente el sustantivo *femer* de V, introducen el adjetivo *firme*. Nuevo error conjuntivo que los vincula a V. La lectura correcta debe ser: *La veyeza es femer, ediffiçio de podridura, que caye de todas partes*.

[4] **Sénecha**. Item dize en la xxxi ***epístula***, que assín como luego del iuuent [153c] viene la veyeza, todo assín mismo viene la muert aprés de la velleza.

5 [5] ——. Item dize que assín como en la nao viella que se comiença a podrir estando en la mar adiesso ý entra por vn lugar agua que s'ende va a la centina, adiesso a otro lugar, et quando el calástico[240] maestro quiere adobar o calafatar vn poco forado o fendedura, antes que aquéll sea adobado n'í á otro fecho tan grant o mayor como el primero, et si 10 lo queríe adobar, luego se faze mayor, todo assín es de la velleza et de la antiquidat del hombre, que quando el hombre ançiano se siente algún mal et quiere fazer contra aquéll alguna medeçina, antes que aquél sea guarido, l'ende será venido otro atán grande o mayor; et adiesso se sent[i]rá mal en una [153d] part, adiesso en otra; todo asín como a casa 15 caediça et anciana que adiesso caye una partida de la casa et adiesso otra; et quando la una se repara o la adoban, la otra se desfaze.

[6] **Sénecha**. Item el mismo dize a los viellos, en la epístula lxxviii: Mueran en tú vicios o peccados antes que tú mueras, et dexa deliçios 20 suczios. Cuenta tus anyos, et ayas vergonya de querer lo que te solía plazer quando eras mancebo.

[7] **Sénecha**. Item el mismo, en la ***epístula*** lxxiiii: Estas deuen seyer obras de hombre viello, que non quiere lo que queríe quando era 25 moço, et que le plazia[241] bien morir.

---

6 agua] *om.* E, agua M, aygua VAB. **7** calástico maestro] E, calatafador o el maestro M, calafat VABC. **10** et] *om.* E, e MV, o AB. **14** sent[i]rá] sentra E. **19** *1er* tu] tus E, ti M, tu VAB. **20** cuenta] contra E, cuenta M M, nomena V, nombre A, nombra B. // querer lo] *om.* E, querer lo M, uoler co V, voler ço A, voler co B. // te] se E, te M, quis V, quet AB.

---

[240] Así da el ms. Podría pensarse que es error gráfico de *talásico* por la típica confusión *c/t* y adición de *t* (cf.el cat. *talàssic* y el cast. *talásico* 'marino, relativo al mar'). Mantenemos, sin embargo la grafía original porque parece haber cruce con *calafateador*. Así lo revela la lectura de todos los mss, VABC: *quant lo calafat uol adobar o calafatar*, y M: *quando el calatafador* [sic] *o el maestro quiere adobar o calafatar*. Sería incluso explicable como error gráfico por *calafat* o *calafato* (confusión *s/f* y *ti/a*), pero no las hemos encontrado. Por eso desechamos esta posibilidad.

[241] Forma aragonesa de *plazer*, presente de subjuntivo, 'plazca'.

[8] **Sénecha**. Item el mismo, en el lugar ya allegado: Que él se sfuerça de bien a uiuir antes de la su [154a] velleza por tal que muriesse bien. Porque aquell que no es atal es ninyo en sus costumbres. Del qual es scripto per Ysaýas, en el çaguero capítulo: Ninyo de C anyos morrá.

5

[9] ——. Item el mismo, en la xiii[a] ***epístola***, dize que los viellos se deuen studear de echar d'ellos mismos todos los acostumbrados deliçios deshordenados, et que comidan continuamientre en las culpas et en los deffallimientos que han cometido en el tiempo passado.[242]

10

[10] ——. Item el mismo en la ***epístola*** cx recompta las paraulas de Virgilio, et dize que aquel día es muyt noble et bendicho a los mesquinos mortales en lo qual les fuye la edat de la enfermedat et de tristor et de veyeza, et el lazerio de la vida dúrales d'aquí a la piedat de

15 la [154b] muert. Et síguese luego aquí que a los vieios fuyen bolando las meyores cosas et las peyores se allegan a ellos.

[11] ——. Item el mismo, en las ***Questiones naturales***, v[a] questión, a la çaguería, dize: Et pues qu'el vieio non finca sperança de vida,

20 inpossibla cosa es que la muert le sea luent; non finca sinon que studea bien a morir et en velleza complida, et bastant, et pleno de días con los padres santos. Et por tal que assín mueras deues fazer buena vida en tu iuuent et allegar de que viuas iustamientre et menos de peccado en tu veyeza.[243]

25

[12] **Vallerio Máximo**. Valerio, en el VIII[o] libro, dixo que fue demandado a vn viello que auía beuido C anyos, si quería biuir mucho, et dixo que hoc. Et demandáronle por qué. Et respuso que no auía cosa de que pudies- [154c] se acusar a su velleza.

---

1 sfuerça] sfuerca E. **4** çaguero] caguero E. **8** deshordenados] deshordeados E. // comidan] comidadan E. **14** el] del E, el M, lo V, ell A, el B. **15** fuyen] fuye E, fuyen M, fugen VAB. **19** çaguería] cagueria E. **22** Et] *om.* E, e MVAB. **23** iustamientre] iustramientre E.

---

[242] Fac. Es comentario de Juan de Gales que viene a continuación de unas citas de Séneca.

[243] Fac. Es comentario de Juan de Gales que viene a continuación de una cita de Séneca.

[58.] DE LA AMONESTACIÓN DE LOS HOMBRES QUE APLEGAN GRANDES ET MUCHOS MÉRITOS EN ESTA BREU ET POCA VIDA.

5 [1] **Eclesiast[és]**. El sauio ***Eclesiast[és]***, en el ix capítulo, dize: Lo que puede tu mano iustament obra. Et en lo xi capítulo: En la manyana siembra la tuia simient. Et aquesto por buena razón, porque es cerca la noche. Es a saber, la inpossibilitat de mereximiento después de aquesta vida.

10 [2] **Sant Paulo**. Sant Paulo, en la epístula ***ad Galatas***, capítulo çaguero, dize assín: Demientre auemos tiempo obremos buenas obras a todos.

[3] **Exemplo sobre aquesto, el qual puso Barlán**. Barlán recomta qu'el vnicornio fuyendo cayé en vn poço. En el poço auía vn árbor 15 et retúuolo. En [154d] la raíz de la qual vido duas ratas. La vna era negra et otra era blanca, et cauauan et comían la raíz de la yerba. Mas vido en la fondeça del poço vn dragón que era muyt terrible, que cobdiçiaua que se lo pudiesse comer et deuorar. Et vido que exían iiii cabeças de sierpes áspides[244] que lo querían estruyr. Et leuantó los 20 oios et vido en las ramas de la yerba que auía vna poca de miel, la qual exía de las ramas en que se sostenía. Et vidiendo las dichas cosas oblidó todos los dichos periglos et diosse de todo en todo a buscar la dicha miel que de las ramas exía.

---

5 Eclesiastés (*epígrafe*)] Eclesiastico E. // *2º* Eclesiastés] Eclesiastico EM, Eclesiastes VA, Ecclesiastich B. **17** fondeça] fondeca E. **19** áspides] a los piedes E, a los pies M, aspides VABC. // querían] queria E, querian M. **21** se] *om.* E, se M, ques VAB. **22** oblidó] obligo E, oluido M, oblida VAB.

---

[244] E dice: *sierpes a los piedes*. Como ya señaló Leslie, los mss catalanes traen: *serps aspides* (VAB; C incluso aclara: *serps appellades aspides*) fiel traducción del ***Communiloquium***: *quatuor aspidum capita*. Este no precisa la fuente, aunque todas las versiones contemporáneas latinas (Vitry 134, Voragine 180 y el *Speculum Historiale* 15.15 de Beauvais, así como la atribuída a Damasceno 12), traen esa misma lectura, frente al simple: *serpientes* de las contemporáneas castellanas (*Barlaam* y *Calila e Dimna*). Pero E transformó *aspides* en *a los piedes*, bien por interpretar libremente el pasaje, bien por influencia de Beauvais/Voragine (*super basem vero ubi pedes tenebat vidit quatuor aspidum capita*) o de la versión popular del *Barlaam* (*e catando...aquel fundamiento puesto so los pies, semejol que via quatro cabeças de serpientes*). Sobre aquella lectura aragonesa, M tradujo: *sierpes a los pies*, nueva prueba de su estrecha dependencia del prototipo aragonés.

[4] **Barlán**. Barlán adapta aquesta figura et dize que assín es de los peccadores, a los quales siegue la muert del vnicornio. Et el poço es el hombre e las ra- [155a] mas de la yerba en que se sostiene es la messura de la vida present que se asuela por dos ratas, la vna negra
5 et la otra blanca, es a saber, por el día et por la noche. Mas las iiii cabeças de sierpes son los iiii elementos, de los quales, si el vno senyoreaua, el cuerpo del hombre s'en deshordena e.s' dissolue. Mas el dragón qui los spera pora destruyr es el diablo. Mas la poca miel que deualla de las ramas de la yerba es la dilacción mundanal
10 o el peccado, el qual entierra[245] los peccados en los peccadores con toda su acffección, et la ora oblidan nos todas las otras cosas que se pueden seguir. A los quales dize el profecta: ¿Et por qué amades vanidades et buscades mentiras?

15 [5] **Sant Iohán euangelista**. Sant Iohán euangelista dize: Guardat aquí [155b] la noche en la qual ninguno non puede obrar. A exemplo de aquellos que obran de noche en las miesses, a los quales defalleçe el día et viene la noche con todo su sfuerço et cuellen sus manadas o sus garbas et fazen sus faxinas. Assín fazen todos los fieles en aquesta
20 defecçible vida: [allegar las faxinas de los méritos que han ganados en

---

2 poço] poco E. **3** hombre] nombre E, omme M, mon VAB. // las] la E, las M, los VAB. // sostiene] et *add.* E. **5** por el] porquel E, por el M, per lo VAB. **7** senyoreaua] seyoreaua E, sennoreaua M, senyoreia VA, senyoreye B. **9** dilacción] E, delectaçion M, delectacio VAB, dellactacio C. **10** entierra] E (*posible error por* encierca, *confusión* t/c *y* r/c), enganna M, encerquen VAB, enserquen C. **16** a] *om.* E, a MVAB. **18** todo] totodo E. **19** *1er* fazen] faze E, fazen M, fan VAB. **20** allegar...vida] E (*homoioteleuton*), allegar las façinas de los meritos que han ganado en la vida M, aiustar les garberes dels merits que han guanyat en la vida V, aiustar les garberes dels merits que han guanyats en la vida AB.

---

[245] Así dice el ms., pero la frase contiene dos falsas lecturas y una ampliación inadecuada. Los mss. cats. dan: *la erba es la delectacio mundanal e lo peccat, lo qual encerquen los perccadors ab tota lur afeccio* V y ABC con mínimas variantes; este texto es fiel traducción del ***Communiloquium***: *stilla mellis, delectatio carnalis, quam quidem acquirunt peccatores toto nixu*. En la versión de ***Rams*** apreciamos dos intromisiones del copista. En primer lugar *dilacción* es falsa intepretación de *dilección* (confusión *a/e*) y *entierra* es deformación de *encierca* (confusión *c/t* y *r/c*), fiel traducción del cat. *encerquen* 'buscan'. En segundo lugar, el copista cambió el sujeto *los peccadores* a complemento directo, añadiendo una explicación inexistente en cat.: *los peccados en los peccadores*. Convendría, pues, corregir así: *la yerba es la dilección mundanal o el peccado, el qual enciercan los peccadores*. No incorporamos la corrección porque la frase de ***Rams*** tiene sentido independiente, pero dejamos constancia de la manipulación del texto.

la vida] spiritual,[246] por tal que de aquéstos sea verificada la paraula del ***salmista*** en do dize: Los vinientes vendrán, es a saber, a la eglesia celestial aduziendo faxina de buenos méritos con grant alegría.

5 [59.] [DE VERDADERA ET DEUOTA ORACIÓN.][247]

[1] **Grisostomus**. Grisostomus, ***sobre Sant Matheo***, capítulo xxii, dize que assín es de la oración [como es de la respiraçión.] Porque assín como todos tiempos hauemos menester la respiraçión, assín
10 todos tiempos auemos menester oración. Et si non possidimus [155c] de Nuestro Senyor Dios muchos bienes, nuestra es la culpa et somos sin toda scusa. Porque la oraçión es semblant a la cadena de fierro qui cuelga de la piedra et sta fincada en alto, et hombre sube por aquélla. Assín sube el hombre a Dios por oración. Porque Ihesu
15 Christo es la piedra firma allí en do la oraçión sta firmada.

[2] **Grisostomus**. Item el mismo, en el ***sermón de la IIII domínica de la quaresma***, recomta et dize que Iulián apósteta enbió vn diablo a las partidas orientales por tal que li aduziesse respuesta de las nueuas de aque-
20 llas partidas. El qual diablo passó sobre vn lugar en do estaua Pluina[248]

7 *2º* Grisostomus] Grisostonnus E. **8** como...respiraçión] E (*homoioteleuton*), com es de la respiracio VAB. **13** alto] E (*posible homoioteleuton sobre un texto ya abreviado. M no recoge este pasaje*) segons que diu sanct dionis en lo libre dels diuinals noms en lo iii capitulo car axi com munta lom per la cadena de ferre o per la corda fermada en alcuna pedra fermada que sta en alt *add.* VB, axi com diu sent dionis en lo libre dels diuinals noms en lo terç capitol car axi com munta lo hom per la cadena de ferre o per la corda fermada en alguna pedra qui sta en alt *add.* A. **20** Pluina] E (*fort.* Pluuia), Publio M, Poblia V, Publica A, Publia B.

[246] E dice: *assín fazen todos los fieles en aquesta defecçible vida spiritual*, lectura que podría inducirnos a pensar que el autor resume el original. Sin embargo, una mirada más crítica revela la contradicción que entraña el sintagma: *defecçible vida spiritual* y la mención inesperada de: *buenos méritos*. Por eso creemos que se trata de un auténtico homoioteleuton. Sin embargo hemos constatado en ***Rams*** un hecho que se repite con perturbadora frecuencia: el gran númenro de saltos de igual a igual. Cada vez que se presenta la oportunidad el copista cae en la trampa. ¿Es indicio de copia apresurada o reflejo de intentos desafortunados de *abreviatio*? Por lo general creemos que se trata de saltos involuntarios, pero dejamos constancia de su inusitada frecuencia.

[247] El manuscrito omite el título de este capítulo. Lo tomamos de la tabla inicial.

[248] Es la historia del monje Publius, como se cuenta en las ***Vitae Patrum***, parte VI, Verba seniorum, libelo 2, § 12, que, con sus oraciones, detuvo al demonio, enviado por Juliano el apóstata al oriente (PL 73, 1003). La referencia a Crisóstomo es fac, basada en la ***Suma de col.lacions***.

monge et fazía oración. El demonio, pues que fue [delant el monge, fue] assín firmado que no pudo passar d'aquí adelant, et el monge continuando su oraçión por x días. Assín como la huuo acabada, [155d] el demonio torná[249] a Iulián apósteta. Et non cunplió la misagería que le
5 auía comendada, et díxole: Sapias, Iulián, que no he podido acabar la missagería que me acomendastes por tal como vn monge fazía oración et stuuo x días en la dicha oraçión et retúuome et áme tenido enbargado, que [no] pudié complir la dicha missagería. Et la ora Iulián apósteta menaçá al monge et en pocos días el apósteta murió a mala muert.
10

[3] **Sant Gregorio**. Sant Gregorio, en el XXIII libro de los ***Morales*** dize que verdaderamientre oración es ressonar gemectos amargos et non paraulas conpostas. Item deue hombre star en la oración boluido el coraçón de las otras cosas creadas terrenales et mundanales, et
15 cometiéndolo todo a Nuestro Senyor Dios.

[4] **Sant Gregorio**. [156a] Item el mismo, sponiendo la paraula de Iob que dize: *¿quién me dará oydor por tal qu'el muy poderosso oya aquesto que yo le diré?* ***Iob*** xxxi capítulo, Sant Gregorio, en el XXII libro de los ***Mora-***
20 ***les*** dize que verdadera postulación o demanda es no en las vozes de la boca mas en las santas cogitaçiones del coraçón. Porque las paraulas non fazen más regias o liugeras las orellas de Dios a oyr, mas los desseos.

[5] **Moysés**. Scripto es de Moysés, en el xiiii capítulo ***Exodi***, que Nues-
25 tro Senyor le dixo: ¿Qué cridas a mí? Di a los fillos de Isrrael que vayan adelant, et tú leuanta[250] tu verga et estiende tu mano con iusta oración.

---

1 delant el monge fue] *om.* EM (*homoioteleuton*), endret lo monge fon V, endret del monge fo A, endret del monge fo B. **4** torná] E, torno M, torna VAB. // Iulián] Iulia E. **8** no] *om.* E, no VABC. // Iulián] uílian E (*con signo diacrítico sobre la* í). **9** menaçá] E, amenazo M, menaça V, menassa A, menaza B. // et] *om.* E, e M, mas VAB. **20** vozes] vezes E, ueus V, veus AB. **24** xiiii] xiii E, xiiii VAB. **26** leuanta] venanca E, leua VAB.

---

[249] Esta forma *torná*, lo mismo que *menaçá*, más abajo, son pretéritos catalanes.

[250] Los errores de lectura de esta palabra revelan el extremo descuido o incomprensión del original por parte del copista. E da claramente: *venanca*. Esta palabra no tiene sentido. Leslie supone que quizá se trate de *enantar* 'go ahead' [ir adelante] o *leuantar*. En efecto, los mss catalanes traen: *leua*, justa traducción del latín: *eleva*. Creo que el prototipo aragonés decía: *levanta*. Las confusiones *n/u* y *c/t* son típicas de E. A ellas habría que añadir el cambio de *l* a *v* por influencia de la cercana *verga*.

[6] **Sant Matheo**. Sant Matheo en el suyo ***euangelio***, en el vi capítulo, recomta et dize: Quando farás oraçión [entra] en el secreto de la tu cambra et [tanquarás las puertas de la cambra o] de los v sesos corporales, rogando a tu [156b] padre çelestial,[251] et
5 tu padre, que vedrá que tú assí secretament lo ruegas, darte á lo que tú le demandas.

[60.] DE LA CONCIENCIA[252] ET PENSSAMIENTO DE LA MUERT.

10 [1] **Eclesiastiçi**. El sauio ***Eclesiástico***, capítulo vii°, dize: Miénbrete las tuyas cosas çagueras et iamás no peccarás.

[2] **Eclesiast[és]**. Item el mismo, capítulo ix, dize: Si muchos anyos aurás beuido, tú hombre, et en todas estas cosas serás estado alegre,
15 remembrado le deue del tiempo tenebroso et de los muchos días, los quales, quando serán venidos, las cosas passadas serán argüidas de vanidat.[253]

2 entra] *om.* E, entra VAB. **3** tanquarás...cambra o] *om.* E (*homoioteleuton*), o de la consciencia e tanquaras les portes de la cambra V, o de la consciencia e tancaras les portes de la tua cambra AB. **4** v] v° E. **8** conciencia] continenencia E, consciencia e memoria V, conciencia e memoria B, continua memoria ACM. **13** Eclesiastés] Eclesiastiçi E (*por influencia del epígrafe anterior, pero en el cuerpo de la autoridad se lee* Ecclesiastes VA, Eclesiastico M, Ecclesiastich B). // anyos] *om.* E, annos M, anys VAB. **14** tú] EM, lom V, lo hom AB. // et] *om.* E, e MVAB. **15** et] *om.* E, e MVAB. **16** venidos] venidas E, venidos M, vengudes V, venguts AB.

[251] E da: *quando farás oraçión en el secreto de la tu cambra et en los v sesos corporales rogando a tu padre celestial*, deja el sentido incompleto, claro indicio de homoioteleuton, que restituimos con M y los mss catalanes.

[252] El ms. da: *continenencia*. Esta grafía se ha interpretado, por repetición, como *continencia*, pero tiene poco sentido. También podría leerse *contuienencia*, error por *conuinencia*, pero requeriría cambiar *et* por *del*. La consulta de la ***Suma de col.lacions*** (7.1.4) nos da el siguiente título: *De la consciencia e memoria e pensament de la mort* VB y *De la continua memoria e pensament de la mort* CM y, con variantes, A. Estas lecturas sugieren que el copista de ***Rams*** empezó a escribir *continua* pero terminó con *consciencia*. Podríamos restituir las dos palabras, pero la cercanía ocasional de ***Rams*** con V nos lleva a adoptar la lectura de éste último.

[253] La primera parte de esta autoridad tiene, como M, estilo personal; en cambio la segunda revierte, como en los mss catalanes y la fuente latina, al estilo impersonal.

[3] **Eclesiast[és]**. Item el mismo, en el v capítulo, dize: Assí como todo snudo [es salido el hombre de su madre, así todo snudo] se tornará allí, et del traballo que aurá auido en aquesti mundo no se adurá ninguna cosa.[254]

5

[4] **Gregorius**. Sant Gregorio, en el IX libro de los ***Mora-*** [156c] ***les***, exponiendo la paraula scripta en lo ***Eclesiástico*** que dize: *remiémbrate de la muert* etc., dize assín: Como la culpa temta la nuestra ánima, necessaria cosa es que guarde la ánima la breuidat de la suya
10 delectaçión, por tal que la dicha culpa non la arrappe a la viuacitat de la muert por su iniquitat.

[5] **Gregorio**. Item el mismo, sobre la paraula de Iob, en el XXI libro de los ***Morales***, a la çaguería, dize: Quando viene que[255] es la grant
15 tempestat en su poder et las hondas se leuantan et se inflan poderosamientre, los marineros que van por la mar no han cura de ningunas cosas temporales, et ninguna dilección de la carne no biene al alma; et todas las cosas menospreçian tan solamientre por amor que hombre pueda scapar de la muert et pueda beuir.

---

1 Eclesiastés] Eclesiastiçi E (*por influencia del epígrafe anterior, pero en el cuerpo de la autoridad se lee* Ecclesiastes VA, Eclesiastico M, Ecclesiastich B). // v] xv E, v MVAB. **2** todo snudo] es finido todo E, todo desnudo M, tot nuu VAB. // es salido...snudo] *om.* EM (*homoioteleuton*), es exit lom de sa mare axi tot nuu VAB. **3** en aquesti mundo] como daquesti mundo E, commo de aqueste mundo M, en aquest mon VAB. **10** viuacitat] varietat E, biua çibdat M, uiuacitat VAB. **15** tempestat] tempesdat E. // leuantan] leuantan tan E. **17** biene] bien E, viene M. **18** cosas] et *add.* E.

---

[254] E da aquí un texto que revela tanto las deturpaciones con que el copista oscurece el original como la estrecha relación entre E y M. Dice así E: *Así como es finido, todo se tornará allí, et del traballo que aurá auido, como daquesti mundo, no se adurá ninguna cosa.* M trae una versión prácticamente igual; dice: *Asý commo todo desnudo se tornará allí, e del trabajo que aurá auido, commo de aqueste mundo, no se averá cura del mundo.* Pero la versión de E, aparentemente correcta, tiene tres errores que conviene subsanar a la vista de los mss. En primer lugar *finido* es una falsa lectura del original *snudo*, causada por la confusión de la *s* larga y la *f*, y el cambio *nu* a *ini*. En segundo lugar, si se compara el texto de EM con los mss catalanes se aprecia un salto debido a la repetición *nuu...nuu*. Véase la frase entera: *axi com tot nuu es exit lom de sa mare, axi tot nuu sen tornara alli* (V). En tercer lugar EM cambian la preposición *en* de la frase catalana: *en aquest mon* a *como*, dando: *como daquesti mundo*. No hemos dudado en introducir las correspondientes correcciones en E.

[255] Expresión impersonal, calco de la frase catalana *quant ve que* 'cuando ocurre que'.

[156d] [6] **Sénecha**. Sénecha, en la ***epístula*** xxvii, dize: Pienssa en la muert. Quasi que diga: Aquesta vida que faga liberalmientre.[256]

[7] **Sénecha**. Item el mismo, en el III° libro ***De las cosas naturales***,[257] qua-
5 si en la fin, dize: Et ¿por quién te das ira o te ensanyas con tu mancebo? Sostienlo vn poco et verá que la muert que viene uos fará star eguales.

[8] **Gregorio**. Sant Gregorio, en el XII libro de los ***Morales***, sobre la paraula de Iob que dize, en el xv capítulo: *el nombre de los anyos es*
10 *incierto a los tiranos del mundo* etc., Sant Gregorio, exponiendo la dicha paraula, dize: Et deuen star aparellados assín como a ministros assistentes en piedes deuant del rey.[258]

[61.] [DE DIGNIDAT DE SAUIEZA][259]

15

[1] **Grisostomus**. Grisostomus,[260] en el libro IIII, en la vª ***omelía***, dize que ninguna cosa por poca que fu- [157a] esse, los gentiles no la fazían

---

2 quasi...liberalmientre] E, quasy que diga aquesto manda que faga liberalmente M, car qui diu aço mana perpensar libertat VAB. **6** viene] et *add.* E. **8** de los Morales] *om.* E, de los Morales M, dels Morals VAB. **9** capítulo] capitulo *iter.* E. // anyos] E, annos M, anys VC, sants AB. **11** dize] *om.* E, dize M. **12** assistentes] assistents E (*podría tratarse de un catalanismo*). **17** la] las E.

---

256 Mantenemos esta forzada expresión por su semejanza con la lectura de M: *quasy que diga, aquesto manda que faga liberalmente*. Ambas son adaptación libre del texto catalán: *perpensat en la mort. Car qui diu aço mana perpensar libertat* (V), traducción bastante fiel del texto de Séneca: *Qui enim hoc dicit meditari libertatem iubet*. Las variantes de las otras versiones revelan una relación significativa, así AB dicen: *en la mort. Car qui* (A *om. qui*) *diu aço mana perpensar libertat*; mientras que C, que generalmente concuerda con V, trae: *Pensar della mort es perpensar libertat*. En vista de esto, quizá convendría restituir esta probable versión del prototipo aragonés: *Quar qui dize aquesto manda que faga liberalmientre*, aunque son demasiados cambios.

257 Corresponde en realidad a ***De ira*** III.43.1, aunque el ***Communiloquium*** y todos los mss de la ***Suma de col.lacions*** dan *Libre de les coses naturals*.

258 Estas palabras, atribuidas a San Gregorio, son en realidad fac, pues corresponden al comentario de Juan de Gales.

259 El ms omite el título de este capítulo. Lo tomamos de la tabla inicial.

260 La cita corresponde en realidad al ***Policraticus*** 4.6, pero el error estaba ya en la ***Suma de col.lacions***, donde se redactó esta autoridad de manera confusa, atribuyendo el ***Policraticus*** a San Juan Crisóstomo. Dicen VAB: *Ab quanta reuerencia la preauen los gen-*

menos de senyales. Vna cosa empero fazían estar mayor et más alta. Dizen que es grant et dios de los dioses. Aquésta es sauieza. Como a todas las cosas es apelada. Onde los philósophos antigos la ymagen de sauieza fazían pintar a las puertas de los templos.

5

[2] **Libro de Sauieza**. Scripto es en el ***Libro de Sauieza***, capítulo viii°, qu'ell sauio proposa o delant posa sauieza a los regnantes et las cadiellas. Et he dicho que las riquezas non son nada en su comparación, ni li e[261] comparado piedra preciosa. Porque el oro en su con-
10 paración no es sino arena exuta, et el argent es lodo en esguart de aquélla. Et dize el sauio: Yo la he amada sobre la salud corporal et sobre la belleza, et éla posada delant assín como la lumbre clara, porque [157b] la suya lumbre no se puede adormir. Et todos los bienes me son venidos con ella, et por las suyas manos es venida la hones-
15 tat sin conto. Et some alegrado quando me yua adelant aquesta sauieza. Et yo non sauía que fues madre de todos bienes. La qual yo aprendí sin ninguna falsía et sin ayuda la fazen comuna. Et la amostraré et non la ascondré la suya honestat. Porque infinido trasoro es a los hombres, et aquellos que la vsan son partiçipantes en la ami-
20 gança de Dios.

[3] **Libro de Sauieza**. Item aquí mismo es scripto, capítulo vii: Desseo seso et esme dado, et crido et esme venido spíritu de sauieza.

---

2 et] a E, e VAB. **3** apelada] E, proçeder M, prelada VBC, prelada e preposada A. // onde] de E, onde M, en V, on AB. **7** et] *om.* E, e VAB. **8** he dicho] E, he dit V, dich AB. **9** ni li é] ni he E (*confusión* li/h), ni li he VA. **10** sino] suyo E, sino VAB. // esguart] esguat E, esguart VB, sguard A, sguart C. **15** conto] tanto E (*lectio facilior*), compte VA, comte B. **17** ayuda] E, envenya V, enveya AB. // fazen] faze E, fan V, faç A, faz B. **19** que la] que E, quil V, qui la A, quill B.

---

tils diu Sent Grisostom, en [sic, no *e*] *lo libre IIII Policraton, en la vi*ª *omelia, que nenguna cosa, per poca que fos, los gentils no fahien sens senyal*.... M parece haber corregido el pasaje y da correctamente sólo: *Policratico*.

[261] El ms. dice: *ni he comparado*, pero probablemente ese *he*, gráficamente muy claro, es confusión (*h/li*) por *li é* 'le he'. En efecto, la frase es calco del cat.: *ne li he comparat pedra preciosa* VA y BC, con variantes. M abrevia. Es la solución que adoptamos. Pero si se tiene en cuenta que *comparar* en ***Rams*** siempre lleva *a*, podría también corregirse: *ni [la] he comparado [a] piedra preciosa*. Este es el sentido, pero el calco de ***Rams*** nos lleva a preferir la primera corrección.

[4] **Libro de Sauieza**. Item el mismo, en el dicho libro, en el capítulo viiiº: Aquésta he amada et ençercada de la mía iu- [157c] uentud ent'acá,[262] et demandéla et fue mía sposa. Et por esto es dicha filosofía, que quiere dezir amador de sciençia, et su amador es dicho filósofo.
5
[5] **Salamón**. Salamón, en los ***Prouerbios***, en el capítulo iiiº, dize: Más vale el guanyo de la sçiençia que no faze lo de la mercadería del oro ni de la plata.

10 [62.] DE LA INFORMACIÓN DE LOS ADUOCADOS EN COMÚN.

[1] **Libro de los Reyes**. En el ***Libro de los Reyes***, capítulo ii, es scripto de Acap[263] el qual era rey. Et por falsso testimonio et falsso iudiçio, con tractamiento de Iesabel, muller suya, tiró la vida et la vinya a
15 Naboth. Et Dios enbióle a dezir tales menaças: Tú has muerto o as feyto matar en esti lugar a Naboth en do los perros han laminado la sangre de Naboth. La tu sangre laminarán perros et combrán la carne de Gesabell, mugi- [157d] er tuia, la qual ha tractado esti peccado.

20 [2] **[Ester]**.[264] Item en el libro ya allegado, capítulo viii, dize: Amán quería destruir los iudíos iniustamientre et acusar con el rey. Et, antes

3 ent'acá] et cata E, e busque M, a enca V, a ença A, a en za B, a en sa C. // filosofía] flosofia E. **7** sçiençia] E, sauiesa VB, sauiea A. **12** capítulo] capitul E. **13** *2º* falsso] florecio E, falso M, fals VAB. **14** la vida et la vinya] E, la vinna M, la uida V, la uinya AB. **15** Naboth] Naboch E (*confusión* c/t). **16** Naboth] Naboch E (*confusión* c/t). **17** Naboth] Naboch E (*confusión* c/t). **20** Ester (*epígrafe*)] *om.* E (*espacio en blanco para el epígrafe*). **21** iudíos] iudiçios E, iudios M, iuheus V, iueus AB. // acusar] EMV, acusals AB.

---

[262] E lee: *et cata* y M: *e busque*, lecturas erróneas que revelan origen común. Los mss catalanes dan: *a ençà* 'hasta aquí'. Con este texto referencial es fácil suponer que la frase original decía: *entacá*, combinando la preposición aragonesa *enta* y el adverbio *acá*. Sobre esta base, un copista inexperto, confundiendo *c* y *t*, creó la expresión *et cata*. Sobre este espurio *cata*, M tradujo: *e busque*, traducción de *catar* que usa en otros lugares. Esto implica que el error estaba ya en el prototipo aragonés que sirvió de base a E y a M.

[263] Se trata de Achab, rey de Samaria, que quería comprar la viña de Naboth. Éste se la negó. Entonces Iezabel, para apoderarse de la viña, acusó con falsedad y condenó a muerte a Naboth.

[264] El ms deja espacio en blanco porque el compilador creyó que pertenecía a la misma autoridad anterior, es decir, al ***III Libro de los Reyes*** (***I Samuel***). Sin embargo, todos los mss (MVAB) atribuyen el pasaje correctamente a Ester (7.10).

que huuiesse complido el mal que s'auía penssado, él fue enforcado por ello.[265]

[3] **Tullio**. Tullio, en el IIII libro ***De offiçios***, capítulo xviii, dize que
5 costumbre fue antiguamientre que aquéllos a quien cruxían los dedos quando se ferían en los dedos podía seyer heredero en los bienes de alguno otro que non cruxiessen los dedos quando present era al testamento de aquéll, et deuía auer su riqueza et el su nombre. Yo, dize Tulio, te conssellio que no vses de aquesta força. Porque esto es
10 cosa iniusta, et ninguna cosa no es buena ni prouechosa ni deue seyer fecha iniusta. Et pone exiemplo, [158a] capítulo xix: Iamás buen hombre non toma ninguna cosa en periudicio del otro iniustamientre, porque non sería buen hombre. Más quiere conseruar buen nombre et buena fama, que occupar los bienes de los otros, sabiendo que más
15 perdría si tomaua aquelos bienes que non ganaría. Porque perdría su buena fama, que es millor que non son los bienes temporales, et perdría fe et lealdat et buena conçiençia et iustiçia, et sería maldicho. Et esto es exemplo en el ***Libro de los Reyes***.

20 [63.] DE LEALDAT MENOS DE TODO DEFALLIMIENTO.

[1] **Paulus**. Sant Paulo, en la ***primera epístola ad Corinthios***, capítulo vi, dize, reffermado, lo que deius dize quanto a la fe et a la lealdat matrimonial posada por Hugo de Sant Víctor.

25

[158b] [2] **Hugo de Sant Víctor**. Hugo de Sant Víctor, II° libro ***De los sagramientos***, en la XI part, capítulo vi°, dize que tres son los bie-

---

2 ello] E (*posible error por* cuello), garganta M, coll VAB. **4** dize] *om.* E, dize M, diu VAB. **5** quien] quie E. // dedos] percentage dededos E. **7** cruxiesen] truxiessen E (*confusión* c/t). **8** testamento] testimonio E, testamento M, testament VAB. // Yo] no E, yo MVAB. **9** força] forca E, fuerça M, forca V, força A, forsa B. **10** iniusta] iusta E, iniusta MVAB. // cosa] iniusta *add.* E. **11** fecha iniusta] E, fecha que sea iniusta M, fet que sia iust V, fet iniust AB. // pone] deue E, pone M, posa VA, possa B. **12** periudicio] precio E, periudizio M, periudici VB, preiudici A. **14** bienes] buenos E, bienes M, bens VAB. **24** posada] posada *iter.* E.

---

[265] Probable confusión con *por el cuello*. Todos los mss catalanes traen: *per lo coll* (VAB) y M da una traducción equivalente: *por la garganta*.

nes primcipales de matrimonio, es a saber: fe, lealdat, et sperança de auer fillos, et sagramiento. La fe et la lealdat: ésta deue seyr atal que el marido non se allegue carnalmientre a otra mugier carnal sino a su mugier, ni la mugier a otro hombre sino con marido.

5

[3] **Hugo de Sant Víctor**. Item el mismo, en el lugar ia allegado, capítulo iiii°, dize que matrimonio fue stablido antes qu'el hombre peccasse.

10 [4] ——. Item el mismo, en el lugar ya allegado, dize que cada uno deue tener et catar al otro fe et lealdat firmamientre. Porque el hombre no ha poder suso de su cuer- [158c] po sino la mugier, ni la mugier no ha poder de suso de su cuerpo sino el marido.

15 [5] **Vallerio Máximo**. Valerio Máximo, faulando de la fe de la mugier, en el libro XI, capítulo vii, dize que Vulperia,[266] muger, como ella fuesse catada por su madre, que la amaua muyt dulçamientre, que non siguesse su marido, el qual era encartado, fuess'ende en Ceçilia. Et avn menos d'esto, ella camió las vestiduras, et con dos moças et
20 dos scuderos fuesse escondidamientre a su marido, et non repuyó de seyer encartada por tal que lealmientre seruiés su marido.

[64.] DEL AMOR QUE DEUE SEYER ENTRE MARIDO ET MULLER.

25

[1] **Paulus appostolus**. Sant Paulo, ***ad Effesios***, capítulo v°, dize: Maridos, amat uuestras mugeres assín como Ihesu Christo ha amada [158d] la eglesia.

---

3 a su] assu E. **7** fue] *om.* E, fo VA, fou B. **8** peccasse] et fue dado *add.* E. **12** su] *om.* E, su M, son VAB. **16** Vulperia] E, Vlpiçia M, Vlpicia VAB, Sulpicia Ven. **17** dulçamientre] dulçamienmientre E. **7-19** con...scuderos] E, con dos ançillas o mugeres seruientas M, ab dos siruentes V, ab dues seruentes e ab dos seruents AB. **23** amor] amar E (*en la tabla inicial* amor).

---

[266] Se refiere a Sulpicia que, contra los deseos de su madre Julia, fue a Sicilia donde estaba proscrito su marido Lentulus Cruscelio (Léntulo Cruscelión) (Valerio VI.7.3).

[2] **Vallerio Máximo**. Valerio, en el IIII° libro, capítulo v°, recomta et pone vn exemplo et dize que Gracus[267] falló ii sierpes o culebras, vno masclo et otra femella, aplegados et matrimonialmientre, et tomólas et fues d'en a los adeuinos et demandó qu'ende faría. Et
5 dixiéronli que si lexaua yr la culobra que era masclo, la femella morría;[268] et si lo fazía, a poco tiempo mordría la muller del dicho Gracus et mataría la muger. Et si'n lexaua ir la colobra femella, mordríalo, et a poco tiempo matarlo ía a éll. Et el buen hombre quería tanto su mullier que más quería que muriesse éll que si la mugier
10 muriesse. Et dexó yr la culebra femella, la qual lo mordí delant su mugier, del qual muersso él murió. Et dize Valerio: Non sé qué me diga de la mugier, na [Cornelia], o [159a] si li diga benastruga, por tal como uvo tan buen marido, et malastruga por tal como lo perdió.[269]

---

2 Gracus] Gratus E (*confusión* c/t). **4** et demandó] *om.* E, e demanalos V, e demana B. **5** la femella morría] *om.* EV, la femella morria A, la femella morrie B. **7** Gracus] Gratus E (*confusión* c/t). **10** femella] masclo E, femella VA, femela B. **12** Cornelia] malastruga E, Cornelia V, Cornella A, Corneylla B, Cornalina C. **13** et] E, o VAC, e B. // malastruga] malastrugo E, malastruga V, malstruga C, desastruga AB. // lo] la E, lo VABC.

---

267 Es el caso de Tiberio Graco y su mujer Cornelia. Ver Valerio Máximo IV.6.1.

268 Pasaje confuso ya en las diferentes redacciones de los mss. catalanes. AB dicen: *E dixerenli que lexas anar la serp masculina, en altra manera la femella morria; e si ho fahia...* Pero V da solamente: *E dixerenli que anar lexas la serp masculina; e si ho fahia...* E tiene una lectura semejante a V, aunque introduce una prótasis, *si lexaua*, que sólo aparece en C. Este ms. no sirve para la corrección porque abrevia mucho. Así dice E: *E dixéronli que si lexaua ir la culobra que era masclo; et si lo fazía...* Pero la prótasis *si lexaua* implica la apódosis *la femella morría* que sólo aparece en AB, aunque en estos mss. no va precedida de una oración condicional. Adoptamos, sin embargo, esta solución porque E frecuentemente suprime texto. Con la inclusión de la apódosis en esta primera oración condicional, se obtiene un paralelismo sintáctico con la oración siguiente, rasgo que, si bien está ausente de la fuente, intentaba producir el compilador de este pasaje.

269 La última frase tiene en el ms una lectura contradictoria que revela modificaciones del compilador o copista. Dice E: *No sé qué me diga de la mugier, na malastruga, si li diga benastruga, por tal como uvo tan buen marido, et malastrugo, por tal como la perdió.* Hay en esta versión dos cambios. En el primer caso, adelantándose a la calificación moral de la mujer, la llama *malastruga*, en vez de *Cornelia*, como traen los mss catalanes, lo cual le lleva a una repetición perturbadora. En el segundo, para paliar esa repetición, E aplica, incongruentemente, la última caracterización moral al marido: *malastrugo*, en vez de referirla a la mujer, como dicen correctamente los mss catalanes: *malastruga* [*desastruga* AB] *per tal com lo perdé* (VC). M no trae este pasaje. Corregimos con V.

[65.] DE LA INSTRUCIÓN DE LOS NOBLES QUE NON SE DEUEN GLORIAR.

[1] **Eclesiastiçi**. El sauio ***Eclesiástico***, capítulo x, dize: Cada uno noble ergulloso o tierra o çeniza ha de tomar. Pues ¿por qué te gloriegas?

[2] **Sénecha**. Sénecha, en la ***epístola*** xlx[a], dize que aquéll verdaderamientre es de grant parage el qual naturalmientre es bien compuesto et virtuoso de buenas costumbres et virtuosas.

[66.] DE LA INSTRUCCIÓN DE AQUELLOS QUE NON PUYEN A ESTAMIENTO DE BIENAUENTURANÇA.

[1] **Sant Paulo apóstol**. Sant Paulo, ***ad Ebreos***, capítulo xii, dize que Dios castiga aquéllo que ama et bien quiere.

[2] **Sénecha**. Sénecha, en el III[o] libro [159b] ***De ira***, dize que assín como los dardos que fieren en cosa dura surten, et assín como cosas duras et firmes son feridas con dolor de aquellas que las fieren, assí el coraçón del hombre virtuoso [non es tanydo ni agreuiado por iniuria que li sea fecha o dicha, por tal como la iniuria es más flaca que el coraçón del hombre virtuoso];[270] porque el coraçón no puede seyer ferido por ella. Porque assín como la más alta parte del mundo, la qual es más cerca del cielo estrellado, non se turba ni suffre tempes-

5 çeniza] sauieza E, çenisa M, cendre A, cendra B. **7** aquéll] que *add.* E. **12** bienauenturança] bienauenturanca E. **15** et bien quiere] E, e bien quiere M, *om.* VAB. **18** que] *om.* E, que M, quan VB, qui A. // cosa] cusa E, cosa MVAB. // et] *om.* E, e MVAB. **19** dolor] dolo E, dolor MVAB. **20** non es tanydo...hombre virtuoso] E (*homoioteleuton*), non es tannido nin agrauiado por iniuria que le sea fecha o dicha por tal commo la iniuria es mas flaca que el coraçon del omme virtuoso M, no es tochat ni agreuiat per iniuria que li sia feta o dita per tal com la iniuria es pus flaqua quel cor del virtuos V, no es tocat ni agreuiat per iniuria que li sia feta o dita per tal com la iniuria es pus flacha quel cor del home virtuos AB. **22** no] *om.* E, non M, non VAB. **23** la más alta parte] la mar alta pareçe E, la mas alta parte M, la sobirana part VB, la subirana part A.

[270] E omite todo el texto entre corchetes. La omisión podría justificarse por un intento de resumir, que a veces se aprecia en el compilador de ***Rams***. Sin embargo, el hecho de encontrarse en un pasaje lleno de repeticiones y que aparezca en todos los mss catalanes y castellano nos ha llevado a incluirlo.

tat quando las partidas iusanas del mundo sufren lánpades et truenos et tempestat, assín mismo el coraçón alto es firme todos tiempos et allogado[271] en reposo, en tranquilitat et en paz. Porque conclude et dize que non puede seyer fecha iniuria a hombre sauio et firme, et
5 pone exemplo que se sigue.

[3] **Exemplo puesto por Sénecha**. Lo rey Dometrio thomó aquella çiudat la qual [159c] hauía nombre [Megara, e aquí auía un sauio, el qual auía nombre] Sabón,[272] el qual auíe grandes riquezas que auía
10 por su patrimonio, las quales riquezas tomaron todos aquellos que prendieron la ciudat. Et como el sauio esti fuesse interrogado si auía perdido res en la presón de la çiudat, dixo et respondió que no cosa: Porque lo que mío es lieuo et trayo con mí mismo. Porque el patrimonio aquéll non lo tenía por suio, antes dixo que era partida de la
15 ciudat. Los enemigos s'en hauían aducho sus fillos, la çiudat era venida en mano estranya, et por todo esto el non se tenía por vençido, antes dizía que no auía recebido danyo, porque él auía con sí mismo bienes verdaderos, et lo que era desipado[273] et perdido non iutgaua que fuesse suyo, antes entendía que fuessen cosas perdidas et subi-
20 [159d] etas a la fortuna, la qual adiesso va et adiesso viene, porque él no quería tales cosas por amar assín como a cosas proprias suyas.

---

3 allogado] agollado E, allegado M, alogat VB, allogat A, alloguat C. **7** Dometrio] E, Demetrio M, Demetri VA, Domeri B. **8** Megara...nombre] *om.* EM (*homoioteleuton*), Megia en la qual hauia I saui philosoff qui hauia nom V, Degera e aqui hauia vn gran philosof qui hauia nom A, Megera e aqui habie vn gran philosof qui habie nom B. **9** Sabón] E, Salon M, Stibon V, Stiho AB, Estilbon C, Seiphon Ven. // el qual] la qual E, en la qual M, qui V, lo qual ABC. **12** cosa] EM, res VAB. **15** hauían] hauia E. **17** dizía] dizias E, dize M, dehia VA, dehie B. **18** desipado] deserpado E, desipado M, disipat V, dissipat A, dicipat B.

---

[271] E da: *agollado*, metátesis de *allogado* 'colocado'. Leslie, aunque admite la posibilidad de la metátesis, prefiere la forma *agollado* 'constante' 'tranquilo', para lo cual aduce abundantes testimonios del catalán antiguo *agolar* < *aequaliare*. Sin embargo, todos los mss corroboran la existencia de la metátesis por *allogado* < *allocatus*, fiel traducción del *collocatur* del texto latino. En efecto, VB dan: *alogat*, A: *alogat*; incluso el error de M: *allegado* confirma la metátesis de E.

[272] Es el filósofo Stilbon. ***Rams*** atribuye a la ciudad el nombre del filósofo, indicio de salto.

[273] E da: *deserpado*. Leslie y el ***Lexicon*** relacionan este participio con el castellano antiguo *deserpiar* 'podar'. Velasco lo deriva del latín *diripere* 'arrebatar'. Creemos que se trata de un error de copia, como ya supuso Leslie, por *desipado* o *disipado*. Lo corroboran todos los mss: *disipat* (V), *dissipat* (AC), *dicipat* (B), *desipado* (M), que traen el mismo doblete. No dudamos en corregir.

[67.] DE LA INFORMACIÓN DE AQUELLOS QUE SON EN EL PRIMERO GRADO DE CLEREZÍA, LOS QUALES SON DICHOS HOSTIARIOS, QUE QUIERE DEZIR PORTEROS DE LA EGLESIA.[274]

5 [1] **Isidorus**. Isidorus, en el VII° libro de las ***Interpretaçiones***, capítulo xii, dize, assín mismo, item el Maestro de los Decretos, XXI^{a} distinción, en el capítulo *Cleros*, quasi en la çaguería, et dize: Son los porteros, los quales en el ***Viello Testamento*** eran esleydos a guardar el templo et la puerta de aquéll porque ninguna perssona que fuesse
10 sutzia por ninguno deffallimiento no entrasse de dentro del templo.

[2] **Sant Iohán euangelista**. Sant Iohán euangelista en su ***euangelio***, et son pa- [160a] raulas de Ihesu Christo, capítullo x°, dize assín: Aquell que no entrará en la casa de las oueyas, es a saber, de las pers-
15 sonas deuotas, por la puerta, aquéll es furtador et ladrón. Et por esto dize el mismo, en el lugar ya allegado: Yo son puertas. Ihesu Christo non puede seyer puerta, mas dízelo por tal como éllo es propriamientre puerta del çielo.

20 [68.] DE LA INSTRUCCIÓN DE AQUELLOS QUE SON EN EL II° GRADO DE CLEREZÍA, QUE SON APELLADOS LECTORES.

[1] **Isidorus**. Isidorus, en el VII° libro de las ***Interpretaçiones de los nombres***, capítulo xii°, et assín mismo el Maestro de los Decretos, en
25 la XXI ^{a} distinción, en el capítulo *Cleros* etc, dizen que lectores son dichos aquellos que predican a los pueblos lo que deuen seguir.

[2] **Isidorus**. Item el mismo, en el lugar ya allegado, dize que los lectores deuen leyer et pronunçiar las lecçiones [160b] en las mati-

1 información] informacio E. **6** Decretos] Secretos E, Decretos M, Decrets VA, Drets A. **7** Cleros] Clero E, Cleros MVAB. // çaguería] cagueria E. // son] *om.* E, son MVAB. **8** a guardar] *om.* E, a guardar MVAB. **13** dize] et dize E (et *espurio*). **23** VII] VI E, seteno M, VII V, VIII AB. **28** dize] *om.* E. **29** lectores] doctores E, lectores M, lectors V, lector AB.

[274] Para las autoridades de los capítulos 67-70, la ***Suma de col.lacions*** amplía el contenido del ***Communiloquium*** con citas tomadas del ***Rationale*** de Guilelmus Durandus, de San Isidoro, del ***Decreto***, de Pedro Lombardo, de Rábano Mauro, de San Jerónimo, etc.

nas, e avn deuen predicar al pueblo las profeçías, et lo que profecti-
zaron, claramientre et distinta.

[3] **Isidorus**. Item el mismo dize que a los lectores se pertenesce de
5 biendezir todos los nueuos fruytos. Et dize avn que los lectores son
recontadores de cantares. Et por esto, segunt que recomta el Maestro
de los Decretos, en la XXIIIª distinción, en el capítulo *Lector* etc.,
ordenó el papa Martín que ninguno non deue leyr en público ni cantar si ya el bispo no [lo ha ordenado lector. E quando el bispo] orde-
10 na el lector deue dezir al pueblo et fazer fe de la subtilitat et agudeza
natural et de la sciençia del lector. Esto fue ordenado en vn conssello en Toledo, segunt que recomta el Maestro de los Decretos, en la
XXIIIª distinción, en el capítulo que comiença *Lector* etc.

15 [4] **Sant Luch euangelista**. Sant Luch, en el suyo ***euan-*** [160c]
gelio, capítulo iiiiº, recomta que vino Ihesu Christo en Nazaret, en do
era stado criado. Et segunt que era costumbre, entró en la sinagoga
en el sábado et leuantósse a leyer. Et fuele dado el libro de ***Ysaýas***
profecta. Et boluió en el libro a lxi capítulo, en aquel lugar en do era
20 scripto assí: El spíritu de Dios sobre mí, por tal como me ha vntado;
e áme enviado a predicar a los pobres et a dar sanidat ad aquellos que
han contriçión de coraçón; et predicar a los catiuos et dar remissión,[275]
a los çiegos dar la vista,[276] et a los contreytos dar endreçamiento; et ha

7 XXIII] XXV E, XXII MVAB (*corregimos según el* ***Decretum***). // Lector] Lectores EMVAB (*corregimos según el* ***Decretum***, P I, d 23, c 18 *Lector*). **9** lo ha...bispo] *om.* E (*homoioteleuton*), lo ha ordenado lector ¶ quando el obispo M, nol a ordenat lector e quant lo bisbe V, nol a ordenat lector e el bisbe A, noll a ordonat lector e lo bisbe B. **10** fe] E (*posible homoioteleuton*), de la vida e de la fe e *add.* M, de la vida de la fe *add.* VAB. **13** Lector] Lectores E, Lector MVAB. **18** *1er* et] *om.* E, e MVAB. **21** enviado] enuiado E. // sanidat] sanidar E. **22** coraçón] coracon E. // remissión] recurssion E (*fort.* remission, *confusión cu/m, r/i*), remission M, remissio VA. **23** çiegos] et *add.* E. // endreçamiento] endrecamiento E.

[275] E da: *recursión*, pero los otros mss dan: *remissión* (M), *remissio* (VA). Creemos debe leerse: *remissión* por confusión *cu/m* y *r/i*.

[276] El copista, influido por la repetición de las conjunciones copulativas, dio esta lectura que cambia el sentido original: *et predicar a los catiuos et dar recurssion a los çiegos et dar la vista et a los contreytos dar endrecamiento*. Para corregir este conocido pasaje de San Lucas (4.16-22) e introducir la puntuación correcta, podemos usar la versión de VA, que dice: *e a preycar als catius remissio als cechs la vista als contrets donar endreçament*.

predicar el enuio[277] del senyor apçetable al día de la retribucción. Et como Ihesu Christo plegasse el libro, tornólo al ministro et assentósse. E los oyxos de aquellos que eran en la sinagoga mirauan a Ihesu Christo. Et començóles a dezir: Oy es complida esta scriptura en las
5 uuestras orellas. Et todos [160d] dauan testimonio et dexauan testimonio ad aquél, et marauilláuanse de las paraulas de gracia que sallían de su boca.

[69.] DE AQUELLOS QUE SON EN EL III° GRADO DE CLE-
10 REZÍA, QUE SON DICHOS EXHORZISTAS, QUE QUIERE DEZIR CONIURADORES, ET DE LA LUR MUNICIÓN.

[1] **Isidorus**. Isidoro, en el VII° libro de las ***Interpretaçiones***, et el Maestro de los Decretos, en la XXIª distinción, en el capítulo *Cleros*
15 etc., dizen que exorzista es nombre griego, et quiere dezir en latín coniurador o interpretador, porque clama el spíritu sancto en el nombre de Dios, Ihesu Christo, de suso de aquellos que han el spíritu santo malo he feo,[278] et coniúralo, por virtut del santo nombre de Ihesu Christo, que salga de aquéllos en do está. Et por esto el clérigo, quan-
20 do es exorzista, echa su alento de suso de la cara de aquellos los quales primero santigua antes [161a] del baptismo. Assín lo dize el Maestro de los Decretos, en el ***Tractado de la consecraçión***, en la IIIIª distinción, en el capítulo *Postquam* etc.

1 enuio] E (*con signo diacrítico sobre la* i), ayuno M, any VAB. **3** mirauan] miraua E. **4** començóles] comencoles E. **6** de] EM, en VAB. **10** *2°* que] que *iter.* E. **14** Cleros] Clero E, Cleros MVAB. **15** exorzista] exorzita E. // es nombre] es nom es nombre E. **16** coniurador] coíurados E, coniurado M, coniurat V, coniurant AB. **18** he feo] he fecho E (*lectio facilior*), e feo M, e leig VAB. // et] *om.* E, e MVAB. **20** exorzista] exorzita E. **22** consecraçión] comdenaçion E, consecraçion M, consegracio VB, consecracio A.

MB tienen una versión semejante. Con ellas se ve que la confusión del copista proviene de la introducción de *et dar* en los lugares inadecuados. Para restituir el sentido original basta con suprimir el tercer *et*.

277 El ms da claramente: *enuio*, que puede interpretarse como 'envío' o 'enojo'; M lee: *ayuno*; sin embargo todos los mss catalanes traen: *l'any del senyor* (VAB), fiel traducción de: *annum Domini* del texto evangélico. Esto indica que probablemente debería leerse: *ennio*, confusión por *annio*, es decir, 'año', o cualquiera de las abundantes variantes en aragonés *anyo, annyo, anno, anio*.

278 E da: *he fecho*, obvia ultracorrección por: *e feo*, como traen los otros mss. M: *e feo*, VAB: *e leig*, C: *leg*.

[2] **Sant Matheo**. Sant Matheu, en el capítulo xii°, dize: Yo, dixo Ihesu Christo, en Belcabuch, prímçep de los demonios, echo de fuera los demonios. Vuestros fiios ¿en quién fuera echan? Por esto serán uuestros iutges.

5

[3] [**Rabanus**]. [Rabanus],[279] en el primero libro que fizo ***De la instrucçión de los clérigos***, dize assín: Pues que aquell el qual se deue batir[280] se pone o se comende en senyoría d'otri, es a saber, de Dios por conffessión de la santa verdadera fe cathólica, et por abrenun-

10 ciaçión o renegamiento del seruiçio del primero posseydor,[281] es a saber, del demonio, es soflado de aquél la cruel et mala potestat, por tal que, por el ministerio o offiçio del piadoso sacerdote, faga lugar al sancto spíritu, fuyendo el spíritu maligno.

15 [161b] [4] [**Durandus**].[282] Scripto es en el libro apellado ***Racional***. En el II° libro, capítulo v°, dize: Este offiçio complimus nosotros quando corrigimus ad aquellos que biuen en peccado en la eglesia de Dios, et quando amonestamus ad algunos o los instruymus en buenas costumbres.

---

3 fiios] *om.* E, fijos M, fills VA, fiylls B. **6** *1er* Rabanus (*epígrafe*)] Roboam E. // *2a* Rabanus] Roboam E, Rabanus MVAB. **8** batir] E, bautizar M, bateiar VAB. **9** abrenunciaçión] abreuiaçion E, abrenunçiamiento M, abrenunciacio VAB. **10** o] *om.* E, o MVAB. // seruiçio] seruiçios E, seruiçio M, serui V, seruu A, seruun B. // posseydor] passo ydoro E, poseedor M, possehidor VA, posseydor B. **15** Durandus (*epígrafe*)] *om.* E.

---

[279] E da: *Roboam* en el texto, por lo que el iluminador escribió *Roboam* también en el epígrafe. La autoridad proviene, como dicen todos los mss, de *Rabanus*, es decir, Rábano Mauro, autor del ***De clericorum institutione***, donde se halla la cita.

[280] Sic. Aragonesismo (?) por 'bautizar'. Quizá convendría restituir la *a* de la forma común *batiar*.

[281] E da: *passo ydoro*. Velasco lo interpreta como nombre propio. Pero ya Leslie y el ***Lexicon*** señalaron que se trata de un error del escriba por *posseydor*, como corroboran todos los mss. M: *posseedor*, VA: *possehidor*, B: *posseydor*, C: *poseyidor*.

[282] El ms deja un espacio en blanco implicando que la cita pertenece al autor anterior. En realidad, como dice el texto, esta autoridad y la siguiente provienen del ***Rationale*** de Guilelmus Durandus, libro II, cap. 5 'De lectore'. Las citas 69.2 y 69.6 se hallan en el cap. 6 'De exorcista'.

[5] ——. Item el mismo recomta que Ihesu Christo cumplió aquesti offiçio quando tomó el libro de ***Ysaýas*** e leyó distintamientre et abierta, por dar a entender lo que dizía, diziendo: *Spiritus Domini super me, eo quod unxit me etc.*, que quiere dezir: El spíritu de Dios es sobre mí por tal como me ha vntado.

[6] **Sant Luch euangelista**. Sant Luch euangelista, capítulo viiiº, recomta que Ihesu Christo Nuestro Saluador husó d'este officio quando él echó de Santa María Magdalena los VII demonios.

[7] **El Maestro de las sentencias**. [161c] El Maestro de las sentençias, en el ***IIIIº Libro***, distinçión xxiiiiª,[283] dize que al exorzista se pertaneçe retener en su memoria los coniures, et deue meter las manos de suso de aquellos que coniura. Deue auer aún su spíritu limpio por tal como a imperar[284] a los spíritos súcçeos deue fora echar de su coraçón [el espíritu súcçeo el qual fuera echa del coraçón] stranyo. Et esto por tal que la mediçina que faze a otri ¿qué prouecho viene a él mismo? ¿Por qué queríe que le dixiesse hombre la paraula del poeta: Físico, cura o sana a ti mismo? Et esto dize el Maestro de las Sentençias et de los ***Decretos*** en la xxvº distinçión, en el capítulo *Perlectis* et ***De consecratione***, distinctione vª *omni die*.

---

2 el libro] el libro *iter.* E. **12** distinçión xxiiiiª] de distinçiones xxiiiiª E, xxiiii distinçion M, xxiiii distinccio VAB. **14** coniura] coniurran E, coniura MVA, coniure B. // Deue] deuen E, e deue M, deu VAB. **15** imperar] imparar E, imperar MV, imperar o manar AB. // deue] deuen E, deue M, deu VAB. // su] tu E, su M, seu VAB. **16** el espíritu...coraçón] *om.* E (*homoioteleuton*), el espiritu suzio el qual fuera echa del coraçon M, lesperit sutzeu lo qual foragite del cor V, lesperit (*omite el resto*) A, lo spirit sutzeu lo qual foragite del cors B. **17** que faze] que faze *iter.* E. // *2ª* a] al E. **20** xxv] xxxv E, xxv MVAB. // Perlectis...omni die] perlccis de con di vº E, perlectis et de conse distinctione vª omni die M, perlectis et de contradictione v ordine V, perelectis et de contra v omni die AB, perlectis et de contra vª omni die C.

---

[283] E da: *IIIIº libro de distinçiones xxiiiiª*, que es lectura incompleta. Todos los mss (MVAB) distinguen claramente entre libro y distinción. Véase V: *en lo IIII libre, en la xxiiii distinccio*. El contenido coincide con el ***Decretum*** P 1, d 25, c 1 Perlectis § 2 (PL 187, 142), como aclara al final.

[284] El ms. da: *imparar*. Podría conservarse esta lectura ya que M. Alonso documenta este verbo, con el significado de 'ayudar', 'secuestrar', en textos aragoneses de los siglos XII y XIII. Pero el hecho de que los mss. de la ***Suma de col.lacions*** traigan *imperar*, reforzado con *manar* 'mandar' (AB), nos lleva a adoptar la lectura de los *codices plurimi*. También podría considerarse catalanismo de transmisión oral. Pero es práctica que apenas se aprecia en ***Rams*** frente a multitud de lecturas explicables por error visual.

[8] **Sant Ierónimo**. Sant Ierónimo dize: Los fillos de los iudíos, o los exorzistas de los iodíos, por lur costumbre senyala, o los apóstoles, los quales son engenrrados de lur linatge. Si [161d] Ihesu Christo fuerça los farizeus con interrogación de confesión que, quando los
5 exorzistas fuera lexauan los demonios de los cuerpos de las gentes, esta obra era del Spíritu Santo. Por esto dize el Senyor si el echamiento de los demonios de los cuerpos de las gentes en vuestros fiyos, es deputarlo a Dios et non a los demonios.[285]

10 [9] **Sant Gregorio**. Sant Gregorio, en la ***omelía*** [...], dize: ¿Qué es entendido por los VII demonios sino que son senyalados los vicios et peccados? Porque como por VII días todo el tiempo de la nuestra vida es abraçado, por esta razón por el nombre çeptenario[286] toda la nuestra vniuerssidat es figurada. Pues Santa María Madalena huuo
15 VII demonios, la qual fue plena de todos los viçios o pecados. Et esto dize Sant Gregorio.

[10] **Agustinus**. Sant Agostín, en el primero libro que fizo de ***Cre-*** [162a] ***do in Deum***, assimismo el Maestro de los Decretos, en la dis-
20 tinçión IIII[a], *De conssecración*, capítullo *Sicut nostis*, dize assí: Ermanos et amigos, assí como [auedes conosçido, los ninyos] son soflados et exorzitados et coniurados porque sea tampuxada d'aque-

---

2 senyala] senyalan EM, signifiquen AB, senyen C, senyala V, significat (San Jerónimo). // o] a E, o MVAB. **3** engenrrados] engenrradores E, engendrados M, engenrats VABC, generatos (San Jerónimo). **4** fuerça] fuerta E, fuerça M, força VA, forza B. // farizeus] frizeus E, fariseos M, fariseus VB, pharizeus A. **10** omelía] E (*deja espacio en blanco para el número; todos los mss. omiten el número*) **11** senyalados] senyales E (*quizá habría que añadir* de, *pero corregimos según los testimonios plurimi*), ensennalados M, senyalats VAB. **12** por] *om.* E, por M, per VAB. **13** abraçado] et *add.* E. // çeptenario] çentenario E, septenario M, senetari V, septenari A, per lo nom VII B, sentanari C. **19** assimismo] dize assimismo E (dize *anticipado*). **20** dize] et dize E. **21** auedes...ninyos] *om.* E (*homoioteleuton*), auedes conosçido los ninnos M, haueu coneguts los infants V, hauets conegut los infants A, auets conegut los infants B. **22** coniurados] eoniurados E (*confusión* e/c).

---

[285] Frase inicial confusa (*los fillos* es comp. dir. de *señala*) por omitir la cita de San Mateo (12.27) de la que es comentario. La autoridad aparece sólo en la ***Suma de col.lacions*** (VABCME); falta en el ***Communiloquium***. Puntuamos según la fuente latina de San Jerónimo (PL 26, 79-80).

[286] El ms. da: *çentenario* a pesar de los *VII días* del comienzo. El error puede explicarse por las lectura de V: *senetari* [sic] o C: *senatari*, aunque los otros mss. traen, M: *septenario*, A: *septenari* y B: *per lo nom VII*.

llos la potestat enemiga del diablo, la qual enganya el hombre por tal que possida los hombres. Pues non entiendas que la criatura sea exorzitada o soflada, antes aquel el qual es demonio, dios el qual son aquellos que de dentro peccado naçen.
5

[70.] DE AQUELLOS QUE SON EN EL VII GRADO DE CLEREZÍA, ET EN EL QUINTO ET EN EL VIº, ET SON DICHOS CLÉRIGOS HO PRÉUERES, ET SON DICHOS DIAQUES HO EUANGELISTEROS ET SUBDIACHES HO PISTOLEROS.
10

[1] **Sant Paulo apóstol**. Sant Paulo, epístola ***ad Ebreos***, capítulo vº, dize: Tú es sacerdote [162b] eternalmientre segunt orden de Melquissedech. Et d'esto lo quiere dezir Ihesu Christo.

15 [2] **Sant Paulo**. Item el mismo, en la primera epístula que envió ***ad Timoteum***, dize: Constituyas por las ciudades clérigos aquellos que serán netos de peccados.

[3] **Dauid**. El profecta Dauid, en el cxxxi ***salmo***, dize: Senyor los tuyos
20 sacerdotes dízense de iustiçia et los tuyos santos alégranse.

[4] **Sant Iohán euangelista**. Sant Iohán en el suyo ***euangelio***, capítulo viiiº, dize: Esti officio huuo Ihesu Christo quando dixo: Yo son lumbre del mundo, et aquel qui sigue a mí no ua en tiniebras, es a saber, en peccado.
25

[5] **Sant Iohán euangelista**. Item el mismo en su ***euangelio***, capítulo xiiiº, dize: Ihesu Christo husó de aquesti offiçio quando él se scinyó la touallola et lauó los pies a los apóstoles.

30 [162c] [6] ——.[287] Item el mismo recuenta que los santos apóstoles escullieron VII varones vertuosos et de buen testimonio, plenos de

---

2 possida] possidan E, posea M, possehis VA, posseeix B. **15** envió] enuio E. **20** dízense] E, vistense MV, vestense AB.

---

[287] El epigrafista dejó la atribución en blanco, implicando que pertenece a San Juan; en realidad proviene de los ***Hechos de los apóstoles***, 6.3, de San Lucas, como dice la ***Suma de col.lacions***.

sancto spíritu et de sauieza, los quales constituyeron por fazer la obra o esti offiçio.

[7] **Apocalipsi**. Scripto es en el ***Apocalibsi***, capítulo viiiº, diziendo a los diaques: Es puesta stola de suso de squierdo honbro por tal que conoscan que ellos han recebido lo yuio de nuestro senyor Dios muy liugero con que ellos puedan sufrir et suportar las cosas siniestras d'esti mundo.[288]

[71.] DE LA PRELACÍA ECLESIÁSTICA.

[1] **Sant Paulo apóstol**. Sant Paulo dize que qui bispado dessea buena cosa dessea. Por el bispado sigue s'ende buena obra et non aura.

[2] **Sant Gregorio**. Sant Gregorio, en el libro primero del ***Pastoral***, capítulo viº, dize: Aquellos que cobdician de star perla- [162d] dos ha husança de su luxuria prenden sturment del sermón apostolical, del qual dize que quien obispado dessea, ut supra.

[3] **Sant [Gregorio]**. Item el mismo, en el libro ***Pastoral***, capítulo viiº, dize: Pues ninguno no.s' deue leuantar en alto en tal elecçión, mas déuese humiliar.[289]

[4] **Sant Bernart**. Sant Bernart, en vna ***epístula la qual envió al arcebispe de Sena***, díxole assí: Non quieras cosas altas saber en alto coraçón. Porque aquel qui es posado en alto et non ha saborençia en

1 por fazer] E, de suso de M, sobre VAB. **6** yuio] E, yugo M, jou VAB. **16** que] *om.* EM, qui VAB. // star perlados] star parlados E, ser perlados M, esser prelats VAB. **17** prenden] prede E (*omisión de las abreviaturas de la nasal*), prenden e toman M, prenen VAB. **20** Gregorio (*epígrafe*)] Bernart E (*por influencia del epígrafe siguiente*). **21** elecçión] clecer a E, elecçion M, eleccio VAB. **24** envió] enuio E. **25** díxole] et dixole E (et *espurio*). // saber] sabet E, saber MVAB. **26** coraçón] EM, *om.* VAB. // et] *om.* E, e MVAB. // ha saborençia] E (*quizá leer unido* hasaborençia *o* asaboresca *como los otros manuscritos*), asaboresca M, asaboresqua V, assaborescha A, asaboresque B.

[288] Es fac, por Hugo de San Víctor, ***De sacramentis***, 2.3.11 (PL 176, 427), que viene a continuación de una cita del ***Apocalipsis***.

[289] Es fac, por comentario de Juan de Gales que sigue a la cita de la ***Regula Pastoralis*** de San Gregorio.

cosas altas sotil cosa es, de todo en todo non husada. [Mas atanto como es menos husada], atanto es más glorioso.

[5] **Sant Agostín**. Sant Agostín, en el IXº libro de la ***Ciudat de Dios***,
5 capítulo ixx, dize que non deue en las obras star amada la honor en aquesta vida, mas la obra. La qual es fecha por la honrra o potestat si derechuramientre o pro- [163a] uechosa es, por manera que pueda star a la hutilidat e prouecho de los que son sosmetidos, la qual es segunt Dios.

10 [72.] [DE LA CASTIDAT DEL BISPO.][290]

[1] **Sant Ierónimo**. Sant Gerónimo, en la ***epístola*** xxxxiii, declarando la paraula de Sant Paulo, que dize que por ningún pacto los qui son bígamos, que quiere dezir que hayan houido dos mulleres, o qui son
15 presos con cadenas de las concupinas, non deuen sobir en aqueste ministerio. Porque el sacerdote legal antigo deuía prender muller virgen et non biuda, segunt que se leye en los libros de los ***Leuíticos***, xxii capítulo, por tal que non sutzesca la honor del capellán. Porque atanto como la honor es más alta, atanto más la castidat es más neçes-
20 saria. Por tal como la dinidat del bispe es más suberana, por esto la puridat de la castidat es a ellos más [163b] necessaria.

[2] **Sant Paulo**. Sant Paulo dize que necessaria cosa es et se conuiene qu'el obispo sea marido de vna muller.
25

[73.] DE LA GRANDERÍA DEL LOGUERO DE LA VIDA ECLESIÁSTICA HO DE RELIGIÓN.

[1] **Sant Gregorio**. Sant Gregorio dize que aquellos que lexan todas
30 las cosas con bien apropiada deuoçión et siguen el seruiçio de Dios

---

1 sotil] EM, dificil VA, difficil B. // Mas...husada] E (*homoioteleuton*), mas tanto commo es menos vsada M, mas aytant com menys es vsat V, mas aytant com mes es vsat AB. **6** qual] qua E. **7** manera] mana E, manera M. **13** son] so E. **14** o] *om.* E, o MVAB. **24** sea] se E, sea M, sia VA, sie B. **29** lexan] lexa E, lexen VA, leyen B. **30** siguen] sigue E, enseguexen V, seguexen A, segueixen B.

---

[290] El ms omite el título de este capítulo. Lo tomamos de la tabla inicial.

que non le es stado mandado generalmientre, aquéllos atales aurán mayor gloria.

[2] **Sant Matheo**. Sant Matheo euangelista, capítulo xix, dize, et son
5 paraulas de Ihesu Christo: Vosotros que auedes lexado todas las cosas et seguides a mí por la mía amor seyervos hedes sobre las caderas et iutgaredes los XII tribos de Irrael.

[3] **Libro de los Padres Santos**. Scripto es en el ***Libro*** [163c] ***de los***
10 ***Padres Santos***, en la XXI[a] partida, de vn padre santo qui vido en el çielo IIII[o] órdenes, es a saber, de enfermos, et de aquellos que fazen gracias a Dios, et de aquellos qui siguen hospitalitat et la aministran, et de aquellos que stan en la soledat et non veyen hombres, et de aquellos qui se sotsmeten a obediencia de los padres santos. Et la
15 orden de aquestos çagueros hauía vna corona de oro et vn cordón de oro. Et como aquesti padre santo vidiesse aquesta visión, dixo ad aquell qui la li mostró cómo hauía nombre aquesta çaguera orden que mayor gloria auíen que todos los otros. Et respuso que por tal como aquestos fazían las obras segunt la lur propria volumtat por tal an
20 menor la gloria. Mas quando aquestos echaren de sí mismos la propria volum- [163d] tat et metiérense en la amor de Dios, et quanto todo fazían, fazían a comandamiento de lures padres spirituales, por tal han mayor gloria que los otros.

25 [74.] DE PERUERSSIDAT O MALICIA DE AQUELLOS QUE VIUEN MAL EN RELIGIÓN.

[1] **(Matheus) Luchas**. Sant Luch, capítulo ix, dize: Ninguno que mete mano al aradro del seruiçio de Dios, et torna a çaga, no es abto
30 de venir al regno de Dios. Et por tal la mogier de Lot, reguardando atrás, fue conuertida en statua de sal, segunt que es scripto en el ***Génesi***, capítulo xix.

---

6 et] *om.* E, e MVAB. **12** aministran] aministra E, ministren VAB. **15** çagueros] cagueros E. **17** çaguera] caguera E. **18** todos] todos *iter.* E. **22** *2º* fazían] *om.* EAB, fahien V.

[2] **Bernardus**. Sant Bernart, en el IIº libro que scriuió ***a Eugenyo***, dize: Atanto como el grado es mayor et más alto de la perssona que peccará, atanto el eiamiento[291] es mayor quando ha peccado.

5 [75.] DE LA PENITENÇIA O EXCELLENCIA DE [164a] RELIGIÓN.

[1] **Gregorius**. Sant Gregorio, ***sobre los euangelios***, en el primero libro, omelía vª, dize: Mucho derenta aquell quien, con la cosa posseída, renunçió a la cobdiçia de aquella cosa; que per sí mismo res
10 non se dexó.

[2] **Gerónimo**. Sant Gerónimo, en la clx ***epístula***, faulando a Nepoçia,[292] dize: La Nepoçia construex monasterios et sostiene muchas perssonas en lur necessidat. Mas mucho melior farías si tú mismo biuías santo
15 entre los santos.

[3] ——.[293] Item el mismo dize que mayor cosa es por amor de Dios dexar et derenter todas las cosas posseýdas [que no despender las cosas posseýdas] en el huso de los pobres o en constituçión de los monasterios.

---

1 IIº] eugenio *add.* E. // que] *om.* E. **2** dize] et dize E (et *espurio*). **3** eiamiento] E, cayment VB, cahiment A, decayment C. **8** derenta] E, dexo/derrelinquo M, derrencli V, derelenqui A, derancli B. // con] *om.* E, ab VB, a A. **9** cobdiçia] cosa E, cobdiçia M, cobeeiança V, cobeiança B, cobeyanca B. **13** Nepoçia] EM, Neponcia V, *om.* AB, Nepotianum Ven. **18** que...posseýdas] *om.* EM (*homoioteleuton*), que no despendre les coses possehidores V, que no dispendre les coses possehides A, que no despendre les coses posseydes B. **19** o] *om.* E, e M, o VAB. // constituçión] E, construcçion M, construccio VAB.

---

[291] Así da el ms. Creo habría que leer: *ciamiento*, con confusión *e/c*, y sobre esta base suponer una trasposición en el diptongo, de modo que la palabra que intentaba escribir el copista era: *caimiento*. Así lo confirman los mss catalanes: *cayment* (VB), *cahiment* (A) y castellano: *cayda* (M). Aunque esta interpretación nos parece la más correcta, no obstante mantenemos la lectura: *eiamiento* del manuscrito, porque la primera "*i*" puede reflejar la grafía palatalizada "*ch*" de *echamiento*, forma que se da varias veces en E. La cita, aunque es un lugar común, no la hemos encontrado en San Bernardo, por eso creemos es fac por comentario de Juan de Gales.

[292] Se trata, aquí y en la línea siguiente, de *Nepotianum*, noble, cuya vida cuenta en la ***epístola*** 40 ad Heliodorum, aunque la cita proviene de la ***epístola*** 118.5 ad Julianum (PL 22, 965).

[293] El ms deja un espacio en blanco, implicando que la cita pertenece a San Jerónimo. Pero es fac. Se trata de un comentario de Juan de Gales que sigue a la cita anterior de San Jerónimo.

[4] **Ierónimo**. Sant Gerónimo, en la ***epístula*** xxiii[a], dize: Ya sea que tu nieto infantó te subió alto en el cuello, et ya sea que tu madre se de- [164b] ramó los cabellos delant la cara et todas las vestiduras se rompía et mostra las tetas descubiertas con las cuales te auía dado a
5 tetar, ya sea que tu padre se echasse en el lindar de la casa por guisa que tú non puedas passar si tú non lo pisauas, calçiga a tu padre, menospreçia tu madre, si bien se remucha los oios plorando, aborrexe tu nieto et veyla[294] a la santa cruz, porque el linatge de piedat es star en aquesti caso cruel. Et síguese: El enemigo tiene el guchiello
10 con el qual me matará si yo finco en la casa de mi padre. Et pues curaré de las lácrimas de la mía madre.

[5] **Sant Matheo**. Sant Matheo, capítulo v°: Bienauenturados son los pobres de spíritu porque de aquestos atales es el regno çelestial.
15

[6] **Sant Bernart**. Sant Bernart, en un ***sermón*** [164c] ***de la viespra de Nadal***, dize que en los çielos á affluencia o habundançia de todos bienes, mas pobreça no es de todo en él trobada, ya sea que en la tierra fues atrobada, et aquí ý á abundamiento.
20

[76.] DE LA INFORMACIÓN, INSTRUCCIÓN HO ESTABLIMIENTO ET COMENÇAMIENTO DE RELIGIÓN.

[1] **Libro de los Reyes**. El primero monasterio de religión instituí
25 Samuel, et alí cantauan, laudauan a Dios.

[2] **Libro de los Reyes**. Scripto es en el ***Libro de los Reyes*** de Isrrael, capítulo x°, que Samuel dixo al rey: Aurás por encuentro la com-

---

2 nieto] EM, nebot VAB. **3** et todas] et todas *iter.* E. **7** se remucha] E, se ronpe M, s' squinca V, ses-quince A, se squinze B. **8** veyla] E, buela M, vela V, vola AC, uolla B. **16** sermón] srmon E. **17** dize] et dize E (et *espurio*). **19** fues] sus E, fuese M, fos VAB. // ý á] E (*fort.* aya), aya M, abundas VAB. **22** començamiento] comencamiento E. **24** instituí] institíu E (*con signo diacrítico sobre la* í), establesçio M, instituhi V, institui AB. **25** Samuel] Samul E.

---

[294] Así da E, aunque todos los mss, excepto V, dan: *vola* (AC), *uolla* (B), *buela* (M), correcta traducción del latín: *evola*. Pero V trae: *vela*, que explica la interpretación de ***Rams***.

panya de los proffectas deuallantes de la altura, et delant ellos es el salterio et la uiola et la guitarra et la rabena, et dezir t'an que[295] profeçizes, es a saber, que loes a Dios continuami- [164d] entre. Sobre esto dize el Maestro de las Instorias que los proffectas la ora ixieron
5 et tuuieron perssona de religiosos.[296]

[3] **Sant Ierónimo**. Sant Gerónimo, en la lxii ***epístula***, dize sobre la paraula de Samuel: los fillos de los profectas la ora ixieron, los quales leyemos que eran monges en el ***Viello Testamento***, et edificaron
10 casas chicas çerca del flum Iordán, et lexauan las villas et las ciudades et las conpanyas de las gentes, et biuían en vida ordenada, et comían las yerbas de los buscages, et stauan allí a do Sant Iohán Bautista biuió en el ermitage. Et fizieron su testimonio, que su vida era bien aspra, es a saber, la correga aspra de pieles et la vestidura de
15 pelos de camellos muyt dura et aspra, et la razina et l'augua,[297] las quales son aparellamiento et continençia et cas- [165a] tedat. Et después el fillo de Dios, el qual como fuesse más rico que todos los otros

1 proffectas] *om.* E, profetas M, prophetes VAB. // es] et E, es VAB. **2** guitarra] guintarra E, guitarra VAB. // t'an que] tanquan E, te han que VAB. **4** que los] quales E, quels A, que los B. **9** edificaron] edificaran E. **10** casas chicas] cosas cosas chicas E, casillas M, cassetes poques VA, cases poques B. // flum] E (*quizá* fluui, *pero no se aprecia el trazo de la* "í"), flum VABC, rio M. **15** la razina et l'augua] E, la miel siluestre M, la mel siluestre e laygua VAB.

[295] El ms da: *dezir tanquam profeçizes*, obvia ultracorrección del copista por: *dezir t'an que profeçizes*. Todos los mss catalanes dan: *dir te han que prophetizes* (VAB).

[296] El maestro de las Historias es Pedro Comestor, autor de la ***Historia Scholastica***, de donde proviene esta cita y la anterior. En cambio, la frase atribuida a él es comentario o dedución de Juan de Gales, sobre el principio de la cita de San Jerónimo que va a continuación.

[297] No puedo concretar la base aragonesa de este doblete. La palabra *razina* me es desconocida. Parece estar relacionada con *raíz*. También podría ser una forma medieval de la actual *lezina* 'bellota de la encina', usada en el Pirineo (Buesa Oliver 353, Andolz). Los mss catalanes dan: *mel silvestre* (VAB). Es insegura la separación de la grafía: *lauga*. Podría ser: *la uga*, *l'aug[u]a* o *l'agua* [con trasposición]. En varias partes de Aragón se usa *uga* con el significado de 'racimo de uvas' (Andolz). Sin embargo, la interpretación más lógica y la que responde a los textos catalanes es 'el agua', en cualquiera de las formas. La frase entera alude a la alimentación de San Juan Bautista en el desierto, por lo tanto el compilador debió adaptar la expresión catalana: *la mel siluestre e laygua* al doblete 'raíz y agua' o 'bellota y agua'.

hombres del mundo, empero él se fizo pobre et freyturoso, por amor de nosotros instituyó sagrada religión, et verdaderamientre autenticó quando eslió los pobres,[298] empero ricos en fe et en otras virtudes, por tal que, derenclidas todas et cada unas cosas inmundanales, volente-
5 rosamientre lo seguissen, diziéndolos aquesto que es escriuido[299] en el euangelio de Sant Matheu, en el iiiiº capítulo: Venit çaga mí et faré que seades pescadores de los hombres.

[77.] DEL PERIGLO DEL HOBEDIENÇIA.

10

[1] **Sant Gregorio**. Sant Gregorio, en el XXIIIº libro de los ***Morales***, dize que aquel qui se da fastigio de star sotsmetido resemble al diablo. Assí lo dize el diablo.[300]

15 [165b] [2] **Sant Gregorio**. Sant Gregorio, en el libro XXIX de los ***Morales***, dize que Adam tantost cayó por peccado de superuia, porque quiso husar de conssello del diablo, que era antes caýdo por superbia, et por tal diole a beuer con el cáliz de superbia.[301]

---

2 instituyó...autenticó] instituyó sagrada religión et verdaderamientre auténtico fue E, establesçio la saccra religion e la fizo abtentica e firme M, instituhi sagrada religio verdaderament e autenticha V, institui sagrada raho [sic] vertaderament e auctentica A, institui sagrada religio e uertaderament e autenticalla B, institui segrada religio vertaderament e autentica C. **3** empero] empero *iter.* E. **5** que] *om.* E, que VB, qui A. // escriuido] estruudo E (*confusión* c/t, iui/uu), scrit VAB. **6** çaga] caga E. // faré] faze E (*confusión* z/r), fare VA, fer uos e B. **12** se] *om.* E, se M, quis VAB. **13** assí lo dize el diablo] EM, *om.* VAB.

---

[298] La lectura de E: *et verdaderamente auténtico fue quando*, es glosa que cambia el sentido del original catalán. Éste dice: *instituí sagrada religio verdaderament, e autenthicà quant elegi los pobres*, fiel traducción del ***Communiloquium***: *sacram religionem veraciter instituit et augmentauit* [en los mss *autenticauit*] *quando pauperes elegit*. La construcción de la frase invita a tomar el pretérito catalán como adjetivo (ver variantes); pero la lectura de B: *autenticàlla*, y la glosa de M: *e la fizo abtentica e firme*, confirman el uso como verbo. No dudamos en corregir suprimiendo *fue*.

[299] El ms da: *estruudo*. Esta grafía no es sino una falsa lectura de: *escriuido*, por confusión *c/t* y *ini/uu*. Todos los mss catalanes dan: *scrit* (VAB).

[300] Los mss catalanes AB dan solamente: *axi ho diu sent Gregori*. V añade: *axi ho diu aquell matex sent Gregori*. ***Rams***, por influencia de la frase anterior, lee: *Assí lo dize el diablo*. Semejante lectura trae M: *asi lo dize el diablo e asi lo dize aquel mesmo*. Lo cual indica que el prototipo aragonés del que se sirvieron E y M debía contener ya esa adición espuria del *diablo*.

[301] Fac. Son palabras de San Agustín, ***in Johannis evangelium*** 25.17, precedidas por una cita de los ***Morales*** que ***Rams*** no recoge.

[3] **Sant Agustín**. Sant Agostín, en el primero libro ***De franco arbitrio***, dize que la desobediençia es comparada a la yerba verinosa de la qual si ninguno come de continent torna mesiello. Assín lo dize Sant Ancelm en el libro ***De las semblanças***, al començamiento.[302]

5

[78.] DE LA HUMILDAT QUE DEUEN AUER LOS SAÇERDOTES ECLESIÁSTICOS.

[1] **Ierónimo**. Sant Ierónimo, en la xxxviii[a] ***epístola***, declarando la
10 actoridat de Sant Paulo, dize que por aquesti mandamiento el santo padre Abraam [et Lot][303] reçibieron los [165c] ángeles porque amauan mucho los huéspedes, segunt que se leye en el ***Génesi*** xviii[o] capítulo.

[2] **Sant Gregorio**. Sant Gregorio, en el libro de los ***Morales***, capí-
15 tulo iii[o], dize que non solamientre deue hombre conuidar los huéspedes, antes encara los deue hombre forçar o tirar.

[3] **Sant Gregorio**. Sant Gregorio dize que él reprobó la elecçión de vn vispo por tal como auía oýdo dezir que nunqua éll conuidás hom-
20 bre del mundo a caridat ni a hospitalidat en su casa.

[4] **Sant Paulo apóstol**. Sant Paulo dize: De necessidat se conuiene a todos que el bispo sea hospitalero.

25 [5] **Sant Paulo apóstol**. Sant Paulo, scriuiendo ***a los Ebreos***, capítulo xiii, dize: Por cierto, por aquesta ospitalidat los santos padres reçi-

3 mesiello] E, mesillo M, lebros VAB. // Ancelm] Antolín E (*confusión* c/t, e/o *y signo diacrítico sobre la* í), Anselmo M, Ancelm VAB. **11** et Lot] *om.* E, e Loth VA, e Lot B. **16** forçar] forcar E. **19** nunqua] auia oydo dezir que *add. et iter.* E **26** dize] et dize E (et *espurio*). // por] *om.* EM, per VAB.

[302] Autoridad con redacción confusa. El ***Communiloquium*** atribuye la cita de San Agustín a ***In Johannis evangelium***, homilía 25 (PL 34-35, 1605), mientras que la ***Suma de col.lacions*** la asigna a ***De franco arbitrio***. Pero estas remisiones se refieren al texto anterior, que no recoge ***Rams***. Así pues, la cita de ***Rams***, aunque basada en la ***Suma de col.lacions***, es fac. El texto que da E corresponde a ***De similitudinibus***, caps. 5 y 38 (PL 159, 606 y 619) de San Anselmo.

[303] E y M omiten: *et Lot*, aunque ponen el verbo en plural. Lo restituimos de acuerdo con todos los mss catalanes.

bieron los ángeles. Et hospitalidat deue [165d] seyer fuert loada en todas cosas. Porque sagrada cosa es la taula o hospitalería.

[6] **Sant Paulo apóstol**. Sant Paulo, concludent, dize en la epístula
5 ***primera ad Thimoteum***, en el capítulo v°, diziendo al de menos que la viuda deue star esleÿda et que aya lx anyos. La qual, stando con su marido, sea de buenas obras ordenada et en buen testimonio viuiendo. Aquésta será salua si ha criado fillos et si ha reçibido en su hostal pobres, et si á lauado los piedes a los santos, si á aministrado
10 conssolaçión ad aquellas perssonas qui sostienen tribulaçión, et si á enseguida toda buena obra, etc.

[7] **Sant Paulo apóstol**. Item el mismo, en la epístula ***ad Corintios primera***, capítulo vii, dize que Nuestro Senyor Dios ama el hombre
15 alegro que da de lo suyo.

[166a] [8] [**Sénecha**]. Sénecha, en el IIII° libro ***De benefiçios***, capítulo xix, dize: El huéspet non deue star a ninguno mal graçioso, segunt que se dize aquí del cauallero que fue mal gracioso a vn huésped.[304] Por
20 tal fue el cauallero vituperado et desonrrado.

[9] **Vgo de Sant Víctor**. Hugo de Sant Víctor dize: Demandat a la puerta quasi que dentro de la puerta meta el piet. Porque aquellos antiguamientre que los recebían et aquellos qui eran reçebidos venían a la
25 puerta et posauan el piet en la puerta et fazían por tal manera que el vno no enganyaría el otro. Et assín, posando los piedes en la puerta, el vno

---

4 concludent] comcludent E. **5** que la] que la *iter.* E. **6** aya] aya *iter.* E. **8** si] a *add.* E. // fillos] fechos E, fills VB, *om.* A. **10** conssolaçión ad aquellas perssonas] ad aquellas perssonas conssolaçion E (*transposición*), consolacio a les persones VAB. // sostienen] sostiene E, sostenen VAB. **14** primera, capítulo vii] capitulo primero E, primera ad Corintios vii M, la primera en lo vii capitulo VB, en lo vii capitulo A. **17** Sénecha (*epígrafe*)] *om.* E. **19** huésped] bispo E (*lectio facilior*), oste V, hoste AB.

---

[304] El ms da: *bispe*, lectura obviamente errónea en un texto auténtico de Séneca. Éste habla de: *milite hospiti ingrato*. La ***Suma de col.lacions*** trae: *del caualler qui fo mal gracios a un hoste*. Es, pues, *hoste*, en transmisión ocular, la que ha dado lugar a la falsa interpretación de *bispe* 'obispo'.

e'l otro fazían et firmauan pacto a conuinençia de amistança. Porque aquell que es volentero et benigno, abte et conuinient,[305] et aquellos qui al abenimiento de sus amigos non se esconden, mas valenterosament los [166b] sallen a la carrera, aquesti atal es espitalero. Porque los huéspe-
5 des non deuen star conuidados, mas tirados et forçados al dicho spital.[306]

[10] **Tullio**. Tullio, en el libro ***De oficios***,[307] en el xix capítulo, dize: Verdaderamientre deue seyer loada la hospitalidat, porque, segunt que me semeia,[308] mucho honra et abelleza las cosas[309] de los nobles hombres.

---

1 fazían] fazia E, fazian M, fehien V, feyens B, *om.* A. **2** abte] abre E (*confusión* r/t), alto M, abte VAB. // qui] qui el E, que MB, qui VA. **4** sallen] salle E. **7** oficios] beneficios E, ofiçios M, officis V, oficiis A, officis B. **9** que me semeia] *om.* E, que me semeia M, quem es viiares VA, quem es veyares B. **9** cosas] EM, cases VAB.

---

[305] E da: *abre et conuinient*, con lectura insegura en el segundo término, que podría leerse *conuiuient*. En el primer caso, *abre* es es falsa interpretación por *abte*, confusión *r/t*, pero la grafía debía estar confusa, pues M da: *alto*; en el segundo, la forma auténtica es: *conuinient*, como lo corroboran los mss catalanes: *abte e conuinient* (VAB con lecturas indudables). Doblete que traduce el simple: *aptus* del ***Communiloquium***.

[306] El ***Communiloquium*** atribuye todo el pasaje a Hugo de San Víctor, sin precisar la fuente, hecho extraño en Juan de Gales. Lo mismo hacen la ***Suma de col.lacions*** y los textos de ella derivados. A pesar de esas afirmaciones, no hallamos el pasaje en las obras de Hugo, sino en otros autores. Tiene claramente dos partes. La primera: *Demandat...meta el piet*, corresponde a la definición del huésped por San Isidoro: *Ospes, quod inferat ostio pedem*, ***Etymologiae*** X (PL 82, 388), a través de la falsa traducción de ABM: *demanant a la porta quaix que dins la porta mete lo peu*. La segunda, es decir, la alusión a la antigua costumbre de recibir a los huéspedes: *aquellos antiguamientre...amistança*, tampoco pertenece a Hugo. Aunque no hemos hallado su fuente directa, conocemos dos textos que pueden explicarla. Por un lado, tenemos las palabras de Pedro Diácono, autor del s. VI. Recogidas por Bertario Casinense (+883), y utilizadas a su vez por Edmundus Martene, crítico holandés del siglo XVIII, en su comentario al capítulo 53 "De hospitibus suscipiendis" de la ***Regula commentata S. Benedicti***, dicen así: *Antiqui, quando recipiebant homines venientes, stabant in ostio domus suae, et ponebant pedes hospitis super pedes suos, et dabant eis pacem, et sic eos recipiebant in domum suam* (PL 66, 756). Ellas explican la antigüedad de esa costumbre. Por otro, los textos de Walafridus Strabo, monje de Fulda (+849) y sobre todo el de Haymo Halberstatensis (+853): *Hospes dicitur quasi ostii pes, eo quod, quando suscipiebantur in domum, ponebat dominus domus, et qui suscipiebatur, pedem supra ostium, et datis dextris jurabat quod pacificus esset eius ingressus* (PL 117, 710) tienen una semejanza verbal sugeridora. ¿Fue la abreviatura de Haymo la que indujo a creer que la cita pertenecía a Hugo de San Víctor? Muy probable, pero no lo hemos podido verificar. El resto es comentario de Juan de Gales.

[307] E da: *beneficios*. Se trata de ***De officiis*** II 2 § 18, como traen todos los mss (MVAB).

[308] E suprime: *que me semeja*. Lo suplimos con M, que traduce fielmente la expresión catalana: *que m.es vijares* de todos los mss (VAB).

[309] E y M dan: *cosas*, impropia lectura del catalán: *cases* 'casas' (VAB), fiel traducción de: *domus*, (el ***Communiloquium*** da erróneamente: *donum*) del texto ciceroniano (***De officiis*** II 2 § 18).

[79.] DE LA SANTEDAD DE LA VIDA DE LOS PREDICADORES ET DE LAS VIRTUDES QUE DEUEN AUER.

[1] [**Sant Gregorio**]. Sant Gregorio, en el XXXº libro de los ***Mora-***
5 ***les***, en la fin, dize: Certas, la ora es el sermón bueno et de grant effi-
caçia quando es en el predicador pura santedat et virtuosa preffeçtibi-
litat. Assín como se dize de Sant Esteuan, segunt que recomta en los
Actos de los apóstoles, capítulo viº. Del qual se leye que los iudíos
[166c] non podían contrastar a la sçiençia, al spirit qui en él faulaua.
10

[2] **Sant Gregorio**. Item el mismo, en el IIº libro del ***Pastoral***,[310] dize:
Todos tiempos deue prouedir el predicador que sea verdadero en la
predicaçión et que por lagotería nin por temor ni por prouecho de
aquesti temporal ni por flaqueza o por coraçón poco de bien fazer se
15 lexe de predicar verdat a todos.

[3] **Dauid**. Dauid, en el lxvii ***salmo***, dize: Verdaderamientre dará Dios
paraula a los euangelistas o predicadores en mucha virtud, es a saber,[311]
aquellos qui son verdaderos euangelizantes.
20

[4] **Sénecha**. Sénecha, en el VIº libro ***De los beneffiçios***, en el capítulo xxii, dize: Mostraré a tú de quiénta cosa han mingua[312] los pode-

---

4 Sant Gregorio (*epígrafe*)] *om.* E. **9** sçiençia] sçienençia E. **11** Pastoral] Instorial E, Pastoral VAB. **14** coraçón] coracon E. // de] *om.* E, de VAB. **15** predicar] fazer E (*por proximidad del* fazer *anterior*), preycar VAB. **18** es a saber] empero E, co es a saber V, co es saber AB. **22** mostraré] mostrate E (*confusión* r/t), mostrare VABC. // mingua] ninguna E (*lectio facilior*), fretura VAC, freytura B.

---

[310] E da: *Instorial*. Cambiamos al correcto *Pastoral*, como traen los mss catalanes (VAB). No hallo la cita en la ***Regula Pastoralis***. Debe ser fac por comentario de Juan de Gales.

[311] E da: *Empero*, con mayúscula, empezando una nueva oración y dejándola incompleta. Semejante solución trae M: *E por ende*. Pero todos los mss catalanes dan: *ço es a saber*, lectura que adoptamos.

[312] E da: *ninguna*, que carece de sentido. La solución aparece en los mss catalanes. Éstos traen: *fretura*, cuyo significado 'falta de', 'carencia', lleva a la palabra aragonesa *mingua*, con ese mismo sentido. Así diría el prototipo aragonés. Este tipo de falsas interpretaciones ponen de relieve la impericia de ese *scriuano qui no era de la mía lengua.*

rosos del mundo et quiénta cosa deffalle ad aquellos que todas las cosas del mundo posiden. Et aquesto [166d] los deffallíe, esto es, alguna perssona qui verdadera cosa los diga. Et síguese: Ad aquellos qui en sus coraçones han alguna manera de lagotería, et vno officio
5 de todos los amigos es et vna contención: De todos ¿quál podrá enganyar? Et los barones poderosos han innorancia de las virtudes porque creen que sean tan grandes como hombre los dize.

[80.] DE LAS VIRTUDES DE AQUELLOS QUE AN LA CURA DE
10 LAS ÁNIMAS, ET QUIÉNTA DEUE SEYER.

[1] **Santus Bernardus**. Sant Bernart [fabla d'esto] en el IIII° libro que enviaua ***en Eugeni*** diziendo: Assaz han los bispos a mano a quí liuran las ánimas; et a quáles comanden las faculdades no troban
15 buenamientre. Et síguiesse: Muyt más paçientmientre et más firmamientre tornan atrás la iactura de Ihesu [167a] Christo que las nuestras condiçiones et missiones; et continuamientre no saben el menoscabo de las ánimas del folcado de Dios. Del preçio de las viandas et del nombre de los panes es entre nos cotidiana baralla, et atarde se
20 celebra en los abades collaçión et piedat.[313] Et caye la ásina et troba qui la leuanta,[314] mas caye l'alma et non troba qui la requira.

1 quiénta] en quie E, quina VAB. // deffalle] deffallen E (*por atracción de* ad aquellos), defall VAB. **2** deffallíe] deffallire E (*lectio facilior*), deffall V, defall A, defayll B. **4** en] *om.* E, en VABC. // coraçones] coracones E. **12** fabla d'esto] *om.* E, daco parla V, daço parla A, de aco parle B. **13** enviaua] enuiaua E. // *2° a*] *om.* E, a VAB. **14** a quáles] aquellas E, quals VA, a quals B. // comanden] comandan E. **16** tornan] tornando E. **17** no] *om.* E, no sabem V, no saben A, no sabent B. **19** et] *om.* EV, e AB. **20** et piedat] E, de peccats VAB. // ásina] cisma E, somereta VAB.

[313] Conservamos la lectura de E, a pesar de que tiene poco sentido. Los mss catalanes dan: *collacio de peccats* (VAB). Quizá la frase de E debería cambiarse a: *de peccats*. No corregimos porque la versión de ***Rams*** refleja la interpretación del compilador y tiene sentido independiente.

[314] E da: *et caye la cisma et troba qui la leuanta*. Esta extraña lectura ha atraído la atención de los estudiosos por esa alusión, aparentemente interesante, al cisma. La participación del Gran Maestre en los sucesos pontificios de fines del siglo XIV parecía avalar la validez de esa expresión.Sin embargo, la frase de E es otra de esas descabelladas lecturas a las que nos tiene acostumbrados el copista. Los mss catalanes dan una pista adecuada. Todos traen: *e cau la somereta e troba qui la leua* (VABC). M no recoge este pasaje. ¿Cómo ha podido transformarse la palabra *somereta* en *cisma*? ¿Acaso el traductor la inter-

[2] **Sant Gregorio**. Sant Gregorio, en el primero libro del ***Pastoral***, capítulo primero, dize: Pues grant vituperio es al bispo et grant periglo estatuir al regimiento de las [ánimas] aquellos que non saben el regimiento de aquéllas.[315]

5

[3] **Sant Gregorio**. Item el mismo, en el lugar ya allegado, dize: Con quál locura por los innorantes et ydiotas es reçebido el pastoral maestro de la art de las artes, que es el regimiento de las ánimas. En semblant el vispo es assín [167b] como mege primçipal. Pues peri-
10 glosa cosa es comendar el offiçio de sanar las ánimas âquellos que son innorantes en art de mediçina. Et por esto el mismo, en el lugar ya allegado, dize assín: Más agudas son las plagas de las entramenas. Empero aquellos qui nunqua conoxieron los spirituales mandamientos [no han temor de dezirse meges de las plagas que fazen los
15 trencamientos de los dichos mandamientos][316] de Dios. Como, por el contrario, aquellos qui non saben la virtut de los vngentos, ni los saben conffegir, an vergüença de dezirse meges de la carne, etc.

---

3 de las ánimas] dellas E, de les animes VAB. **4** aquéllas] aquellos E, aquelles V, animes A, aqueles B **8** maestro] E, magisteri VAB. **9** es] *om.* E, es VAB (*aunque en diferente posición* En semblant es el bisbe). **11** *1er* en] ní E (*con signo diacrítico sobre la* í), en VAB. **12** plagas] E (*posible homoioteleuton*), de les males cogitacions que no son les nafres *add.* VAB. **14** no han...mandamientos] *om.* E (*homoioteleuton*), no han temor de dirse esser metges de les nafres que fan los trencaments dels dits manaments VAB.

---

pretó como *cima*? La solución está tanto en el verdadero significado del catalán *somereta* como en el texto latino. *Somereta* es el término afectivo que un humilde campesino aplica a su más preciada posesión: la burrica. En efecto, el texto latino da: *cadit asina et est qui subleuet*. De ahí se colige que *cisma* no es sino la mala lectura de *asina*, donde los trazos de la *a* separados se han transformado en *ci*, y la combinación *ina* se ha leído como *ma*. Así se puede restaurar la verdadera lectura: *caye la asina* [o *asna*] *et troba qui la leuanta*.

[315] E da: *al regimiento dellas aquellos que non saben el regimiento de aquellos*. Frase oscura porque el texto no da ningún antecedente para el pronombre *dellas*. ***Rams*** parece servirse de V que da sólo: *al regiment de aquelles*. Pero, como se comprueba con los demás mss catalanes, V omite texto. Es C el que nos da la mejor lectura para corregir el texto de ***Rams***. Dice C: *al regiment de les animes aquells qui no saben les arts de aquelles*. Lectura que utilizamos para corregir. La cita es fac, por comentario de Juan de Gales que sigue a unas palabras de San Gregorio que el compilador no tomó.

[316] Salto que ponen de relieve todos los mss catalanes (VABC). M no recoge este pasaje.

[4] **Sant Paulo apóstol**. Sant Paulo, en la ***primera epístula de los Corinthianos***, capítulo ixº, dize, clamant los barons eclesiásticos caualleros: ¿Quí es aquell que caualca con sí mismo en afferes d'otri? Quasi que diga: Non ninguno.

5

[5] **Libro de los cánticos**. En el ***Libro de los cánticos***, capítulo iiiº, es scripto por tal figura: Sabet qu'el [167c] lecho[317] de Salamón LX hombres fuertes lo tenían deredor, esleyts de los más fuertes de Isrrael, et todos son grandes et maestros de las batallas. Et Salamón es Ihesu
10 Christo. Et guardat que esto es más que Salamón. Et el lecho de esto Salamón es la eglesia de Dios. Porque Ihesu Christo aquí iaçe segunt la humanidat, et segunt la diuinidat en el santo sagramiento del altar. Assín pues como el leyto de Salamón ençircuexen LX barones fuertes et valientes et maestros de batallas, assín los prelados de la egle-
15 sia deuen star fuertes et valientes et en sçiençia struÿdos por tal que puedan contra los enemigos de Ihesu Christo, los hereges, hauer batalla. Exemplo de Iosué et de Sanssón et de Dauid e de Iudas Macabeu et de los apóstoles, et asín de los otros santos.

20 [81.] DE LOS DEPARTIMIENTOS DE LOS [167d] RELIGIOSOS ANTIGOS.

[1] **Ierónimo**. Sant Ierónimo, en la lxxxiiiiª ***epístula***, dize que III linages de religiosos fueron en Egipto. Los primeros fueron nombrados
25 *cenobitals*, los quales biuían ensemble. Los segundos habitauan solos en los desiertos. Los terceros eran dichos segunt la lengua egipçiana *remuch*, los quales stauan de dos en dos o de tres en tres.

1 *1er* Sant] Sat E. **2** clamant] clamat E, appellant V, appellen A, apelant B. **7** lecho] dedo E, lit V, dit AB. **8** esleyts] esleyt E, elegits VAB. **9** grandes] guardes E, grans VAB. **25** cenobitals] cenebitals E (*confusión* e/o), *om.* M, cenobitals V, conubicals A, cenubitals B. // ensemble] esemble E (*omisión de la abreviatura de la nasal*). // habitauan] habitanuan E.

[317] E da: *dedo* por *lecho*. Este error sólo puede darse, como argumentó Leslie (1973: 164-65), a base de un texto catalán. Pero en este caso no se trata de un error interpretativo del traductor aragonés, sino de una confusión que ocurre ya en algunos mss catalanes (AB), que traen: *dit*, en vez del correcto: *lit* (V). Confusión que vincula a ***Rams*** con AB o su prototipo.

[2] ——. Los primeros dize Sant Gerónimo, faulando de la lur vida, que mientre que comían ninguno non faulaua; biuían de pan et de lugumes et de yerbas, en las quales no metían nengún conduyto sino solamientre sal. Et los viellos biuían vino et muchas otras peni-
5 tençias que fazían, segunt que aquí mismo recomta Philo. De la vida de los ermitanos fue el primero actor Sant [168a] Paulo hermitán, et después el illustrado Sant Antón et lo prímcep Sant Iohán Bautista.

[82.] DE LOS VICIOS DESHORDENADOS DE LOS CURIALES.
10

[1] **Isaías**. ***Isayas***, capítulo v°, dize: Maldicho es aquell qui se leuanta manyana a enbriaguar; en lures conuides uan con trompas, violas et tímpanos et trompetas et vino; et no han cura de la obra de Dios.

15 [2] **Sénecha**. Sénecha, en la ***epístola*** lxxxviii[a], dize que aquellos que la mayor part de la noche stan assentados a comer et a beuer duermen d'aquí a medio día et aquella ora es la lur mannana.

[3] **Sénecha**. Item el mismo, en la ***epístula*** lviii[a], dize que aquell que
20 quiere veuir por tal que use de luxuria et de mucho dormir non viue, porque más es muerto que biuo.

[4] **Sócrates**. Que demandando a Sócrates por qué no auía seguido la cort, respuso: Por tal como cort se muda- [168b] ua cascún día de
25 stamiento et prendía nueuas artes o maneras, las quales a él non plazían ni las sabía aprender; et éll aprendía todos días algunas cosas las quales no.l' sabían las cortes. Et por tal como él despreçiaua lo que los curiales amauan et mucho desseauan, et [lo que él desseaua et][318]

5 Philo] EAB, Filleto M, *om.* V. **7** illustrado] E, yllustrador M, illustrador VAB. **12** a] *om.* E (*embebida en la* a *de manyana*), por se M, a embriaguea a seguir V, a embriaguesa seguir A. **19** aquell] aquella E, aquel M, aquell VA. **24** respuso] et respuso E. **28** lo que él desseaua et] *om.* EA (*homoioteleuton*), lo que el deseaua e M, e co que ell desiiaua e V, (B *a mi microfilm le falta el folio donde aparece esta autoridad*).

[318] E omite texto. Dice: *et por tal como el despreciaua lo que los curiales amauan et mucho desseauan et queria aquellos lo menospreciaua*. Semejante salto en A. No podemos comprobar si el salto está también en B, el otro ms de la misma rama, porque en mi microfilm falta este folio. Pero VM traen el texto completo, lo que nos permite ver el homoioteleuton (*deseauan e ...*

quería aquéllos lo menospreçiauan. Et por esto Dauid non quiso venir a la fiesta de Saúl que era clamada helenda, segunt que es scripto en el ***primero Libro de los Reyes***, capítulo xxº.

5 [5] **Tullio**. Tullio dize en el libro IIº ***De los ofiçios*** que los primeros consselleros de Roma eran assín como a puertos et refugio de los reyes et del pueblo et de las naçiones. Assín mismo los consselleros del prímçep sean refugio de los lazçrantes et de los pobres hombres.

10 [83.] DE LA AMONESTAÇIÓN DE LOS POBRES ET DEL PROUECHO DE LA [168c] POBREÇA.

[1] **Sant Gregorio**. Sant Gregorio, ***omelía*** çaguera, faulando del rico hombre goloso et del pobre Lázaro, dize que mediçina de pobreça sana
15 et guarece aquellos los quales han enfermedat de buenas costumbres.

[2] ——. Item el mismo dize en el XXIº libro de los ***Morales*** que más pobre es aquell que no ha humilidat que no aquell que no ha panyo ni vestidura con que se abrigue. Porque pobre ergulloso es des-
20 plazient a Dios.

[3] **Exemplo puesto por Sant Gregorio.**[319] Sant Gregorio mete vn exemplo et dize que vido vn hombre el qual era romero o peregrino pobre, el qual no auía anssia de los aferes d'esti mundo. El qual
25 como se acostás a la suya muert, et fue en aquell punto, desçendieron allí en do el dicho peregrino iazía Sant Miguel et Sant [168d] Gabriel

1 lo] los E, le M, ho VA. // menospreçiauan] menospreçiaua E, menospreçiauan M, menyspreauen VA. **2** helenda] E, calenda M, lxenda V, lxalenda A, chalenda C, ad kalendas Ven. **7** *1er* et] *om.* E, e MVAB. **8** lazçrantes] lazcrantes E. **11** pobreça] pobreca E. **13** çaguera] caguera E. **14** pobre Lázaro] pobre E, pobre Lazaro M, pobre Latzer VB, pobre Latxer A. **15** han] E, los fiere M, no fara V, nafre AB. **17** dize en] dize en *iter.* y *tachado* E. **23** vido] *om.* E, vido M, veu V, viu A, vee B. **24** no] era (*tachado*) E, no MVAB. **26** peregrino] pregrino E.

deseaua e) y corregir el confuso texto de ***Rams***. Así dice M : *e por tal commo el menospreçiaua lo que los curiales mucho deseauan, e lo que el deseaua e queria ellos le menospreçiauan.*

[319] Fac. La cita corresponde a las ***Vitae Patrum*** (VI.3 § 6, PL 73, 1011-1012) que, en la ***Suma de col.lacions***, va a continuación de una cita de San Gregorio.

archángeles et rogauan l'alma del peregrino que salliesse del cuerpo. Et como ella no'nde salliesse, dixo Sant Gabriel a Sant Miguel: Tómala. Et respondióle Sant Miguel: Mandamiento auemos que menos de dolor la'nde echemos et menos de fuerça. Et demientre que stauan
5 assín, vino el profecta Dauid[320] con la viola et tomó muchos cantos con el de Iherusalem. Et quando l'alma huyó aquellos cantos sallió del cuerpo, et Sant Miguel recibióla et pósola en el cielo.

[4] **Sant Iohán Bocador**. Sant Iohán Bocador ***sobre Sant Matheo***,
10 omelía IIII^{a}, dize que pobreça es fornal más orribla que fuego.

[5] **Thobías**. ***Tobías***, capítulo iiii^{o}, dize que nosotros somos pobres en esta vida, empero muchos bienes auremos si tememos a Nuestro Senyor Dios.
15

[6] **Iob**. ***Iob***, xxxi^{o} capítulo, dize que el pobre no teníe de qué se crubiesse el su cuerpo.

[169a] [84.] DE LAS ABOSIONES QUE LOS MONGES COME-
20 TEN QUI STAN EN LA CORT O EN EL PALACIO.

[1] **Eclesiastiçi**.[321] El sauio ***Eclesiástico***, capítulo vi^{o}. En el ***Tratado de XII obesiones***, dize que la V^{a} obesión es monge curial, porque orden de cort et de claustra grant departimiento hide ha. Como en la
25 cort se assentan con los ricos hombres en los lugares ascondidos por-

---

1 l'alma] alma E, al alma M, la sua anima VA, la anima B. **2** a] et E, a MVAB. **4** fuerça] fuerca E. **5** Dauid] dando E, Dauid MVC, Dauiu A, Dauit B. // tomó] E (*sic, quizá error por* cantó), *om.* MVAB. // cantos] EM, cantors VAB. **23** curial] curia E, curial MVAB. **25** ascondidos] estendidos E, ascondidos M, amagats V, amagat A, (B *a mi microfilm le falta el folio donde aparece esta autoridad*).

---

[320] E da: *dando*. Obvio error que corregimos con la ayuda de todos los mss (MVABC).

[321] Típico fac. La ***Suma de col.lacions*** trae las dos autoridades seguidas. Pero el colector tomó descuidadamente el nombre del ***Eclesiástico*** y le atribuyó la obra siguiente, es decir, ese "Tratctatus de XII abusionibus", que en realidad forma parte de la obra de Hugo de Folieto titulada ***De claustro animae***. En consecuencia el epigrafista atribuyó al ***Eclesiástico*** ésta y las dos citas siguientes, aunque todas ellas provienen del "Tractatus de XII abusionibus".

que mates l'inorant;[322] et en la claustra legirán: No he seýdo con consello de vanidades, ni entraré con aquellos que fazen obras iniquas et maluadas. Et en la cort están en acecho que tomes el pueblo; et en la claustra dizen: Yo he auorrido et ayrado la congregaçión de los malua-
5 dos, et con los maluados non me posaré.

[2] **Eclesiastiçi**. Item el mismo dize: En la cort lur mano derecha es plena de donos; et en la claustra le- [169b] yen: Yo he lauadas mis manos entro ha los innocentes.
10

[3] **Eclesiastiçi**. Item el mismo dize que la VIª obesión es monge pledero o que pledea, el qual quiere más seyer de aquellos que stan assentados a la taula con Erodas que en la claustra con Sant Iohán. Porque aquí veye la donçella saltando, et aquí veye la cabeça de Sant
15 Iohán tallada del cuerpo. Et conclude que más vale yr a la casa de ploro que a la casa en do se faze conuit.[323] Como enpero lo monge non veye en la cort la cabeça de Sant Iohán en el talladero, enpero él veye aquí en las torres [aquellas] cosas las quales son estadas ganadas por el scampamiento de la sangre,[324] esto es, la vaca de la viuda

---

1 mates] mayor es E, mates M, aucies V, ocies A. // inorant] E, ynoçente M, innocent VA. **3** acecho] achon E, acecho M, aguayt VA. // tomes] comes E (*confusión* c/t), tomes M, prenes VA. // pueblo] EM, pobre V, poble A. **7** lur mano derecha] lurs manos derechas E, tu mano derecha M, la tua ma dreta VAB. **8** yo he lauadas] yo leuadas E, no he lauado M, yo lauades V, yo he lauades A. **9** entro ha] E, entre MVA. **14** cabeça] cabeca E. **16** conuit] comun E, conbite M, conuit VA. **17** enpero] et E, enpero M, empero VAB. **18** aquellas cosas las quales] las cuales cosas E, aquellas cosas las quales M, aquelles coses les quals VA, [a]queles coses aqui les quals B.

---

[322] Las deturpaciones del copista de E oscurecieron este pasaje, que dice: *como en la cort se assentan en los lugares con los ricos hombres en los lugares estendidos porque mayor es linorant*. Por las típicas confusiones *c/t* y *o/e*, *ascondidos* se ha transformado en *estendidos*; la repetición anticipada *en los lugares* desorienta —la conservamos porque, al aparecer en M, implica que estaba en el prototipo aragonés—; la fuerte expresión de *mates* —que también debía estar en el prototipo aragonés, dada la lectura de M— queda suavizada en *mayor es*; y el *ynoçente* se ha vuelto *inorant*. Estos cambios son los que transforman ***Rams*** en un ms que exige profundos y constantes retoques para que adquiera pleno sentido.

[323] E da: *comun*, obvio error por *conuit*, como traen VAC (*conuit*) y M (*conbite*).

[324] E trae: *el veye aqui en las torres las quales cosas son estadas ganadas por el scampamiento de la sangre*. Frase confusa que puede aclararse con M, o mejor con VA, que tienen idéntica redacción. Dice V: *veu empero aqui aquelles coses les quals son stades guan-*

et el puercho del pobre. Porque el monge, comiendo la substancia del pobre, dize al prímçep lagoterías, laucençias.

[169c] [85.] [DE VERDADERA ET DEUOTA ORACIÓN.][325]

5

[1] [**Hugo de Sant Víctor**].[326] Hugo de Sant Víctor, en el libro que es dicho ***De studio de orar***, por todo el tractado, dize que oraçión es deuoçión del pensamiento, es a dezir, conuerssión del coraçón enta Dios por affecçión humil et piadoso.

10

[2] [**Demaçeno**]. Ademaçeno, en el IIII° libro de las suyas ***sentençias***, capítulo xxiiii°, dize que oración es asubimiento del entendemiento en Dios et petición de cosas conuinientes. Porque oraçión es en iii maneras. La primera es casta, es a saber, quando demanda perdón del peccado. La segunda es dicha más casta, quando se demandan los donos del Santo Spíritu, assín como son fe et sperança o caridat o graçia de Ihesu Christo. La tercera es mucho más casta, quando viene qu'el sposo, el mismo, [169d] es demandado. Aquesta nota de la oración es triplicada, segunt que es dicho.

15

1 comiendo] comendo E, comiendo M. **2** laucençias] (*Sólo se halla en* E. *Quizá leer* lausengerias, *como sugiere Leslie, o* lausonias.). **6** Hugo de Sant Víctor (*epígrafe*)] *om.* E. (*espacio en blanco para el epígrafe*). **7** orar] *om.* E, orar MVAB. // por] *om.* EM, per VAB. **8** coraçón] coracon E. **11** Demaçeno (*epígrafe*)] *om.* E (*espacio en blanco para el epígrafe*). **14** demanda] deman E, demana VA, demane B. **17** *2°* el] es E, el VAB. **18** *2°* es] *om.* EVB, es C.

yades per lo scampament de la sanch. La confusión de E proviene de la omisión de *aquellas* y la trasposición de *cosas*. Corregimos, pues, con VA. E es el único en traer el sintagma *en las torres*. ¿Es falsa lectura por *aquellas cosas*? No lo vemos claro. Por eso lo mantenemos.

[325] El ms omite los títulos de los capítulos 85-86 y 88-95, que se hallan en los folios 169c hasta 173b y 174a-b, pero deja algunas líneas en blanco. Curiosamente, todos estos espacios en blanco carecen de la letra minúscula que generalmente se inserta como guía para el iluminador, como ocurre en la mayoría de los epígrafes anteriores. Aunque esta ausencia no parece motivo suficiente para que el epigrafista dejara incompleta su labor, no deja de ser curiosa. En el caso de este capítulo, tomamos el título de la tabla alfabética inicial.

[326] Como en el caso anterior, los epígrafes de las autoridades contenidas en los folios 169c hasta 173b y 174a-b están en blanco. Los suplimos por el contexto.

[3] [**Exodi**]. Scripto es en el libro de ***Exodi***, capítulo xviii, que Moysés, estando contra la alteça del collado de Dios, sota las manos del qual fue posada una piedra por tal que a las manos non le defalliessen la fuerça o non lo scayeçe.[327]

5

[86.] [DE VERDADERA HUMILLITAT ET QUÁL DEUE SEYER.][328]

[1] [**Sant Gregorio**]. Sant Gregorio, en el XXIIIIº libro de los ***Morales***, dize que verdadera sçiençia reprime, mas no exalça los superbiosos, los quales vmple e los faze[329] plorosos. Porque aquel que aplega sçiençia aplega dolor, segunt que dize el sauio ***Eclesiastés***[330] en el primero capítulo. En la humilidat ha virtut por la qual, si el hombre á verdadera consciençia de sí mismo, cada vno es humiliado de sí mismo.

10

1 Exodi (*epígrafe*)] *om.* E (*espacio en blanco para el epígrafe*). **2** collado de Dios] E, collado VC, çel A, coll B. // sota] *om.* E, sots VAB, en C. **4** non lo scayeçe] non los cayeçe E, no.s lassassen VAB, ne.s lassaçen C. **8** Sant Gregorio (*epígrafe*)] *om.* E (*espacio en blanco para el epígrafe*). **10** e los faze] a los falsos E, los faze M, mas fa.ls VB (*origen del error de* E), mas fa los B. **11** sauio] salmo E, sabio M, saui VAB. // Eclesiastés] Eclesiastico EM, Ecclesiastich VAB, Eclesiastes Ven. **13** consciençia] E, conosçiendose M, conexença VA, conexenza B, conaxença C.

[327] E da: *non los cayeçe*. Así leen todos los editores. El ***Lexicon*** deriva esta forma del verbo *cayeçer*, 'fall', 'befall', es decir, 'acaecer'. Pero así la oración carece de sentido. Esta interpretación implicaría corregir a: *non los cayeçen* (Velasco) o mejor aún: *non le cayeçen*. Sin embargo, creo que hay otra lectura más congruente con el manuscrito y el significado. Propongo otra agrupación y leer: *non lo scayeçe*, de *scayeçer* 'debilitar', verbo que en las grafías *escaeçer* y *escayeçer* se halla en el corpus herediano, como demuestra el ***Lexicon***. Este significado está más cerca de la fuente, ya que todos los mss catalanes traen: *per tal que les mans...no.s lassassen* (VAB), fiel traducción del ***Exodo*** (17.12): *non lassarentur*. El sentido de nuestra corrección es que a Moisés, cuando estaba con los brazos extendidos dirigiendo la batalla, le pusieron una piedra debajo de las manos "para que a las manos no les faltase la fuerza" y esa posición *non lo scayeçe*, es decir, no lo debilitase o cansase.

[328] El ms omite el título de este capítulo pero deja cuatro líneas en blanco. Tomamos el título de la tabla alfabética inicial. Velasco lo suple con "De biuir entre los malos es cosa digna et de gran lahor", aunque no corresponde con el contenido de este capítulo.

[329] El ms da: *a los falsos*, errónea interpretación del catalán. A da: *mas fa.los* 'mas los hace'. Pero es la grafía de VB: *mas fa.ls* la que indujo a tomar el sintagma verbo + pronombre 'los hace' como si fuera una sola palabra *fals*, adjetivo, 'falso'. No dudamos en corregir.

[330] Todos los mss catalanes y castellano dan: *Eclesiástico*, pero el ***Communiloquium*** trae correctamente: *Eclesiatés*. Confusión fácil de comprender.

[170a] [2] [**Sant Matheo**]. Sant Matheu, en el xi capítulo, dize que la ley de Ihesu Christo dize: Aprendet de mí porque mansso son et humil de coraçón.

5 [87.] DE LA INSTRUCCIÓN QU'ELL PADRE DEU[E DAR A LOS FILLOS, CRIANDO ET CASTIGÁNDOLOS.][331]

[1] [**Policrato**]. ***Policrato***, en el VIº libro, capítulo iiii, recomta qu'el emperador fizo exercitar sus fillos en el grado de cauallería et a 10 correr VIII vezes al día, et cada vez con muchos caualleros et en diuerssas fuerças; et fízolos aprender de nadar et d'esgrima, et que supiessen de ferir d'estoque o de punta, et de lançar dardos et lanças et piedras con mano et con fon;[332] et mostrándolos en quál manera hombre que es requerido se deue deffender; et en quál manera deue 15 cometer o encalçar o deffender en toda pelea. Porque puesto que los fillos sean de tan alta san- [170b] gre et de tan grant parage et que hayan grandes riquezas, empero con grant diligençia deuen seyer criados et complidos de buenas doctrinas, todo en assín como si ellos non podían retenir lo que es lur ni ganar lo de los otros sino por vir- 20 tudes o por buenos criamientos.

[2] ——. Item el mismo dize que aquesti emperador fizo mostrar a sus fillas que supiessen obrar de lana por tal que si él viniesse a pobreça et non las pudiesse maridar honrradamientre, que al menos 25 supiessen ganar a sostenemiento de lur vida.

---

1 Sant Matheo (*epígrafe*)] *om.* E (*espacio en blanco para el epígrafe*). **3** coraçón] coracon E. **8** Policrato (*epígrafe*)] *om.* E (*espacio en blanco para el epígrafe*). **11** fuerças] fuercas E. **12** lançar] lancar E. // lanças] lancas E. **13** fon] E, fona VAB, fones C. **14** quál] tal E, qual VAB. **19** ni] vi E, nin M, ne VAB. // sino] si E, sy non M, sino VA, cino B.

---

[331] El ms dice solamente: *De la instruccion quell padre deu*, y deja tres líneas en blanco. Completamos el título con la tabla alfabética inicial.

[332] Sic, con posible omisión de la "a". La forma *fona* 'honda', además de hallarse en los mss. cats. (VAB, *fones* C), todavía se usa en varios pueblos aragoneses (Andolz).

[88.] [DE VIUIR ENTRE LOS MALOS ES COSA DIGNA ET DE GRANT LAHOR.][333]

[1] [**Sant Paulo**]. Sant Paulo, ***ad Pfilopensses***, capítulo ii°, loa ad
5 aquellos que viuen en santedat [en medio] de la nación maluada et con- [170c] traria, porque atales son como a lexio[334] entre spinas.

[2] ——. Item el mismo dize ***ad Romanos***, capítulo çaguero, que arredrarse deue hombre de los malos. Et deuen seyer adotrinados los
10 hombres buenos et ruegen a Dios por los malos et que [les] fagan bien, si bien se son lures enemigos o los perssiguíen, segunt la doctrina de Ihesu Christo.

[89.] [EN QUÁL MANERA EL PRÍMÇEP SE DEUE AUER CON
15 LOS VASSALLOS.][335]

[1] [**Sant Agustín**]. Sant Agostín, en el libro de la ***Çiudat de Dios***, xxx° capítulo, dize que condición seruil por drecho es entendida seyer puesta al peccador. Et la primera razón et occasión de serui-
20 tud es peccado. Porque iamás no leyemos en las scripturas que fuesse ningún hombre en seruitut ni en captiuitat de otro hombre

---

4 Sant Paulo (*epígrafe*)] *om.* E (*espacio en blanco para el epígrafe*). **5** viuen] vuíen E (*con signo diacrítico sobre la* í). // en medio] *om.* E, en mig V, entre AB. **6** lexio] E, liri VAB. **8** çaguero] caguero E. **10** les] *om.* E, ls (*enclítico*) V, lus A, los B. **17** Sant Agustín (*epígrafe*)] *om.* E (*espacio en blanco para el epígrafe*).

---

[333] El ms omite el título de este capítulo pero deja cuatro líneas en blanco. Tomamos el título de la tabla alfabética inicial.

[334] Leslie y el ***Lexicon*** suponen que *lexio* es falsa lectura por *lirio*. Así parecen confirmarlo la ***Suma de col.lacions***, que da: *liri* (VABC) y el ***Libro del gobernador***: *lirio* (M), traducción del: *lilium* bíblico (***Canticorum*** 2.2). No obstante la forma: *lexio* de E puede ser legítima y explicarse como aragonesismo de la palabra catalana *lletsó*, y sus variantes *llecsó, licçons*, etc., planta silvestre parecida a la lechuga (DECLC, s.v. *llet*). Además, en el Bajo Aragón turolense catalanoparlante, concretamente en Valdeltormo, he oído, por los años cincuenta, la forma: *llisons* para designar una planta silvestre semejante a la lechuga que las mujeres ancianas iban a coger en los campos para utilizarla como ensalada.

[335] El ms omite el título de este capítulo pero deja cinco líneas en blanco. Tomamos el título de la tabla inicial.

antes qu'el peccado [170d] del fillo de Noé, varón iusto, mereciés esti nombre, seruient o catiuo. En do culpa o peccado et no natura meresció[336] atal nonbre.

5 [2] [**Sant Agustín**]. Item el mismo dize que los senyores sieruen ad aquéllos sobre los quales semella que hayan senyoría. Et non deuen senyorear por cobdiçia de senyorear.

[3] [**Sant Gregorio**]. Sant Gregorio, en el XXIº libro de los ***Morales***, 10 dize que los senyores poderosos han grant occasión de auer grant humildat si se comiden que la condición natural lur et de lures subiectos es parella.

[4] [**Sant Gregorio**]. Item el mismo, suso aquella paraula del ***Génesi***, 15 capítulo ix, que dize: *là terror et el miedo vuestro sea de suso de las bestias de la tierra*, dize assín: El hombre es sobrepuesto a las bestias que no han razón, mas no ha los otros hombres. Et por esto li es dicho [171a] que sea temido no de otro hombre mas de las bestias que no han razón.

20

[5] [**Iob**]. ***Iob***, capítulo xxxiº, dize que Dios auía fecho a él en el vientre de su madre assín como los subietos suyos, et que egual ley era stada seruada en la concepción et en la natiuitat d'él, que era senyor, et de aquel que era su sosmés.

---

2 et no] ne E, e non M, e no VB, e A. **3** meresció] merentis E, merescio M, meresque V, meresques AV. **5** Sant Agustín (*epígrafe*)] *om.* E (*espacio en blanco para el epígrafe*). **6** sobre] *om.* E, sobre MVAB. **9** Sant Gregorio (*epígrafe*)] *om.* E (*espacio en blanco para el epígrafe*). **14** Sant Gregorio (*epígrafe*)] *om.* E (*espacio en blanco para el epígrafe*). **18** que] qui E, que MVAB. // temido] tenido E, temido M, temut VAB. // no] ni E, non M, no VAB. **21** Iob (*epígrafe*)] *om.* E (*espacio en blanco para el epígrafe*). **23** senyor] seyer E, sennor M, senyor VAB.

---

[336] El ms trae: *ne natura merentis*, cambio que revela cierto prurito cultista del compilador al cambiar a esa frase técnica, en un latín imperfecto, la idea del original. San Agustín había escrito: *nomen igitur illud culpa meruit non natura* (***De civitate Dei*** 19.15), traducido al catalán así: *on culpa e peccat e no natura meresqué aytal nom*. La probable incomprensión de *meresqué* es causa de la frase legalista de ***Rams***.

[6] [**Sénecha**]. Sénecha, en la lxviii[a] ***epístula***, faulando al senyor, dize: La tuia sauieza deue veuir familiarmientre con los seruientes o subietos, como non son sieruos [antes son hombres; son sieruos, antes son domésticos; son sieruos][337] antes son companyones humiles et amigos;
5 son sieruos antes son companyones de ti qui eres siruient, que digas en latín *consserui*. En esto conoxerás si bien hide quieres penssar en la fortuna, que assín puede a ti fazer sotmeso ad alguno como ellos son sotsmetidos a ty.

10 [90.] [EN QUÁL MANERA EL PRÍMCEP SE DEUE COMPORTAR [171b] EN TIEMPO DE GUERRA NI CÓMO DEUE REGIR LA SUYA COMPANYA.][338]

[1] [**Sant Agustín**]. Sant Agostín, ***contra Fausto***, questione xviii[a],
15 dize que aquellas peleas son buenas et iustas las quales son fechas por

1 Sénecha (*epígrafe*)] *om.* E (*espacio en blanco para el epígrafe*). **2** veuir] venir E (*confusión* n/u), beuir M, uiure VAB. **3** antes son hombres...domésticos; son sieruos] *om.* E (*homoioteleuton*), antes son ommes; son sieruos antes son domesticos; son sieruos M, abans son homens; son seruos abans son domestichs; son seruos V, abans son homens, domestichs; son seruents AB (*con homoioteleuton*). **7** fortuna] forma E, fortuna MVAB. **14** Sant Agustín (*epígrafe*)] *om.* E (*espacio en blanco para el epígrafe*). // Fausto] Fuscano E, Fausto M, Faustum V, Faustam AB. **15** peleas] *om.* E, peleas M, batalles VA, bataylles B.

[337] Pasaje que se presta a saltos de igual a igual por la repetición de la palabra *sieruos*, como ocurre en AB, aunque no coinciden con E. ***Rams*** da un texto híbrido y confuso. Para aclararlo y apreciar los saltos conviene dar el original latino y la versión completa de M, fiel traducción de V. Dice el ***Communiloquium***: *Servi sunt, imo homines; servi sunt, imo contubernales; servi sunt, imo humiles amici; servi sunt, imo conservi* (Séneca, ***epistula*** 47.1-2). La traducción castellana dice: *son sieruos, antes son ommes; son sieruos, antes son domésticos; son sieruos, antes son vmildes amigos; son sieruos, antes son conpanyeros de ti que eres siruiente, que son dichos en latín conserui* (M). Esta versión, lo mismo que las catalanas, traduce literalmente las frases latinas conservando la forma afirmativa, a pesar de que con ello pierde el matiz de refuerzo en el contraste expresado por la partícula *immo*. La mejor traducción sería **no son siervos, antes son...*, construcción que no utiliza ninguno de los mss. Veamos ahora la versión de E: *como no son sieruos, antes son companyones humildes et amigos; son sieruos, antes son companyones de ti qui eres siruent, que digas en latín consserui*. En esta versión apreciamos dos estadios. En primer lugar una redacción como en M, reflejo del prototipo aragonés; en segundo lugar, con ella a la vista, el "scriuano" introdujo la forma negativa de *como no son sieruos*, lógico comienzo de una frase de contraste, aunque luego volvió a las formas afirmativas del modelo; todo ello en medio de saltos de igual a igual. Nuestra corrección, basada en M, intenta restaurar ese supuesto prototipo aragonés.

[338] El ms omite el título de este capítulo pero deja cinco líneas en blanco. Tomamos el título de la tabla inicial.

tornar a çaga los malos hombres et por exalçar los buenos, et por tal que los rebelles sean obedientes a la comunidat.[339]

[2] [**Sant Agustín**]. Item el mismo, libro IIIIº de la ***Ciudat de Dios***, capítulo xvº, xxiiº et en el vº, dize: Pelea iamás non deue seyer fecha sino porque se conuiene o se deue fazer por fuerça. Segunt que es scripto en el ***Decreto***, en la questión de suso allegada, es a saber, questión VIIIª en aquell capítulo qui comiença: *Si nulla vrget* etc.

[3] [**Sant Agustín**]. Item el mismo, ***faulando al conde***, al qual dizía atales paraulas: O erma- [171c] no mío, ruégote que tú fagas saber a los tuyos sotsmesos, del mayor tro hal[340] menor, la dulçor del regno celestial, et la amargura et la temor de las penas infernales. Et seas curoso et recelado de la salud et de la saluación de aquellos, porque tú rendrás razón a Nuestro Senyor Dios de todos los tuios sotmesos que serán estados en tu casa.

[4] [**Graçiano**]. Graçiano, qui fizo el ***Decreto***, en la causa XXXIIIIª, questión primera, dize que batallas pueden seyer sostenidas segunt el

---

1 çaga] caga E. **2** sean] *om.* E, sean M, sien VAB. **4** Sant Agustín (*epígrafe*)] *om.* E (*espacio en blanco para el epígrafe*). **5** dize] et dize E (et *espurio*). **6** fuerça] fuerca E. **8** comiença] comienca E. **9** vrget] vrgere E, vrget MVB, verget A. **11** Sant Agustín (*epígrafe*)] *om.* E (*espacio en blanco para el epígrafe*). **13** tro hal] trebal E, asy ... como M, tro al VAB. // dulçor] dulcor E. **19** Graçiano (*epígrafe*)] *om.* E (*espacio en blanco para el epígrafe*).

---

[339] Redacción confusa en la que se agrupan referencias al ***Contra Faustum*** de San Agustín y al ***Decreto***. La confusión proviene de la ***Suma de col.lacions***, la cual atribuye a San Agustín la frase del ***Decreto***, por haber interpretado mal la redacción en sí confusa del ***Communiloquium***. Aquí la idea de la licitud de las batallas se apoya con textos del ***Decretum***: *quia prout habetur [causa] XXIII, questione I, bella possunt sustineri...*; con una cita del ***Contra Faustum***; y otra vez con textos del ***Decretum***: *similiter, dicta quaestione, in qua dicitur quod bella non sunt peccata si fiant propter malorum cohibitionem, bonorum sublimationem et propter reverentiam reipublicae exhibendam vel obedientiam* (P 1, causa 23, quaest. 1, cap. 6, 7, en PL 187, 1165).

[340] El ms da: *trebal*, obvia confusión del copista por: *tro hal*. Los mss catalanes traen: *tro al* (VAB) y M traduce correctamente: *al grande commo al pequenno*. Por eso restituimos: *tro hal*.

euangelio por tal que los hombres de iniquitat sean tirados furtamientre[341] et por neçessitat.

[91.] [EN QUIÉNTOS CONSSELLOS DEUEN SEYER OÝDAS
5 SENTENCIAS DE MUCHOS CONSSELLEROS.][342]

[1] [**Sant Agustín**]. Sant Agostín, ***sobre Iohán***, omelía primera, dize: Los corages que siguen los deliçios [171d] non deuidos et que fuyen a tristor devida a menudo son enganyados. En todas guisas deue
10 seyer demandado conssello, más que los de suso dichos, el ángel del conssello, que quiere dezir Ihesu Christo, fillo de Dios, al qual deuemos demandar de conssello[343] porque él es conssellero marauelloso.

[2] [**Sant Ambrosio**]. Sant Ambrós, libro IIº ***De offiçios***, dize assí:
15 ¿Cómo puede seyer prouechoso consseiio si no yd'á[344] iustiçia la qual lo faga fuert et firme?

[3] [**Eclesiastiçi**]. El sauio ***Eclesiástico***, capítulo xxxix, dize que Dios es aquel que endereça el conssello del hombre et la suya dotri-

1 tirados] tiradas E, tirados M. // furtamientre] E, forçadamente M, forçadament VAB. **7** Sant Agustín (*epígrafe*)] *om.* E (*espacio en blanco para el epígrafe*). // dize] et dize E (et *espurio*). **9** guisas] E, cosas M, coses VAB. **10** del] el E, de MAB, del V. **11** al] el E, al M, lo VAB. **14** Sant Ambrosio (*epígrafe*)] *om.* E (*espacio en blanco para el epígrafe*). **15** si no yd'á] sin oyda E (*agrupación que lleva a confusión en algunos editores*), sy y no ha M, si no ha VA, si no a B. // qual] *om.* E, qual MVAB. **18** Eclesiastiçi (*epígrafe*)] *om.* E (*espacio en blanco para el epígrafe*). // Eclesiástico] Eclesiasticco E.

[341] Así trae el ms y así leen Leslie y el ***Lexicon***, dándole el sentido de 'by force', el cual está corroborado por los mss: *forçadament* (VAB) y *forçadamente* (M). Velasco interpreta: *fin[i]tamientre*, sin justificar su lectura.

[342] El ms omite el título de este capítulo pero deja cuatro líneas en blanco. Tomamos el título de la tabla inicial.

[343] El ms da: *el qual deuemos demandar de conssello*, redacción ambigua, donde la forma de sujeto *el qual* funciona como complemento directo. La misma construcción ocurre en las versiones catalanas: *lo qual deuem demanar de consell*; sólo M trae una lectura clara: *al qual*, lectura que adoptamos para evitar la ambigüedad.

[344] El ms da claramente: *sin oyda*, lectura que ha despistado a todos los editores. Se trata de la expresión impersonal: *si no yd'á*, 'si no hay ahí', propia del aragonés, como corroboran los otros mss: *si no ha* (VAB) y *sy ý no ha* (M).

na, et es aquell que scondidamientre reuella su conssello et demostra qué deue el hombre fazer.

[4] [**Exodi**]. En el libro de ***Exodi***, capítulo xviii°, et ***Ysaýas*** iii°, es
5 scripto que Ysaýas dixo hatal paraula, la qual es scripta capítulo iii: *No as* [172a] *conssellero*. Et sobre aquesta paraula espone Sant Ierónimo en l'***Original*** la sentencia del poeta griego,[345] de grant alabança, et dize que aquél es primero bienauenturado que por sí mismo sabe. Otrosí es bienauenturado aquel que [el sabio huye. Mas
10 aquel que] por sí mismo no sabe ni huye el sabio, ésti no es prouechoso por sí nin por otro.[346]

[5] [**Gerónimo**]. Sant Gerónimo a tú buen hombre dize c.[347]

---

4 Exodi (*epígrafe*)] *om.* E (*espacio en blanco para el epígrafe*). // Ysaýas] *om.* E, Ysayas M, Ysayies V, Ysahies A, Ysayes B. **5** dixo] *om.* E, dixo M, diu VB, dient A. **6** sobre] *om.* E, sobre MVAB. **7** Ierónimo] Iohan E, Geronimo M, Jeronim VA, Geronim B. // griego] Gremias E, Grenechies M, grech V, Gremthi A, Gremichi B. // grant] grat E, grant M, gran VAB. // alabança] alabanca E. **9** otrosí] de otro si E, e otrosi M, e apres V. (AB *lo omiten por homoioteleuton*). // el sabio...que] *om.* E (*homoioteleuton*), al sabio oye mas aquel que M. (*Sólo* M *trae el pasaje completo. VAB tienen homoioteleuton en distintos lugares.*) **13** Gerónimo (*epígrafe*)] *om.* E (*espacio en blanco para el epígrafe*).

---

[345] E lo identifica como: *Gremías.* Pero el anónimo poeta griego al que alude San Jerónimo en el ***Original***, es decir, en su ***Comentario sobre Isaías***, II.3: *Greci poetae laudabilis sententia* (PL 24, 61), es Hesíodo. Ver la nota siguiente. En los distintos mss, interpretando el gentilicio *Greci* como nombre propio, se ha convertido en *Gremías* (E), *Grenechías* (M), *Gremichíes* (C), *Gremthi* (A), *Gremichi* (B). Sólo V trae correctamente *grech*, lectura que adoptamos.

[346] Todo este pasaje, desde: *aquél es primero bienauenturado*, resulta confuso en todos los mss, excepto M y el original latino. Todos los mss catalanes presentan algún salto; sólo M tiene el texto completo. En cambio ***Rams*** dice: *aquél es primero bienauenturado que por sí mismo sabe de otro si es bienauenturado; aquel que por sí mismo no sabe ni huye el sabio, ésti no es prouechoso por sí nin por otro*. Esta versión parece tener sentido; sin embargo, contine un error y un salto que deforman el significado original. En el primer caso, la incomprensión del adverbio *otrosí* le ha llevado a crear la frase: *por sí mismo sabe de otro si es bienauenturado*, que no refleja la idea de los mss catalanes ni castellano. En el segundo, introduce un salto (*aquel que ... aquel que*), reduciendo a una las dos oraciones del original. Damos el texto latino de San Jerónimo para que se puedan apreciar las sentencias de ese poeta griego, es decir, Hesíodo (***Los trabajos y los días*** v. 290): *"primum, dicit, beatum esse qui per se sapiat; secundum qui sapientem audiat"; qui autem utroque careat, hunc inutilem esse, tam sibi, quam aliis* (PL 24, 61). Corregimos con M.

[347] Autoridad incompleta en el ms.

[6] [**Sant Gregorio**]. Sant Gregorio, en el libro XXIIIº de los ***Morales*** sobre la paraula de Iob que dize assín: *lo suyo conssello lo fazía caher*, capítulo ix etc., Sant Gregorio dize que todo hombre iniquo o maluado el su conssello son las cosas presentes dessear, et desemparar las cosas
5 eternales et fazer cosas iniustas. Et asín como hombre iusto conssella a sín mismo cosas iustas, assín las conssella a los otros.

[7] [**Sant Gregorio**]. Item el mismo, en el ***Re-*** [172b] ***gistro***, dize: Ninguno no puede seyer a ti más leal conssellero como aquell que
10 te quiere o te ama et veye las tus cosas. Et assín como non deue hombre creyer malos consselleros foranos, assín non deue hombre creyer malos consselleros dentro, esto es que stan de dentro del coraçón del hombre. Porque dize el comentador Auerroys, sobre lo VI libro de las ***Eticas***, que dos son los no sauios consselleros, es a
15 saber, deliçio et tristiçia, los quales enderocan[348] et escrebantan muchos.

[8] [**Sant Gregorio**]. Item el mismo, en el libro XVIIº de los ***Morales***, sobre la paraula scripta por Iob, capítulo xxvi, que dize: *a quien has*
20 *dado conssello* etc., et dize que dar conssello al loco obra es de caridat, et darle al sauio es declaraçión o manifestación, et dirlo[349] [172c] a sauieza, esto es peruersidat. Porque grant locura es querer demostrar a más sauio et meior de sí mismo.

---

1 Sant Gregorio (*epígrafe*)] *om.* E (*espacio en blanco para el epígrafe*). **2** caher] caber E (*confusión* b/h), caher M, caure VAB. **4** el] en E, el MVA. **5** fazer] fazen E, fazer M, fer VAB. // iusto] E, iniusto M, inich V, iniust AB. **6** cosas iustas] E, esas cosas M, aquestes coses VAB. **8** Sant Gregorio (*epígrafe*)] *om.* E (*espacio en blanco para el epígrafe*). **13** comentador] començador E (*confusión* c/ç/t), comentador MB, començador V, comencador A. // Auerroys] E, auerroiz MB, auerroys A, *om.* V. **15** enderocan] endereçan E (*confusión e/o y cedilla superflua*), derruecan M, enderroquen VAB. // escrebantan] E, quebrantan M, strebanten VAB. **18** Sant Gregorio (*epígrafe*)] *om.* E (*espacio en blanco para el epígrafe*). **21** dirlo] E, darlo M, donarlo VABC. **22** peruersidat] por neçessidat E, por nesçesidat M, peruersitat VB, necessitat A.

---

[348] El ms da: *endereçan* pero es falsa lectura por: *enderocan* (por confusión *e/o* y adición de la cedilla), como traen los otros mss: *enderroquen* (VAB) y *derruecan* (M).

[349] Sic. E da claramente: *dírlo*, con signo diacrítico sobre la í. Mantenemos esta lectura porque tiene sentido, aunque podría tratarse de un error del escriba por: *darlo*, como dice un poco antes y como traen todos los mss: *donarlo* (VABC) y *darlo* (M).

[9] [**Sénecha**]. Sénecha dixo: Yo me don et me liuro a sauios consselleros et discretos como yo no era avn poderoso que me regisse por mí mismo, et póngome en manos de otri. Et non deue hombre demandar consello de malos hombres.

5

[10] [**Sénecha**]. Item el mismo, en la ***epístula*** lxxiiii[a], dize asín: Los nuestros conselleros ierran como no ha qui los endreçe ni saben la fin a que deuen venir. Et dize que aquell que querie enviar la sageta deue saber del senyal en do ha de ferir, et aquell que lança el dardo o la

10 lança no sabe si la gouierne o la endereça al senyal que no sabe o no entiende.

[92.] [EN QUÁL MANERA DEUE HOMBRE [172d] AYUDAR A LURES VEZINOS.][350]

15

[1] [**Sant Agustín**]. Sant Agostín dize que mayor bienauenturança es auer vezino que sea de vn coraçón et de vna volumtat con el hombre que auer victoria en pelea de mal vezino. Aquel es buen vezino que a todos es innocent et non faze mal a nenguno et faze bien a todos sus

20 vezinos. Et esti atal es plazién a Dios.

[2] [**Iob**]. Iob dize d'él mismo, capítulo xxix, que él deliuraua el pueblo quando lo audió cridar et dio a la viuda conssolación de coraçón et crebaua las cosas passadas de los iniquos.

25

[3] [**Iob**]. Item el mismo, capítulo xix, dize: Yo me ploraua de suso de aquell que sufríe aflicçión. Estos son ofiçios et obras de buen vezino.

---

1 Sénecha (*epígrafe*)] *om.* E (*espacio en blanco para el epígrafe*). // me don et me liuro] E, yo me do o me libro M, yo.m liure VAB. **6** Sénecha (*epígrafe*)] *om.* E (*espacio en blanco para el epígrafe*). **7** conselleros] E, consejos M, consellers V, consells A, conseyls B. // no] no *iter.* E. **8** enviar] enuiar E. **10** lança] lanca E. **10** endereça] *om.* E, enderesça M, dreça V, endreça A, endresa B. **16** Sant Agustín (*epígrafe*)] *om.* E (*espacio en blanco para el epígrafe*). // bienauenturança] bienauenturanca E. **17** coraçón] coracon E. **22** Iob (*epígrafe*)] *om.* E (*espacio en blanco para el epígrafe*). // pueblo] E, pobre MVB, pobre A. **24** cosas passadas] E (*fort.* pessadas), frexures VAB, faxuguesas C. (*latín* molas 'muelas de molino.') **26** Iob (*epígrafe*)] *om.* E (*espacio en blanco para el epígrafe*). **27** ofiçios et obras] E, obras M, obres V, oficis e obres AB.

---

[350] El ms omite el título de este capítulo pero deja cuatro líneas en blanco. Tomamos el título de la tabla inicial.

[4] [**Salamón**]. Salamón, en los ***Prouerbios***, capítulo xii, dize: Más vale buen vezino [173a] de cerca que ermano luent.

[93.] [EN QUÁL MANERA LOS ANTIGOS POBRES LAZRARON
5 A TIRAR LOS HOMBRES A TAL ESTAMIENTO.][351]

[1] [**Libro clamado Paradiso**]. Scripto es en aquell libro clamado ***Paradiso*** [que Serapión,] en otra manera apellado [Sindoni],[352] vindió sí mismo a los moros por preçio de xxx florins. Et seruió a los moros
10 d'aquí que los uvo fechos christianos. Et quando se partió d'elos dioles lur moneda asín como si se acayesse o se redimiese. Et como ellos le dixieron que la dase por Dios, él respuso et díxoles que ellos que la dassen por Dios porque lur era, et que él no daría lo que suyo no era a los pobres.
15

[2] [**Sant Paulo apóstol**]. Sant Paulo, ***ad Corinthios***, en la ii^{a} epístula, dize de sí mismo que muyt de grado daríe sí mismo por salut de los erma- [173b] nos et por salut de lures almas. Et esto es scrito en la ***ii^{a} epístula ad Corinthios***.
20

[3] [**Ihesu Christo**]. Ihesu Christo eslió et dio a sus diçípulos et a los otros la predicación.

---

1 Salamón (*epígrafe*)] *om.* E (*espacio en blanco para el epígrafe*). **7** Libro clamado Paradiso (*epígrafe*)] *om.* E (*espacio en blanco para el epígrafe*). **8** que Serapión...Sindoni] et en otra manera apellado Serapion E, que Serapio qui per altre nom es appellat Sindoni V, que Serapio en altra manera apellat Sindoni A, que Serapio en altra manera es apellat Sindoni B. **16** Sant Paulo apóstol (*epígrafe*)] *om.* E (*espacio en blanco para el epígrafe*). **18** et] que E, e VAB. **21** Ihesu Christo (*epígrafe*)] *om.* E (*espacio en blanco para el epígrafe*). // Ihesu] Iihesu E.

---

[351] El ms omite el título de este capítulo pero deja seis líneas en blanco. Tomamos el título de la tabla inicial.

[352] E, con sus típicas omisiones, da este confuso texto: *Scripto es en aquell libro clamado Paradiso et en otra manera apellado Serapión vindió sí mismo*, con sintaxis totalmente trunca. M trae una lectura diferente que no sirve para corregir el error. La solución aparece en los mss catalanes, donde tenemos: *es scrit en aquel libre qui es apelat Paradis que Serapio, en altra manera apellat Sindoni, vené sí mateix* (VAB). El compilador o copista de E, dando un salto por inadvertencia o por deseo de resumir, aplicó el sinónimo al libro en vez de aplicarlo al personaje, con lo que cayó en una confusión que no resolvió. Corregimos con los mss catalanes.

[4] [**Sant Matheo**]. Sant Matheu, en su ***euangelio***, en el capítulo xix, dize que Ihesu Christo dixo âquell iouen: Si quieres star perffecto et acabado vende quanto has et dalo a los pobres, et viene et sígueme.

5 [94.] [EN QUÁL MANERA DEUE HOMBRE SQUIUAR AMIGANÇA FALSSA ET ENGANYOSA.][353]

[1] [**Sant Agustín**]. Sant Agostín, en el IIII° libro de ***Conffesiones***, dize que verdadera amor no's fallada sino entre aquellos que han ver-
10 dadera caridat, que es dono de Dios, la qual caridat es fallada entre los buenos.

[2] [**Iuuenalis**]. Iuuenalis dize que aytanto trasoro como algunos tienen en su archa atanto hi á de [173c] fe. Porque como la arca será
15 vasía non será de ninguna cosa creído ni hide fiarán aquellos que agora hi fían.

[3] **Sénecha**. Sénecha, en la ***epístula*** vintena, dize que aquél yerra que busca amigo en el palacio o en la cort. Et la razón d'esto s'í[354] es porque
20 cada vno de aquellos que siguen cort la siguen por lur proprio prouecho et non por amor de otri, et asín no an verdadera amor a los otros.

[4] **Tullio**. Tulio, en el III° libro ***De ofiçios***, dize que entre malas perssonas no yd'á ninguna verdadera amigança ni bien querençia, mas hay
25 desemellança o ficçión assín como entre los buenos yde á amigança.

---

1 Sant Matheu (*epígrafe*)] *om.* E (*espacio en blanco para el epígrafe*). // Matheu] Maheu E. **8** Sant Agustín (*epígrafe*)] *om.* E (*espacio en blanco para el epígrafe*). **11** buenos] E, de suso dichos M, damunt dits VAB. **13** Iuuenalis (*epígrafe*)] *om.* E (*espacio en blanco para el epígrafe*). **15** creído] cresido E, creydo M, cregut VAB. **24** querençia] querenci E, querençia M. **25** ficçión] aficçion E, aflicçion M, afficcio V, ficcio AB.

---

[353] El ms omite el título de este capítulo pero deja tres líneas en blanco. Tomamos el título de la tabla inicial.

[354] La lectura de E: *si*, podría interpretarse como reflejo de un *sic* latino. No aparece este adverbio en el ***Communiloquium***, sino el refuerzo *immo*. Los mss catalanes no lo recogen. Por eso desechamos esa interpretación y suponemos que se trata del aragonesismo *s'í es*, con valor intensificativo. M trae la misma construcción: *sy es*.

[5] ——. Item el mismo, en el libro ***De amitiçia*** o de amigança, capítulo xº, dize que verdadera amigança a malas penas[355] es trobada en aquellos [173d] que son en stamiento de grant honor o de grant officio común.

5

[6] **Tullio**. Item el mismo, en el libro ***De natura deorum***, dize que cara cosa es esta paraula amor, como de aquesta paraula es tomado esti nombre amiticia o amigança. Si nosotros la reboluemos, no a prouecho de aquell que amamos o queremos, mas a prouecho de nosotros
10 mismos, digo que ya non es amigança, antes es mercadería de algunos prouechos nuestros.

[7] **Eclesiastiçi**. El sauio ***Eclesiástico***, capítulo xxxix.[356]

15 [8] **Eclesiastiçi**. El sauio ***Eclesiástico***, capítulo viº, dize aquell que es amigo o companyero tuio en la taula et non te aiuda en el día de la necesitat non lo quieras. Como todos aquellos atales lo que fazen lo fazen por loguero. Pues manifiesta cosa es que non son amigos [174a] del hombre, antes lo son de los dineros o de la roba.

20

[9] [**Eclesiastiçi**]. Item el mismo, capítulo xii, [dize] que el hombre no conoçe quál ni quién es amigo demientre que el hombre ha bien.

---

2 a malas penas] ama las penas E, a malas penas M, atart VAB. // es] et es E, es MVAB. // trobada] trobado E, fallada M, trobada V, atrobada AB. **3** de grant] E (*por influencia de la frase anterior*), que tengan M, tenen VAB. **6** deorum] dominorum E, do M, deorum VAB. // dize] *om.* E, dize M, diu VAB. **8** amigança] amiganca E. **17** *1er* lo] la E. // atales] atal es E. **19** roba] roba EVAB, ropa M. **21** Eclesiastiçi (*epígrafe*)] E (*espacio en blanco para el epígrafe*). // dize] *om.* E, dize M, diu VAB. **22** hombre] hombr E.

---

[355] El copista interpretó la frase adverbial: *a malas penas* como si fuera una oración: *ama las penas*, lo cual le llevó a crear dos oraciones falsas: *verdadera amigança ama las penas et es atrobado en aquellos que son en stamiento de grant honor*. Pero la fuente catalana dice lo opuesto: *vera amistat a tart es atrobada en aquels qui son en stament de gran honor*, fiel traducción del latín: *verae, inquit, amicitiae difficillime inveniuntur in eis qui in honoribus reque publica versantur* (Cicerón, ***De amicitia*** 10). Lo mismo trae la versión castellana de M, donde la frase adverbial catalana: *a tart* se ha interpretado correctamente como: *a malas penas*.

[356] Ejemplo incompleto en el ms.

Porque non conoçe hombre si el amigo ama o quiere el hombre o si quiere el bien del hombre.

[95.] [INSTRUCÇIÓN QUE NON SE DEUE HOMBRE GLORIAR
5 EN LAS EXCELLENTES NATURALES.][357]

[1] [**Sant Gregorio**]. Sant Gregorio, en el II libro ***Dialogorum***, capítulo xxiii, dize que ad algunos sole nascer nobleça de linage innobelidat de corage.[358] Y éstos atales fazen de sí mismos et de lur nobleça
10 escudo o castiello a peccar o a defender lures pecados. Contra los quales dize Sant Pedro en la ***primera canónica*** que deuen seyer assín como a francos, et no assín como aquellos que han comiadura[359] [174b] de liberalidat de maleza.

15 [2] [**Sant Gregorio**]. Item el mismo, libro primero, ***omelía*** primera et xª, dize que tanto como alguno se reconoçe más obligado a Dios de[360] render razón et conto de lo que le á acomandado, et atanto deue seyer más humil por el dono que ha recebido.

1 *1ᵉʳ* o] a E, o MVB, e A. **7** *1ᵉʳ* Sant Gregorio (*epígrafe*)] *om.* E (*espacio en blanco para el epígrafe*). **9** si] lur E, sy M, si VAB. **10** escudo] estudio E, escudo M, scut VA, escut B. // *1ª* a] o E, a MVAB. **11** deuen] deue E, deuen MAB, deurien V. **12** comiadura] E (*sic, con acento diacrítico sobre la* í), cobertura M, cubertor VAB. **13** liberalidat] EM, libertat VAB. **15** Sant Gregorio (*epígrafe*)] *om.* E (*espacio en blanco para el epígrafe*). **16** xª] E, ixª MA, *om.* V, viiii B. // de] EV, deue M, deu AB.

[357] El ms omite el título de este capítulo pero deja cuatro líneas en blanco. Tomamos el título de la tabla inicial.

[358] Frase de construcción ambigua. Contribuye aún más a la oscuridad el traducir el verbo transitivo original *parir* por el intransitivo *nascer*. El significado de la frase es el siguiente: 'en algunos la nobleza de linaje crea acciones innobles'.

[359] No conozco esta palabra. Todos los mss dan: *cubertor* (VAB), *cubertura* (M), fiel traducción de: *velamen* de la epístola petrina (I ***Petri*** 2.16). Debe tener, pues, ese significado. Convendría, no obstante, explorar su posible relación con *coma* 'cabellera' o *commeatus* 'tránsito, pasaje' o 'permiso'.

[360] AB y M traen: *deu retre rahó* y *deue dar razón* respectivamente, con lo que rompen la correlación *aytant...aytant*. En cambio, VE tienen: *de retre rahó* y *de render razón*, que conserva mejor la estructura correlativa *tanto...quanto* del texto de San Gregorio.

[3] [**Sant Gregorio**]. Item el mismo, II libro de los ***Morales***, dize que algunos donos hide á deiús de los quales no alcança hombre vida eternal, et algunos otros menos de los quales la puede hombre alcançar.

5 [4] [**Sant Gregorio**]. Item el mismo, libro XIº de los ***Morales***, dize que algunos bienes nos son estados dados los quales son nuestras armas; et á otros que son ornamientos. Et de estos atales ninguno non se deue ergullir, por tal que por ellos los peccados [174c] non le crescan.

10 [5] **Sant Paulo apóstol**. Sant Paulo, capítulo viii ***ad Romanos***, dize: ¿Qué as[361] que no haias recebido de Dios? Et si lo has reçebido, ¿por qué te gloriegas asín como si non lo huuiés recebido, mas que lo huuiesses de ti mismo?

15 [96.] INSTRUCCIÓN DE AQUELLOS QUE NO PUYAN A ESTAMIENTO DE BIENAUENTURANÇA, ANTES BIUEN EN LAZERIO ET EN MESQUINDAT, ET EL PROUECHO QUE ES EN AQUELL STAMIENTO.

20 [1] **Boeci de conssolaçión**. Boeçi ***De conssolaçión***, en el çaguero capítulo, en el qual dize: Yo me piensso que más prouecha a los hombres sofrir desauenturança et contrariedat que non faría prosperidat de fortuna. Porque la prosperidat de fortuna, quando appareçe blanca et dulça, enganya el hombre; mas [174d] en contrariedat de su ventura
25 iamás no es mentidera, antes es verdadera, porque ella demuestra que no es durable. Aquélla enganya; et ésta demuestra et adoctrina. Aquélla es vista ventolán et corrient assín como agua de baruecho et non

1 Sant Gregorio (*epígrafe*)] *om.* E (*espacio en blanco para el epígrafe*). **2** algunos] algugunos E. // hombre] ho hombre E. **3** alcançar] alcancant E, alcançar M, aconseguir VAB. **5** Sant Gregorio (*epígrafe*)] *om.* E (*espacio en blanco para el epígrafe*). **6** nos] no E, non M, nos VAB. // dados] *om.* E, dados M, donats VAB. **11** as] antes E (*fort.* auíes o aurás), has MA, as VB. **13** huuiesses] huuiesse E, ouieses M. **16** biuen] biue E. **20** çaguero] caguero E. **22** contrariedat] contralliedat E, contrariedat M, aduersitat VABC. **23** blanca] E (*fort.* blanda), blanda M, blana VAB. **24** de su ventura] E, de desauentura M, desauenturada V, o desauentura AB, ne desauentura C. **26** ésta] esto E, esta M, aquesta VAB.

[361] El ms da: *antes*, falsa interpretación de: *as* 'tienes', como traen todos los mss: *as* (VB), *has* (AM). Quizá el copista quería escribir *auíes* o *aurás*.

conoscient sí misma; et ésta es vista amesurada et aremangada et exercitada et sauia. Aquélla arriedra el hombre de la carrera del verdadero bien; et ésta tira al hombre cuitosamientre a bien verdadero.

5 [2] [**Sénecha**].[362] Item dize el mismo en el lugar ya allegado que assín como las auguas et las pluuias et las fuentes non se mudan la sabor de la mar ni la fazen tornar a la lur sabor, todo assín la batalla o la pelea de las tribulaciones et de las contrariedades non rebueluen el coraçón [del hombre fuerte et virtuoso, antes su coraçón] sta firme, et todo lo
10 que.l' con- [175a] teçe todo lo sabe reçebir a su prouecho. Porque el es más fuert et más poderoso que cosa que.l' acaesca, et cúidase que toda la contrariedat que le esdeuiene que sea exerçiçio suyo.

[3] **Sant Agostín**. Sant Agostín, ***contra Fausto***, capítulo xxii°, dize
15 que no es ninguno hombre que sea assín abastado o guarnido de iustiçia que non haya menester temptaçión de tribulaçión por obtener perfección de virtud.

[4] **Sant Agostín**. Item el mismo dize que tribulación es medecina de
20 guarecer superbia et prouar virtud de paçiencia et a delir peccados et culpas.

[5] **Sant Luch euangelista**. Sant Luch euangelista, en el suyo ***euangelio***, capítulo çaguero, dize que conuiénese que Ihesu Christo sufries-
25 se passión, et assín él entrasse en su gloria.

[6] **Eclesiastiçi**. El sauio ***Eclesiástico***, capítulo ii°, dize: Aquell oro [175b] et plata se proua en el fuego, he el hombre iusto se proua en tribulación.

1 sí] asin si E. **3** ésta] esto E, esta M, aquesta VAB. **5** Sénecha (*epígrafe*)] Boeçi de conssolacion E (*por influencia del epígrafe anterior*). **8** coraçón] coracon E. **9** del hombre...coraçón] *om.* E (*homoioteleuton*), del omme fuerte e virtuoso antes su coraçon M, del home fort e uirtuos ans lo seu cor VA, del hom fort e virtuos anys lo seu cor B. **15** guarnido] guardado E, guarnido M, guarnit VAB. **24** çaguero] caguero E.

[362] Fac. E atribuye la cita a *Boeçi de conssolación*. En realidad corresponde a Séneca, como dice la ***Suma de col.lacions***. Pero el aparecer después de otra cita de Boecio ha llevado al compilador o epigrafista a cometer la falsa atribución.

[7] **Eclesiastiçi**. Item el mismo, en el capítulo xxii°, dize que la fornal proua los vexellos del ollero.[363]

[8] **Sant Gregorio**. Sant Gregorio, en el II° libro de las ***Omelías***, ome-
5 lía iiii[a], dize que los electos al començamiento suffrieron muchas tribulaçiones.[364]

[9] **Sant Gregorio**. Item el mismo, en el XX° libro de los ***Morales***, dize que ninguno hombre no es acabado el qual no suffre su part de
10 los males que sus próximos suffren. Et mete d'esto exiemplo en Abell et en Caym et en los fillos de Noé et en los fillos de Ysac et en los apóstoles. Después dize que assín como la rosa da buena odor entre las spinas assín los iustos son primidos e maltraídos[365] por los malos. Empero por esta [175c] opresión cresçen en virtud y en odor
15 de buena fama et de santedat.

[97.] INSTRUCCIÓN QUE LOS NOBLES NON SE DEUEN GLOREAR.

20 [1] **Sant Gregorio**. Sant Gregorio, en el libro XXI de los ***Morales***, dize que todos los hombres por natura son eguales, mas es

1 dize] *om.* E, dize M, diu VAB. **2** ollero] obero E (*fort.* olero), ollero M, oller VA, Oler B. **5** començamiento] comencamiento E. **10** exiemplo] *om.* E, enxenplo M, eximpli VB, eximpis A. **12** como] E (*posible homoioteleuton*), el grano es trillado en vno con la paja en la era e assy commo *add.* M, lo gra es batut ensemps ab la palla en la era e axi com *add.* VA, lo gra es batut ensemps ab la paylla en la era e axi com *add.* B. **13** e] a E, e MVAB. // maltraídos] mal criados E (*por* traidos *con confusión de* c/t *y metátesis* ia/ai), maltraydos M, maltractats VAB. **21** es] *om.* EVB, es MA.

[363] El ms da: *obero*. El ***Lexicon*** supone que es error por *obrero*. Pero los mss dan: *oller* (VA), *oler* (B) y *ollero* (M). Probable error del escriba por *ollero*. Corregimos con M.

[364] Fac por comentario de Juan de Gales que aparece entre dos citas de San Gregorio.

[365] El ms. dice: *malcriados*, pero en vista de las lecturas de todos los mss.: *maltractats* (VAB) y sobre todo *maltraydos* (M), creemos se trata de una corrección psicolingüística o simplemente de la confusión *c/t* con la metátesis *ia/ai*.

estado fecho por disposaçión[366] que algunos sean prelados et otros sotsmesos.

[2] **Iuuenalis**. Iuuenalis dize que virtud es aquella cosa la qual faze
5 noble el hombre.

[3] **Iuuenalis**. Item el mismo dize que aquélla es verdadera nobla[367] la qual honrra el corage de buenas costumbres.

10 [4] **Sénecha**. Sénecha, en la ***epístula*** lxv, dize que aquéll es verdaderament de grant parage el qual naturalmientre es bien conpuesto et virtuoso de buenas virtudes.

[5] **Sénecha**. Item el mismo, en la ***epístula*** xxxxviii, dize que [175d]
15 filosofía fizo Platón senyor noble et no carnal nobleza, porque generación espiritual faze verdadera nobla et prouechosa, etc.

[6] [**Grisostomus**]. Item el mismo dize que vna sola es verdadera nobla, es a saber, fazer la volumtat de Dios.
20
[7] **Iob**. ***Iob***, en el xxxi capítol, dize que aquell el qual ha fecho el sieruo en el vientre de su madre ha feyto por semblant manera el noble.

---

1 disposaçión] E (*fort.* dispensaçion *por confusión* e/o *y pérdida de la tilde*), dispensaçion M, dispensacio VAB. **7** aquélla] aquellas E. **18** Grisostomus] Senecha E (*por influencia del epígrafe anterior*). // verdadera] verdera E.

---

[366] Así da el ms. Sustantivo derivado del hipotético **disposar* 'disponer'. El ***Lexicon*** recoge varios derivados verbales de **disposar* en el corpus herediano. Sin embargo, en vista de las lecturas de los mss (*dispensació*, VAB; *dispensaçión*, M), es posible que sea error gráfico por *dispensaçión*, por confusión *e/o* y omisión de la abreviatura.

[367] Mantenemos la forma del sustantivo *nobla* porque aparece en ***Rams*** varias veces (6) juntamente con las otras formas tradicionales de esta palabra: *nobleza* (4) y *nobleça* (3).

[98.] LO PRÍMÇEP DEUE SEYER ALMOSNERO ET DEUE RECEBIR LOS SOBREUINIENTES GRACIOSAMIENTRE.

[1] **Sant Agostín**. Sant Agostín, et Sant Pedro en la ***epístula primera***,
5 capítulo iiii°, dize que nosotros deuemos tenir hospitalidat los vnos a los otros menos de murmuraçión.

[2] **Grisostomus**. Grisostomus, en la ***omelía*** lxxxiiª, dize que Ihesu Christo, antes del miraglo que fizo del pan, mu- [176a] chos ne auía
10 fechos. Empero iamás d'aquí aquel día la gent no lo auía atorgado ni conffessado assín como quando fueron fartos del pan. Como muchos son que siguen los primçeps et los senyores por tal como se fartan en lur cort, et que, si aquello no era, non los seguirían.

15 [3] **Eclesiástico**. El sauio ***Eclesiástico***, capítulo xxxi°, dize que los rostros[368] de la multitud bendiçirán la perssona onrrada de aquellos qui darán de su pan.

[4] **Iob**. ***Iob***, capítulo xxxi°, dize, de sí mismo, que él iamás non comíe
20 bocado de pan que non de fiziesse part a los pobres. Et quando venían romeros luego los metía en su casa. Et su puerta staua vbierta a reçebir vinientes. Porque hospitalidat es cosa muyt honesta et de buena fama en los primçeps.

25 [5] **Sant Paulo apóstol**. Sant Paulo, ***ad Ebreos***, capítulo xiii°, dize: Non queráys oblidar hospitalidat [176b] por la qual algunos fueron plazientes a Dios, que ángeles reçibieron en lur hostal o casa, assín como fizieron Abraam et Lot, segunt que es scripto en el ***Génesi***, capítulo xviii°.

---

10 no lo] no la E, no le M, nol VAB. **13** era] eran E, fuese M (*sólo* EM *traen la oración condicional*: si aquello no era). **16** rostros] hostros E, rostros M, lauis V, labis ABC. **22** honesta] *om.* E, honesta MVAB.

---

[368] El ms da: *hostros*. Como sugiere Leslie, parece error del copista por *rostros*, con el significado de *labios*, usado todavía en el ***Recontamiento de Alixandre*** morisco del siglo XVI (Leslie 299). Significado que confirman todos los mss: *lauis* (V), *labis* (AB), *rostros* (M).

[99.] LO PRÍMCEP DEUE SEYER SUFRIENT ET PACIENT.

[1] **Sant Agustín**. Sant Agostín, en el XV° libro de la ***Ciudat de Dios***, capítulo iiii°, dize que la dignitat terrenal quiere auer victoria de las
5 gentes, como ella sea catiua de viçios, etc.

[2] [**Sant Gregorio**]. Sant Gregorio, en el libro XX° de los ***Morales***: Inpaciençia es ennemiga de senyoría, la qual el prímçep deue auer penssándose que él es egual et semellant en natura a los suyos
10 subietos.

[3] **Sant Iac apóstol**. Sant Iac apóstol dize que la ira del hombre non faze obra segunt la iusticia de Dios. Et esto dize en el primero capítulo de la suya ***canónica***.
15

[176c] [4] [**Iob**]. ***Iob***, capítulo xxx°, dize que no auíe menospreçiado su vassallo; que intraua con él por odir sentençia quando hauía con aquél pleyto. Porque prímçep se deue catar sobre todas cosas que non sea sanyoso ni yroso, etc.
20

[5] [**Sénecha**]. Sénecha, en el libro primero ***De clemençia*** o piedat, faulando al prímçep, dize assín: Tú, prímçep, guarda tú mismo de sanya et de yra, porque tú non puedes faular que las gentes no oyan tu voz o no puedes faular sanyoso ni irado que por tu sanya non sea
25 alguno encargado.[369]

4 terrenal] eternal E, terrenal MVAC, terrenall B. **7** *1ᵉʳ* Sant Gregorio (*epígrafe*)] Sant Agustin E (*por influencia del epígrafe anterior*). // en el] en el *iter.* E. **9** et] *om.* E, e MVAB. **13** obra] *om.* E, obra MVAB. **16** Iob (*epígrafe*)] *om.* E. **19** sea] *om.* E. sea M, sia VA, sie B. **21** Sénecha (*epígrafe*)] *om.* E. **24** *1ᵉʳ* tu] en E (*fort.* cu *por* tu), tu M, la tua VAB. // faular] E, seer M, esser VAB. **25** encargado] EM (*fort. leer* en cargado), opprimiu V, oppremut AB.

[369] La misma lectura en M. Entiéndase 'oprimido', significado que confirman los mss catalanes: *opprimiu* (V) y *oppremut* (AB). También puede leerse: *en cargado* 'oprimido por ello'.

[6] [**Sénecha**].[370] Item el mismo, en el libro IIº ***De ira***, a la çaguería del libro, dize que res non prouecha tanto al hombre irado como faze primeramientre guardar[371] su propria fealdat[372] que pareçe de fuera en la cara et en las paraulas et en las obras, et tantost guardar[373] el periglo
5 et el mal qu'ende hahí s'en sigue o qu'ende [176d] s'en puede seguir. Porque ira es cosa que por bella cara que hombre haya la faze fea tornar, aleya et desplazient. Porque dize el mismo: ¿Quieres saber la yra por la quál ymagen deue seyer pintada o figurada? Por vna ymagen de alguna mala bestia saluage que quiere matar otra bestia contraria
10 d'ela, o por ymagen de hombre malo que quiere matar su enemigo.

[7] [**Sénecha**]. Item el mismo dize que aquell qui es yrado deue tomar un seyello[374] et que se mire, et quando verá el mal mudamiento que auía thomado en su cara aurá vergüença de sí mismo et tornará a sí
15 mismo, et passarle á la sanya.[375] Et conclude que yra embarga el coraçón que non puede veyer verdat, etc.

---

1 Sénecha (*epígrafe*)] Sant Iac apostol E. // çaguería] cagueria E. **2** dize] *om.* E, dize M, diu VAB. **3** fealdat] lealdat E, vileza e suziedat M, deformidat V, disformitat AB, diformitat C. **4** *1er* en las] E (*posible homoioteleuton*), manos e en todo el cuerpo e en las *add.* M, mans e en tot lo cors e en les *add.* VAB. // guardar] te guardara E, catar M, guardar VB, gardar A. **12** Sénecha (*epígrafe*)] Sant Iac apostol E, (*sigue el mismo error anterior del epigrafista*). **13** seyello] E, espejo M, mirall VA, myral B. **14** tornará] tomara E (*fort.* tornara), tornara MV, *om.* AB. **15** sanya] suya E, sanna M, felonia VAB. **16** coraçón] coracon E. // verdat] EM, virtut V, veritat AB.

---

[370] Fac. E atribuye esta autoridad a *Sant Iac apóstol*, porque la opinión de Santiago sobre la ira aparece en la ***Suma de col.lacions*** en medio de otras citas de Séneca sobre el mismo defecto moral. La misma falsa atribución se repite en las tres autoridades siguientes.

[371] Aquí y en la línea siguiente tiene el sentido de 'mirar', como lo revela la lectura de M: *catar*.

[372] E da: *lealdat*, con posible confusión *f/l*. Corregimos a *fealdat* en vista de las lecturas de los otros mss: *vileza e suziedat* (M), *deformidat* (V), *deformitat* (VA), *diformitat* (C).

[373] E da: *et tantost te guardará el peligro*. Lectura que corregimos por dos razones: a) todos los mss dan infinitivo: *en apres guardar lo perill* VAB, *e súbitamente catar el peligro* M; b) esta frase no es una nueva oración sino que depende del verbo principal anterior: *res non prouecha tanto al hombre irado como faze*.

[374] Sic. Su significado sería 'sello'. Pero el término correspondiente de los mss es: *mirall* (VA), *myral* (B) y *espejo* (M). Leslie y el ***Lexicon*** lo suponen, convincentemente, posible error del copista por: *spiello*, forma aragonesa de 'espejo'.

[375] E da: *suya*, obvio error por *sanya*, como lo demuestran los mss catalanes: *felonia* (VAB) y castellano *sanna* (M).

[8] [**Sénecha**]. Item el mismo, en el libro ***De yra***, dize que Fabriçio se deuíe combatir con Aníbal, et que primeramientre vinçió su propria volumtat o yra, et depués vençió Aníbal, etc.

5 [177a] [9] [**Policrato**].[376] Item el mismo dize que muchas iniurias fueron dichas a Iullio César, que todo lo perdonaua. Vn hombre dixo al emperador que poca discreçión deuía auer, que chico hombre era. Et él respúsole: ¿Yo son chico?[377] Fazetme çapatos con otras solas et seré grande; et auré buen seso, si por seyer grande lo deuo auer mayor, etc.

10

[100.] LOS CURIALES NON SEAN FALAGUEROS NIN MENTIDEROS.

[1] **Sant Agustín**. Sant Agostín dize que las lenguas de los lagoteros 15 liguan los hombres en pecado, et assín tocan los hombres con sí mismos a perdiçión. En do los sauios antigos non conssentían que los lagoteros faulassen con los primçeps, antes los matauan. Porque dize que aquestos atales son comparados a ciminterio[378] por tal como aque-

1 Sénecha (*epígrafe*)] Sant Iac apostol E (*sigue el mismo error anterior del epigrafista*). **2** con] con *iter.* E. **5** Policrato (*epígrafe*)] *om.* E (*espacio en blanco implicando que es la misma autoridad anterior, es decir,* Sant Iac apostol). **8** çapatos] capatos E. **9** deuo] deue E, deuo M, deig VA deyg B. **15** tocan] E, tiran M, tiren VAB. **16** los] lo E, los MVAB. **18** comparados] comparadores E, conparados M, comparats VAB. // ciminterio] canniçio E, çimenterio M, sepulcre VAB.

[376] El ms deja un espacio en blanco implicando que la autoridad pertenece al mismo autor anterior, es decir, *Sant Iac apóstol*. En realidad la cita se halla en el ***Policraticus*** 3.14.

[377] Conservamos el estilo directo de E: *Yo son chico* y V: *Son poch*. Sin embargo MAB dan la frase en condicional: *si son poch* (AB), *si yo so chyco* (M), que está algo más cerca del estilo indirecto del ***Policraticus***: *sibi calciamentis grandiusculis utendum esse respondit*.

[378] E da *canniçio* y dos líneas más abajo lee *cimincio*. Las dos palabras se refieren al mismo término, dado como *sepulcre* en catalán (VAB) y *çiminterio* en castellano (M). Dadas las inciertas lecturas del copista de E no es difícil demostrar que en ambos casos se trata de deformaciones de *ciminterio*. En efecto, *cimincio* es el resultado de confundir *c/t* y pasar por alto la abreviatura medieval de la sílaba *er*. En cuanto a *caniçio*, la parte final tiene la misma explicación, pues no debe extrañar la equivalencia *ç/t*. En efecto, se da no sólo en E sino en otros manuscritos. Para poner un ejemplo común: a Averroes, el comentador de las ***Éticas*** de Aristóteles, se le llama *comencador* (en B) y *començador* (en EV). Respecto al comienzo, *ca-*, no es sino la aglutinación de *ci-* con el primer palo de la *m*. En efecto, la aparente grafía *cn* por *ca* es frecuente, por ejemplo en M. Recuérdese que una con-

llos que enlazan con lures fermosas paraulas d'aquéllos matan por peccados, et los resçiben en el ciminterio de peccado, [177b] et fázelos semblantes a sí mismos et a la lur mala vida.

5 [2] **Chathón**. Cathón dize vna buena paraula de grant sauieza, et dixo assín: Tú no creas más los otros que a tú mismo de ti mismo, porque atán bien o millor sabes tú de ty mismo quién eres como los otros.

[3] **Chatón**.[379] Item el mismo dize: ¿Qué te vale a ti si los otros te
10 gaban et la tuia consciençia te accusa? o ¿qué te nueze a ti si los otros dizen mal de ti, pues que la tu consciençia te deffende et te scusa? Estas son paraulas de Sant Gregorio ***sobre Ezachiel***, libro primo, omelía nouena.

15 [4] **[Isaýas]**. ***Isaýas***, capítulo iiiº, dize: Pueblo mío, aquellos que dizen bien, aquéllos te engannan.

[5] **Iob**. ***Iob***, capítulo iiiº, dize: *¿por qué son stetados con tetas?* etc., la qual paraula declara Sant Gregorio, libro IIIIº de los ***Morales***,

---

1 d'aquellos] E, aquells V, (AB *homoioteleuton*) **2** et los resçiben] *om.* E, e los resçiben M, els reeben V, e reeben A, el reeben B. // ciminterio] cimincio E, çimenterio M, sepulcre VAB. **3** mismos] mismo E, mesmos M, mateys V, matex A, mateix B. **6** mas...ti mismo] mas los otros mas que a ti mismo que de ti mismo E, mas los otros de ty mesmo que a ty mesmo M, mes los altres que tu matex de tu matex V, mes los altres que tu matex B, los alcuns que tu mateix B. **9** si] *om.* E, sy M, si VAB. **15** Isaýas (*epígrafe*)] *om.* E. // dizen] dize E, dizen M, dien VA, deyen B.

---

fusión semejante tuvo el copista de E en el caso de *asina* > *cisma*. Debido a estos errores de lectura, creo que se debe extremar el cuidado antes de aceptar como auténticamente aragonesas, o catalanas, las lecturas aberrantes de E. Un ejemplo, el ***Lexicon*** toma la forma *aurassen* como subjuntivo de *aurassar* y Geijerstam (1989, 505), basándose en él, considera el infinitivo como catalanismo 'abraçar' transmitido en copia oral. Pero no sólo E no trae el verbo **aurassar* sino que la forma *aurassen* es obvio error por *onrassen* como ponen de relieve todos los mss. Dudo que este tipo de errores, que tanto abunda en E, sea producto de un Fernando de Medina, el escriba castellano del códice escurialense Z.I.2. Al menos en los otros textos no se hallan confusiones tan descabelladas. Debe suponerse, pues, otro estadio en la transmisión textual de E.

[379] Fac. El texto proviene del comentario de San Gregorio ***sobre Ezequiel***, I.9. Pero, en la ***Suma de col.lacions,*** va precedido de la cita anterior de Catón, origen de la falsa atribución.

[177c] et dize que los lagoteros atetan aquellos que gaban quasi por loguer de gabança.

[6] **Sénecha**. Séneca, en la ***epístula*** liiii°, dize: Aquell sauio hombre
5 riende sí mismo fuert a los amadores suyos falssos et dissimulados. Exemplo de Vlexi que se çercaua[380] las orellas porque no oyesse el canto de las serenas, al qual todos aquellos que los oÿan se adormían,[381] et las serenas aplegáuanse a los durmientes et matáuanlos.

10 [7] **Sénecha**. Item el mismo, en la ***epístula*** xlvi^a^, dize: A mí es venida, en semellança de amigo, vno ensenyado et plazient enemigo, el qual nos mete en carrera de pecado deiús semblança de virtud. Et por esto como ellos son contrarios de verdat, deuen auer nombre Satanás.

15 [8] **Sant Ierónimo**. Sant Ierónimo, en la lxxxviii^a^ ***epístula***, dize que [177d] lagoteros blandos et manssos enemigos son mortales. Et éstos son semblantes a scorpiones que con la cara tanyen blandamientre et manssa, et con el rabo o la cola fincan et enueninan.

20 [9] **Sant Ierónimo**. Et d'estos faula ***Ezachiel***, capítulo iii°, et dize: Tú stas con scorpiones. Quiere dezir con scorpiones o lagoteros.

[10] **Sant Ierónimo**. Item el mismo, en lo ***Original***, dize: Los lagoteros son enemigos et son guta del diablo et son administradores dia-

---

4 aquell] E, que el M, quel V, que AB. **6** çercaua] EM, tancaua V, tanchaua A, tancaue B. **7** adormían] aduerman E, adormeçian, adormien VA, adormen B. **18** cola] cosa E, cola M, coha VA, coa B. // fincan] fieren M, punien V, punyen AB. **24** son enemigos] et son enemigos *iter.* E.

---

380 EM dan: *çercaua*. El mismo caso que en la n.163. En efecto, los mss. cats. traen, VC: *tancaua*, A: *tanchaua*, B: *tancaue*. Ya que la posible confusión *c/r* se da solamente en estos dos casos, mantenemos, con reservas, la lectura original con el sentido de 'cerrar'.

381 E trae: *todos aquellos que los oyan se aduerman*. El copista intenta usar el presente de subjuntivo en ambas oraciones. Pero los otros mss traen indicativo, bien en el imperfecto (MVA), bien en el presente (B). Basados en ellos, creemos que *oyan* es imperfecto, es decir, *oÿan*, y la forma *aduerman* es una falsa lectura por **aduermían* —aunque es muy posible en aragonés, no la adoptamos por no estar atestiguada— o mejor *adormían*.

bolicales, porque ellos administran con abeurage de muert, quasi con miel de lagotería mesclado, assín como dize Alexandre quando[382] faulaua de las naturas, et dizía que lagotería es tuxech o venino con miel vntado, etc.

5

[11] **Sant Ierónimo**. Item el mismo, en el libro ***De matrimonio***, dize assín de las dulces paraulas et blandas et periglosas et fal- [178a] sas de los lagoteros: Son como a pestilençias.

10 [12] ——.[383] Item el mismo recomta que Iuuenalis dixo: A Roma ¿qué hi faré yo que no ý sé mentir ni dezir mentiras, no sé gabar el libro quando es malo? Quasi que diga: Yo me aparto de la çiudat entuxegada con tuxech que salle de la boca de los lagoteros enganyadores, etc.

15 [13] **[Policrato]**. ***Policrato***, en el IIIº libro, capítulo iiiiº, dize que hombre falaguero o lagotero es enemigo de toda virtut, et firme[384] vn clauo ad aquell que afalaga. Et tanto más se deue hombre guar-

---

1 administran] administrales E, aministran M, aministren VB, administran B. **2** quando] EM, Nequam V, com AB. **4** vntado] vntando E, vntado M, huntat V, vntat AB. **7** et] *om.* E, e MVAB. **10** Iuuenalis] Iuiuenalis E. **15** Policrato (*epígrafe*)] *om.* E. **16** firme] E, finca M, ferma VA, ferme B.

---

[382] Así trae E. No corregimos porque la lectura equivocada no afecta al sentido. Se trata, lógicamente del filósofo inglés Alejando Neckam y su tratado ***De naturis rerum***. La confusión de *Nequam* por *quando* une a E y M, que tienen la misma lectura. Pero debía estar ya en el prototipo catalán que sirvió para la traducción aragonesa, porque AB dan ya confusamente *Alexande com parlen de les natures*, mientras que V da la lectura correcta: *Alexandi Nequam, parlan de les natures*. La auténtica lectura de E debe ser: *Alexandre Nequam, faulando de las naturas*.

[383] E deja la atribución en blanco, implicando que la cita pertenece a San Jerónimo. Es fac. La razón se encuentra en la ***Suma de col.lacions***, donde las dos citas aparecen seguidas. Pero San Jerónimo no menciona los versos de Juvenal en ninguna de sus obras. La verdadera fuente de la cita es el ***Policraticus***, de donde Juan de Gales tomó todo el pasaje, es decir, los versos de Juvenal y el comentario.

[384] Esta palabra *firme*, quizá debería corregirse a *firma*, es forma verbal catalanizante del verbo *fermar* 'fincar', 'clavar'. E sigue la lectura abreviada de AB: *quaix ferme* [*ferma* B] *un clau daquell qui lagoteia*, con posible omisión de texto, como lo revelan VM: *quaix ferma un clau en lull da aquell qui lagoteia* (V), y *cas[i] que finca un clavo en el oio de aquel que afalaga* (M).

dar d'él quanto más se demuestra amigo, por tal que non pueda nozer. Et siégese aquí que el lagotero ha con sí por companyeros huso, et enganyo, et perdiçión, et senyal de mentida, et secuela de seruitut, et vntagamiento[385] del próximo o el apartamiento o des-
5 trucçión de toda honestat. Porque el salmo de Dauid faze oraçión que ia la- [178b] gotero non lo pueda engordar ni vntar su cabeça con olio de lagotería, porque verdaderamientre el peccador es gabado por los lagoteros de aquellas cosas que cumplen el su desordenado desseo.

10

[14] **Policrato**. Item el mismo, en el libro ya allegado, capítulo xiii°, faulando d'esta materia, dize que Ciçilio[386] dixo assín: O emperador noble et paçient, tú fazes muchas valentías et prodezas et obras assenyaladas et muchas cosas más has. En vna cosa empero apareçe en tú
15 sauieza más que en otras, como lagoteros non te han echado de seso, los quales, por tal que te pueden complazer, fazen iniuria a dios et a tu pueblo.

---

3 huso] E, vsura M, hoý VB, oý A. // secuela] seca la seruitut E, sequela de seruitut MAB, sequala de seruitut V. **6** pueda] puedo E, puede M, puxa VA, puixe B, (oleum peccatoris non impinguet caput meum Ven). **7** verdaderamientre] verdamientre E. // es gabado] gababa E, es alabado M, es loat VB, es lohat A. **8** que] se E, que MVB, qui A. // cumplen] cumpe E, cunplen M, complint V, cumplen A, complen B. **12** dize] *om.* E, dize M, diu VAB.

---

[385] Otro pasaje corrupto y deformado por el copista. E da: *et seca la seruitut et el vntagamiento*. Dos errores cometió el copista aquí. En primer lugar, no entendió el sustantivo *sequela*, que traen todos los mss, en la frase *sequela de seruitut*, y lo sustituyó por el verbo *seca la seruirtut*; en segundo lugar la palabra *exorbament* (VAC) le debió resultar igualmente desconocida (B trae *torbament* que sería más diáfana), por lo que creó el término *vntagamiento*. Esta palabra me es desconocida en aragonés. Como sugieren Leslie y el ***Lexicon***, parece un sinónimo de *untamiento*, derivado de *untar*, acción asociada con los aduladores o lagoteros. Pero también podría ser una deformación de *çegamiento* 'ceguera', palabra que aparece en la ***Grant Crónica de Espanya, parte I***, que sería fiel traducción de *exorbament*. M traduce el pasaje precisamente: *sequela de seruidunbre e çeguedat*. Corregimos la primera parte y mantenemos el término *vntagamiento*, ya tenga el sentido de 'untamiento' o 'corrupción', ya sea traducción del *exorbament* 'çegamiento' catalán.

[386] Se trata de Caecilius Balbus, autor desconocido, que Juan de Salisbury cita en su ***Policraticus*** (ver Clemens C. I. Webb, tomo I, nota 1 a pág. 222).

[101.] LOS CONSSELLEROS DEL PRÍMÇEP DEUEN SEYER POR SPERIENCIA ISTRUÝDOS ET ENTRICADOS.

[1] **Ambrosius**. Sant Ambrós, en el libro nombrado [178c] ***Examerón***,
5 omelía primera, dize que velleza es en conssellos muyt prouechosa.

[2] **Eclesiastici**. El sauio ***Eclesiástico***, capítulo xxv°, dize que iudicio de los viellos es muyt bueno; et quien quiere buen conssello demándelo a los clérigos, quiere dezir, a los viellos antigos et santos. Que
10 iudiçio de los viellos es muyt bello, et sauieza de los ançianos es muyt bella, et lur entemdemiento et lur conssello es gloria de la comunidat.

[3] [**Exodi**].[387] Nuestro Senyor Dios mandó a Moysés que clamasse los antigos al conssello por tal que oyessen los mandamientos de
15 Dios, segunt que es scripto ***Exodi*** iii° capítulo, en aquell lugar en do dize: Ve et aplega los viellos de Isrrael.

[4] **Roboam**. Roboam vedó el conssello de los viellos antigos et siguió el conssello de los iúuenes, et [178d] tomól' ende mal, porque
20 el pueblo lo dexó et fizieron otro rey, assín como pareçe en el IIII° ***Libro de los Reyes***.

[102.] LOS CONSSELLEROS DEL REY DEUEN SEYER EXAMINADOS.
25

[1] **Aristótil**. Aristótil, en el primero libro de la ***Retórica primera***, dize que conssello es cosa verdaderamientre cogitada, penssada o comedida por grant virtud de razón de fazer o de no fazer la cosa desseada o querida.

---

4 sant] cant E. **5** conssellos] es *add.* E. // prouechosa] prouchosa E. **11** la] *om.* E, la MVAB. **13** Exodi (*epígrafe*)] Eclesiastici E (*por influencia del epígrafe anterior*). **14** oyessen] oyesse E, oyesen M, hoyssen VB, oyssen A. **18** vedó] E, dexo M, lexa VAB. **27** verdaderamiente] es cosa *add.* E. **28** de fazer] *om.* EAB, de fazer M, de fer V.

---

[387] El epigrafista escribió *Eclesiastiçi* por influencia del epígrafe anterior. Sin embargo, la autoridad está introducida por unas palabras de Juan de Gales seguidas de la cita del ***Exodo*** 3.16.

[2] **Demaceno**. Demaçeno, libro IIº, capítulo xxiiiº, dize que conssello es inquisición agradable de aquellas cosas que se deuen fazer o dexar.

[3] **Séneca**. Sénecha, en el ***Tractado de virtudes***, dize assín: Si tú quie-
5 res seyer sauio, guarda et pienssa lo que es a venir; et todo lo que se puede conteçer tú lo comide; et todo lo veas en tu corage, assí que ninguna cosa que se acaesca non sea a tú sobtosa, mas que ia ayas visto o penssado antes que [179a] se acaesca. Porque aquel que sauio es non dizíe: Non me lo penssaua que esto se conteciesse. Porque non dupda mas
10 spera, ni está en sospecha mas está ençelado de las cosas esdeuenideras et dasse guarda, et quiere saber de todos los afferes et de cada vna obra por qué se faze el començamiento, penssándose a quiénta fin deue venir.

[4] **Tullio**. Tullio en el IIIº libro ***De offiçios***, capítulo xiº, dize que
15 iamás cosa que sea cruel no es prouechosa; ni deue hombre dar conssello que sea feyto inhumanidat,[388] que es cosa contraria a la natura humanal ni eniusta, etc.

[5] **Tullio**. Item el mismo en el primero libro ***De offiçios***, capítulo
20 xxº, dize: Sotil cosa es seruar et alçar iniquidat como los otros dessean que hombre s'ende salga.[389]

---

12 començamiento] comencamiento E. **15** sea] *om.* E, sea M, sia VA, sie B. **16** feyto] E, fecho M, feta AB, *om.* V. // inhumanidat] ni humanidat E (*con signo diacrítico sobre la* i *de* ni), inhumanidat M, inhumanitat VAB. **21** s'ende salga] E, della salga M, sen desisque VB, sen desischa A.

---

[388] E da: *ní humanidat*, con signo diacrítico, por *inhumanidat*, en esta frase llena de contrasentido: *ni deue dar hombre conssello que sea feyto ni humanidat que es cosa contraria a la natura humanal*. La misma lectura trae M, aunque corrige a *inhumanidat*. Esta interpretación debía estar ya en el prototipo aragonés, pues es traducción literal del texto que traen AB: *que sia feta inhumanitat*, frente a V que dice simplemente: *que sia inhumanitat*. El texto ciceroniano dice: *Similiter nec quod est inhumanum faciendum [est] vel consulendum* 'del mismo modo no se debe hacer ni aconsejar lo que es inhumano' (***De officiis*** 3.11). Por lo cual, quizá convendría corregir con V: *conssello que sea inhumanidat*. Otra posibilidad sería suponer que *feyto* está por *fento* 'fingido', como en 54.2, con resultados igualmente significativos (*conssello que sea fento ni inhumanidat* y *consello que sea fenta inhumanidat*), aunque complican la idea.

[389] Esta autoridad tiene una redacción que no corresponde ni al ***Communiloquium*** ni al original ciceroniano. El texto debía estar ya corrupto en las copias latinas, pues unas, recogiendo correctamente las palabras de Cicerón (***De officiis***, I.19), dan: *difficile est*

[103.] LOS CONSSELLEROS DEUEN SEYER FIRMES ET FUERTES ET VERDADEROS.

[1] **Eclesiastiçi.**[390] [179b] Scripto es en el primero libro de las ***Istorias***
5 ***Tripartidas***, capítulo viiº, que en el tiempo de Constantín emperador, él atorgó a los christianos que deuidamientre seruassen Christianismo et lur religión. Et quiso prouar algunos que eran del su palacio christianos, si eran buenos christianos et firmes. Et manda que todos aquellos que, si sacrificauan las ídolas e los dios del emperador, que él los
10 faría grant honor et grant bien, et serien amigos suyos et de casa suya, et faríalos star cerca de su cuerpo en su palaçio. Et aquellos que non querían sacrifficar que fuessen echados de su casa et de su palacio. Et

---

8 manda] E, mando M, mana V. **9** e] de E, e MB, o VA. // del emperador] dellos E, del enperador M, del emperador VAB. **12** querían] queria E, quisiesen M, uolrrien V, volrien AB.

---

potestatem cupienti, servare aequitatem (Ven.); en cambio otras cambian *potestatem cupienti* a *cum prestare cupieris* (Estrasburgo y ms 1470 de la BN de Madrid). La versión catalana de V dice: *dificil cosa es seruar e st[ud]iar iniquitat* [AB *egualdat*] *com los altres desijen que hom s.en desisque*, que no responde totalmente a ninguno de los textos anteriores. No hemos consultado los otros mss peninsulares del ***Communiloquium*** para comprobar la fuente de la versión catalana. Pero tiene poca importancia, ya que el texto aragonés refleja la versión de V. En aquél cabe destacar la expresión *s'ende salga* (en M: *della salga*), calco semántico de *s.en desisque*, forma verbal de *deseixir*, verbo que, con el significado de 'desposseir-se, renunciar a', se documenta en Ribagorza en 1290 (Corominas, s.v. *eixir*). Quizá convendría leer *s'en desalga*.

[390] La adscripción de esta autoridad al ***Eclesiástico*** es muy significativa. No puede ser confusión del epigrafista porque no aparece este nombre en las citas contiguas. Debe ser error que cometió ya el compilador. En efecto, todos los mss de la ***Suma de col.lacions*** traen la mención del ***Eclesiástico*** y de la ***Historia tripartita*** seguidas. Con este texto delante, el compilador pensaría incluir las dos autoridades. Pero por alguna razón —quizá por homoioteleuton— omitió el texto del ***Eclesiástico*** y continuó con la ***Historia tripartita***, seleccionando la introducción. Véase el texto de M que es esencialmente igual al de los mss catalanes: *Onde dize en el Eclesiástico, capítulo xxxvii: Delante de todas cosas toma consejo firme e seguro; mayormente se requiere que sean firmes en justiçia diuinal e por ninguna cosa non se partan della. ¶ Onde recuenta en el libro primero de la Estoria tripartida, en el capítulo vii, que Constante, padre de Costantini, que en su tienpo las eglesias sufrieron persecuçiones en algunas partidas del mundo. ¶ El otorgó a los christianos que deuidamente guardasen christianismo...* La repetición de *onde...onde* pudo haber dado lugar a la omisión. Sin embargo el comienzo de E revela que adapta y sólo utiliza la fuente a partir de *otorgó*. Pero debió dejar alguna indicación sobre el ***Eclesiástico*** que llevara al epigrafista a atribuir toda la autoridad al libro bíblico.

los christianos aquéllos fueron departidos en dos partes. Los vnos queríen más consseruar lur buen christianismo que ganar la graçia del emperador. Los otros dixieron que eran aparellados de sacri- [179c] ficar las ýdolas por tal que alcançassen l'amor et la gracia del empe-
5 rador. Lo emperador echó de su casa todos aquellos que menospreçiauan la Christianidat et queríen sacrificar las ýdolas por auer su gracia. Penssándose: Aquellos que eran traidores a lur dios mucho más seríen falssos et traidores a lur senyor terrenal. Los otros que non auían querido sacrificar túuolos por buenos et por firmes, et fizolos
10 conssellero suyos. Porque aquellos son firmes et seguros conssellero del hombre que aman verdaderamientre verdat, etc.

[2] **Sénecha**. Sénecha, en el VIº libro ***De beneffícios***, capítulo xxiiiº, dize: Quando darás conssello ad aquellos que de grado suelen escu-
15 char falágalos[391] et adulaçiones, [di] que non se quieran fiar en tales conssellero et conssellos, et que reçi- [179d] ban conssello de verdat. Et dando conssello de verdat et prouechoso ¿quieres fazer prouechoso seruiçio ad aquellos que son bien en grant bienauenturança? [Dónalis conssello que no crean a la suya bienauenturança] ni a las
20 suyas bienandanças, etc.[392]

4 alcançassen] alcancassen E. **5** Lo] los otros del *add.* E. **6** auer] aue E, auer MB, hauer VA. **9** auían] auia E, quisieron M, hauien VA, auien B. // querido] querido *iter.* E. **15** falágalos] E, falagos M, lagots VAB. // di] *om.* EMVAB, dic illis Ven. // quieran] quieren EM, uullen V, volen A, vuyllen B. **18** bien] bien *iter.* E. **19** Dónalis...bienauenturança] *om.* EMAB (*homoioteleuton*), donali consell que no cregua a la sua prosperitat V.

[391] Es sustantivo 'falagos', como señalan Leslie y el ***Lexicon*** y corroboran los mss (*lagots*, VAB, *falagos* M). Velasco lo lee como verbo y añade texto: *falágalos et [dalos] adulaçiones*.

[392] Pasaje extremamente difícil por las omisiones que contiene. La omisión del verbo dicendi, el exhortativo *di* 'diles', en todos los mss oscurece el verdadero sentido de esta cita. E y M tienen las mismas confusiones, prueba de su origen común. Los dos tienen aparentemente el error psicolingüístico que observa Geijerstam (503) en la ***Grant Crónica de Espanya***, es decir, uso de indicativo y subjuntivo en dos oraciones coordinadas. Pero este error está causado en este caso por la omisión del verbo dicendi de la fuente. Veamos el texto de E: *quando darás consello ad aquellos que de grado suelen escuchar falágalos et adulaçiones que non se quieren fiar en tales conselleros et consellos et que reçiban consello de verdat*. El subjuntivo *reçiban* indica que el indicativo *quieren* es una falsa interpretación. La lectura de V, si reponemos el verbo dicendi, nos aclara el sentido: *quant dona-*

[3] **Sénecha**. Item el mismo dize que aquell que quyda auer poder ygual a Dios non es ninguna cosa que él non pueda creyer de sí mismo quando hombre lo guaba, etc.[393]

5 [4] [**Eclesiástico**]. El sauio ***Eclesiástico***, capítulo xxxvii, dize: Delant de todas cosas toma conssello firme et seguro. Et mayormientre se requiere que sean firmes en iustiçia diuinal et por ninguna cosa non se partan de aquélla.

10 [104.] LOS CURIALES NON SEAN RECEBIDORES DE DONOS NI DE SERUIÇIOS.

[1] **Eclesiástico**. El sauio ***Eclesiástico***, capítulo xx, dize que seruiçios et donos encegauan los oios de los iu[t]gantes. Et los sauios[394] laudan
15 [180a] ad aquellos que non quieren tomar ni reçebir donos, etc.

---

5 Eclesiástico (*epígrafe*)] *om.* E. **14** encegauan] entregauan E, çiegan M, enceguen VAB. // iutgantes] iugantes E, juezes M, jutges VB, jutgants A.

---

rás consell a aquells qui uolenter solen scoltar lagots e adulacions [di] que no.s uullen fiar en aytals consells e que reeben consell de ueritat. La adición del verbo dicendi se justifica con el texto latino: *Dic illis qui volunt audire plenas aures adulationibus...* (Séneca, ***De beneficiis*** VI.3). A tiene el mismo error, *volen*, pero no B, *vuyllen*, aunque es de la misma familia. Esto indica que el error existía ya en el prototipo catalán inicial y que el texto se prestaba a falsas interpretaciones. Respecto al final de la frase, EMAB tienen el mismo homoioteleuton —frase entre corchetes—, que restituimos con V: *donali consell que no cregua a la sua prosperitat.*

[393] La cita traduce dos versos de Juvenal (***Sátiras*** IV.70-71). Es fac, explicable por la ***Suma de col.lacions***, donde viene a continuación de otra cita de Séneca. En realidad, el pasaje está tomado, como dicen todos los mss, de los ***Moralia Dogma Philosophorum***, de Guillermo de Conches (ver ed. de Holmberg, pág. 9), donde se usan los versos de Juvenal. Séneca, en cambio, no cita, ni pudo citar, al poeta satírico romano.

[394] Sic. Pero *sauios* es falsa lectura por *salmos* a través de la versión de AB. En efecto, la frase que recoge ***Rams*** es una introducción de Juan de Gales al salmo 14.5, cuyo texto cita al final de la autoridad siguiente (104.2). Véase la redacción del ***Communiloquium***: *Ensenia enim et dona excecant oculos iudicis,* ***Eclesiastici*** *xx. Sed munera nolentem accipere commendat* ***psalmus****: "Munera," inquit, "super innocentem non accipit".* Los mss catalanes difieren ligeramente en su traducción. V dice: *lo propheta en lo psalm loa*; en cambio AB dan: *lo propheta ab lo saui lohen*; con versión semejante en M: *el propheta con el sabio alaba*, lo que implica que el cambio debía estar ya en el prototipo aragonés. Sobre esta base, el compilador de ***Rams*** creó ese espurio *sauios.*

[2] [**Salmos**]. Item el mismo dize que aquéll stará en la casa et en el mont de Dios el qual no aurá reçibidos donos de suso del innorant.

[3] [**Exodi**]. Scripto es ***Exodi*** capítulo xxiii^s^: No tomarás donos que
5 ençiegan los sauios et mudan las paraulas de los iustos. Porque menos d'esto apenas puede hombre entrar en las cortes ni faular con alguno ni seyer obedeçido ni oydo.

[4] **Sant Gregorio**. Sant Gregorio, en el V° libro del ***Registro***, dize:
10 Yo no'nde quiero ni é querido reçibir los velumes de los libros presentes o seruiçios de la uuestra santedat, porque nos pareçe cosa sin razón reçebir dono ni seruiçio de aquellos que son estados robados o de los frares que han suffrido afflicçión.

15 [5] **Isaías**. ***Ysaías***, capítulo xxxiii°, dize que bienauenturado es aquell que sagude las sus manos que non tomen [180b] o reciban ningún dono. De la qual paraula dize Sant Gregorio en el IX libro de los ***Morales***, antes del medio lugar, dize que III^s^ son los recibimientos de los donos a los quales con enganyo se cuitan los hombres a reçebir
20 aquéllos.

[6] [**Sant Gregorio**].[395] Lo primero es dono de coraçón, esto es, gracia recaptada[396] en el penssamiento.

1 Salmos (*epígrafe*)] Eclesiastici E (*por influencia del epígrafe anterior*). **4** Exodi (*epígrafe*)] Eclesiastici E (*por influencia del epígrafe anterior*). **6** cortes] artes E, cortes M, corts VAB. **11** nos] non EM, nos VB, nom A. **13** han] *om.* E, han MVA, an B. **19** cuitan] cíntan E (*con signo diacrítico sobre la* í), cuytan M, cuyten VAB. **22** Sant Gregorio (*epígrafe*)] Isaias E (*por influencia del epígrafe anterior*). // coraçon] coracon E. **23** recaptada] recatada E, recabdada M, recaptada VAB.

[395] Según el epigrafista, la fuente de ésta y las dos autoridades siguientes es *Isaias*. Así lo escribió por influencia del epígrafe anterior. En realidad, las tres citas provienen de San Gregorio, ***Moralia*** 9.34 (PL 75, 888-889), donde, al explicar la autoridad anterior de Isaías, 33.15, enumera las tres clases de dones.

[396] El ms. da: *recatada*. Pero ante las lecturas de los mss. cats., VAB: *recaptada* y cast., M: *recabdada*, fiel traducción del ***Communiloquium*** *captata* (*munus excorde, id est, captata gratia cogitatione*), suponemos se trata de una omisión del copista o falsa interpretación del corrector.

[7] [**Sant Gregorio**]. Lo segundo es dono de boca, et esto es gloria por fauor.

[8] [**Sant Gregorio**]. Lo terçero es dono de mano a mano, et esto es
5 gualardón de lo que es ia dado. Et de todos éstos los iustos se saguden lures manos.

[9] **Sénecha**. Séneca sobre esto dize en el libro ***De constançia***: Fortaleza de sauio es regnar seruiçios et donos.[397]
10

[10] **Sénecha**. Item el mismo en el libro IIº ***De beneffficios***, capítulo xvii, faulando de Grísimo Iul- [180c] lio,[398] al qual Fabiano Présico enbió moneda et él non la quiso reçebir, et reprendiéronlo et diéronle pelea o batalla aquellos que no stimauan [aquell qui la auía enviada, mas sti-
15 mauan] aquella que se le auía enviada. Et dizíen que mal fazíe quando la moneda aquella auíe repuyada.[399] Et respuso Grísino Iullio et dixo que non reçibría beneffficio ninguno de aquéll con el qual iamás no auríe conuerssaçión, por tal como aquéll era non de buena fama. Et como alguno[400] otro

---

1 Sant Gregorio (*epígrafe*)] Isaias E (*por influencia del epígrafe anterior*). // esto] esta E, este M, aquest VB, aquesta B, (*regularizamos*). **4** Sant Gregorio (*epígrafe*)] Isaias E (*por influencia del epígrafe anterior*). **5** lo] la E, lo M, co V, ço A, aco B. // éstos] estos *iter.* E. **11** capítulo] capitulo *iter.* E. **12** Grísimo] EMVAB, Ven Bricinio. **14** stimauan] asmauan E, pensauan M, stimauen VAB. // aquell qui la auía enviada, mas stimauan] *om.* EMAB (*homoioteleuton*), aquell qui la hauia trames mes stimauen V. **15** enviada] enuiada E. // dizíen] dizen E, dizien M, dehien VAB. **18** era non de buena fama] non de buena fama perdria E, era non de buena fama cor aquell era infamis M, era infamis VAB.

---

[397] No hemos encontrado la fuente de esta cita. Al parecer se refiere a la obra de Séneca *De constancia o fortaleza del sauio*. La ***Suma de col.lacions*** cita esta obra en varias ocasiones, pero ninguna contiene las palabras que recoge el compilador de ***Rams***.

[398] Es Julius Graecinus, quien rechazó los sobornos monetarios que le envió Fabius Persicus.

[399] EMAB tienen en común el mismo salto y la adición de la frase *quando la moneda aquella auíe repuyada*, frase que falta en V. Lo cual revela la fuente de E y el origen antiguo de esta versión.

[400] Se refiere al consiliar Rebilio, cuya reputación no era mejor. Pero la forma que traen ***Rams*** y M: *alguno otro*, es reflejo de una falsa traduccción antigua, existente ya en los mss catalanes: *alcun altre* (V), *vn altre* (A), *algu altre* (B), *hun altre* (C). Esta lectura parece ser deturpación de *Rebilio*, a través de *Reb alio* o una forma similar catalana, donde *alio* explicaría el *altre* inicial.

le offerisse mayor quantitat de moneda que no era aquélla, non la quiso recebir por tal como era parçionero de aquell mismo peccado con el primero.

5 [105.] LOS OFFICIALES O LUGARTENIENTES NON DEUEN SEYER COBDIÇIOSOS DE THOMAR OFIÇIO QUE NON LO SAPIAN REGIR.

[1] **Eclesiastici**. El sauio ***Eclesiástico***, capítulo vii, dize: Non quie-
10 ras demandar [180d] a ninguno hombre que te dé duchado ni al rey que te dé cadiera de honor, ni procures que seas fuert iutge si no has tan grant virtud que puedas romper o trobar iniquidades.

[2] **Vallerio Máximo**. Valerio Máximo, capítulo iiii, recomtando de
15 la elecçión de aquellos dos messageros que los romanos uvieron ordenados, dixo Valerio: Non enviedes ni l'uno ni l'otro. Dixieron los romanos: ¿Por qué? Et respuso Valerio: Porque lo vno es tan pobre que no auía nada, et l'otro era tan scasso que res no li bastaua ni le fartaría. Et dixo que auariçia et pobreça egualmientre eran enemigas de la
20 comunidat.

[3] **[Tiberio]**.[401] Item el mismo dize que Tiberio iamás non quiso mudar sus procuradores. Et fuele demandado por qué no. Et dixo que en esto él fazía grant bien a la gent pobra, porque aquellos que
25 [181a] se pienssan que poco starán en el officio suclan o maman d'aquí a la sangre, et atanto quanto más breu senyoría tienen atanto son más crueles.

---

7 sapian] sapia E. **11** cadiera] dadiera E, cathedra M, cadira VAB. **15** uvieron] víníeron E (*con los signos diacríticos, fort.* vuieron) **16** enviedes] enuiedes E. **22** Tiberio (*epígrafe*)] Vallerio Maximo E (*por influencia del epígrafe anterior*). **25** pienssan] pienssa E. // suclan] sutlan E (*confusión c/t*), toman M, suclen VB, succren A.

---

[401] E da: *Valerio Maximo*, por influencia del epígrafe anterior. Con toda probabilidad el título apropiado era *Tiberio*. La semejanza de los nombres contribuyó al cambio. La cita proviene de la ***Historia Scholastica in Actus Apostolorum***, capítulo 56 (PL 198, 1682), donde la frase y el ejemplo se atribuyen a Tiberio. Corregimos aquí y en la autoridad siguiente.

[4] **Exemplo puesto por [Tiberio] muyt bueno**. Vn hombre ferido iazía en la carrera et muchas moscas estáuanle desuso de la plaga et él no las ne echaua. Et vino vno otro hombre que se cuydaua qu'el ferido fuesse assín despoderado que no se pudiesse ostar las moscas.
5 [Et fizo leuantar de allí todas las moscas.] Et díxole el ferido: Amigo, mal has fecho, porque aquellas que has fecho leuantar eran plenas de sangre et picáuanme muyt quedo, mas aquellas que agora vendrán me picarán fuertmientre.

10 [5] **Vallerio Máximo**. Item el mismo, en el VI° libro, capítulo ii°, dize que una viella mesquina fazía oraçión et rogaua a dios que dasse larga vi- [181b] da al emperador Dionís, el qual era muy cruel et tirano. Et l'emperador demandóle por quál bien que él le auía fecho ella rogaua a dios que le dasse larga vida. Et respondió la viella: Tú
15 iamás non me fiziés bien et asme fecho mucho mal, porque non ruego a dios por tú ni por tus beneffiçios. Mas recuérdame que quando era moça nosotros auíemos muchos malos et crueles senyores, et todos días desseáuamos que los perdiéssemos. Et dios oyó las nuestras pregarias porque nuestros enemigos lo mataron a nuestros obs.
20 Porque si él era malo peor fue aquell que vino aprés. Et mucho más tú que eres el III° et çaguero. Et piénssome que quando tú morrás vendrá otro peor que tú; porque ruego por tú.

[6] [**Exodi**]. Scripto es en el libro [181c] ***Exodi***, capítulo xviii°: Tú,
25 dixo Dios a Moysés, percomedirás, de todo el pueblo, varones de todo poderosos et sauios, et que teman a Dios, et en los quales haia verdat, et que hayan aborrida avariçia fuiendo et squiuando donos et seruiçios et presentes, et que no sean desoladores de los subietos. Atal era Iosep, el qual fue offiçial de Faraón, assín como es scripto en
30 el ***Génesi***, xxxxii capítulo. Et atal deue seyer leal et sauio offiçial o

1 Tiberio] Vallerio E (*por influencia del epígrafe anterior*). **4** despoderado] desporado E, desapoderado M, despoderat VAB. **5** Et fizo...moscas] *om.* E (*homoioteleuton*), e fizo leuantar de ally todas las moscas M, e feu leuar daqui les mosques VB, e feu desar les mosques A. **19** mataron] los mata *add.* E. **22** porque] E (*posible homoioteleuton*), yo auiendo miedo del malo sennor que uerna despues de ti *add.* M, yo hauent temor del maluat senyor qui vendra apres tu *add.* VA, yo auent paor e temor del maluat senyor qui vendra apres de tu *add.* B. **24** Exodi (*epígrafe*)] *om.* E. **25** percomedirás] percomeditas E,proueheras M, prouehiras VA, probeyras B.

seruent el qual es puesto sobre la companya o pueblo de su senyor, segunt que dize Ihesu Christo en el euangelio de Sant Matheu, capítulo xxiiii°.

5 [7] **Tullio**. Tullio, libro II ***De los offiçios***, capítulo xix, dize que comuna openión es de la gent que no ha en el mundo estamiento de mayor ganancia como es tener o hauer senyoría. Empero es [181d] perigloso, porque perssonas indignas non deuen seyer promouidas a dignidades.[402]

10 [106.] LO PRÍMÇEP DEUE SEYER MISERICORDIOSO, PIADOSO ET CLEMENT.

[1] **Demaçeno**. Demaçeno, libro II°, capítulo xiiii, dize que misericordia es tristicia que hombre ha de los males de los otros; et por contrario crueldat es maliçia de coraçón en dar penas et afflicçiones.
15

[2] [**Vegecio**]. Item el mismo, en el libro IIII°, capítulo iiii, [dize] que Filipo odió dezir que Pithia auíe tres fillas et no auíe de qué pudiesse

7 perigloso] periglo E. **15** coraçón] coracon E. // afflicçiones] afficçiones E, aflicçiones M, aflicciones V, affliccions AB. **17** Vegecio (*epígrafe*)] Demaceno E (*por influencia del epígrafe anterior*). // dize] *om.* E, recuenta M, recompta V, recompte A, recomte B. **18** Pithia] Pichia E (*confusión* c/t), Fiçia M, Feya V, Ficia A, Fecia B. // fillas] fillos E, fijas M, filles VA, fiyls B.

[402] Una de las actitividades del compilador que hemos presentado indirectamente en este aparato ha sido su actitud de resumen. Los casos que identificamos como posible homoioteleuton apuntan a esa actividad. Es esta autoridad la que nos permite apreciar con gran claridad esa actitud resumidora a que nos referimos. El texto de todos los mss la pone de relieve. Pero, por la cercanía entre E y M, que hemos constatado frecuentemente, usamos la versión de este último como ejemplo. Subrayamos las secciones utilizadas por E. Dice así M: *Segunt dize Çutaris* [*Actius* B] *e recuéntalo Tullio, III° libro De ofiçios, capítulo xix°, diziendo que común cosa es e* ***común opinión es de la gente e vulgar, que non ha en el mundo estamiento de mayor ganançia commo es tener e auer sennoría. Empero****, segunt verdat, no* ***es*** *estado en el mundo* ***de*** *mayor* ***peligro*** *nin más peligro sea commo auer e poseer* [54b] *sennoría iniustamente, asý commo yo he fallado e conosçido. Porque yo non veo que a ninguno sea prouechosa cosa continua pelea e ansias e cuydados continuadamente de noche e de día, e beuir continuadamente con miedo, e beuir entre asechanças o a guardas e peligros e diuersos. E segunt verdat atal es la vida de aquellos que iniustamente alcançan sennoría e por deseo de sennorear la toman.* ***Pues personas indignas non deuen seer promouidas a dignidades***. Es obvio que se trata de resumen y no de simple homoioteleuton.

mantener a sí mismo ni a ellas. Et Filipo non le fazía ninguna ayuda. Et algunos dixieron a Filipo que se talayasse[403] et que se dasse guarda de aquell cauallero Phitia que mucho era torbado contra él. Et Filipo respondió: Si la vna partida de mi cuerpo era enfferma, yo non
5 me [182a] la faría tirar, mas fazer l'ía medeçina con que uviesse sanidat. Et esti cauallero es assín como a braço o partida mía. Non me lo tiraré, mas aiudar l'é, et que guaresca de la enfermedat de la pobreça. Et diole de lo suyo con que passó su vida honrradamientre, porque aprés de aquello fue su amigo coral.
10

[3] **Sant Gregorio**. Sant Gregorio, libro XXº de los ***Morales***, dize que misericordia prende nombre de mesquindat de coraçón. Porque dixo Demançeno, libro IIº, capítulo xiiii, que misericordia es tristicia que hombre ha de los males de los otros.
15

[4] **Sénecha**. Sénecha en el libro ***De clemençia*** primero, capítulo viiiº, dize, amonestando el prímçep a piedat et begninidat, diziéndole assín: Axí como mediçina es vida ad aquellos que son enfermos et es honor et reuerençia ad aquellos que son sanos, todo assín cle-

---

2 talayasse] calayasse E, parase miente M, talayas V, calayas A, taleyas B. **11** *2º* Gregorio] Gregogorio E. **12** coraçón] coracon E. **13** es tristicia] *om.* E, es tristeza M, es tristicia VAB.

---

[403] E da claramente *calayasse*, pero es error por *talayasse*, con la típica confusión *c/t*. Éste es otro claro ejemplo de la necesidad de depurar el texto herediano para evitar conclusiones basadas en falsas formas aragonesas (y también catalanas). En efecto, todos los editores leen *calayassen* y la derivan de *calayar*, al que le dan el significado de 'callar'. Sin embargo, ni la fuente latina ni el mismo doblete corroboran esa interpretación. Veámoslo. Los mss catalanes dan: *calayás* A, *talayás* V, *taleyás* B, *talás* C. La vacilación *c/t* no debe desorientar. La forma correcta es con *t*, como derivado de *talaia*, como recoge Corominas, quien afirma que "la forma sense *a-* ha continuat fins modernament" y da abundantes ejemplos medievales de *talayar-se*. El texto latino (*caveret*) y la interpretación de M (*parase miente*) corroboran el verdadero significado de *talayasse*, forma derivada de *talayar*, aféresis de *atalayar*, 'mirar', 'observar', 'guardar', verbos que se hallan en el corpus herediano, como puede verse en el ***Lexicon***. (Sorprendentemente éste, al dar el verbo *calayar*, remite a *callar*, a pesar de que recoge también *talayar* y *atalayar*, formas que no relaciona con *calayar*). El doblete de E: *que se talayase et que se dasse guarda*, es fiel traducción del mismo doblete de la fuente: *que.s talayás e.s guardás*, reflejo, a su vez, del *caveret* latino. Todo ello indica que el verdadero significado de *talayasse* no es 'callase', sino 'observase', 'se fijase', 'se cuidase'.

mençia et begninidat demandan [182b] aquellos que son dignos de pena, et aquellos que son innorantes la onran et le fazen reuerencia.[404]

[5] **Sénecha**. Item el mismo en el libro ya allegado, capítulo ii°, dize
5 que a ninguno hombre no se pertanneçe lo que de suso es dicho millor como al rey o al prímçep.

[6] **Sénecha**. Séneca: Porque assín como pertanneçe a los grandes senyores auer grant poder et grant senyoría, assín les pertanneçe que
10 sían piadosos et begninos. Porque poder es cosa que ayuda a nozer, [et aquella cosa que ayuda a nozer] o fazer mal es cosa mortal.[405] Et atal es gran poder menos de piedat. Porque perssona poderosa deue seyer piadosa. Et dize en el capítulo iii° que crueldat de los prímçipes es batalla. Piedat es begninidat, franqueza et abundamiento de
15 toda cosa en do entra. Et si piedat es fallada en cosa [182c] real, fará-la seyer cosa marauillosa et muyt gloriosa.

---

2 et] ad E, e MVAB. // innorantes] E, ynoçentes M, innocents VAB. // onran] ornen E, honran M, honren VB, honran A. // fazen] fagan E, fazen M, fan VAB. **5** a] *om.* E, a MVAB. **8** porque] orque E. **10** a nozer] mereçer E, mouer M, noure VAB. **11** et aquella...nozer] *om.* EABC (*homoioteleuton*), e aquella cosa que ayuda a mouer M, e aquella cosa qui aiuda a noure V. // es] *om.* E, es AB. // mortal] morta E, mortal MVAB. **12** pideat] poder EM, pietat VAB. // poderosa] piadosa E, poderosa MVAB. **14** *2°* es] *om.* E, es MB. **15** cosa] EM, casa VAB. **16** seyer] en *add.* E.

---

[404] E da: *clemençia e begninidat demandan aquellos que son dignos de pena ad aquellos que son innorantes la ornen et le fagan reuerencia*, donde, por ultracorrección, pone *ornen* y *fagan* en subjuntivo, dependientes de *demandan*. Esta lectura modifica la idea del original. Todos los mss llevan indicativo porque hacen dos oraciones independientes unidas por la copulativa *e*. El copista cambió *et* a *ad* y transformó el verbo *onrar* a *ornar*. Corregimos según todos los manuscritos.

[405] E da este extraño texto: *poder es cosa que ayuda mereçer o fazer mal et cosa morta*. Si, para corregirlo, acudimos a la ***Suma de col.lacions***, nos encontramos con dos versiones distintas. V trae: *poder es cosa qui ajuda a noure e aquella cosa qui ajuda a noure o a fer mal es cosa mortal*; M da, esencialmente la misma versión, con la única diferencia de traducir *noure* como *mouer*. Según este texto E cometió un salto, por repetición de *noure/nozer*, y cambió el segundo *es* a *et*. Por otro lado, AB traen esta lectura: *poder es cosa que aiuda fer mal o a noure* [*a noure o a fer mal* B] *e es cosa pestifera o pestilant e mortal*. Según esta versión, E resumió el texto y añadió *cosa* al final. Ambas actitudes, salto y resumen, se dan con frecuencia en E. Pero la presencia del error conjuntivo entre E (*merecer*) y M (*mouer*) y la mayor semejanza léxica nos lleva a suponer que el prototipo aragonés tenía un texto semejante al de V. Por eso corregimos restaurando el homoioteleuton.

[7] **Sénecha**. Item el mismo, en el dicho libro, capítulo iiii°, dize una
paraula muyt preciosa: Si dios no poníe[406] ni enbiaua fuego ni lám-
pado de suso de los prímçipes et de los reyes tan aýna como an peccado o an errado, quanto más los reyes o los primçeps, que son hom-
5 bres, deuen begninamientre vsar de senyoría sobre los hombres que
son de vna natura con ellos.

[8] **Sénecha**. Item el mismo, en el dicho libro, capítulo quinto, dize que
vn hombre se estudió luengamientre cómo podría desfazer sus enemigos.
10 Et como non fallase cómo podría destroyr aquéllos, demandó de conssello a su muller sobre esto. Et la muller díxole: Feches assín como suelen
fazer los físigos, que quando non pueden sanar con medeçina acos-
[182d] tumbrada, ensayan de sanar la enfermedat con contraria medeçina. Et si con malicia o con crueldat non los auéys podido vençer, ensa-
15 yat si'n podríedes auer victoria con piedat et begninidat. Perdonatlos et
guardat cómo vos ne tomará. Et el marido huuo grant goyo del conssello d'ella. Et perdonó a los enemigos. Et luego d'esto, aquell que era
enemigo fue amigo leal, et finalmientre fízolo heredero de sus bienes.

20 [9] **Exemplo puesto por Séneca**. Sénecha mete vn exemplo et dize:
Assín como el árbol al qual hombre talla las ramas después habunda
en más ramas que naçen en aquéll nueuamientre, et a muchos árboles
talla hombre las ramas por tal que sean más spessas et más enrrama-
dos, assín por semblant manera la crueldat del rey o del prímçep faze
25 cresçer o multiplicar el nombre o comto de sus malesque- [183a] rien-
tes, tirán alguno de aquellos et liuránlo[407] a muert, porque los fillos et

2 poníe] E (*de* punir), punne M, poneix VAB. **3** *1er* los] las E, los MVAB. **21** como] *om.* E, com VAB. // ramas] et *add.* E. **24** faze] fazen E, faze M, fa VAB. **25** nombre] hombre E, nonbre M, nombre VAB. **26** alguno] algunos EM, alcuns VB, algun A.

[406] Interprétese 'castigaba', de *ponir*, variante de *punir*, significado que atestiguan todos los manuscritos.

[407] Las formas de E: *tiran...liuranlo*, son en realidad gerundios, así lo revela la fuente latina: *regia dignitas augetur inimicorum numerum tolerando*, no presentes de indicativo, como da M: *tiran...líbranlo*. La confusión o ambigüedad puede explicarse a través de los mss catalanes. Mientras unos dan presente: *tolen...liurenlo* (V), otros tienen claramente gerundio: *tollen...liurantlo* (AB).

próximos et los amigos de aquellos que son stados iusticiados successen en lugar de cada uno de aquéllos.

[10] ——. Item el mismo, en el libro ya allegado, capítulo x°, dize que
5 las abexas son muyt irosas et, por grant sanya, quando fiblan, dexan de dentro la ferida lur agullón o fiblón. [Mas lur rey no tiene agullón o fiblón.] Porque natura non quiere qu'el rey sía cruel o veninador. Natura le á dado que sea mayor que las otras abellas corporalmientre et non le ha dado aguillón, por tal que, si era yrado, non uviesse[408]
10 armas con que puediesse fazer mal a las abellas que son menores que él. Et esto sea exemplo a los grandes reyes et senyores.

[11] ——. Item el mismo en el II° libro ***De clemençia*** [dize] que crueldat es punimiento de coraçón que quiere tractar al otro como
15 más [183b] prauamientre[409] puede.

[12] ——. Item el mismo, libro II° ***De clemençia*** o begninidat, [dize] que misericordia es vezina de mesquindat, porque ella fa et tira alguna cosa de aquélla. Et posa tal semblança: Los oyos flacos vidiendo
20 oyos laganyosos luego echan las lágrimas, quasi que han compassión de aquéllos.

[13] ——. Item el mismo, en el lugar ya allegado, dize que misericordia es enfermedat de coraçón que hombre suffre por desplazer del mal

---

4 dize] *om.* E, dize M, diu VAB. **6** agullón] agullan E, aguiion M, agullo VA, aguyllo B. // mas...fiblón] *om.* E (*homoioteleuton*), mas el su rey non tiene agiion M, mes lo lur rey no ha agullo ne fiblo V, mas lo lur rey no ha agullo A, mas lo lur rey no ha aguyllo o fiblo B. **7** veninador] E (*fort.* veniador), vindicativo M, ueniador VA, beniador B. **9** uviesse] víníesse (*con signos diacríticos*), hagues VAB. **13** dize] *om.* E, dize M, diu VAB. **15** prauamientre] planamientre E, malamente M, asprament V, prauament AB. **17** dize] *om.* E, dize M, diu VAB. **18** de] de *iter.* E. **19** aquélla] aquellas E, aquella MVAB. **20** oyos] oyas E, oios M, uylls VA, huylls B.

---

[408] E lee: *víníesse*, con los signos diacríticos sobre las íes, obvia confusión por *uviiesse* o *uviesse*, fiel traducción del *hagués* catalán (VAB).

[409] E lee: *planamientre*. Pero, en vista de M: *malamente*, V: *asprament*, y sobre todo AB: *prauament*, la lectura de E es error gráfico por *prauamente*, por confusión *r/l* (lógica, pues el trazo superior de la "r" se confunde con la unión superior de la "a") y *n/u*. La forma *prauament* no es extraña al corpus herediano, pues aparece en la ***Grant Crónica de Espanya, I***.

del otro. Et d'esto faula el mismo en el libro IIº, capítulo xº, diziendo que prímçep deue auer cura non tan solamientre de salud, antes avn de los males de los otros et de los suyos que han reçebidos honestamientre. Porque no es gloria al prínçep o al rey que sea cruel de coraçón.

5

[14] ——. Item el mismo, libro [183c] primero, capítulo terçero, ***De clemençia***, dize assín: Yo posaré noble et exçelent exemplo a los primçeps, que sean piadosos, que quieran et fagan su poder, que ayan atal piedat a los suyos como quieren et desean que Dios la aya d'ellos.

10

[15] **Tullio**. Tullio, libro IIIIº ***De questiones tusculanas***, dize que misericordia prende nombre de mesquindat de coraçón.[410]

[16] **Iob**. ***Iob***, capítulo xxxº: Yo, dize él,[411] me ploraua suso de aquell qui suffre affliçión.

15

[17] **Vallerio Máximo**. [Dize] Valerio, en el libro Vº, capítulo primero, recomtando de la piedat de Marcho et de Metello,[412] qui assetgaron la çiudat de Saraguçana, la qual nosotros clamamos Çaragoça, que es en Cicilia, que como Marcho vidiés el pueblo de la ciudat que solía seyer rica et plena et habundant, et fues muyt discreta et en grant afflicçión, [183d] que él non se pudo tener de plorar. Porque misericordia es enffermedat que hombre suffre por tal como veye la dolor et la iniuria de aquell que es puesto en lazerio.

20

3 los suyos] EM, lurs nafres V, dels lurs AB. **9** quieren] quiere EM, uol V, volen AB. (*regularizamos*) **11** *1er* Tullio] libro IIIIº *add.* E. // tusculanas] tustulanas E, tusculanes M, costulones V, custulanes A, tosculanes B. **14** *1er* Iob] capitulo xxxº *add.* E. // Yo dize él] diziendo el dize E, yo dize el M, jo diu ell VAB. **17** Dize] *om.* EV, dize M, diu AB. **19** Saraguçana] Saragucana E. **22** afflicçión] de *add.* E.

410 Típico fac. La cita proviene de San Gregorio, ver la autoridad 3 de este mismo capítulo. El compilador atribuyó a Cicerón las palabras de San Gregorio por la contigüidad de los textos.

411 E da: *diziendo el*, lectura que corregimos de acuerdo con todos los manuscritos.

412 E, siguiendo la ***Suma de col.lacions***, hace dos personajes de Marco Marcelo, el general romano que lloró al contemplar la destrucción de Siracusa, en Sicilia. La explicación sobre la ciudad, identificándola como *Çaragoça*, es adición del traductor catalán en la ***Suma de col.lacions***.

[18] **Vallerio Máximo**. Item el mismo [recuenta un exenplo] en el libro V°, capítulo primero, faulando de la piedat del prímçep el qual auía nombre Pompeyo, el qual vençió el rey de Armenia.[413] Et como aquél fue preso et portado delant d'él, restituílo[414] en su reg-
5 no con ciertas condiciones et dixo assín: Atán grande honor es et era fazer vn rey como vençre aquéll. Porque dixo Vallerio que buena dotrina es al hombre humanal honrrar aquellos que por él serán vençidos.

10 [19] **Vallerio Máximo**. Item el mismo, en el lugar ya allegado, [dixo] que grande honor es que hombre vençca su enemigo, empero non es menor honor saber auer misericordia al misquino al qui ha vençido dessastre et mala uentura.

15 [184a] [20] **Policrato**. ***Policrato***, libro IIII°, capítulo iiii°, recomta que Luçio dixo que prímçep deue seyer viello por buenas costumbres et deue seguir conssellos medianos et temprados, et deue seyer como a sauio físico que guareçe la enfermedat a las vezes por abstinençia a las vezes por mucho comer.
20

[21] **Policrato**. Item el mismo dize que Troiano[415] emperador dixo que aquel que tenía los oios laganyosos non le dezía el físico que se los faga sacar, mas que se los faga guareçer et sanar. Mas quando hombre tiene las vnglas mucho largas non las deue hombre arencar,
25 mas déuelas hombre acortar.

---

1 recuenta un exenplo] *om.* E, recuenta un enxienplo M, recompta vn eximpli V, recompte vn eximpli A, recomte vn exempli B. **4** restituílo] resistíulo E (*con signo diacrítico sobre la* í), tornolo en su onor M, restituhilo V, restituilo AB. **6** vençre] vencre E. **10** dixo] *om.* E, dixo M, dix VAB. **21** Troiano] E, Tiano M, Traianus V, Trayanus VA.

---

[413] E omite el verbo dicendi introductorio, que restituimos según todos los mss (*recuenta vn enxienplo* M, *recompte un eximpli* VAB). El pasaje se refiere a Cneo Pompeyo, que, en 66 a.C., restituyó la diadema a Tigranes, rey de Armenia, que se había rebelado contra Roma por instigación de su suegro Mitrídates.

[414] E da: *resistíulo*, falsa lectura que corregimos según los otros manuscritos.

[415] Se refiere a Trajano.

[22] **Policrato**. Item el mismo, en el libro ya allegado, faulando de las razones del prímcep, dixo: El nuestro prímçep es perezoso a pena, et es cuytado a dar loguero, et es despagado a tantas de vegadas como conoçe que sea cruel.[416]

5

[23] **Policrato**. [184b] Item el mismo, en el lugar ya allegado, [dize] que un sauio verssifficador, faulando al prímçep, dixo: Seas al començamiento piadoso, porque ya sea que Dios vos vença en todas otras cosas buenas, clemençia sola vos faze seyer eguales a
10 Dios.[417]

[24] **Policrato**. Item el mismo, en el libro V°, capítulo iii°, recomta que Platón dixo: Senyor o prímçep que es irado contra su pueblo es semblant a tudor que perssigue lo pupil o degüella aquéll con su spa-
15 da, la qual auía tomada por deffenssar aquéll.

[25] **Policrato**. Item el mismo, en el libro IIII°, capítulo viii°, recomta que Troiano emperador por natura era piadoso a todos et cruel a pocos, et esto era ad aquellos a los quales si los perdonás faría trayción et
20 crueldat. En tanto que todo el tiempo de su emperio non vsaua[418] nunca sino de iustiçia, etc.

---

2 prímcep] et *add.* E. // nuestro] mismo E, nuestro M, nostre VAB. **7** dize] *om.* E. // dixo] *om.* E, dixo M, dix VB, dient A. **18** Troiano] Triano M, Troya VB, Troyan o Troya A. **19** faría] farias E, faria M, fora VAB. **20** vsaua] vsa E, vsaua M, justicià (*pretérito*) VABC.

---

[416] Todos los mss atribuyen la cita a *Enichus*, reflejo del *ethicus* del ***Policraticus***. El epíteto *ethicus* o *etnichus* era la denominación con que se solía aludir a Ovidio en la Edad Media. La cita corresponde a ***Ex Ponto*** I.2 vv. 123-124, apud ***Policraticus*** 4.8.

[417] Los versos aluden a Teodosio. El versificador es Claudianus, en su obra ***Panegyricus de IV consulatu Honorii***, vv. 276-277, apud ***Policraticus*** 5.7.

[418] E da: *vsa*, que podría interpretarse como pretérito catalán. Creemos que no es éste el caso porque no tiene correlato directo con él. Todos los mss de la ***Suma de col.lacions*** traen el verbo *justicià* en la frase: *no justicià sino* [*cor* VA] *un senador*). En cambio M da: *vsaua de justicia*, lectura semejante a la de E. Esto indica que el prototipo aragonés, cambiando ligeramente la idea de la fuente, interpretó la forma verbal *justicià* como nombre y la adaptó en la frase: *usó* o *usaba de justicia*. La ausencia del verbo *usar* en los mss catalanes nos lleva a adoptar la lectura de M.

[107.] LO PRÍMÇEP [184c] DEUE SEYER GRACIOSO DE PARAULAS, ALEGRE ET PAGADO.

[1] **Vallerio Máximo**. Vallerio, en el IIº libro, capítulo primero, dize
5 que los reyes de Mundria[419] no besauan iamás hombre mortal porque toda alteza, assín como es tenida por nobla por poca priuadança, assín es rendida vil por grant priuadeza. Empero Iullius César ganó grant amor et bienquerençia de los caualleros por tal como los queríe[420] auer muyt priuados, etc.
10

[2] **Vallerio Máximo**. Item el mismo, libro Vº, capítulo primero, faulando de Alexandre, dize que como una vegada en tiempo de grant frido vidiesse un cauallero muyt viello tremolando et quasi despoderado por sobras del frido, leuantósse del sitio en que era assentado
15 cerca del fuego et con sus manos tomó el cauallero viello [184d] et fízolo assentar en su sitio en do él sedía, et díxole que aquell lugar le sería muyt sano, etc.

[3] **Policrato**. ***Policrato***, en el libro terçero, capítulo xiiiiº, recomta
20 que vn cauallero antigo suffría periglo, et rogó a César Augusto que paladignadamientre quesiesse seyer al pleyto. Et César assignóle vn sauio muyt excelent et bueno por aduocado. El cauallero díxole: O Çésar emperador, quando tú eras en periglo de muert en la pelea, non te enbié yo mi vicario nin vn lugartinient, mas metí mi cuerpo
25 por el tuyo a periglo de muert. Et guarda, dixo el cauallero, quántas feridas n'é thomado, demostrando los lugares en do era stado ferido. Et l'emperador huuo vergüença et perssonalmientre fue aduocado del cauallero.

5 Mundria] E, Mimedria M, Numedria V, Medea A, Media B. // besauan] besaua E, besauan M, besauen VAB. **8** amor] mor E, amor MVAB. // queríe] querio E, queria M, volia VA, volie B. **25** periglo] preliglo E, peligro M, perill VA, peryll B.

[419] Se refiere a Numidia.

[420] E da: *querio*. Suponemos que es error gráfico por *queríe* o *querié*, porque no hemos hallado en ***Rams*** ningún ejemplo de **querió*, forma hipotética del pretérito débil aragonés.

[4] **Tullio**. Tullio, libro IIº ***De offiçios***,[421] capítulo xviii, dize que alguno puede fa- [185a] zer beneficio et dar lo bien liberalmientre al otro en dos maneras: O en obra o en moneda. Et la vna cosa es tomada de la archa, et la otra de su cuerpo mismo et de su virtud.
5
[5] ——. Item el mismo dize que léyesse, a gabança de Treyo[422] emperador, que como sus domésticos lo repremdiessen que mucho se humiliaua et se rendía comuno a todo hombre, más que non se pertaneçía, el emperador respuso que él querie seyer atal emperador a las perssonas priuadas como él quería fallar si era perssona priuada, et atal como desseaua cada vna perssona priuada.

10

[6] **Sant Paulo apóstol**. Sant Paulo, ***ad Romanos***, capítulo vº, dize que Nuestro Senyor embió su caridat a nossotros, porque, como ahún[423] fuéssemos peccadores, Ihesu Christo murió por nosotros.

15

[7] **Sant Paulo apóstol**. Sant Paulo, ***ad Romanos***, et ***ad*** [185b] ***Efesios***, capítulo vº, dize: Ihesu Christo quiere a nosotros et liuró a muert a sí mismo por nosotros.

20

[8] **Sénecha**. Sénecha, en el libro Vº ***De benefiçios***, capítulo xixº, recomta que vn cauallero vieio vino delant de César et díxole que él tomaua tuerto en vn pleyto con vn su vezino. Et dixo el cauallero: O emperador, recordarte á quando eras en Spanya que querías folgar

---

1 offiçios] beneficios E, benefiçios M, beneficiis V, beneficis AB. **3** *2º* en] tu E, en MVAB. **6** Treyo] E, Traiano M, Traia VA, Traya B. **14** porque] *om.* EM, car VAB. // como ahún] como alim E, como avn non M, com no...encara V, com nos...encara AB.

---

[421] E da: *beneficios*, como todos los mss (MVABC así como el ms 1470 de la BNM) y ediciones (Estrasburgo, Venecia). Pero es error por ***De officiis*** II.15.52, donde, en efecto, aparecen las palabras de la cita. Venecia da: *Seneca De beneficiis*, pero ahí no se encuentra el texto citado.

[422] Se refiere a Trajano.

[423] E trae claro *alim*. El ***Lexicon*** sugiere leer *olim*, que no tiene sentido. Leslie da *ahun*. Que ésta es la grafía original lo comprueban los otros mss: *encara* (VAB) y *avn* (M). En esta frase, EM omiten la causal *porque* del catalán: *car, com nos fosem encara peccadors* (VAB). La restituimos.

deiús vn árbol et fazía muyt grant calentura, et vno de tus caualleros spullóse sus vestiduras en que tú folgauas. Bien me miembra,[424] dixo César, et avn que recuerda que hauía grant ardor et quería yr beuer a vna fuent, mas non podía bastar con mis manos. Et el cauallero, que
5 era hombre fuert et poderoso, adúxome su yelmo pleno de agua. Et dixo el cauallero: O emperador, ¿sapías conoxer [185c] el cauallero et helmo[425] si lo vidiesses? Mas dixo l'emperador que bien conoxeríe el cauallero si lo vidiesse, mas non lo yelmo. Empero, dixo l'emperador, tú non es aquell. No es marauilla, dixo el cauallero, si non me
10 conosces, porque aquellas oras yo era derecho et después perdié[426] el oio en la pelea con osos[427] que me sallieron. Et l'emperador mandó

1 grant] grat E. **2** folgauas] E, folgases M, reposasses VAB. // miembra] E, acuerdo M, membra V, membre AB, membrem C. **3** recuerda] E, acuerdo M, membra VB, membre A, recort C. **4** bastar] E, rastar M, graponar VB, agraponar A. **5** adúxome] et aduxome E, traxome M, aporta V, aportam AB, me porta C. **6** emperador] emperados E. **7** helmo] boluío E (*con signo diacrítico sobre la* í), yelmo M, elm VAB. // vidiesses] vidiesse E, vidieses M, uehies V, *om.* AB. **9** non] *om.* E, non M, no VAB. // marauilla] mararauilla E. **10** yo] no E, yo MVAB. // perdié] perdio E, perdi MVABC. **11** oio] oro E (*confusión* r/i), oio M, ull V, vll A, huyl B. // osos] oios E, huesos M, ossos VAB.

[424] E trae: *me miembra*, y en la línea siguiente *recuerda*, como formas de primera persona. No conozco ningún ejemplo de ese uso en aragonés. Los conservo porque podría tratarse de catalanismos. En catalán la forma común es *membre*, pero V trae *membra* en ambos casos, debido a la típica vacilación *e/a* que llega al habla actual. El ***Lexicon*** lo supone error por *miembro*.

[425] El ms trae: *boluío*, con signo diacrítico sobre la í. Es obviamente una falsa lectura del original. Suponemos que éste decía: *helmo* (quizá *lelmo* o *lielmo*; el ***Lexicon*** recoge la variante *llelmo*, en ***Eutropio***), pues es frecuente en ***Rams*** la confusión *h/b* (véase *labor* vs *lahor*), *e/o* y *uio/mo*. Por eso creemos que *boluio* es falsa lectura por *helmo*. Así lo confirman el catalán: *lo caualler nel elm* (VA) y el castellano: *el cauallero o el yelmo* (M).

[426] E da: *perdio*, corrección psicolingüística sobre la probable forma original *perdié*, pretérito de los verbos en *-er*, *-ir*, bien documentado en aragonés (Alvar 237-42). Aunque el ***Lexicon***, para la 1ª persona del pretérito, documenta sólo *perdí* en otras obras heredianas, restituimos la forma *perdié* porque este tipo de pretéritos es frecuente en ***Rams***, con ocho casos de 3ª persona (*deuié* 176d, *estendié* 190b, *querié* 141b, *siguié* 122d, *tremetié* 237b, *vidié* 205a, 218c y *viuié* 218c) y uno de 1ª (*pudié* 155d).

[427] E da: *perdio el oro en la pelea con oios que me sallieron*. Parece que el copista no entendió la frase y corrigió caprichosamente. Tampoco la comprendió M, que trae: *perdi el ojo en vna pelea con huesos que me salieron*, donde interpreta el catalán *ossos* (ciertamente ambiguo, pues puede significar 'osos' y 'huesos') como *huesos*. Corregimos según los mss catalanes que traen: *perdi lo huyl en la bataylla ab óssos* [es decir 'osos'] *que.m ysqueren* (B).

que de allí adelant cessás el pleyto et que huuiesse fin, et compró la eredat de que pledeaua et diola al cauallero.

[9] **Sant Iohán**. Sant Iohán, en el su ***euangelio***, capítulo xv°, dize que
5 ninguno no ha mayor caridat que aquell qui liura a muert sí mismo por amor de otri, assín como fizo Ihesu Christo por amor de nosotros.

[108.] LA MUERT CORPORAL DEBEN TEMER LOS MALOS.

10 [185d] [1] **Agustinus**. Sant Agostín en el XIII° libro de la ***Ciudat de Dios***, capítulo primero, dize: Atanto como Dios es mayor qu'el alma, atanto es más fuert la separación de Dios et del alma [que no es la separación del alma] et del cuerpo.

15 [2] **Grisostomus**. Grisóstomus, ***sobre Sant Matheu***, omelía xxiii[a], dize: Muchos aborrexen la pena eternal o infernal, mas yo digo que mayor pena es el caymiento de la vista de la gloria bienauenturada. Et síguese que si alguno passaua x mil penas infernales, encara entre todas no son tan malas como perder la vista de Dios glorioso et auer mala volum-
20 tat et fastío de Ihesu Christo, et oyr la paraula de Dios que dirá: ¿Por qué no us conozco? Et reutar los ha que no han pascido lo muert de fambre, no han dado a beuer al muerto de set, ni han vesti- [186a] do al despullado, ni han acollido al pelegrino, ni han aconssellado al innorant.[428] Et

1 compró] comto E, conpro M, compra VAB. **8** deben] debe E. // malos] males E. **12** que...alma] *om.* E (*homoioteleuton*), que no es la separacion del alma M, que nos es la separacio de la anima VA, (B *altera el orden*). **18** mil] *om.* E, mill M, milia VAB. **20** oyr] oyt E, oyr M, oy V, hoy AB. **21** no us] nons E, no us VA, no uos B. // reutar] rentar E (*fort.* reutar), reptar VAB. // han] ha E, han VA, an B. // pascido] posseydo E, pescut V, pascut A, conegut o pascut B. // lo] la E, lo VAB. **22** *1*[er] han] ha E, han VA, an B. // *2°* han] ha E, han VA, an B. **23** *1*[er] ni] no E (*regularizamos*).

[428] A pesar de ser un pasaje bíblico conocido, E tiene unas lecturas confusas y descabelladas. Damos el pasaje entero para poder apreciar mejor las deturpaciones que sufre el texto aragonés en manos de ese copista "qui no es de la mía lengua": *et oyt la paraula de Dios que dirá: ¿Por qué nons conozco Et rentar los ha que no ha posseydo la muert de fambre, no ha dado a beuer al muerto de set, ni ha vestido al despullado.* Los cambios: *oyt* por *oir*, *nons* por *no us* y *rentar* por *reutar* son comprensibles. Pero la interpretación de *pascido* como *posseydo* conlleva modificaciones totalmente descabelladas, como son *la muert* y pasar al singular los verbos siguientes, con lo que las negligencias de los pecadores se atribuyen a Dios. Nuevo ejemplo del deficiente trabajo que le realizó al buen maestre ese copista a quien rescató de su triste vida para que "no vagás ni perdiesse su tienpo" (fo. 113c).

digo vos que más valdría soffrir x mil ríos corrientes delant la cara subtament que no veyer aquella manssa et suau cara de Ihesu Christo star irada contra nós, et veyer aquell gracioso oio que no puede soffrir de veyernos.

5

[3] **Daniel**. ***Daniel***, en el xiii° capítulo, dize que Susana dixo a los iutges que la querían fazer pecar: Más vale, sin sonbra de peccado,[429] cayer en las vuestras manos, que pecar en l'esguardo de Dios, etc.

10 [4] **Sant Gregorio**. Sant Gregorio, sponiendo la paraula de Iob en el XVIII libro de los ***Morales***, exemplificando del rico glotó,[430] soterado en infierno, posando exemplo del celudo qui proposá[431] en su coraçón que dilatás o exemplás los sus graneros, al qual dixo[432] altament la boz de Dios: En aquesta noche te arrancarán l'alma de tu cuerpo. Et pues

15 lo que tú as [186b] aparellado ¿de quién será?

---

1 soffrir] *om.* E, sufrir M, sostenir VAB. **3** no] *om.* E, no VAB. **4** veyernos] veyellos E, veurens VA, veure nosaltres B. **7** sin sonbra de peccado] seyer sin sonbra de peccado E, sin obra M, sens obra de peccat VABC. **11** rico] rio E, rico M, rich VAB. **12** celudo] E, loco M, foll VA, fol B. **13** al qual dixo] et dixo E, al qual fue dicho M, al qual dix AB, als dix V. **14** arrancarán] arrancara E, demandara M, arranquara V, arrancaran A, arrencaran B.

---

[429] E trae: *más vale seyer sin sonbra de peccado cayer en las vuestras manos*, con aglutinación de verbos que oscurecen el sentido. Todos los mss traen: *mes val, sens obra de peccat, caure en...* (VAB y M). Parece que el copista quiso dar significado a la primera frase y corrigió *seyer sin sombra de peccado*; y, sin preocuparse más, continuó sin darse cuenta de la confusión en que dejaba la frase. Es un error que Geijerstam observa en la *Grant Crónica de Espanya* y que califica de "explicació psicolingüística" (1980, 503). Obviamente el original decía *sin obra de peccado*. No dudamos en suprimir *seyer*. Dejamos, sin embargo, *sin sombra de peccado*, porque no afecta al sentido general e indica el prurito embellecedor del copista.

[430] E dice: *rio gloto*. Los editores lo interpretan como referido a un río. Pero, como ponen de relieve los mss catalanes, se trata del *rich glotó* 'el rico glotón', imagen bíblica del rico Epulón.

[431] Caso de pretérito catalán corroborado por las lecturas de los mss catalanes (VAB).

[432] E dice sólo: *et dixo*. Esta estructura resulta confusa por haber suprimido el verbo dicendi introductorio (*sobre aço diu sanct Gregori* VAB, *Sant Gregorio sobre aqueste paso...pone enxienplo*). Por eso la corregimos según la lectura de todos los manuscritos (*al qual fue dicho* M, *al qual dix* AB). V da sólo: *als dix*.

[5] **Sant Gregorio**. Sant Gregorio en el libro de los ***Morales***, sponiendo la paraula de Iob, dize que aquella cosa es sobtosa que antes que se faga no sea penssada. Et por esto dize: Los peccadores morrán onrradamientre[433] porque non pienssan en la muert. Pues
5 muyt mala es la muert de los peccadores, et por aquesto es et deue star temida.

[6] **[Libro de Sauieza]**.[434] Scripto es en el libro de ***Sauieza***, capítulo v, que dirán los peccadores en infierno: ¿Et quál cosa ha aprouechado la
10 superbia? Quasi que diga, no ha ningún bien, mas á todo mal. Porque la superbia et los otros males que en aquesti mundo han fechos no prouechan, antes les son obligaçión en mayores penas, et les viene en aquell tiempo que ellos no pienssan.

15 [7] **Sant Iohán**. Sant Iohán, en lo ***Apocalipssi***, capítulo [186c] xx°, dize que'l diablo fue metido en el stanyo del fuego et del suffre allí en do los ypócritas et los falsos profectas serán turmentados en el día et en la noche et en todos los sieglos. Et la mayor crueldat que será en la pena será el deffallimiento de la visión bienauenturada de Dios
20 et de la conssorçiedat de los santos.

[8] **Apocalipsi**. Item dize en el xx° capítulo: l'infierno et la muert son puestos en el stanyo del fuego. Et aquesta es la IIª muert. Porque conclude en el primero capítulo: Aquell qui vençrá, es a saber, los

---

3 dize] dizen E, es dicho M, diu VAB. **4** onrradamientre] E, subito M, soptosament VAB. **8** Libro de Sauieza (*epígrafe*)] Scripto Ecelsiastiçi E (*todos los mss atribuyen la cita correctamente a* Sapienciae, 5.8). **9** dirán] seran E, diran VAB. **22** l'infierno] dize linfierno E, el infierno M, l'infern VA, lo infernB. **24** vençrá] venrra E, vençiere M, uencera V, vençra A, vencera B.

---

[433] Los otros mss dan: *súbito* (M) o *soptosament* (VAB), congruentemente con la idea de San Gregorio. No entiendo por qué E cambió a *onrradamientre*. Quizá sea error por *ahoradamientre* o *desoradamientre* 'súbitamente', como derivado de *desora* 'súbito', palabra usada en la ***Grant Crónica de Espanya III*** (***Lexicon***); o mejor falsa lectura por *ontadamientre* 'vergonzosamente'.

[434] El epigrafista escribió: *Scripto Eclesiastiçi*, aunque la cita proviene y se atribuye correctamente al ***Libro de Sauieza***, tanto en ***Rams*** como en los otros manuscritos.

deliçios de la carne et las cobdiçias de los oyxos et la superbia de la vida et las anbiciones mundanales non será ferido[435] de la IIª muert.

[109.] LOS CURIALES NON SEAN FALAGUEROS NIN MENTI-
5 DEROS.

[1] **Sant Matheu**. Sant Matheu, capítulo viiiº, dize: Dexa en- [186d] terrar los muertos a los lures muertos.

10 [2] **Sant Gregorio**. Sant[436] Gregorio, splicando esta paraula en el libro de los ***Morales***, IIIº libro, dize que los muertos [entierran los muertos] porque los peccados primen por fauor al peccador,[437] quiere dezir, quando los lagoteros alaban algún peccador.

15 [3] **Sant Matheu**.[438] Item el mismo dize que los lauzangeros son auíos de los diablos, porque ellos crían el hombre en peccados.

[4] **Sant Gregorio**. Sant Gregorio en el libro primero, ***omelía*** ixª, dize que lagotero es scurpión que anda palpando mas con el rabo fiere, et

---

2 será] seran E, sera VAB. // ferido] *om.* E, ferit VAB. **7** enterrar] entrar E, enterrar M, soterrar VAB. **8** los muertos] *om.* E, los muertos M, los lurs morts VA, lo mort V. **10** Sant Gregorio (*epígrafe*)] *om.* E. // splicando] suplicando E. **11** entierran los muertos] *om.* E (*homoioteleuton*), entierran los muertos M, soterraren los morts V, soterren los morts AB. **12** primen] EM (*fort.* prinien), prenien VA, prenen B, premen C, premunt Ven. // al] del E, al M, lo VAB. // peccador] peccado, pecador M, peccador VAB. **15** auios] auíos E (*con signo diacrítico sobre la* í), ayos M, nudrits V, nodrits A, nodritos B, nodrissos C. **16** crían] trian E (*confusión c/t*), crian M, nodrexen VAB. // peccados] peccador E, pecados E, peccats VAB. **18** libro] *om.* E, libro M, libre VAB.

---

[435] E dice: *non serán de la IIª muert*. El copista parece haber perdido el hilo de la frase, e influido por la cercana *anbiciones* pone el verbo en plural. Pero los mss catalanes revelan la existencia del sintagma *será ferit*, aplicado correctamente al sujeto. Corregimos, pues, de acuerdo con los mss catalanes. Estos dan el sujeto así: *aquell qui vençrá* (V), *vencrá* (A), *vencerá* (B), lo cual revela que la lectura de E: *venrrá*, es falsa grafía por *vençrá* (confusión *c/r*).

[436] La capital de *Sant* no está adornada, como es común al principio de cada autoridad. Pero es mayor que las demás. Por eso consideramos que se trata de una nueva autoridad auténtica.

[437] EM dan correctamente *primen*. Podría leerse *prinien*, como traen VA. Pero el texto latino: *peccatorem peccatores favoribus premunt*, confirma la lectura de ***Rams***.

[438] Fac, es comentario de Juan de Gales, que se halla, en la ***Suma de col.lacions***, junto a otras citas de San Mateo y San Gregorio.

es abella que aduze miel en la boca et fiblo en la coa. Porque los lagoteros son semblantes a los clérigos infernales, porque ellos dizen paraulas plazientes. Assín enpienssan quasi que quieren dezir las viespras de los muertos que comiençan por *placebo*, que quiere dezir yo
5 seré plazient, mas a la fin ellos entierran al hombre en [187a] peccados. Porque dize el salmista que la lur boca es çimenterio abierto. etc.

[110.] NINGUNO NON DEUE VENDER[439] DESVERGONÇADAMIENTRE OFFICIOS GUANYADEROS.

10

[1] **Iuuenalis**. Iuuenalis, faulando de Roma, recomta en assín: A Roma todas cosas hid'a hombre por preçio et por moneda. ¿Quién es aquel que puede saludar esti rico hombre que ha nombre Ceso, el qual [es] rico hombre, et qui lo quiera guardar en la cara,[440] si aquell que esto
15 quiere fazer viene con las manos vazías et menos que no aduga ninguna cosa? Salustino[441] la clama çiudat venal, la qual aýna deue pereçer si es qui la compre.

3 quieren] quiere E, quieran M, uullen V, vullen A, vuylen B. **4** comiençan] comiencan E. **8** vender] render E. **11** *2º* Iuuenalis] recomta *add.* E. // A] de E, a MVB, en A. **12** Quién] que E, quien M, qui VAB. **13** rico] roco E, rico M, rich VAB. // es] *om.* E. **16** Salustino] E, Salustio M, Salusti VAB.

[439] E da: *render*. Pero el índice trae: *vender*. Lectura que adoptamos.

[440] Así da E, con una corrección arbitraria, en la que omitió: *es*. Mantenemos su lectura porque la repetición no afecta al sentido. Pero el pasaje debía prestarse a confusión, como lo indican los varios saltos de VC. Para interpretarlo correctamente, conviene compararlo con el de los otros mss. Sólo MAB traen una versión completa. E da: *Qué es aquel que puede saludar esti roco hombre que ha nombre Ceso, el qual rico hombre et qui lo quiera guardar en la cara...* En este texto es fácil advertir el error de *roco* por *rico*; pero más insegura es la intelección del resto. La versión de M, que coincide en este caso con AB, nos permite comprender mejor el pasaje. Dice M: *Quién es aquel que puede saludar este rico omme que ha nonbre Çeso, e que el rico omme que lo quiera catar en la cara...* Ante este texto, convendría corregir E así: *et que'l rico hombre que lo quiera guardar...* No cabe duda de que los textos de E y M provienen del mismo prototipo aragonés. La solución aragonesa: *menos que*, con que ambos traducen la preposición catalana *sens* 'sin', lo pone de relieve. La frase de A: *e sens que res no aport*, se traduce en M: *e menos que non trayga ninguna cosa*, usando la misma fórmula que E. Por eso corregimos con M. Sin embargo, ninguna de las traducciones romances de este pasaje es fiel al texto de Juvenal: *Quid das, ut Cossum aliquando salutes, ut te respiciat clauso Veiiento labello?* (***Sátiras***, III vv. 184-85). Las irónicas preguntas retóricas del poeta latino han recibido una explicación y una respuesta que no están en el original. Estas adiciones terminaron por confundir a los copistas catalanes y aragoneses.

[441] Se refiere a Salustio.

[2] **Sénecha**. Sénecha, en el libro ***De constançia et de fortaleza del sauio***, faze[442] atal demanda: Demándote, si iamás el sauio hombre se aplega a la puerta del prímçep, si porá intrar francamientre o si fallará puerta cerrada. [187b] Respóndele et dize que él fallará el portero que guarda la puerta assín como a perro, el qual respondrá aspramientre et dura assín como si era perro que ladrase; et si el rich ombre le da de lo suyo fará assín como el mal perro que se lexa de ladrar quando hombre le da bien a comer.

[111.] POR QUÁLES VIRTUDES DEUE SEYER REGIDA ET ORDENADA LA COMUNIDAT.

[1] **Sant Agustín**. Sant Agostín, libro VIII de la ***Çiudat de Dios***, dize: Vano es todo iudiçio de derecho sino aquella ley que es fecha ha ymagen de la ley de Dios.

[2] [**Sant Agustín**]. Item el mismo dize en la ***epístula*** v^{a}: La ley es vna en sí et faze muchos fruitos et prouechosos de virtud.

[3] [**Sant Ambrosio**]. Sant Ambrós en lo ***Examerón***, omelía v^{a}, dize que las leyes de- [187c] uen seyer comunas a todos et a todas d'ellas deuen obsseruar et honrrar, todos deuen a sí mismos con las leyes regir et reglar. Et no.s' deuen penssar ninguno que le sea deuido ninguna cosa que sea por la ley vedado a los otros, mas lo que es deuido a I es deuido a todos, et lo que es vedado a vno es vedado a todos, etc.

[4] [**Libro de los Reyes**]. Léyesse en el ***Libro de los Reyes***, capítulo xiiii^{o}, que Saúl no quiso perdonar a su fillo que auía passado su mandamiento.

2 faze] et faze E, e faze M, e fa VAB. **17** Sant Agustín] *om.* E (*espacio en blanco para el epígrafe*). **20** Sant Ambrosio] *om.* E (*espacio en blanco para el epígrafe*). **22** honrrar] a *add.* E. **24** *1er* es] *om.* E, es MVAB. **27** *1er* Libro de los Reyes] Sant Paulo apostol E (*por influencia del epígrafe siguiente*). **28** xiiii^{o}] xiii^{o} E, xiiii^{o} MVAB.

[442] E da: *et faze atal demanda*, como todos los mss. Pero éstos introducen la cita así: *e desto fabla Séneca* (M), por eso repiten *et.* Puesto que E suprime la frase inicial, debemos eliminar su *et*. Otra solución sería restaurar la frase introductoria.

[5] **Sant Paulo apóstol**. Sant Paulo en los ***Fechos de los apóstoles***, capítulo xxiii°, diziendo al iutge: Iutgas a mí segunt la ley, et cuentra la ley mandades que yo sea ferido.

5 [6] **Sant Paulo apóstol**.[443] Item el mismo, ***ad Romanos*** vi capítulo, dize: Disçiplina, que faga dinos fruytos de penitençia et de iudiçio. Et puso vii colo- [187d] nas o pilares, las quales ha edificado sauieza en la casa de Dios, segunt que dixo Salamón en los ***Prouerbios***, capítulo ix. Porque iusticia deue seyer muyt escalentadamientre[444]
10 desseada et con grant studio guardada et con honor honrrada.

[7] **Tullio**. Tullio, en la ***primera Rectórica***, capítulo primero, dize: Aquell iutge deue endreçar et ordenar todas las leyes a prouecho de la comunidat et de la ciudat, porque por esto fueron fechas. Porque
15 assín como la mediçina es ordenada a prouecho del cuerpo, todo en assín las leyes todas iustas son ordenadas a prouecho de la comunidat. Qui en otra manera vsa [de aquéllas, no vsa] deuidamientre.

[8] **Tullio**. Item el mismo dize que ley no quiere dezir otra cosa sino
20 raçón verdadera, la qual es venida a nosotros de Dios. La qual manda cosas onestas et veda las contrarias.

1 apóstoles] aposteles E, apostolos M, apostols VAB. **9** escalentadamientre] escantadamientre E, escalentadamente M, escalfadament VAB. **13** endreçar] endrecar E. **17** de aquéllas no vsa] *om.* E (*homoioteleuton*), desto non vsa M, de aquelles vsa V, de aquelles no vsa A, de aqueles no vse B. **19** dezir] dezr E.

[443] Fac. La autoridad, dada como de San Pablo, corresponde al ***sermón de adviento*** de San Bernardo (PL 183, 45), donde cita al apóstol. Pero el compilador de ***Rams*** no recoge las palabras de San Pablo (*non regnet peccatum in mortali corpore*, ***Romanorum*** 6.12), sino el comentario de San Bernardo. Véase el texto de la ***Suma de col.lacions***: *Diu Sent Bernat en hun sermo del auent, que justicia es uirtut la qual ret a cascu ço qui seu es, ço es, al maior e al menor e al mijá....al jusan es deguda guardia e custodia, -que no regne peccat en lo seu cors mortal, axi o diu Sent Paul* ***ad Romanos****, vi° capitulo-, e diciplina, que faça dignes fruyts de penitencia* (V).

[444] E da: *escantadamientre*. El ***Lexicon*** supone que es error por *escautadamientre*, forma provenzal explicable por el posible origen del copista. Hay en ***Rams*** otros aparentes provenzalismos que podrían apoyar esta suposición. Pero si se tienen en cuenta las formas catalana: *escalfadament* (VAB), y castellana: *escalentadamente* (M), y las abundantes confusiones del copista, no es difícil suponer que estamos ante un error gráfico por *escalentadamientre*.

[9] **Tullio**. [188a] Item el mismo, en la XIª ***Filoteria***,[445] dize que la ley es mandamiento de drecho et echa fuera toda mala cosa.

[10] **Tullio**. Item el mismo, en el libro IIº ***De natura de los dioses***, dize:
5 Ley es derecho scrito atorgando cosa honesta,[446] et vedando la contraria.

[112.] POR QUÁL MANERA LOS ANTIGOS SOSTENIERON GRANDES DANYOS POR SALUAMIENTO DE LA COMUNIDAT.

10 [1] **Sant [Pedro] apóstol**. Sant Pedro, en la ***primera cannónica***, capítulo iiiº, faulando a los christianos dize: Vosotros soes linatge scollido de natura de reyes et de clérigos, gent santa, pueblo ganado et conquerido por virtud de caridat, que es en el pueblo christiano, et [faze] las sus obras seyer de grant mérito, et digno de grant gloria.[447] La qual caridat
15 faze [las almas saluas, et faze] que sea por el pueblo dada gloria a Dios.[448]

---

1 XIª] IXª E. // Filoteria] E, Philitaria MV, Philataria B, Phillancia A, Philateria C. **2** mandamiento] mudamiento E, mandamiento M, manament VB, menament A. **5** atorgando] atorgado et E, otorgando M, atorgant VA, atorguant B. **10** *1er* Pedro] Paulo E. **13** faze] *om.* EMAB, fa V. **15** las almas saluas et faze] *om.* E (*homoioteleuton*), las almas saluas e faze M, les animes salues e fa VAB. // por el] pora E, por el M, per lo VAB.

---

445 Todos los mss deforman el título de esta obra ciceroniana: *Filoteria* (E), *Philitaria* (MV), *Phillancia* (A), *Philataria* (B), *Philateria* (C), aunque el ***Communiloquium*** trae correctamente *Philipicarum*. No obstante, es fac, la cita corresponde a ***De natura deorum*** II.79.

446 E da: *derecho scrito atorgado et cosa honesta*. Esta frase, con su estilo desigual, revela corrección "psicolingüística" del copista. En efecto, la lectura del ***Communiloquium***: *iubens honestum, prohibens contrarium* (reflejo del texto ciceroniano: *recta imperantem prohibentemque contaria*, ***De natura deorum***, I.36) y la estructura de la frase piden gerundio en ambos verbos. Así traen todos los mss. Por eso restituimos la forma que suponemos tenía el prototipo aragonés.

447 Así dan EM, con un texto adaptado, en el que suprimieron *faze*. Mantenemos esta lectura porque, a pesar de su sintaxis forzada, parece reflejo del prototipo aragonés. Las versiones catalanas de AB tienen un texto deturpado que está entre E y V. Es V el que nos permite ver la redacción original del pasaje. Véase: *Vosaltres sots linatge elegit de natura de reys e de préueres, gent santa e poble guanyat e conquest. Cor uirtut de caritat, qui es lo poble christia, fa les sues obres esser de grant merit e dignes de gran gloria*. Con esta versión no sería difícil restaurar el sentido inicial del texto aragonés: *Vosotros soes linatge scollido de natura de reyes et de clérigos, gent santa, pueblo ganado et conquerido. Por[que] virtud de caridat, que es en el pueblo christiano, las sus obras [faze] seyer de grant mérito et dign[as] de grant gloria*.

448 E da: *La qual caridat faze que sea pora pueblo dada gloria a Dios*. Texto deturpado a pesar de esa aparente forma típicamente aragonesa: *pora*. Todos los mss (MVAB) revelan la existencia de un salto de igual a igual. Corregimos con M.

[2] **Sant [Pedro] apóstol.**[449] Item el mismo dize en [188b] la dicha ***cannónica*** et capítol: Deuemos fazer obras senyaladas et prouechosas a la comunidat de los christianos.

5 [3] **Sant Agostín.** Sant Agostín, en el libro de la ***Ciudat de Dios***, capítulo xviii, dize que los antigos suffrieron muy grandes enoyos por la comunidat. Et posa que como los romanos deuiessen entrar en campo de batalla periglosa demandaron a lur dios qué porían fazer que huuiessen victoria. Et respondiéronlos que si echauan el más honrra-
10 do hombre de la çiudat en vna grant crebaça de tierra que staua abierta tan fonda que non parecía la fondura, que ellos aurían la victoria; si no, serían vencidos. Et aquel que tenían por más assenyalado cuytadamientre corriendo por sí mismo fue a saltar de dentro aquell lugar.

15 [4] **Sant Agostín.** Item [188c] el mismo dize que Breus[450] mató sus fillos porque eran stados contra la comunidat. De la qual cosa dixo el poeta que el padre auía clamado sus fillos por bella franqueza a pena, los quales auían mouido nueua batalla.

20 [5] **Sant Agustín.** Item el mismo dize que Torquato, prímçep de Roma, mató su fillo porque como ellos saliessen a la batalla fue cometido por vno de los enemigos qu'él salliesse al campo. Et fízolo et mató el enemigo. Et su padre fízolo matar porque auía crebado o passado su mandamiento, el qual era que ninguno non firiesse d'a-
25 quí qu'el emperador lo mandasse.

---

1 Pedro] Paulo E (*por influencia del epígrafe anterior*). **12** serían] seria E. **15** Breus] E, Bruto M, Bertus VA, Dortus B. **17** padre] que *add.* E (*probablemente* que *pleonástico aragonés*). **18** mouido] ouido E, mouido M, moguda VAB.

---

[449] Hay en esta autoridad dos errores. En primer lugar, por influencia del epígrafe anterior, el epigrafista atribuye esta cita a San Pablo. En segundo hay fac. Por hallarse esas palabras precedidas por una cita de San Pedro (***I Petri*** 2.21), el compilador atribuye a éste lo que es en realidad comentario de Juan de Gales.

[450] Se trata de Brutus, el general romano que mató a su hijo porque fue contra la república, como dice San Agustín en ***De civitate Dei***, 5.18, donde cita los versos de Virgilio: *Natosque pater, nova bella gerentes,/ ad poenam pulchra pro libertate vocabit* (***Eneida***, VI, vv. 820-21).

[6] **Sant Agustín**. Esti Torquato mató su fillo no porqu'él uviesse combatido contra la comunidat, antes se auía metido a periglo de muert por la comunidat, et por honor de aquélla. [188d] Mas esto fizo por dar exemplo a los otros que guardassen el mandamiento del
5 emperador et del prímçep de la comunidat, etc.

[7] [**Tullio**]. Tullio, libro IIº ***De los offiçios***, capítulo xxiiiº, dize que Paulo erege despulló[451] vn emperador de todo quanto trasoro auía et non metió vn dinero ni el vallient en casa suia, antes lo poso todo en
10 el trasoro de la comunidat.

[8] [**Tullio**]. Item el mismo, en el libro et capítulo ya allegado, dize que Mumio, companyero del dicho Paulo, como él huuiesse aplegadas grandes riquezas et grant trasoro por fecho d'armas, más quiso
15 ennobleçer de aquéllas la comunidat que la su casa.

[9] [**Tullio**]. Item el mismo, en el libro ***De offiçios***, capítulo xvº, en perssona de los antigos que dizíen: Nós no queremos auer riquezas pora nosotros mismos tan solamientre, antes queremos que sean
20 nuestras et [189a] de nuestros fillos et de nuestros próximos et de nuestros amigos, mayormientre de la comunidat.

[10] **Tullio**. Item el mismo, en la IIª ***Rectórica***, libro Vº, dize que no deue hombre ningún periglo huir ni squiuar por saluar la comunidat.
25

[11] **Tullio**. Item el mismo, libro primero ***De offiçios***, capítulo xviiiº, dize: No yd'á tan graciosa companna en el mundo como es la comunidat, ni más cara.

---

7 *1er* Tullio] *om.* E. **8** erege] E, ereche M, *om.* V, e tech AB. // despulló] desullo E, despojo M, despulla VA, despuyla B. **12** Tullio] Sant Agustin E (*por influencia de los epígrafes anteriores*). **13** Mumio] Numio E, Mumio M, Numius VAB, Munius C. **17** Tullio] Sant Agustin E (*por influencia de los epígrafes anteriores*).

---

[451] E da: *desulló*. El ***Lexicon*** deriva esta forma de *desullar* 'despojar'. Esta grafía parece variante aragonesa de *desollar*, pero no sé que esté documentada. Por eso, dadas las unánimes lecturas de los mss catalanes: *despullá* (VA), *despuylá* (B), *despulá* (C), y castellano: *despojó* (M), creemos que es error por *despulló*. Velasco, sin base en los mss, interpreta 'desoyó'.

[12] **Tullio**. Item el mismo, en el libro ***De officios***, capítulo iiiº: Mucho más caye en peccado aquell qui no deffiende la comunidat de Christianidat et non la ayuda a mantener segunt su poder et su saber.[452]

5 [13] **Tullio**. Item el mismo, capítulo viº, dize: Nobla paraula dixo Platón, que no nascemos[453] a nosotros mismos tan solamientre, porque la comunidat á part et deue auer prouecho en nos,[454] et los amigos hi han part et [189b] deuen auer prouecho et sentir de nos.

10 [14] **Tullio**. Item en el libro ***De officios*** IIº, capítulo xxiiiº, dize que antes que fuessen ciudades, los hombres se aplegauan en uno naturalmientre. Empero por fiança que las lures cosas fuessen más catadas, buscauan fortalesas de ciudades.

15 [113.] POR QUÁLES RAZONES SENYORÍA O PRIMÇIPADO NON DEUE SEYER DESIGADA.

[1] **Sant Agustín**. Sant Agostín, libro de la ***Ciudat de Dios***, capítulo xiiiiº, dize que antiguamientre auía dos templos en Roma que se tení-
20 en l'uno con l'otro. Et el primero era clamado templo de virtud, et el segundo casa de honor. Et por el primero entraua el hombre en el

---

2 comunidat] porque la comunidat *add.* E. **3** *2º* et] en E, e MVAB. **6** nascemos] naçien E, nasçie antes M, nexen V, nexem A, neixem B. **7** en] *om.* E, en MB, e VA.

---

[452] Fac, es comentario de Juan de Gales que aparece entre dos citas de Cicerón.

[453] E da: *naçien*. Pero el sentido de la frase, las lecturas de AB (*nexem/neixem*) y el texto latino (*nati sumus*) ponen el verbo en primera persona del plural. El aparente error de E se explica con la lectura de V, *nexen*, con valor de *nexem*, por la equivalencia *n/m* en el catalán medieval, como hemos constatado en otras ocasiones. El traductor aragonés, imperito en catalán, debió tomar la forma como tercera persona del plural. El error debía estar ya en el prototipo aragonés, pues M da una lectura igualmente confusa: *nasçie antes*. Por eso no dudamos en corregir a *nasçemos*.

[454] E da: *deue auer prouecho, nos et los amigos hi an part*. Pero el pasaje resulta inseguro. Unos mss introducen la preposición *en* (MB): *deu auer profit en nos* (*vos* M), *e.ls amix hi an part*; mientras que otros traen la conjunción *e* (VA): *deu auer profit, e nos e.ls amichs hi han part*. Adoptamos *en* porque E sigue a MB por tener, con ellos, la segunda parte del doblete: *et sentir de nos*, que falta en los otros mss.

segundo et era fecha reuerençia a virtud et ha honor assín como a dios. Et esto significaua que por virtu- [189c] des deue el hombre venir a honor et a imperio, et non por falssa cobdiçia.

5 [2] **Boeçi de conssolaçión**. Boeçi, en el IIº libro ***De conssolaçión***, capítulo vi, dize: ¿Qué me cale mucho faular ni fazer tractado bien ordenado de las dignidades et de las senyorías, las quales vosotros, que non sabedes ni conoscedes quál es verdadera senyoría et verdadera dignidat, enparellades[455] a los ciellos?

10

[3] **Boeçi**. Item el mismo dize: En esti tiempo es dada reuerençia a los hombres no por virtudes mas por senyoría et por poder, et deuría seyr el contrario, etc.

15 [4] **Boeçi**. A vos,[456] dize Boeci: ¿Quál es stado[457] tan noble et tan alta senyoría? ¡O vosotros hombres, por qué non vos dades cura de las bestias mudas terrenales! Si vedías que vna scorça preçiás sí misma tanto que quisiés auer sen- [189d] yoría desuso todas las otras, ¿no t'ende sacaríes escarnio? Si comidíes que tu cuerpo sea más exçe-
20 llent que todos los otros cuerpos, enganyado eres. Pienssa cómo eras de poco poder que los táuanos et otras bestiuelas que comen secretamientre no le cesan de dar pelea, de la qual cosa non te puedes vengar, ni falla qui le faga iustiçia.

---

9 enparellades] enparellar E, aparejad M, egualats VA, aguallyats B. // a] *om.* EM, als VAB. **12** senyoría] reuerencia E (*por atraccción del* reuerencia *anterior*), sennoria M, senyoria VAB. **15** A vos] E, Pues M, Donchs VB, Donques A. // sta] stado E (*ultracorrección*), esta M, aquesta VAB.

---

[455] EM tienen una lectura semejante que carece de sentido. E trae: *enparellar los ciellos*, y M da: *aparejad los çielos*. El error probablemente estaba ya en el prototipo aragonés, que debió interpretar la segunda persona del plural, *egualats*, del texto catalán: *egualats als cels*, fiel traducción del latín: *caelo aequatis*, como imperativo. De ahí deben provenir las lecturas de EM. Corregimos según el texto catalán.

[456] Sic. Probablemente es falsa lectura por *Pues*, como trae M, fiel traducción del adverbio catalán: *donchs* (VB), *donques* (A). Puede explicarse por confusión *P/O* y *ues/vos*. Conservamos la lectura de E porque parece anticipar el apóstrofe *¡O, vosotros...!* que viene a continuación.

[457] Parece ultracorrección del copista, por: *sta* 'esta'. La conservamos con reservas porque tiene sentido, aunque anotamos que todos los manuscritos traen: *esta* (M), *aquesta* (VAB).

[5] **Sant Ierónimo**. Sant Gerónimo, en la çaguera ***epístula***, recomtando lo que dixo Tullio al emperador Çésar. Esti emperador puso en dignidat algunos que no eran dignos. Et díxole Tullio que él no auía honrrados aquellos que auía puestos en dignidat, antes auía ensuczeados
5 las dignidades, como las auía comendadas a perssonas non dignas, etc.

[6] **Sant Gregorio**. Sant Gregorio, libro XXVI° de los ***Morales***, declarando aquella paraula de Iob, capítulo xxxvi°: que [190a] *Dios no menospreçió la senyoría ni lo poder*, porque dize Sant Gregorio:
10 Grande es la senyoría temporal la qual ha su mérito con Dios de la buena administraçión del regimiento.

[7] ——. Item el mismo en el libro de los ***Morales*** XVI dize: La vida del hombre es vapor de poca durada, etc.
15

[8] ——. Item el mismo en el lugar ya allegado dize: Aquell que ha sobre la cabeça ypócrita et mal regidor non lo deue acusar, porque sus peccados mereçen que él sea subiugado a mal regidor. Porque él deue acusar más la culpa de la suya mala obra que non faze la iniustiçia[458]
20 de su regidor.

[9] **Iob**. ***Iob***, capítulo xxiiii°, dize que Dios faze regnar l'apócrita por pecado del pueblo.

25 [10] [**Sauieza**]. Scripto es en el vn libro de ***Sauieza***, capítulo v: ¿Qué nos ha prouechado superbia et ergu- [190b] el ni iactançia de riquezas? Todo esto es passado assín como a sombra.[459]

---

1 çaguera] caguera E. **7** de los Morales...capítulo xxxvi] EMVC, *om.* AB (*pr salto de igual a igual*). **8** no] *om.* E, no VAB. **19** iniustiçia] iustiçia EM, iusticia AB, iniusticia V. **23** pecado] pocado E (*confusión* e/o). **25** Sauieza (*epígrafe*)] Iob E (*por influencia del epígrafe anterior*). **26** ha prouechado] prouechado E, ha prouechado M, ha aprofitat V, profita A, aprofite B. // iactançia] iaccançia E (*confusión* c/t). **27** sombra] hombre E, omme M, ombra VA, hombra B.

---

[458] E trae: *iustiçia*, como MAB, error que debía estar ya en el texto catalán que sirvió al prototipo aragonés. La lectura correcta es *injustiçia* (V) traducción del texto de los ***Morales***, 25.14: *culpam igitur magis accuset corporis quam iniustitiam gubernantis* (PL 76, 344).

[459] E da: *hombre*, como M: *omme*. La confusión se explica a partir de las lecturas catalanas: *ombra* (VA) y *hombra* (B), cuyo significado es, ciertamente, sombra.

[11] [**Leonart**]. Léyesse del rey clamado Leonart[460] en la suya ***Istoria*** que, en el tiempo de su iuuentud que él regnaua poderosamientre, vn día él vino a grant ploro et lágrimas, et fízose aduzir la cadira real a la riba de la mar. Et quando la mar tornaua a çaga sus ondas, él fizo
5 aý posar la su cadiera, et boluiós a la mar et dixo assín: Mar, yo te mando que tú non te estiendas de suso d'esta tierra. Empero la mar estendíesse et mulló la tierra et la cadiera et las ropas et los piedes del dicho rey. Et esto fecho, el rey tirósse a çaga et stuuo aluent[461] de la mar et dixo assín: Sepan todos los habitadores del mundo que'l poder
10 del rey es vano et flaco, et no yd'á hombre en [190c] el mundo qui deua seyer clamado rey sino aquell al qual obedecen el cielo et la tierra et la mar. Et d'allí adelant él nunqua se puso la corona del oro, que era corona real, en la cabeça, mas metióla suso de la cabeça de la imagen del crucifixo de Ihesu Christo stando en la cruz por razón del
15 rey eternal. Éste era rey de Norunya et de Daçia et de Anglia.

[12] **Isaías**. ***Isaías***, capítulo xl, dize: La carne del hombre es assín como a fumo et la su gloria assín como a flor de tiempo.[462] Porque se sigue que la senyoría temporal dura breumientre, et assín mismo la
20 gloria carnal, la qual quando empieça a envellecir caye et deffalleçe,

---

1 Leonart (*epígrafe*)] Iob E (*por influencia del apígrafe anterior*). **6** tierra] E (*posible homoioteleuton*), mia nin tangas mi cathedra nin mis ropas nin las partidas del mi cuerpo que yo so rey e sennor desta tierra *add.* M, mia nem tochs la mia cadira ne les mies uestidures ne les partides del meu cors que yo son rey e senyor de aquesta terra *add.* V, mia ne tochs la mia cadira ne les mies vestedures ne les partides del meu cors que yo son rey e senyor daquesta terra *add.* A, mia ne tochs aquesta mia cadira ne les mies vestidures ne les partides del meu cors que jo so rey e la terra se banya *add.* B. **8** aluent] al viento E, aluenne M, lunyas V, lunyats A, lunyar B. **13** *2º* cabeça] cabeca E. **14** razón] E, loor M, laor VB, lahor A. **15** Norunya] E, Norueja M, Norueya V, Noruega AB, Noruhega C, Normandie Ven. **17** xl] xv E, xl MVA, xxxx B. **18** tiempo] EM, camp V, fe AB, fems C.

---

[460] Se trata de Canuto, escrito también Cnut, Knut, que fue rey de Inglaterra (1016?-35), de Dinamarca (1018-1035) y de Noruega (1028-1035). Tuvo una personalidad muy fuerte. Esta historieta de su vida es una de las más divulgadas.

[461] E da: *al viento de la mar*. Obviamente es falsa interpretación ocular del copista por *aluent* 'lejos'. El prototipo aragonés decía: *stuuo aluent de la mar*, como lo corrobora la lectura de M: *púsose a luenne del mar*, traducción del catalán: *lunyás de la mar*. El adverbio *aluent* se halla en varias obras del corpus herediano (véase el ***Lexicon***). No dudamos en corregir.

[462] EM traen: *tiempo*, reflejo de su origen común. Esta lectura parece falsa interpretación de *fe* 'heno' (AB) o mejor *fems* (C) 'fiemos' como *temps* 'tiempos' (confusión *f/t*), frente a *campo* (V).

et quando compieça a creçer et a puyar por cuytosa fin es eterminada.[463] Porque es assín como a pallar que el viento en alto la puya, assín como a fumo que puya [190d] d'aquí a las nuues, etc.

5 [13] **Sant Paulo apóstol**. Sant Paulo ***ad Romanos***, capítulo xiii, dize que toda senyoría viene de Dios; et ella sea [buena en] general como sea cosa de la qual puede hombre bien vsar a buena fin.

[14] **Sénecha**. Séneca, en la ***epístula*** xcviii, dize que los cobdiciosos 10 dessearon senyoría con la qual vinciessen lures enemigos,[464] et ellos mismos eran turmentados, etçet.

[15] **Séneca**. Item el mismo dize que César suffríe grant crebamiento de coraçón por tal como era fuert cobdiçioso et desseoso cómo 15 podría seyer más poderoso que los otros.

[16] **Tullio**. Tullio, libro IIº ***De officios***, capítulo vii, dize que aquellos que quieren seyer temidos menester es que ellos hayan temor de aquellos mismos que ellos quieren que ellos teman. Et d'esto mete vn exem- 20 plo de vn cruell prímçep, por nombre Dionís, el qual [191a] quería seyer temido. Empero él vino a tal estamiento que non viuíe menos de grant temença que lo turmentaría fuertmientre, que non de auía companya doméstica del qual no huuiesse miedo, en tanto que non se osaua rader la barba por miedo de aquell qui la li radría non lo degollasse. Et tomaua

---

1 eterminada] E, terminada M, finada V, termenada AB. **6** sea buena en general] sea general E, es buena e genral M, sia bona en general VAB, bona sit in genero suo Ven. **10** enemigos] E (*posible homoioteleuton*), empero cobdiçia los ha vençido porque ellos non sopieron contrastar a cobdiçia nin a viçios e que en aquel tienpo que se aregayna que ellos atormentasen sus enemigos *add.* M, empero cobeianca los ha uencuts per tal com ellos no saberen contrastar a cobeianca ne ambicio e en aquells temps [que] sembla que ells turmentassen lurs enemichs *add.* V, empero cobeianca los ha uençuts per tal com ells no saberen contrastar a cobeianca ne a ambicio e en aquells temps que ells turmentauen lurs enemichs *add.* AB. **14** coraçón] coracon E. **23** qual] qua E.

---

463 Todos los mss traen la forma sin *e*, es decir, *terminada* (M), *termenada* (AB), *finida* (V). Mantenemos, con reservas, la grafía con *e*, por la posible relación con el verbo catalán antiguo: *aterminar*, como señala Leslie en su vocabulario.

464 Sic. Posible homoioteleuton. No lo incorporamos porque parece ser un caso claro de *abreviatio*.

carbones callientes et quemauas ende la barba et los pellos de aquélla, como cresçían, con su mano propria. Así mismo dize Boeçi, etc.

[17] **Sant Bernart**. Sant Bernart dize, faulando delant Eugenio papa IIº,
5 que rey nesçio sediendo en cadira es vna ximia[465] puesta en lugar alto.

[18] **Argument de Boeçi con el qual se proua que las dignidades et senyorías de aquesti mundo non tienen en sí ningún bien propio ni natural**. Si en las dignidades et senyorías auía algún bien por lur natu-
10 ra que yde huuiés verdade- [191b] ro bien, iamás ellas no vendrían sino en poder de buenos hombres, porque natura no suffrex que dos cosas contrarias sean aplegadas en vno et que cada vna retenga su natura, etc.

[19] [**Boeçi**]. Item el mismo, libro IIIIº, capítulo iiiiº, faulando d'esta
15 materia, proua [466] mucho bien que dignidat he honor no ha ren de virtud ni de prodeza de sí, ni en ellas no ý á propria força, mas la falssa openión de los hombres tenie el contrario.[467]

[20] **Boeçi**. Conclusión final de Boeçi: Que dignidades deuen seyer
20 menospreçiadas por esto como discordan los deffallimientos de aquellos qui las possiden et los rienden menospreçiados a los otros. Et ya

---

2 Asi] *om.* E, asy M, axi VAB. **5** ximia] vinna E (*confusión x/v, por trazos imprecisos en la x, y nn/mi*), ximia M, simia VAB. **9** Si] *om.* E, si MVAB. **14** Boeçi (*epígrafe*)] Sant Bernart E (*por influencia del segundo epígrafe anterior*). **15** proua] y ua E (*falsa interpretación de la abreviatura* pua), prueua M, proua VAC, probe B. **17** tenie el contrario] que tienen el coraçon E (*lectio facilior*), tiene el contrario M, tenen lo contrari V, te lo contrari AB. **19** conclusión] conchísíon E (*con los signos diacríticos sobre las* íes). // dignidades] dignidas E. **20** discordan] E, descubren M, descombren V, descobren AB. **21** los] las E, les M, e.ls VAB.

---

[465] E lee: *vinnia*. Leslie y el ***Lexicon*** relacionan esta palabra con el catalán *simia*. En efecto, la lectura de E se explica perfectamente con las típicas confusiones del copista, *x/v*, por los trazos imprecisos de la *x*, y *nn/mi*. Corregimos según la lectura de M.

[466] E da: *y ua*. Extraña lectura que puede explicarse con la abreviatura de *proua*, es decir, *pua*, en la cual se interpretó la *p* como *y*. Esta lectura está corroborada por todos los mss: *proua* (VAC), *probe* (B), *prueua* (M).

[467] Falsa corrección del copista. E da: *la falssa openión de los hombres que tienen en el coraçón*. Pero la idea de la ***Suma de col.lacions*** es diferente. Ésta dice: *la falsa opinio dels homens te lo contrari* (ABM). V, por atracción de *homens*, dice *traen*, como E, pero ninguno da: *coraçón*. El copista no entendió el texto y, en su intento de aclararlo, cambió el sujeto de *openión* a *hombres*, puso el verbo en plural, y creó una nueva oración leyendo *contrario* como *coraçón*. Restituimos la lectura original.

non pueden fazer que aquel que no es perssona de reuerençia que lo sea verdaderamientre, por bien que sea puesto en [191c] grant dignidat, antes lo faze más menospreçiado que no era de antes, etc.

5 [114.] POR QUÉ LOS VNOS SE DEUEN ACOMPANYAR CON LOS OTROS.

[1] **Paulus**. Sant Paulo, ***ad*** [***Ephesios***],[468] capítulo iiii°, dize: Guardat vnidat de spíritu curosamientre con ligadura de paz, et que sean vn
10 cuerpo et vn spíritu. Esto es razonable cosa.

[2] **Sant Paulo apóstol**. Item el mismo, ***ad Romanos***, capítulo xii, dize: Nosotros somos muchos maguera todos somos vn cuerpo en Ihesu Christo, de vna misma heredat, la qual deuemos auer todos con
15 Ihesu Christo et possedir.

[3] **Sénecha**. Sénecha, ***epístula*** xcviii, dize que todos somos partidos o miembros de aquell grant cuerpo, et natura nos ha engendrados et fechos de vna misma natura et de vn mismo parentesco.
20

[4] **Sant Gregorio**. Sant Gregorio, en el ***Li***- [191d] ***bro***[469] II° sobre Ezachiel, omelía iiii^a^, dize: Caridat enciende et quema et inflama todos los fieles[470] christianos, quasi que los regala et los faze tornar en assín como vna maça o vna bella mançana d'oro.

---

8 Ephesios] Corinthios EABC, Ephesios V, los de Efeso M. **14** Christo] E (*posible homoioteleuton*), Item ells son hereters ab Ihesu Christ *add.* VA, Item els son ereters de Ihesu Christ *add.* B. **18** o miembros] EMVC (*traen esta segunda parte del doblete*), AB (*la omiten*). // nos] vos E (*falsa corrección del copista*), nos VAB, nos Ven. **21** Libro] Registro E, libre VAB. **23** fieles] feblos E (*fort.* fieles), feels VA, fells B, faels C.

---

[468] E da: *ad Corinthios*, como ABC. VM dan correctamente *ad Ephesios* y *los de Efeso*.

[469] E da: *Registro*. Parece falsa lectura por *Libro*, como traen todos los mss de la ***Suma de col.lacions***: *II libre* (V), *segon libre* (ABC).

[470] Eda: *feblos*. Al parecer interpretó el sustantivo: *feels* (VA) 'fieles' (otras grafías son B: *fells*, C: *faels*) de los mss catalanes como adjetivo: *feblos* 'débiles'. M no trae este pasaje. Corregimos con los mss catalanes.

[5] **Sant Matheo**. Sant Matheu, capítulo xxiº, dize: El padre nuestro es vno et nosotros somos ermanos.

[6] **Sant Matheo.**[471] Item el mismo dize: Somos miembros o partidas
5 de vno mismo cuerpo figuratiuo, el qual es cuerpo de Ihesu Christo, et Ihesu Christo es cabeça del cuerpo. Estas partidas son legadas[472] et aiustadas las vnas con las otras con ligaduras d'amor et de caridat, et por vn mismo Santo Spíritu viuificadas.[473] Et esto es lo que dize Sant Paulo, etc.

10 [115.] POR QUÉ LOS CAUALLEROS SON COMPARADOS A MANOS.

[1] **Aristótil**. Aristótil, en el IIIº libro ***De ánima***, capítulo iiiº, dize que la mano es uérgano o estrument más [192a] noble que los otros.
15 Et dize asín mismo en el XIIII libro ***De los animales*** que la mano no es vn strument[474] mas muchos.

---

2 nosotros] EMC, vosaltres VAB. **6** cabeça] cabeca E. **7** et por vn] de si E, e per I V, e per vn A, e per hun B, he per hun C. **8** viuificadas] unificadas E, uificades V, vnificades BC, *om.* A. **14** uérgano] vergano E, organo M, orgue VA, orga B, orgua C. **15** mano no es vn strument] mano es strument E, mano non es vn estrumento M, ma no es I instrument V, ma no es vn instrument A, ma no es I strument B, ma es instrument C.

---

[471] La redacción de esta autoridad es extremamente descuidada. Según el epígrafe pertenece a San Mateo, en cambio, en la terminación, se atribuye a San Pablo. En realidad es fac. Toda la frase: *somos miembros...viuificadas* es un comentario de Juan de Gales que aparece entre una cita de San Mateo y otra de San Pablo, citas que el compilador no recogió.

[472] Interprétese: *ligadas*. En en el corpus herediano se usan los dos verbos: *legar* y *ligar* con el mismo significado.

[473] La lectura de E: *ligaduras d'amor et de caridat de sí mismo Santo Spíritu vnificadas*, contiene dos errores. El primero es psicolingüístico. La frase catalana: *per vn mateix Sant Sperit*, debió parecerle oscura, quizá por tener una grafía semejante a la de V: *per I matex*. Así cambió *per vn mateix* a *de sí mismo*, sin preocuparse por el resto. El segundo consiste en leer el correcto *viuificades* (B) como *vnificadas*, confusión explicabe, de nuevo, con la lectura de V: *uificades*.

[474] EC tienen la misma omisión accidental: *la mano es instrument* (E), *la ma es vn instrument* (C). Los otros mss traen el texto completo: *la ma no es I instrument* (V), *la ma no es vn instrument* (A), *la ma no es I strument* (B). El texto de E podría separarse así: *la ma no es*, pero la lectura de M: *la mano non es vn estrumento* no lo apoya. Es más, el corpus herediano no registra el catalanismo *ma* por *mano*. Por eso suponemos que se trata de una omisión accidental, que corregimos con M.

[116.] POR QUÁLES RAZONES LOS CAUALLEROS SON COMPARADOS A MANOS.

[1] **Sénecha**. Sénecha, en la xcix ***epístula***, dize que no es deuida cosa a
5 ninguno de saber la virtud de las manos ni el prouecho que viene por ellas.

[2] **Ihesu Christo**. Ihesu Christo, en el ***euangelio de Sant Matheu***, capítulo x, dize: Seyet sauios como la sierp.

10 [3] [**Sant Agustín**].[475] Esta paraula dize Sant Agostín en el libro II de ***Doctrina christiana***, capítulo v°: Que la sauieza de la sierp es atal que mete el cuerpo delant de la cabeça a deffenssión de la cabeça. Et de aquesto amonestaua Ihesu Christo a sus disçiplos en la dicha paraula. Porque dize lo salmista que Ihesu Christo es aquell qui demues-
15 tra a las manos fazer batalla o pelea contra otros, etc.

[117.] POR QUÁL MANERA LOS ANTI- [192b] GOS SOSTENIERON MUCHOS DANYOS POR LA COMUNIDAT A SALUAR.

20 [1] **Iohanes Bocador**. Sant Iohan Bocador, ***sobre Sant Iohán***, omelía lii, repreniendo aquellos christianos que plorauan lures fillos muertos de los quales es sperança lur que aquéllos resucitarán, dize[476] que los gentiles pueden seyer endereçadores de los christianos. Porque vna mullier gentil huyó dezir que su fillo era muerto en la batalla, et ella demandó cómo
25 se comportaua la comunidat, si era vençida o si auía auida victoria. Porque si la comunidat era salua no auía desplazer de la muert de su fillo.

---

10 Sant Agustín] Io E (*probablemente iba a escribir* Iohanes Bocador *que aparece en la siguiente cita*). // Agostín] A (*por Agostin*) E. **20** lii] lxii MVAB. **22** aquéllos] aquelos E. // dize] et dize E, ende dize M, on diu VAB. **23** de los] dellos E. **24** huyó] huuo E, oyo M, hoyi V, oy A, hoy B.

---

[475] El epigrafista escribió: *Io*. Probablemente quería poner *Iohanes Bocador*, como en la autoridad siguiente. Pero al darse cuenta del error, dejó el epígrafe sin terminar. La cita corresponde, como dicen todos los mss, a San Agustín.

[476] E trae: *et dize*, añadiendo *et*, con un estilo descuidado que se repite con frecuencia. A veces ese *et* es reflejo de un texto original, citado de modo incompleto (ver nota 442). Aquí *et dize* corresponde a: *ende dize* (M), *on diu* (VAB). Sin embargo, resulta superfluo. Por eso lo suprimimos.

[2] **Sant Iohán Bocador**. Item el mismo recomta que vn rey auía dos fillos, et vn día, como él tuuiés la corona en la cabeça, viniéronle nueuas que su fillo era [192c] muerto. Et él leuantósse la corona de la cabeça et demandó quál fillo era muerto. Et quando huyó dezir
5 quál fillo era muerto, luego se tornó la corona en la cabeça porque sabíe[477] que aquéll era muerto por deffender la comunidat.

[3] **Sant Iohán euangelista**. Sant Iohán euangelista, en la ***primera cannónica***, capítulo iii, dize: Si Ihesu Christo ha suffrida muert por
10 nosotros, nós la deuemos soffrir por nuestros ermanos.

[118.] QUE HOMBRE NON SE DEUE GLORIEIAR EN LAS SÇIENÇIAS NATURALES.[478]

15 [119.] QUIÉNTOS DEUEN SEYER LOS HOMBRES.

[1] **Sant Agostín**. Sant Agostín, en el libro II de la ***Çiudat de Dios***, capítulo xxi°, dize que no son hombres virtuosos sino aquellos que fazen obras virtuosas et mantienen buenas costumbres, etc.
20

[2] **Sant Gregorio**. Sant Gregorio, sponiendo [192d] la paraula de Iob que dize: *grace*[479] *tus lomos assín como a varón* etc., et dize en el capítulo xxxvi° que varones claman a hombres de vida acabada, libro XXVII de los ***Morales***.

---

4 cabeça] cabeca E. **6** sabíe] sobre E, sabia M, sabe VAB. // aquéll] que *add.* E (*posible* que *pleonástico*). **8** *2°* euangelista] euengelista E. **21** sponiendo] sponien E. **22** grace] E, ciny te V, ciny A, ciyn B, accinge Ven.

---

[477] E da: *sobre*. Falsa corrección del *sabíe*, o quizá *sabié*, del prototipo. Así lo indican las lecturas de M: *sabía*, y de los mss catalanes: *sabé* (VAB).

[478] El ms da solamente el título sin incluir texto.

[479] Esta palabra me es desconocida. Leslie indica que su equivalente catalán es *ciny* 'ciñe'. El ***Lexicon*** la supone imperativo del verbo **graçir* 'ceñir'. Pero está sin documentar. No es fácil explicar la grafía de E. El significado es ciertamente 'ceñir', como traen los mss catalanes, pues corresponde al texto bíblico de Job: *accinge sicut vir lumbos tuos* (38.3). Probablemente es falsa grafía por *grame*, de los actuales *gramar*, *agramar* 'tundir el cáñamo', o de **yuncir*, posible forma medieval de los actuales *yoñir*, *juñir*, *chuñir* (para las formas actuales ver Andolz).

[3] **Gregorius**. Sant Gregorio, sponiendo la paraula de Iob que dixo: *los ciudadanos han fecho plorar los hombres etc.*, dize en el libro XVI de los ***Morales*** que aquéllos son hombres acabados que no van por la carrera falssament, [antes corren por aquélla] varoníuolment,[480] etc.
5

[4] **Sant Gregorio**. Item el mismo, sobre la dicha paraula de Iob, [dize] que la scriptura de Dios ha acostumbrado nombrar varones ad aquellos que van por la carrera de Dios fuertmientre et non flacamientre. Assín lo dize el salmista: Fazet vuestros afferes varoníuol-
10 mientre et el vuestro coraçón sea conffortado, etc.

[5] **Sant Gregorio**. Item el mismo, en el libro ya allegado, dize que yo non clamo a los hombres,[481] antes [196a] [482] clamo a las mugieres, porque aquellos que han flaco penssamiento et flaco coraçón
15 non pueden entender en mis paraulas. Porque carnal delitaçión et

---

2 los ciudadanos] E, les ciutats VAB. **4** antes corren por aquélla] *om.* E, abans corren per aquellaV, ans corren per aquella B, abans corren A. // varoníuolment] varumoalment E (*confusión* m/ni), baroniuolment VAB. **7** dize] *om.* E, diu VAB. **13** hombres] pobres E, vos M, homens VAB. **14** aquellos] aquellas E (*por atracción del* mugieres *anterior*), aquellos M, aquells VAB. // coraçón] coracon E. **15** Porque] dellos *add.* E.

---

[480] E da: *falssament varumoalment*. Se puede restituir la omisión y falsa lectura con los mss catalanes: *flaquament, abans corren per aquella baroniuolment* (V), *falsament, ans corren per aquella baroniuolment* (A), *falsament, abans corren baroniuolment* (B). El texto debía estar confuso en el prototipo aragonés, porque M da una versión glosada: *andudieron derechamente sin alguna disoluçion en las carreras del Sennor e lo siguiesen fasta el fin*.

[481] E trae: *pobres*, interpretación caprichosa del original *hombres*, como dicen los mss catalanes: *homens* (VAB).

Esta frase tiene, en la traducción catalana, un cambio interesante. El ***Communiloquium***, lo mismo que San Gregorio, dice: *Ego non feminis sed viris loquor*. Pero por alguna razón, todos los mss catalanes cambian el orden, traduciendo: *Yo no crit als homens, ans crit a les fembres*, obvio contrasentido que llevó a la espuria corrección de *aquellas* (C) por *aquells* (VAB). El contrasentido pasó a E, pero no a M, que da: *Non a las fembras mas a vos fablo*. Mantenemos la lectura incorrecta por estar en la fuente.

[482] El ms tiene aquí, en el paso del fo. 192d al 193a, y en los cuatro siguientes, fos. 193d- 194a, 195d-196a, 197d-198a y 198d-199a, el sentido trunco. Pero no se pierde texto. Se trata simplemente de descolocación de los folios debido a la encuadernación moderna. El texto del folio 192d continúa en el 196a de la numeración actual que mantenemos.

mugeril et flaca leugería[483] et perezosa occiositat riende el hombre fembrero, etc.

[6] **Sant Paulo apóstol**. Sant Paulo appóstol, en la ***primera epístula***
5 ***ad Corintios***, capítulo xiii, dize: Quando yo fue sallido de nineza[484] et fue hombre acabado, eché fuera de mí mismo aquellas condiçiones que eran de poqueza. Item dize que fermose tener et seruar castedat es condición de buena mugier. Mas a los nobles hombres se pertanneçe que haian fortaleza et que lazren et que sean virtuosos, segunt
10 que esto mismo dize Salustino,[485] libro IIº.

[120.] QUIÉNTAS DEUEN SEYER LAS MULLERES ET CÓMO DEUEN SEYER AMONESTADAS SPIRITUALMIENTRE.

15 [1] **Sénecha**. Sénecha, en la ***epístula*** xcix, dize que'l mayor [196b] físico que iamás fuesse dixo que las mulleres non deuen seyer caluas ni deuen auer poagre en lures piedes. Mas agora han perdido los cabellos et son despoderadas de lures piedes et lur natura no es [mudada, mas lur vida es] mudada.[486] Porque luego que ellas quisieron seyer

1 leugería] leugera E, leuitat VAB. **5** nineza] Venezia E, mancebia M, infantea VA, infantesa BC. **7** fermose tener] E, garnit tenir A, guit tenir V, gint tenir BC. // seruar] feruar E (*confusión* s/f). **8** hombres] hombrs E. **10** Salustino] E, Salusti VAB, Salustius C. **18** lur natura...vida es mudada] de lur natura no es nuda E, la natura lur no es mudada mes la lur vida es mudada V, la natura no es leuada ne mudada AB.

[483] El ms. da: *flaca leugera*. Podría conservarse esta lectura, pero *leugera*, como sustantivo, no aparece en el *corpus* herediano. Por eso suponemos que se trata de una simple omisión de la "i". Los mss. cats. traen *leuitat* (VABC). M no recoge la frase.

[484] E da esta extraña interpretación: *quando yo fue sallido de venezia* 196a. ¿Cómo interpretar esa referencia a la ciudad del Adriático, a la que no se sabe que San Pablo visitara? Los mss. cats. podrían dar la pista: *quant yo fuy exit de infantea* (VA), *infantesa* (BC). Estas lecturas permiten suponer que *venezia* sea corrección psicolingüística de *nineza*, el equivalente aragonés de *infantea*. La consulta del ***LdG*** aclara poco, pues da esta lectura igualmente incongruente: *quando yo soy santo en la mancebía* (M). No obstante confirma la base (*nineza*) de la caprichosa interpretación del corrector, acorde con el texto paulino: *quando autem factus sum vir* (I Cor 13.11). La forma *fue*, con valor de 1ª persona, fue recogida y explicada por Alvar (246, § 131.3).

[485] Se refiere a Salustio.

[486] E da: *despoderadas de lures piedes et de lur natura no es nuda*. Podríamos agrupar *esnuda* para obtener un aragonesismo típico. No obstante, ésta no era la versión original,

aparelladas a los hombres ellas fueron semblantes a ellos en enfermedades et en lazerios. Porque tanto veylan como ellos et atanto beuen como ellos, antes avn ellas aduocan et peruocan los hombres ha beuer vino et vntarsse de óleo. Porque ellas por lures peccados han perdidos
5 los benefiçios,[487] por lur freuoldat atorgados. Et por tal como se an despullado el stamiento fembril, ellas son caydas en enfermedades de los hombres. Porque no es mayor marauilla si el mayor físico del mundo es tomado en mentira, como hatantas mugieres son pea- [196c] grosas et escaluinadas. Porque conclude que toda mugier que beue
10 desmesuradamientre vino cierra la puerta a todas las virtudes et ábrela a todos peccados.

[2] **Sant Paulo apóstol**. Sant Paulo, en la su doctrina que amostraua ***ad Corinthios***, capítulo x°iiii°, dezía assín: Que las mugieres deuían
15 callar en la eglesia. Item que non sían occiosas nin sten de vagar ni sean descorteses de paraula, etc.

[3] **Sant Paulo**. Sant Paulo, en la ***primera epístola ad Thimotheum***, capítulo v°, reprende estas atales et les conssella que se guarden de
20 tales viçios, etc.

[4] **Sant Pedro apóstol**. Item, en la ***primera canónica***, capítulo iii°, dize que las mugieres sean sosmetidas a los hombres et a los maridos

1 enfermedades] enfermedadades E. **3** ellos] el ellos E. **5** benefiçios] beueres E, benifets VAB, beneficium Ven. **6** despullado] despulla E, despullat V, despullar A, despuyllat B. // fembril] *om.* E, fembril VAB. **9** et] *om.* E, e VAB. // escaluinadas] estaluinadas E (*confusión de* c/t), estaluinades VB, staluinades A. **22** Pedro] Pablo E. (*Por influencia del epígrafe anterior; los mss. atribuyen la autoridad a* Pau V, Pedro M, Pere AB). // canónica] cannica E.

como lo indica ese desconcertante *no*. En efecto, el texto de la ***Suma de col.lacions*** revela que se trata de una interpretación del copista con un salto de igual a igual. Dice V: *desposerades de lurs peus e la natura lur no es mudada, mes la lur vida es mudada*, texto acorde con la idea del original latino: *non mutata est feminarum natura, sed vita* (Séneca, ***epístola*** 95.20). Por eso no hemos dudado en introducir el homoioteleuton basados esencialmente en V. M no trae este pasaje.

[487] E da: *beueres*, por influencia del *beuen* anterior. Pero tanto los mss catalanes como el texto latino indican que se trata de un error por *benefiçios*. En efecto, VAB traen: *bemfets*, traducción apropiada del *beneficium sexus* latino.

suyos, et que no fagan muestra de lures [196d] cabellos. Et en special deuen seyer amonestadas que haian trempramiento en comer et en beuer vino porque non sean embriagas, etc.

5 [5] **Sant Agustín**. Sant Agostín, en el libro de ***Conffesiones***, cerca del medio lugar, [recuenta] que la moça de Estritunio[488] dixo delant d'él a su muller: Beuedora[489] de vino fuert. Et la muller tuuo s'ende por mallyada et conoçió su mal criamiento, et luego ella castigó s'ende del todo. Porque Sant Agostín clamó et cridó aquí marauillándo-
10 se de la misericordia et prouidençia de Dios, et dize assín: O senyor Dios. ¿Qué has fecho? ¿Con qué medecina has sanado aquesta muller? Tú, senyor, saqueste de la alma de la moça vna paraula dura, con la qual scondía prouisión. Et con aquella aguda paraula, assín como a fierro medicinal, tú, en vn colpe, as tallado et has metido el
15 venino del alma de la duenya. Con la enferme- [197a] dat de mala paraula de la vna es guarida la enfermedat de la otra.

[121.] QUIÉNTA COSA ES MATRIMONIO ET DEL SU EMPEÇAMIENTO ET ACABAMIENTO ORDENADO ET LEGÍTIMO.
20

[1] **Maestro de las sentencias**. El Maestro de las sentencias, en el libro IIII, en la distinción xxxiiii[a], dize que matrimonio es aplegamiento o coniunçión maridal de hombre et de muller teniendo costumbre departida de vida entre legítimas perssonas. O matrimonio es

---

6 recuenta] *om.* E, recompta V, recompte A, recomte B. // la moça] las moças E, la siruenta V, la seruenta AB. **7** Bebedora] Bebede E (*por incomprensión de la abreviatura; fort.* bebedora), bebedora VAB. **9** aquí] aquellos E, aqui VAB. **14** metido] E, remogut V, mogut AB. **16** de] *om.* E, de VAB. **18** empeçamiento] empecamiento E. **23** coniunçión] conuínçion E (*con signo diacrítico sobre la* í), conjunccio VAB (j *larga*). // hombre] ho hombre E.

---

[488] Ningún ms da este supuesto nombre del padre de Santa Mónica, madre de San Agustín. Probablemente se trata de una adaptación basada en la incomprensión del texto. VAB dicen: *E un dia la siruenta barallase ab ella e posali dauant aquest crim. E dixli: Beuedora de vi fort.* Al parecer *Estritunio* es deformación de *aquest crim*.

[489] E da: *beuede de uino*, que parece forma de imperativo. Sin embargo, todos los mss catalanes traen: *beuedora* (VAB). Suponemos que el copista no debió comprender el signo de abreviatura. Restituimos según los mss catalanes.

legíttima coniunçión de hombre et de muller representando el aiustamiento de Ihesu Christo et de la eglesia, assín se dize en los ***Articles de la fe***.[490] O matrimonio es legítima companya en honbre et muller, en la qual companya, de conssentimiento egual de cada vna part, el vno da a
5 sí mismo al otro, segunt que dize [Hugo] en el libro ***De virginidat de la Virgen Santa María***, etc.

[2] **Agustinus**. Sant Agostín, libro XVº de la [197b] ***Ciudat de Dios***, capítulo xvº, dize que matrimonio se faze entre los hombres por tal
10 que los vnos sean aplegados con los otros, a los quales es cosa prouechosa et honesta que hayan aiustamiento et amigança con aquellos con los quales d'antes no auían ninguna amigança o iustamiento.

[3] **Agustinus**. Item el mismo, en la viiiª ***omelía***, de que aquellos que
15 fazen matrimonio:[491] Deuen guardar por adelant, antes qu'ell matrimonio sea fecho, que fagan tal matrimonio que sea conuinent et legítimo et plazient a Dios, segunt la ley de Dios, et que sean las perssonas conuinientes la vna por la otra, por tal que después no'nde sigua deshonor nin s'ende repientan.
20

[4] **Sant Paulo apóstol**. Sant Paulo, en la ***primera epístola ad Corinthios***, capítulo vii, dize que aquell qui [197c] da marido a la muller faze buena obra. Mas aquell que non la mete en matrimonio, mas que la faze persseuerar en uirginidat, faze millor obra. Porque dize el
25 mismo, en la epístula ***ad Ebreos***, capítulo xiiº: Que honrrada cosa es matrimonio et lit o leito[492] menos de sutzura.

---

2 en] de EVAB. **5** Hugo] *om.* E, Hugo VAB. // virginidat] virgnidat E. **6** virgen] vrgen E. **11** aiustamiento] auístamiento E (*con signo diacrítico sobre la* í), ajustament VAB (j *larga*). // amigança] amiganca E. **12** amigança] amiganca E. **15** deuen] deue E, deuen VAB. **26** leito] lei E (*probablemente omite la sílaba* to).

---

[490] Se refiere a la obra de Alanus de Insulis ***De articulis Catholicae Fidei***, IV prólogo.

[491] Introducción descuidada. De San Agustín es sólo la referencia a la homilía 8, es decir, ***Contra Julianum Pelagianum*** V.16 § 66 (PL 44, 820). Lo que sigue es comentario de Juan de Gales, como lo indican con claridad el calderón (¶) de A o la barra de separación (/) de V.

[492] E da: *lei*. Creemos, como el ***Lexicon***, que es grafía incompleta por *leito*, glosa aragonesa del catalanismo *lit*.

[5] **Vallerio Máximo**. Valerio Máximo, en el VII° libro, capítulo ii°, dize que vn hombre era que auía vna filla tan solamientre, el qual hombre demandó conssello a vn filósof nombrado Tomescolem[493] si la daría por muller a vn hombre de baxo stamiento et pobre, mas era
5 hombre sauio et prouado, o si la daría a vno otro hombre que auía grandes riquezas, mas era hombre loco et non discreto. Et respondióle Thomescholem et dixo: Más amás hombre menos de riqueza que riqueza menos de [197d] hombre. Et conssellóle escolliés hierno menos de riqueza que riqueza menos de hombre, et que diesse su
10 filla al hombre pobre bueno et vallient et no al rico nesçio et loco.

[6] **Vallerio Máximo**. Item el mismo, en el lugar ya allegado, dize que vn hombre demandó a Sócrates si tomaría mugier o si'n s'ende staría del todo. Et Sócrates respondióle que si'nde tomaua, penidríe s'en;[494]
15 et si no, atres tal. Porque si no'nde toma vna, haurá a beuir solitario et no auría fillos, antes morría et fincaría amulado et exorque et no creçería su linage; et quando se morrá aurá heredero estranyo, el qual heredaría su lazerio. Et si tomaua mugier, viurá muyt bien,[495] continuadament en cuydado, et huderíe todos días clamos, et seríele fechos
20 retrechos del solar[496] et de los parientes de la mullier et trista cara, et su

3 Tomescolem] E, *om.* M, Temostelon V, Tomostode A, Tomostocle B. **7** Thomescholem] E (*fort.* Thomestholem), Valerio M, Themostoclem V, Themostode A, Temostocle B. **14** penidríe s'en] o prendie seso E, penideriassen VA, sen penedirie B. **15** atres] acres E (*confusión* c/t), atre VA, atres B. **18** tomaua] tomauan E. **20** retrechos] recrechos E (*confusión* c/t), retret VA, retreyt B. // solar] sonar E (*Leslie sugiere error por* solar), dot VABC.

[493] Es Temístocles.

[494] E da: *prendie seso*, que parece tener sentido. Sin embargo, la consulta de los mss catalanes demuestra que se trata de un error de traducción. Éstos traen: *penideriasen* (VA) y *sen penedirie* (B). El traductor, con un conocimiento superficial del catalán, confundió la terminación *sen* como el sustantivo *seny* 'seso', cuando en realidad se trata del partitivo *s.en*, es decir, 'se arrepentiría de ello'. Por eso, no dudamos en corregir con el verbo *penedir* que aparece en el corpus herediano. M omite el pasaje.

[495] La frase adverbial: *muyt bien* falta en los mss catalanes. Es una adición incongruente del copista de E. No podemos corregir con seguridad porque M no trae este pasaje. Quizá convendría suprimirla.

[496] E da: *sonar*. Leslie y el ***Lexicon*** sugieren que es error por *solar*, reflejo del catalán *dot* 'dote'. Adoptamos su sugerencia.

sogra lo far- [193a][497] taría de paraulas enoyadas, et sacarse an scarnio et burlarán de tú. Et sería tu muller enueiada de otri. Et auría a maltraure et altar[498] por la vida de los fillos. Porque conclude que con grant diligençia et con grant prouidençia deue seyer fecho matrimonio, etc.
5
[7] **Sant Ierónimo**. Sant Ierónimo recomta que Aureol Theofaustri[499] fizo vn libro ***De bodas*** en el qual ha vna questión si el hombre sauio tomaría muller. Et responde et dize que hombre sauio deue tomar muller si la falla que sea fermosa et bien criada et filla de padre et de
10 madre honestos, et que el qui la tomara fuesse o sea sano et rico et sauio. Et luego tantost dize Auriol que, como muchas vezes sea visto, que todas estas condeçiones tarde se fallan en vno e en vn matrimonio. Porque hombre sauio non deue tomar muller, por tal como por [193b] matrimonio es hombre embargado que non puede hombre
15 studiar en filosofía. Porque ninguno en vno non puede seruir a la

---

2 sería] serian E. // maltraure] mal trante E, prouehir V. **3** altar] alcar E (*confusión* c/t), treballar VA, trebayllar B.

---

[497] Por transposición de folios, el texto del fo. 197d continúa en 193a.

[498] Pasaje con lecturas inseguras. E da: *amal trante et alcar*. Respecto a *trante*, Leslie sugiere leer *trance* por la típica confusión *c/t*. El ***Lexicon*** respeta la grafía *trante* y sugiere el significado 'peligro'. Ninguna lectura tiene sentido. De nuevo la ***Suma de col.lacions*** puede servir para hallar la verdadera lectura de E. V da: *hauria a prouehir e a treballar per vida dels fills*. B lo reduce a: *auria a trebayllar per la vida dels fills* (AC dan un texto esencialmente igual). En ambos casos la frase lleva infinitivos. Esa era la estructura original de E. El copista, con sus típicas confusiones, leyó *n/u* y *t/r*. Así obtenemos el verbo *maltraure* 'mal traer'. Respecto a *alcar* -los editores anteriores corrigen *alçar*, que tampoco tiene sentido-, creo que debe leerse *altar* 'gozar, agradarse, enamorarse', debido a la confusión tan común *c/t*, verbo presente en ***Rams*** (*altasse*, ver autoridad 200). El sentido de la frase es 'se tendría que maltraer y prostituirse'. Hemos corregido con este sentido. El pasaje se refiere a los sacrificios de todo tipo que los padres realizan por los hijos.

[499] Se trata del filósofo aristotélico Teofrasto (ca. 372-ca 288 a. de C.), que según recoge San Jerónimo en su epístola ***contra Jovinianum***, escribió un libro sobre el matrimonio. Sin embargo, la frase de San Jerónimo: *aureolus Theophrastus liber De nuptiis [scripsit]*, llevó a los escritores medievales a interpretar su nombre como Aureol Teofrasto. Así lo hace Gualterio Map o la ***Suma de col.lacions*** (*Auriol Teofrasti feu hun libre De noces* VC, *Duriol Teofastri* AB), aunque San Jerónimo usa *aureolus* como adjetivo, interpretado bien como 'dorado', bien como 'que vale su peso en oro'. ***Rams*** sigue lógicamente la interpretación de la ***Suma de col.lacions***.

muller et al studio de suso de los libros. Et muchas son las cosas
necessarias a las duenyas, assín como vestiduras, oro, piedras preciosas, missiones de diuerssos panyos, lechos, moças et otros arneses de
cambra. Et después cada noche parlan mucho et fazen clamos et
5 questiones, et dizen: Aquélla es millor aparellada que yo. Ad aquélla honrran todos et yo, mesquina, so del comto de las mulleres mes-
quinas et menospreçiada. ¿Por qué guardats enta mi vezina? ¿Qué
faulauas [con la seruenta]? ¿Qué m'as aducho de la plaça?[500] No ý
puede auer amigo nin companyero. Porque la mullier se pienssa que
10 si el marido ama[501] ninguna perssona sino a ella, pién- [193c] ssase
que querá mal a ella. Crecer muller pobra diffícil cosa es; soffrir
mullier rica pena es ad aquell que ha muller, porque non puede scollir
d'allí adelant a su volumtat. Porque atal como sea, [la aurá a possedir, sea que sea] loca o fea o ergullosa o pueda[502] o quales vicios que
15 aia. Aquel qui quiera comprar cauallo o otra bestia o catiuo o vestiduras primeramientre ensaya e proua las cosas que quiere comprar, et

---

1 et] *1er* et *iter.* E. **3** panyos, lechos] E, draps de lit VA, drap de lits B. (*Se trata de las* cubiertas *o* cubrecamas.) // moças] mocas E. **7** guardats] guardat E, guardaues VA, guardats B. **8** faulauas] faulaua E, parlaues V, parlauets AB. // con la seruenta] *om.* E, ab la siruenta V, ab la seruenta AB. // qué m'as] que iamas E, que.n has V, que.n hauets A, que.n auets B. **10** ama] auía E (*con el signo diacrítico sobre la* í), ama VA, ame B. **13** la aurá a possedir sea que sea] *om.* E (*homoioteleuton*), laura a possehir sia que sia V, que sia prous sia que sia A, aytal as a posseyir sie que sie prous sie que sie B. **14** *1er* o] que E, o VAB. // *3er* o] *om.* E (*deja un espacio en blanco de unas cinco letras*), o VAB. // *4º* o] a E, o VAB. **16** ensaya e proua] ensenya a proua E (*ultracorrección*), asaia proua V, los assaia e.lls proua A, los asaye e.lls proue B. // comprar] compra E.

---

500 E da este desvaído texto: *Porque guardat enta mi vezina que faulaua que iamás aducho de la plaça*. Pero es otra frase tergiversada por el copista. La lectura de ***Rams*** diluye la famosa diatriba antifeminista medieval, tan bien imitada por el arcipreste de Talavera en su ***Corbacho***. El texto latino de San Jerónimo dice: *Cur aspiciebas vicinam? Quid cum ancilla loquebaris? De foro veniens, quid attulisti?* La versión catalana de B, la que mejor refleja el pasaje, traduce: *¿Per qué guardats ma vehina? ¿De qué parlauet[s] ab la seruenta? ¿Qué.n auets aportat del mercat?* Con estos textos a la vista, no resulta difícil corregir y reconstruir la lectura del original aragonés con absoluta seguridad. Es la que hemos adoptado.

501 E da: *auía*, con signo diacrítico sobre la í. Obvia confusión por *ama*, como traen los mss catalanes: *ama* (VAC) y *ame* (B).

502 Es forma del subjuntivo del verbo *pudir* 'oler mal', 'heder'. Interprétese 'hieda'. Quizá convendría corregir a *puda*, que aparece en el ***Libro de Marco Polo***. El ***Lexicon*** la deriva del verbo *poder*, además de confundir *pudir* con *podrir*. El adjetivo *pudent* (VAB) 'mal oliente' de los mss catalanes confirma el significado.

luego de la proua o del ensayo, si le plaze, compra, et si no, léxalo. Mas quien quiere tomar muller non la proua nin la enssaya si le plazerá o si le desplazerá d'aquí que aya tomado el matrimonio. Et pues que el hombre la haya tomado, todo lo que ella ama aurá âmar el
5 hombre, si quiere auer paz con ella. Havn más, si son enemigas de hombre, [193d] el hombre le comanda casa et todo lo que ha, et havn faze todo lo que ella quiere. [Et si non fazes todo lo que ella quiere,] non le semellas que le seas leal, et luego te querrá mal, et la batalla será en casa. Et si aýna non la tornas en amigança tuia, aparéllate o
10 hierbas o túxech. Et por bien que la guardes, si no es casta de coraçón, s'í fará su volumtat, et menos de todo será puta et súczea de su cuerpo. Et si es firma et buena et casta, non la cal guardar, porque neçessidat es desleal guardadora de castedat. Aquella mullier es verdaderamientre casta la qual podríe peccar et non pecca. Si es fermosa,
15 aýna aurá entendedero. Si es fea, liugeramientre amará et cobdiçiará cosa que muchos aman. Et non puede esser liugeramientre guardada. Et con tristor es possedida la cosa que hombre non quiere, la qual ninguno non toma plazer, maguera que la mullier fea con menor mesquindat es possedida [198a][503] que la bella ni la fermosa no
20 es guardada. Res[504] no es seguro que por todo el pueblo es desseado et cobdiçiado. El vno[505] la entiende auer, por tal como es fermosa de parença o de muestra; el otro como es fermoso faulador; et l'otro por

2 quien] quien *iter.* E. // muller] *om.* E, muller VA, muyller B. **5** enemigas] enemigos E, enemichs V, enemigues AB. **6** le] *om.* E, li VAB. // *2º* et] *om.* EV, e AB. **7** Et si...quiere] *om.* E (*homoioteleuton*), E si no fas tot ço que ella vulla VA, Si no fos tot ço que ella vuylle B. **8** *2º* le] ella E, li VAB. **10** coraçón] coracon E. **14** pecca] peccar E. **15** entendedero] entendero E. **18** fea] sea E (*confusión* s/f), leia VA, leya B. **20** res] rey E, res VAB. // que por] porque E, qui per VA, que per B. **21** El vno] alli do E, la vn VA, lo I B.

[503] Por transposición de folios, el texto del fo. 193d continúa en 198a.

[504] E da: *rey*, lectura que se presta a doble interpretación, pues podría agruparse: *rey no es seguro*, o *reyno es seguro*. Pero ambas lecturas cambian el sentido del original. *Rey* no es sino una confusión visual u oral del catalán *res* 'nada', en la frase: *res no es segur qui per tot lo poble es desijat o enuejat* (VAB), fiel traducción, a su vez, del original latino: *Nihil tutum est in quo totius populi vota suspirant* (Ve).

[505] E da: *allí do*, error claramente visual que revela un conocimiento mediocre del catalán por parte del traductor aragonés. Éste confundió la sencilla frase catalana *la vn* 'el uno', como *lla on* 'allí donde'.

engenyo; et l'otro por liberalidat o por franqueza. Aquel qui de todas partes es combatido, de alguna part será vençido. Et si alguno dize que por tal tomó mullier que le comande la dispenssaçión de casa, séale respondido que mucho millor lo faría vn scudero leal et fiel,
5 obedient al senyor que non la duenya o la muller, la qual se pienssa que sea duenya si puede fazer contra volumtat de su marido. Et tomar mullier por auer fillos, esto es cosa de grant locura. ¿Qué nos faze a nós que, quando saldremos d'esti mundo, finque otro que aia tal nombre como nós? E ¿qué s'ende mellorará ni quiénto [198b]
10 prouecho ne aurá en velleza que críe en su casa alguno que por auentura antes morrá que él, o, si viue, por auentura será mal criado et mal acostumbrado, et si viue mucho deseará la tu muert et semellarle á que mucho viues?

Estas[506] paraulas no son a tú recontadas por dezir a tú mal de matri-
15 monio o por tal que ad aquellos a quien plaze no entiendan en aquel orden. Mas son dichas por amonición de aquellos que quieren seyer en matrimonio, porque diligentmientre se guarden con quién farán matrimonio. Et por esto dize l'apóstol en la ***primera epístula ad Corinthios***, vii capítulo, que la virgen entiende en los aferes de Dios,
20 et la casada ¿cómo porá plazer a su marido et a las cosas mundanales?

[8] **Sant Ierónimo**. Sant [198c] Ierónimo, en el lugar ya allegado, dize que vn hombre auía repuyada et dexada su muller, et sus amigos reprendíanlo. Et él, leuando el piet, et dixo: ¿Veyedes esti çapato?
25 Bello et nueuo es, mas no yde á ninguno sino yo en[507] quien sepa en qué lugar del piet me strinye. Quasi que dixiesse que assín es de la mullier.

---

2 es combatido] es combatido *iter.* E. **3** tomó] como E (*confusión* c/t), pren VAB. **5** duenya] duena E. **8** saldremos] sabremos E, exireu V, exiren AB. **10** su] mi E, la sua VAB. **24** çapato] capato E.

---

[506] La E de *Estas* es una capital grande de diferente color (rojo), como si fuera una nueva autoridad. Pero está sin atribuir, implicándose que pertenece al autor anterior, es decir, a San Jerónimo. En realidad se trata de un comentario de Juan de Gales, seguido de una cita de San Pablo, que funciona como conclusión. Por eso la consideramos como parte de la misma autoridad.

[507] Con valor de partitivo: *inde*. Compárese la lectura de B: *qui.n*. Interprétese 'quien acerca de ello sepa'.

[9] ——. Item el mismo dize que Erodonech[508] dixo a la mullier: Mete la vergüença quando te metes la vestidura, etcet.

[122.] QUIÉNTA COSA ES AMIGANÇA ET QUIÉNTA DEUE
5 SEYER, ET QUÉ SE REQUIERE POR VERDADERA AMIGANÇA.

[1] **Sant Ierónimo**. Sant Ierónimo, en la lxxxv° ***epístula***, dize que amor et amigança deue seyer verdadera et no engenyosa. La qual aquellas horas es verdadera quando el amigo et el amado son de vna [198d] volum-
10 tat et de vn coraçón et de vn entendemiento pora fazer cosa honesta.[509]

[2] **Sant Agustín**. Sant Agostín, en el IIII° libro de ***Conffessiones***, dize que amigança no es verdadera sino aquella que es entre[510] aquellos que Dios ha aiustados a sí mismo por verdadera caridat.
15

[3] **Sant Iohán euangelista**. Sant Iohán euangelista, capítulo v, dize que Ihesu Christo clamaua a los discípulos amigos et non seruidores, por tal como amigança non puede seyer sino entre aquellos qui se aman verdaderamientre.
20

[4] **Sénecha**. Sénecha, ***epístula*** ciii[a], dize reprendiendo en aquell que planýa el fillo muerto diziéndole: ¿Qué farías si él perdiés a tú o tú perdías a él,[511] pues que assín planyes esti ninyo del qual non sabes quiénto fuera si vesquiera?

---

1 Erodonech] E, Credoch VA, Crodoch B, Herodotus Ven. **4** amigança] amiganca E. **5** amigança] amiganca E. **8** amigança] amiganca E. **9** et] *om.* E, e VAB. **13** amigança] amiganca E. // entre] contra E, entre MVABC. **14** a sí] assin E, a si V, axi AB. **18** amigança] amiganca E.

---

[508] Se trata de Herodoto, apud San Jerónimo ***adversus Jovinianum***, I.48 (PL 23, 279)

[509] Aunque San Jerónimo alude a la amistad en sus epístolas 3.6 y 81.1, la cita es una traducción literal del comentario de Juan de Gales que sigue a la mención de San Jerónimo, comentario claramente separado por un calderón en los mss latino y catalanes. Es, pues, fac.

[510] E da: *contra*. Suponemos que es falsa lectura por: *entre*, como traen todos los mss.

[511] E cambia el original. Los mss catalanes dan esta frase así: *que faríes, diu ell, si perdíes ton amich...* (VABC), M trae esencialmente el mismo texto: *sy perdieses algunt amigo...*, fiel traducción del ***Communiloquium***: *quid, inquit, faceres si amitteres amicum...* No corregimos por respetar el prurito modificador del copista, ya que no afecta al sentido básico.

[5] **Iob**. ***Iob***, capítulo vi°, dize que aquell que tira al amigo misericordia, aquell atal se parte de la temor de Dios. [194a][512]

[6] [**Tullio**]. Tullio, II° libro ***De amigança*** o ***De amicitia***, dize que
5 amigança es conssentimiento del amado et del queriente que se aman por bienquerençia de castidat, que se acuerdan o se abienen con cosas diuinales o humanales por eguales conssentimientos.

[7] **Tullio**. Item dize: Bienquerençia es fuent de amigança.
10

[8] ——. Item[513] dize que sobra[514] todas cosas es amigança, que el más alto sea egual al más baxo, baxando et humiliando sí mismo. Porque amigo quiere dezir egual en coraçón et en volumtat.

15 [9] **Tullio**. Item el mismo, en el lugar ya allegado, dize que amor, de que el hombre prende amigança,[515] es assín como a prímçep por aiustar amigos a verdadera amigança.

---

4 Tullio (*epígrafe*)] *om.* E. // amigança] amiganca E. // amicitia] amiticia E (*transposición*). **5** amigança] amiganca E. **6** castidat] E, caridat M, caritat VAB, **9** amigança] amiganca E. **11** amigança] amiganca E. **13** coraçón] coracon E. **16** hombre] E, hom AB, nom V.

---

[512] Por tansposición de folios, el texto del fo. 198d continúa en 194a.

[513] El ms da esta autoridad y la anterior a renglón seguido. La única diferenciación es la mayúscula de *Item*, sin adornos. Sin embargo, la consideramos nueva autoridad porque las dos citas aparecen distanciadas en la ***Suma de col.lacions***.

[514] Ningún editor recoge la forma *sobra* (con valor de prep. o adv.), probablemente por considerarla error gráfico de *sobre*. Pero en vista de los cuatro casos de *sobra* en ***Rams*** (49.10, 122.8, 133.4 y 165.1), creo debe mantenerse la grafía *sobra* y considerarla derivado de *supra*. Aquí funciona como preposición 'sobre'; pero en las otras ocasiones tiene valor adverbial 'demasiado', 'muy', uso frecuente en el ***Libro de Alexandre*** (c. 456b etc). No se trata de un catalanismo de transmisión oral, porque en ningún caso corresponde a la preposición catalana *sobre* (variante fonética *sobra*), sino que traduce el adjetivo *sobirana* o el adverbio *massa*.

[515] Sic. El error parece vincular E con el grupo AB. En efecto, V trae correctamente: *de que pren nom amistat*, pero AB cambian *nom* a *hom*, como E. No obstante, la confusión *hombre/nombre* es normal y en este caso podría ser simplemente casual.

[10] **Tullio**. Item el mismo dize: Los amigos deuen seyer et auer piedat los vnos de los otros; porque amigança es bienquerençia[516] a la qual no son scondidos los lazerios [194b] del bien querido.[517]

5 [11] **Tullio**. Item dize: Los amigos deuen seyer a menudo amonestados et reprendidos. Et dize aún que ningún desastre ni ningún mal non es tan malo ni tan perigloso entre amigos como es lausengería o lagotería de adulación et ablandimiento et conssentimiento de error. Porque lagutería es viçiadura corrompedera de todo bien.

10

[12] **Tullio**. Item el mismo dize que aquellos que s'ufiertan[518] a echar amigança de los hombres son tales como si tirauan el sol al mundo.

[13] **Aristótil**. Aristótil, en el VIIIº libro de las ***Éthicas***, dize qu'el
15 amigo deue seyer conssolador del bien querient en tribulaçión puesto en tiempo de mal et de neçessidat. Empero es conosçido en tiempo de paz et de consolacción etc.

2 bienquerençia] bien querida E, beneuolença V, benuolença A, benvolenza B. **11** que s'ufiertan] que sufiertan E, quis esforcen V, quis sforçen A, quis offeren e sesforzen B. **12** amigança] amiganca E. **15** conssolador] E, aconsellador V, consolador AB.

[516] E da: *bien querida*. Velasco interpreta 'bien querido'. Como ponen de relieve los mss catalanes, corresponde a *beneuolença* (V), *benuolença* (AB) de la ***Suma de col.lacions***. La forma *bienquerençia* se usa frecuentemente en ***Rams***. No dudamos en corregir.

[517] Es fac. Se trata de un comentario de Juan de Gales (*Item in amicitia debet esse mutua compassio*) y de una cita de Aristóteles (*quia ipsa est benivolentia in con[tra]passis non latens, ait* ***Philosophus, Ethicorum*** *viii*, Juan de Gales usa la traducción de Roberto de Grosseteste, VIII.2) que vienen, en la ***Suma de col.lacions***, después de una cita de Cicerón.

[518] E dice: *sufiertan*. Los editores interpretan diferentemente esta palabra. El ***Lexicon*** la deriva del verbo *sufertar* 'sufrir, tolerar', que se usa en el ***Tucídides***, pero tiene poco sentido. Velasco interpreta toda la frase como 'hacen perder la amistad'. Por las lecturas de VA: *qui.s sforcen*, podría pensarse que se trata de un error por *s'esfuerçan*. Sin embargo, el doblete de B: *qui.s offeren e.s esforzen* indica que la verdadera lectura es *que s'ufiertan*, de *oferir* 'ofrecer', cuyo participio *hufierto* está atestiguado en el mismo ***Rams***.

[194c] [123.] QUE HOMBRE SE GUARDE QU'EL ENEMIGO NON FAGA HOMBRE DEPARTIR.

[1] **Gregorius**. Sant Gregorio, en el primero libro ***sobre Ezachiel***, en
5 la viiiª omelía, dize: Aquellas oras la companya de la caualleria es a los enemigos terrible o fea quando es assí allegada et spesa que en ren no semella que sea departida o crebada.

[2] [**Sant Agostín**]. Dios[519] quiso que de vn hombre desxendiessen
10 todo el humanal linage, segunt que dize Sant Agostín.

[3] **Sant Agostín**. Sant Agostín, libro XIIº de la ***Ciudat de Dios***,[520] capítulo xiº, dize que caridat faze [de] muchos hombres un hombre, et faze de[521] muchos corages vn corage.
15

[4] **Sant Iohán euangelista**. Sant Iohán, capítulo iiiº de la ***primera cannónica***, dize que cada uno deue, por su ermano o por su próximo, seyer aparellado de sof- [194d] frir muert si menester li es. Et déuese guardar qu'el diablo no desparta la vnidat de la ermamdat. Mas
20 que sean firmes et ligados los vnos con los otros, aiustados por firme caridat, por tal que sean con los enemigos assín como a companya de

---

5 es] et E, es VAB. **6** terribe] terribles E (*por atracción de* enemigos), terribe VAB. // fea] feo E, *om.* VA, orrible B (*sólo* B *trae el doblete* terrible e orribe). // allegada] allegado E, ajustada V, aiustada AB. **9** Sant Agostín] *om.* E (*lo tomamos del texto*). **13** de] *om.* E (*regularizamos*).

---

519 E escribe esta autoridad a renglón seguido, sin ninguna separación formal, ni siquiera mayúscula, como si fuera parte del texto de San Gregorio que acaba de citar. Pero, en la ***Suma de col.lacions***, las dos citas están distanciadas. Por eso dividimos el texto en dos autoridades diferentes.

520 Fac por *sobre Sant Johan* del mismo San Agustín. Las citas de la ***Ciudad de Dios***, anterior, y del comentario ***in Joannis evangelium*** se hallan seguidas en la ***Suma de col.lacions***. Pero el error no se debió, en este caso, al compilador sino al texto que le sirvió de base, ya que ninguno de los mss catalanes hace distinción gráfica ni sintáctica entre las dos autoridades.

521 E usa la preposición: *de* aquí, aunque la omite en la frase anterior que tiene la misma estructura. Es otro ejemplo de la inconsistencia de las correcciones del copista. Los mss catalanes omiten la preposición en ambos casos. Regularizamos.

caualleria ordenada et terrible, segunt que es scripto ***Canticorum*** capítulo vi°, etc.

[124.] QUE NINGUNO NON TOME VSURAS.

5

[1] **Sant Agustín**. Sant Agostín, en ***epístola*** xxxvi[a], dize: ¿Qué diré de las vsuras las quales las leyes et los iutges mandan render? ¿Quál es más cruel aquell qui se panye[522] de los bienes del rico o aquell que mata el pobre con vsura? etc.

10

[2] **Sant Ambrós**. Sant Ambrós, faulando de las vsuras en el libro III° ***De officios***, et dize: ¡A vsurero! ¿Por qué conuertes la industria, el saber, en frau ni enganyo? ¿Por qué des- [195a] seas carestía et mengua de bien? ¿Por qué fazes desear a los pobres deffallimiento de fruito? Ploras te del prouecho público et buscas el público deffallimiento d'espleytos, et quándo será más exorto[523] o vazío esdeuenimiento. Et clamas sauieza et industria esta caliditat[524] o artería tua o enganyo. Et

15

1 Canticorum] Cauçitorum E (*confusión* n/u, ç/t y c/t), canticos M, Canticorum VAB. **8** panye] E, pleueix V, pleuex A, pleneix B, planex C. // bienes] buenos E, bens VAB. **12** A] E, o VAB. **15** del] del *iter.* E. **16** será] seras E, sera VAB. // esdeuenimiento] esdeueniendo E, sdeueniment VA, esdeueniment B. **17** caliditat] calidat E, calliditat VAB, qualiditat C.

[522] E da claramente: *panye*. El ***Lexicon*** deriva esta forma del verbo **panyr* 'utilizar, aprovercharse de'. Extrañamente lo da en el vocabulario pero no en la lista de verbos. Leslie relaciona la forma *panye* con *pleueix*, presente del verbo catalán *plevir, plavir* 'aprovecharse de'. Las lecturas de este pasaje en los mss catalanes dan *pleueix* (V), *pleuex* (A) y *pleneix* (B). Sin embargo, podemos ver en Corominas una explicación a la forma *panye*. En su DECLC, s.v. *pany*, recoge el verbo catalán *panar* 'robar', relacionado con el francés antiguo *paner* 'apoderarse de los bienes' y *panir* 'privar, defraudar'; verbos a su vez emparentados con el castellano *apañar* y el asturiano *pañar*, con el significado de 'coger bienes ilegítimamente', 'robar'. Debe, pues, aceptarse el verbo aragonés **panar*, **paner* o mejor **panyr*, como supone el ***Lexicon***, con el significado de 'apoderarse de', tan acorde con el catalán *plavir* como con el *substrahit* del texto latino.

[523] Mantenemos la grafía *exorto* 'estéril, vacío', porque las otras grafías de esta palabra: *exorda, exorque*, revelan vacilación. No obstante, teniendo en cuenta la fonética de *exorque*, quizá convendría leer *exorco* (confusión *t/c*), con el mismo significado.

[524] El ms. da, por omisión, *calidat*. Restituimos *caliditat* en vista de las lecturas de los mss. cats., VAB: *calliditat*, C: *qualiditat*. M no trae el pasaje. Corresponde al latín *calliditatis versutia* 'engaño habilidoso' del texto ciceroniano.

dizes quando enganyas ad alguno que aiudado le as. Et non sé si esta tal piedat ha nombre vsura o ladroniçio. Porque speras tiempo de enganyar los hombres et de tirarles lo lur assín como a ladrón que spera tiempo de ropar la cosa a los otros hombres. El trigo cresce quando 5 lo siembran en la tierra, et a ti cresçe por vsuras quando lo tienes scondido en tu casa.

[3] **Ihesu Christo**. Dios mandó en la ley, segunt que es scripto ***Exodi*** capítulo xiiº, que ninguno vsurero non reçiba vsuras o loguero de 10 sus vezinos.[525]

[4] [**Leuitici**]. Item[526] ***Leuitiçi*** capítulo [195b] xxviº, dize que non tomes vsuras de tu ermano.

15 [5] **Tullio**. Tullio, en el segundo libro ***De questiones tusculanes***,[527] dize que como fues feyta demanda a Catón[528] quál cosa es prouechosa a buen familiar, respondió que bien comer et bien beuer et bien vestir et bien calçar et bien aparellar. Et como le demandassen si fazer vsura era cosa prouechosa, él respuso que era matar hombres, 20 porque tírales hombre aquello de lo que deuían auer vida, etcet.

---

3 a] al E, a VAB. **4** cosa] EB, casa VA. **12** Leuitici (*epígrafe*)] *om.* E. **15** tusculanes] vn estralougo (?) E, graues M, custulanes V, tustulanes AB. **16** Catón] tanto E (*lectio facilior*), *om.* M, Coto V, Cato ABC. **18** calçar] calcar E.

---

525 La referencia general a Dios debió llevar al epigrafista a atribuir a Jesucristo una recomendación del ***Exodo***, a no ser que sea una falsa lectura por ese libro bíblico.

526 El ms escribe esta autoridad y la anterior a renglón seguido, pero pone entre ellas una barra (/) de separación. Por eso las consideramos independientes. La referencia bibliográfica al ***Leuitici*** (sólo la traen VM; ABC la omiten por salto y confunden los textos) es fac. La cita proviene del ***Deuteronumeri*** 23.19, como dice V. E depende claramente de V aquí contra ABC.

527 E da: *vn estraluogo*, extraña interpretación del copista. El ***Communiloquium*** y la ***Suma de col.lacions*** dan correctamente la seguna parte del título ciceroniano. Pero la confusión debía estar ya en el prototipo aragonés, porque M da: *grave*, lectura igualmente incongruente. Parece, pues, que *vn straluogo* es deturpación de *tusculanas* o quizá *tusculanarum*. Sin embargo, la cita no proviene de las ***Quaestiones tusculanas*** sino del ***De officiis*** II.25.89.

528 E da: *tanto*, lectio facilior por *Catón*, interpretación que confirman los mss catalanes: *Coto* (V), *Cato* (ABC).

[6] **Sant Luch euangelista**. Sant Luch euangelista, en perssona de Ihesu Christo: Feyches amigos pora uosotros mismos de la moneda mal ganada, por tal que, quando defalredes, aquellos amigos vos reciban en casas perdurables.

5

[7] **Sant Iohán Bocador**. Sant Iohán Bocador, ***desuso el euangelio de Sant Matheu***, o- [195c] melía quinta, faula de dos maneras de vsuras. La primera quando faze bien por Ihesu Christo, por tal qu'ende reçiba hombre mayor honor, bien, que non ha feyto.

10

[8] **Sant Iohán [Bocador]**. Item es la segunda vsura quando hombre presta alguna[529] quantía por cobrar mayor quantía. Et dize assín: ¡O christiano, presta et liura ad aquel el qual no ha mengua de ninguna cosa! Este es Ihesu Christo, que por tú ha soffrido necessidat, fambre,
15 set et frido, el qual prouedesçe et gouierna a todos et nos da vida. Esta vsura nos aparella el regno celestial, et aquella otra pena infernal; ésta es de piedat et de misericordia, [et aquella otra es de auaricia et crueldat]. Porque conclude que no es ninguna cosa de tan mal star como a las vsuras, ni no es más cruel que ellas, porque vsurero faze a él mismo grant
20 prouecho con el danyo de los otros. Et dize qu'el [195d] vsurero es semblant de aquell que es caído en la mar et es en periglo de afogarse [et viene alguno que.l' ende gita, et, quando se afoga, lo gita en la mar et faze afogarse][530] ad aquell que le ha aiudado.

---

11 Bocador] *om.* E (*por creerla de la misma autoridad anterior*). **12** alguna] mayor E (*por influencia del* mayor *siguiente*), pocha V, alguna AB. **13** liura] EABC (*posible homoioteleuton*), per tal que reebes maiors vssures presta e liura per tal que reebes e cobres en aquell loch hon no han enueia ni occasio ni temor *add.* V. **17** et aquella...crueldat] *om.* E (*homoioteleuton*), e aquelles son de auaricia e de crueldat V, e laltra es de auaricia e crueldat AB. **18** no] nos E. **21** *2º* en] *om.* E, en AB. **22** et viene...afogarse] *om.* E (*homoioteleuton*), e ve algun quel ne gite e quant es fora ell se gite en la mar e fa negar A, e ve algu quel ne gite e quant nes fora el se gite en la mar e fa negar B, e es fora e ell gita en la mar e fa negar V.

---

[529] E da: *mayor*, anticipación del *mayor* siguiente. M no trae este pasaje. Los mss catalanes dan: *pocha* (V), y *alguna* (AB), (C omite la palabra), que usamos para corregir.

[530] Frase confusa con errores y saltos en los mss catalanes (todos dan: *es fora* [VAB] 'está afuera' por *esfoga* 'se ahoga'). Para nuestra restitución usamos el texto de A corregido con V. Dice A: *diu quel vsurer es semblant a aquell qui es caygut [en] la mar e es en peril de negar,* ***e ve algun quel ne gite, e quant esfo[g]a, ell (se) gite en la mar, e fa negar*** *aquell qui li ha ajudat.* El prototipo aragonés, más que V, evidencia el homoioteleuton de E. M no recoge este pasaje.

[125.] QUIÉNTO DEUE SEYER EL BISPO DESPUÉS QUE ES ESLEÝDO.

[1] **Sant Bernart**. Sant Bernart, scriuiendo ***a Eugenio papa***, libro IIº,
5 dize: El nombre del bispo quiere dezir nombre de seruitut et non de senyoría. Et por tal continuamientre deue entender en sí mismo et en el pueblo, el qual le es acomendado. Porque aquesto es scrito bien en el ***Acto de los apóstoles***.

10 [2] **Sant Bernart**. Sant Bernart mismo scriuió ***al bispo de Sevona*** et dixo que la interpretación del nombre *pontifex* quiere dezir sí mismo faze puent entre Dios et el próximo. Et cumple aquest puent entro a Dios por aquella conffiança por la qual no la sua, mas la gloria de Dios ençerca;[531] entro al proismo por aquella piedat por la [199a][532]
15 qual no desseaua prouechar a sí mismo, mas el proisme. Et síguesse qu'el buen miencero offerexe a Dios las pregarias de los pueblos et aduze aquellos a benedicçión de Nuestro Senyor Dios, et supplica gloria a la diuinal magistat por las neçessidades de los peccadores, venia[533]

---

6 *2º* et] *om.* E, e MVAB. **7** le] *om.* E, le M, li VAB. **13** no la sua mas] nano E, non so mano M, no la sua ma V, no ha en la sua mas A, no la ha en la sua ma B. **16** miencero] mientero E (*fort.* miiancero), meresçimiento M, miga V, migancer A, miyancer B. // offerexe] offerexese E, offir V, offer ABC, ofrescer M, offert Ven. **17** supplica] supplican E. **18** venia] *om.* E (*del verbo* veniar 'vengar'), verna M, veja V, venia AB, vindicat Ven.

---

[531] E da esta extraña lectura: *por la qual nano la gloria de Dios ençerca*. Velasco corrige así: *ganó la gloria de Dios ençerca* 'enseguida' (?). El pasaje estaba ya confuso en la fuente, como lo indican las diversas lecturas de los mss catalanes (véase aparato crítico). Para aclarar el sentido conviene ir al ***Communiloquium***, que dice: *pertingit enim pons ille usque ad Deum ea fiducia quae non suam sed illius querit gloriam*. La traducción de V, la más cercana, revela el origen del error. Dice así: *E basta aquest pont entro a Deu per aquella confiança per la qual no la sua, ma[s] la gloria de Deu encerqua*. La supresión de la "s" ha transformado la adversativa *mas* en el sustantivo *ma* 'mano'. Así lo interpretó B: *per la qual no la ha en la sua ma la gloria de Deu encerca*. Este es el origen de ese extraño *nano*. Pero el error debía estar ya en el prototipo aragonés porque M trae esta lectura igualmente incongruente: *por la qual non so mano la eglesia de Dios ençerca*.

[532] Por la transposición de los folios, el fo. 195d continúa en 199a.

[533] E omite este verbo. M parece no entender, y da: *verná*. Es presente de indicativo del verbo *veniar* 'vengar', como lo revelan los mss catalanes: *venia* (AB), *ve[n]ja* (V), traducción del ***Communiloquium***: *vindicat in peccantes pro injuria*.

la iniuria de Dios, et non requiere el dono del pueblo mas su ganançia, et non logra[534] la gloria de Dios, etc.

[3] **Sant Luch euangelista**. Sant Luch en su ***euangelio***, capítulo xxii,
5 recomta qu'el Saluador Nuestro, Ihesu Christo, dixo a sus diçípulos: Non sean agreuiadas las vuestras obras por vuestras veurerías ni por embriagueza. Porque conclude que digno es el obrero de su loguero.

[4] **Sant Ierónimo**. Sant Ierónimo, sobre la paraula de Sant Paulo deyu-
10 so scripta, dize en el lugar, esto es, en la epístula xlviii, en vn sermón: Todas las virtudes comprenden virtudes.

[5] **Sant Ierónimo**. Item el mismo, en la ***epístola*** [199b] cxxx, faulando al bispo, dize: Los oyxos de todo el pueblo miran en tú en speçial,
15 et la conuerssaçión de la tua casa es assín como speyo constituida, et es maestra de disçiplina et de doctrina pública. Todo lo que fazes pueden penssar los que lo veyen que todos pueden fazer semblantmientre. Guarda non fagas obras por las quales te puedan reprender dignamientre todos aquellos que te quieren semellar, et aquellos que te
20 aman sean forçados de peccar. Et faula de vn bispo et dize: Fes bien a los pobres et visita los que iazen enfermos, tien spital, afalaga los qui stan turbados et alégrate con aquellos que [son ya alegres, plora con aquellos que] ploran, seas a los çiegos bastón,[535] seas a los fam-

---

2 logra] logro EM, vsurpa ABC. **4** euangelista] euagelista E. // euangelio] euange E. **6** agreuiadas] agreuiados E, agreuiadas M, agreuiades VA, agreuyades B. // veurerías] E, beuerias M, beuerria VAB. **10** xlviii] xl E, xlviii MVA, xxxxviii B. // sermón] et dize *add.* E (*repetición espuria*). **14** dize] et dize E. // miran] mio E, miren e caten M, miren VAB. **15** *1er* et] *om.* E, e MVAB. // constituida] constituido E, costituyda M, constituhida VA, constituida B. **17** lo] que *add.* E. **18** Guarda] guardan E, guardate M, guardat VB, gardet A. // te] *om.* E, non te M. **19** *2º* aquellos que] *om.* EM, aquells qui VAB. **20** forçados] focados E (r *interlineada*). **21** afalaga] afalagan E, afalaga M, afalagua VB, falagua A. **22** son...que] *om.* E (*homoioteleuton*), son ya alegres llora con aquellos que M, alegrants plora ab los VAB. **23** bastón] abundado EM, bastó VAB.

---

[534] EM dan: *logro*. Interpretado como sustantivo, no tiene sentido. Los mss catalanes traen: *vsurpa*, fiel traducción del ***Communiloquium***: *nec Dei usurpat gloriam*. Por eso cambiamos a verbo: *logra*, de *lucrari* > *lucrar*, con el significado de 'usurpa' (?).

[535] EM dan la misma lectura errónea: *abundado*, quizá por estar ya en el prototipo aragonés. Esta forma tiene fácil explicación. El término correcto es *bastón*, en los mss catalanes *bastó* (VAB). La falsa traducción proviene de interpretar *bastó* como participio adjetivado de *bastar* 'abundar', influido probablemente por el *bastado* siguiente, en vez de como sustantivo.

brientos bastado de viandas, et a los mesquinos seas sperança, et a los que ploran seas solaz. Assín como en buenas virtudes [199c] puedas sobrar a los que no stan en buena vida, assín se deue recordar[536] el bispo de su dignidat et de su alteza, et [será prouocado a][537] exçellençia
5 de virtudes et de vida perdurable, etc.

[6] **Sant Ierónimo**. Item el mismo, sponiendo la paraula de Sant Paulo, dauall scripta, dize: La vinolençia[538] es de los lamineros et de los glotones; et el vientre bulliendo de la abundançia del vino tantost
10 sobrexe en luxuria; et en la luxuria es la delectaçión et la factura[539] carnal. Et aquell qui luxuria aia viuiendo es muerto, pues aquell qui se embriaga muerto et soterrado es. Nohé por la embriagueza d'una hora se descobrió todas sus vergüenças, las quales auía tenidas cubiertas DC anyos, segunt que es scripto en el libro de ***Génesi***, en el capítulo
15 xix. Lot, en aquel mismo lugar, por la vinolençia, non sabiendo, [199d] mescló con sí peccado incesto que huuo que fazer con sus fillas, et eran duas. Et aquéll, el qual no auía podido vençer la com-

3 recordar] *om.* EM, remembrantse VB, remembrat A. **4** será prouocado a] *om.* E, sera prouocado a M, sera prouocat a V, sera prouacat a A, sera preuocat a B. **8** dauall] daul E. // vinolençia] violençia EM, vinolencia VAB. // lamineros] lanimeros E (*trasposición*), lamineros M, laminers VAB. **9** vientre] viento E, vientre M, ventre VAB. **10** factura] factíua E, fechura M, factura V, sutzura AB. **12** d'una] dura E, de vna MVAB. **14** capítulo] c E, cº M, capitulo VAB. **15** Lot en aquel mismo lugar] lugar E, en aquel mesmo lugar lot M, Lot VAB. // vinolençia] violençia EB, vinolençia M, vinolencia VA. **16** incesto] intesco E (*confusión de* c/t), inçesto M, incest VAB.

[536] EM omiten este verbo, dando esta lectura incompleta: *assín se deue el bispo de su dignidat.* Los mss catalanes tienen: *Cor axí remembrantse lo bisbe de sa dignitat e altea, será prouocat a excellència* (VAB). Lo cual indica que el prototipo aragonés decía: *recordar.*

[537] E omite el verbo: *será prouocado*, ofreciendo una lectura que, con la restitución de *recordar*, sería aceptable: *se deue [recordar] el bispo de su dignidat, et de su alteza, et exçellençia de virtudes, et de vida perdurable.* Sin embargo, hemos decidido introducir *será prouocado a* de acuerdo con todos los mss (MVABC), fiel reflejo del *pervocavabur* del ***Communiloquium***.

[538] Es curiosa la confusión de *violencia* por *vinolencia* de ***Rams*** en este pasaje, compartida, en algún caso, por otros mss. Sin embargo la lectura común en todos ellos es *vinolencia*.

[539] El ms. trae: *factiua*, que interpretamos como falsa lectura por *factura*. Así lo traen V: *factura* y M: *fechura*; en cambio AB dan *sutzura* 'suciedad', fiel interpretación del *impuditia* del ***Communiloquium***. Corregimos con VM, a los que ***Rams*** suele seguir.

panya de la ciudat de Sodoma, vinçiólo vinulençia. Et assín se dize en el libro de ***Génesis***, en el xviii° capítulo. Porque vos digo que a los sacerdotes legados era vedado que non beuiessen vino, segunt que es scripto en el libro de los ***Leuíticos***, capítulo x°; et figura a los sacer-
5 dotes en el euangelio, que deuen auer sobrietat et temprança en su comer et en su beuer. Porque tanto como la dignidat es más exellent et la perssona de mayor honrra, la conuerssacción más alta, et la obra más spiritual, tanto más deue squiuar la vinolençia et la embriagueza, la qual envelleza la dignidat, deshonesta la perssona, diffama la
10 conuerssaçión, empacha la hobra devida,[540] etc.

[200a] [7] [**Sant Paulo**]. Sant Paulo, ***ad Timotheum***,[541] en la primera epístola, ii° capítulo, faulando spiritualment, dize: Guárdate de todos los viçios, et primçipalment de aquellos que han mayor infamia, los qua-
15 les son los vicios carnales, aquesto es, gola et luxuria.[542] Et haias las vir-

---

1 vinulençia] viulençia E, vinolençia M, violencia VB, vinolencia A. **3** legados] EM, legals VAB. **5** temprança] comparança E, tenprança M, temprança VAC, tempranza B. **6** dignidat] temprança E, dignidat M, dignitat VAB. // mas] mas *iter.* E. **8** vinolençia] violençia E, vinolençia M, vinolencia V, *om.* AB. **9** envelleza] E, *om.* M, enuelleix V, enueleix A, envilaneix B. // diffama] de infamia et E, difama VA, diffame B. **10** devida] de la vida E, deguda VAB. **12** Sant Paulo (*epígrafe*)] *om.* E. // Timotheum] Corintios E, Timoteo M, Thimotheum VAB. **13** dize] et dize E. **15** gola et] gloria E, gula e M, gola e V, gola AB.

---

[540] Otro pasaje deturpado por el copista. Para poder apreciar sus deformaciones damos el texto original de ***Rams*** junto con el catalán y latino. M no trae este final. Dice E: *tanto más deue squiuar la violençia et la embriagueza, la qual envelleza la dignidat, deshonesta la persona de infamia, et la conuerssación empacha de la hobra de la vida*. Aunque parece tener sentido, el copista ha cambiado el sentido del original catalán en dos ocasiones: *la persona de infamia* y *la hobra de la vida*. Las versiones catalanas aclaran el verdadero significado. Así dice V: *aytant mes deu squiuar la vinolencia o embriaguea, la qual enuelleix la dignitat, deshonesta la persona, difama la conuersacio, empacha la obra deguda*, fiel traducción del **Communiloquium**: *tanto magis est cavenda vinolentia et ebritas, quae et dignitatem vilificat, personam deshonestat, conversationem infamat et operationem debitam impedit.* Corregimos con V.

[541] E trae: *Corintios*, aunque todos los mss dicen, correctamente: *Timoteo* (M), *Thimotheum* (VAB).

[542] E da: *gloria luxuria*, dejando la lista sin terminar. En ella *gloria* parece ser error por *gola et luxuria* o simplemente falsa interpretación de *gola*. En efecto, los mss catalanes dan tres términos: *gola e luxuria e auaricia* (V), *gola, luxuria e auaricia* (A), *gola, luxuria, auaricia* (B). Podríamos restituir la serie, pero en vista de la lectura de M: *gula e luxuria*, aceptamos la versión de éste, que tantas semejanzas tiene con ***Rams***.

tudes que son contrarias ad aquestos viçios, assín como son, sobrietado contra gola, castedat contra luxuria, libertat et continençia contra auariçia.[543] Et por tal que se conuiene al bispo que non sea vinatoso.

5 [126.] QUE NINGUNO NON THOME VSURAS.

[1] **Sant Luch**[544] **euangelista**. Sant Luch, capítulo vi, dize que [no] prestemos a vsuras[545] et que emprestemos menos de sperança de auer seruicio. Et d'esto ha hombre grado de nuestro senyor Dios, porque
10 veye qu'el hombre presta a su vezino en tiempo de necessidat como non le [200b] puede dar lo que le puede prestar. Porque dize lo salmista que aquéll habitará o estará en el mont en el tabernáculo de Dios aquell que no aurá dado su moneda ha vsura.

15 [2] **Exemplo sobre esto puesto de vn vispo**. Vn vispo, clamado Siporión, auía de costumbre que de los fruytos que collíe daua a los pobres vna partida et la otra les prestaua. Empero al prestar ni al cobrar el non tenía las manos, antes dize que, quando alguno viníe qui le demandasse a prestar, el bispo le dezía que s'ende thomás tan-
20 to quanto n'í huuiesse menester. Et quando lo li tornauan él dizía que

---

1 sobrietado] sobrietado et E, abastamiento M, sobrietat VAB. **3** tal] *om.* E, tal MVAB. **7** Luch] Matheo E (*todos los mss. y el mismo E atribuyen la cita a san Lucas. No comprendo por qué el copista escribió* sant Matheo *en el epígrafe*) // no] *om.* E. **17** *1er* al] *om.* E, al VAB.

---

543 La redacción original de E es confusa y revela las correcciones psicolingüísticas que a menudo añade el copista. Así dice E: *assín como son sobrietado et contra gola castedad contra luxuria libertat et continençia contra auariçia*. La introducción del espurio *et* desordena la agrupación tradicional de virtudes contra vicios. Su eliminación restaura el orden tradicional y la lectura de todos los manuscritos. *Sobrietado*, variante de *sobrietat*.

544 E da: *Matheo*. Todos los mss y el mismo ***Rams*** atribuyen la autoridad a San Lucas. No podemos explicar por qué el epigrafista cambió a *Matheo*. Corregimos según los manuscritos.

545 E añade: *a vsuras*, frase que falta en todos los mss catalanes. Tiene, además, una idea contradictoria respecto al resto de la cita. En cambio, la lectura equivalente de M presenta un sentido totalmente lógico. Dice así: *Hermanos, enprestad los vnos a los otros; enpero el que enprestare non resçiba más de lo que diere*, fiel reflejo de la fuente bíblica: *mutuum date, nihil inde sperantes* (***Luce*** 6.35). ¿Es acaso *a vsuras* falsa lectura de *los vnos a los otros*? Posible, pero no es fácil de explicar. Por eso corregimos por nuestra cuenta: *[no] prestemos a vsuras*.

lo tornassen allá do lo auían tomado o fallado quando lo manleuaua, et que tanto n'í tornasse como ne hauía reçebido. Et vino yde vn hombre qu'ende man- [200c] leuó dius la dicha forma. Et luego a cabo de tiempo el torna al vispo por tanto como ne auía manleuado. Et el vis-
5 po dixo que lo tornasse allá do lo auía manleuado et reçebido al manleuamiento. Et el hombre aquell tornó s'ende escondidamientre lo que auía scondido et lo que le aduzía, penssándose qu'el vispo no'nde sabría cosa. Et otra vez huuo nesçessitat, et rogó al bispo que le prestasse. Et el vispo díxole que fuesse al granero et qu'ende tomas-
10 se tanto quanto ne auía menester. Et quando él fue al granero trobólo todo vazío et tornólo a dezir al bispo. Et el bispo le respuso que marauilláuase que él sólo auía fallado el granero vazío et non los otros, et que vidiesse si lo qu'ende auía manleuado si lo auía tornado. Et el hombre, vidiendo qui [200d] era colpable, dixo al vispo la ver-
15 dat et sosmísose a su correcçión. Et assín apareçe quánta caridat auíe esti vispo a sus vezinos que habundantmientre los daua et los prestaua trigo, dineros et todo lo que Dios le auía conmandado, etc.

[3] **Sant Gregorio**. Sant Gregorio, sponiendo la paraula de Iob, en el
20 libro de los ***Morales*** primero, que dize: Quando los mayores serue-xen a lur sutziedat, no es marauila si a los menores s'en solten las rendas de su mal criamiento.

[4] **Gregorio**. Item el mismo dize: Quando a los sotmetidos se ríe,[546]
25 deue star temido; et quando a los sosmetidos es yrado, deue star amado. Porque ad aquello, non deue auer d'él mucha alegría, ni él tinga vil, inmoderada sanya virtuosa.[547]

---

2 tornasse] tomasse E, tornassen VA, *om.* B. **10** al] *om.* E, al VAB. **24** se ríe] es irado E, se rie M, se riu VB, scriu A, arridens Ven. **27** inmoderada] ní modera E (*con signo diacrítico sobre la* í), nin moderada M, inmoderada VAC, inmoderata B. // virtuosa] EMV, viciosa AB.

---

[546] E da aquí: *es irado*, repetición anticipada del *es yrado* siguiente. Todos los mss dan: *se rie* (M), *se riu* (VB), *scriu*, por *se riu* (A), reflejo del *arridens* del texto de San Gregorio.

[547] E ofrece una lectura deficiente que hemos corregido con M. Así dice E: *porque ad aquello non deue auer del mucha alegría ni el tinga vil ni modera sanya virtuosa.* M trae esencialmente el mismo texto, aclarando las partes confusas: *del todo* y *moderada.* Sin embargo, el anacoluto inicial de esta frase apunta a una redacción defectuosa. En efecto, el

[127.] QUIÉNTOS DEUEN SEYER LOS CLÉRIGOS SPIRITUALMIENTRE. DE LA UIDA DE LOS [201a] CLÉRIGOS.

[1] **Ysidorus**. Sant Ysidoro, en el libro VII° de las ***Interpretaçiones de los nombres***, en el xii° capítulo, dize assín: Los sacerdotes son assín nombrados por tal como son prelados en amonestar a las gentes el santo viage de yr a Dios.[548]

[2] **Sant Bernart**. Sant Bernart scriuió ***al papa Eugenyo*** en vna epístula et dize assín: Los saçerdotes son más honestos que todos los otros hombres o son más inflamados en la amor de Dios que todos los otros hombres. Porque deuen seyer más castos con los castos et más puros con los puros.

[3] **Sant Ierónimo**. Sant Ierónimo, en la ***epístula*** xxxiiii[a], dize: Tú fuirás et te apartarás, assín como de mala cosa, de clérigo mercadero, el qual puya de riqueza en riqueza, et quien de [201b] baxo stamiento puya a nobla et gloria, etc.

[4] **Sant [Paulo]**. Sant Paulo apóstol, en la II[a] epístula ***ad Timotheum***,[549] capítulo ii°, dize: Ningún cauallero de Dios non se deue entremetre de los negoçios seglares.

---

7 viage] E, viaje M, guiatges V, guiatge A, giatge B. **20** Paulo] Bernart E (*por influencia del segundo epígrafe anterior*). // Timotheum] Corinthios E, Thimoteum M, Timotheu V, Thimotheum C, *om.* AB.

---

texto catalán revela que hay en EM una adición, una incomprensión y una omisión que oscurecen el significado primitivo. Veamos el texto catalán: *perque [a] aquéll ne massa alegría ell reta vil, ne inmoderata seueritat o fellonía viciosa* (V *virtuosa*) *lo reta auorridor* (AB). El traductor aragonés, tomando el complemento directo catalán *ell* como sujeto, interpretó la frase así: *ni él tinga vil, inmoderada sanya*, dejando un anacoluto revelador al comienzo, y suprimió el final. La traducción correcta debería ser: *porque ad aquéllo ni mucha alegría el tinga vil, ni inmoderada sanya viciosa lo tinga auorridor*. Sin embargo, conservamos la lectura de EM porque, a pesar del anacoluto, parece reflejar el prototipo aragonés.

[548] Fac. La cita corresponde a San Gregorio, ***Pastoral*** II.7, que aparece, en la ***Suma de col.lacions***, a continuación de la mención de San Isidoro.

[549] E da: *Corinthios*. Todos los mss dan correctamente *Timotheum*, aunque AB la dejan sin atribuir. Desconocemos la causa del cambio. La cita corresponde ciertamente a ***II Timothei*** 2.4. Restituimos según la mayoría de los manuscritos.

[5] **Isaías**. ***Isaýas***, capítulo xxvii°, dize que maledicción sea a la corona de superbia o si es corona de erogançia, la qual Nuestro Senyor crebará, o si son cabellos o cabelladura de iactancia. Como sea vedado a los clérigos criar capellos.

5

[6] [**Sant Paulo**]. Item el mismo, en la ***primera epístula ad Timotheum***,[550] capítulo v°, dize que qui bien serue a Dios con dupla dignidat será honrrado, pues que es a Dios plazient.

10 [7] **Sénecha**. Sénecha faula de las vírgines qui ministrauan en las casas sagradas en el tiempo[551] [201c] de los gentiles a la deessa de las Vestiduras et a las vezes al demonio.

[128.] QUÁLES COSAS DESFAZEN COMPANYA.

15

[1] **Tullio**. Tullio, en el IIII° libro ***De offiçios***, capítulo v, dize que procurar su prouecho echa el hombre de la companya de los otros.

20 [2] **Sant Ambrós**. Sant Ambrós, en el libro clamado ***Examerón***, omelía v^a^, dize que auariçia faze departir companya. Et mete exemplo de las aues que biuen de rapina, las quales non quieren seyer acompanyadas, antes stan menos de toda companya, por tal que no hayan a fazer part de lur caça o rapina a las otras.

---

3 *2° o*] a E, o MVAB. **6** Sant Paulo (*epígrafe*)] Isaias E (*por influencia del epígrafe anterior*). // Timotheum] Corinthios EMVC, Thymoteum A, Thimotheum B. **7** v] x E, v MVABC. **10** *1er* las] los E, las M, les VAB. // ministrauan] ministraua E, ministrauan M, ministrauen VAB. **11** tiempo] tiemplo E, tienpo M, temps VAB. **12** demonio] domimio E, demonio M, demoni VAB. **16** v] *om.* EMA, v VBC. // dize] *om.* E, dize M, diu VAB. **24** *1er* a] *om.* E, a VAB.

---

[550] E da: *Corintios*, como MVC; en cambio AB, así como el ***Communiloquium***, dan *Timotheum*. La cita proviene, en efecto, de ***I Timothei*** 5.17. El error vincula a E con la familia V.

[551] Aunque E da: *tiemplo*, palabra típicamente aragonesa, creemos que se trata de un error gráfico por *tiempo*, como traen todos los mss: *tienpo* (M), *temps* (VABC).

[129.] QUIÉNTOS DEUEN SEYER LOS CLÉRIGOS SPIRITUALMIENTRE.

[1] **Sant Ierónimo**. Sant Gerónimo, en la ***epístula*** xc^{a}, dize assín:
5 Que los sacerdotes gentiles eran mari- [201d] dos cada uno de vna duenya. Et las vírgines de la deesa de las Vestiduras, et las vírgines de na[552] Appollinia deessa, en perpetua virginitat de sacerdocio enueyecen et muríen.

10 [130.] QUIÉNTA DEUE STAR LA OBEDIENÇIA, ET DE LOS GRADOS DE AQUÉLLA, ET QUIÉNTAS DEUEN ESTAR LAS OBRAS DE OBEDIENÇIA.

[1] **Sant Bernart**. Sant Bernart, en un ***sermón*** de la obediencia[553] qui
15 comiença assín: *Egredere de terra tua aid dominus ad Abraham*, ***Génesis***, xii^{o} capítulo, que quiere dezir: *Dixo Dios Âbraham, yx de la mía tierra* etc., dize Sant Bernart clarament: Dios dixo a Abraham, prende tu fillo Ysac, el qual tú hauías hufierto a mí, sobre vna grant montanna que yo te amostraré. Et aquí proposa Dios a Abra- [202a]
20 hán et obediencia et exemplo.

[2] ——. Item el mismo, en un ***sermón del avent***, dize que obediençia es en çinch partes departida. La[554] primera es que hombre hobre cosa

7 de na] d'una E, de na MVC, dona AB. // Appollinia] Appollima E (*fort.* Appollinia), Apollina M, Appollonia VA, Apollonia B. // enueyecen] en ueycre E (*confusión* c/e *y* r/c), enuegeçen M, enuellien V, enuellyien A, enueyllien B. **8** muríen] muríren E, morien VABM **11** deuen] deue E. **14** obediencia] obra EM, obediencia VAB. **17** Abraham] Abracho E, Abraam MVB, Abraham A. **18** sobre] sobíe E (*con signo diacrítico sobre la* í), sobre MVAB.

[552] E da: *duna*. Corrección innecesaria o falsa lectura del título de cortesía catalán: *Na*. MVC traen: *de na* (MVC), aunque AB cambian a: *dona*, reflejo del original *de na*.

[553] E da: *obra*, probable error de lectura de la abreviatura de *obediencia*, como traen todos los manuscritos.

[554] El ms hace cinco párrafos independientes, con su capital adornada, con las cinco partes de la obediencia, como si fueran cinco autoridades diferentes. Obviamente provienen del mismo texto y se refieren al mismo tema. Por eso los hemos agrupado en una sola autoridad.

dereiturera porque non deue seyer obedida ninguna cosa que sea contra Dios. La segunda obra es que sea volenterosa, porque lo que es de necessidat no es bueno. La IIIª es obra pura: que si el tu oyxo es simple,[555] todo el cuerpo será claro. Assín lo dize Sant Luch, etc. La IIIIª cosa es
5 como es discreta, por tal que non sea sobre la fuerça. La quinta es quando es firme, es a saber, que persseuera.[556]

[3] [**Sant Gregorio**]. Sant Gregorio, en el çaguero libro de los ***Morales***, dize: Millor es aquel qui senyorea su coraçón que aquell que
10 spugna las ciudades.[557]

[4] ——. Item el mis- [202b] mo, en el çaguero libro de los ***Morales***, dize: Por tal es mayor la obediencia qu'el sacrifiçio, que en el

---

1 dereiturera] dereitura E, derechurera M, dreturera VAB. **2** volenterosa] volentoroso E, voluntariosa M, uolenterosa V, volenterosa AB. **3** bueno] buena E, bona VAB. // si el tu oyxo es simple] sea el tu oyxo simple E, si el tu ojo fuere sinple M, si lo teu huyll sera simple VB, si lo teu vll sera simple A, si lo teu hull sera simple C. **8** Sant Gregorio (*epígrafe*)] *om.* E. // çaguero] caguero E. **9** senyorea] senyore E, sennorea M, senyoreia V, senyoretia A, senyoreya B. **12** çaguero] caguero E.

---

[555] E da: *sea el tu oyxo simple*, posible corrección psicolingüística del copista. Restituimos el texto según todos los mss (MVABC), que traducen correctamente la cita de San Lucas (11.34), según unos manuscritos, o de San Mateo (6.22), según otros, con redacción idéntica.

[556] Tanto el ***Communiloquium***, ed. de Venecia, como los mss catalanes, dan el ***sermón de adviento*** de San Bernardo como fuente de estas cinco partes de la obediencia. Pero es fac, debido a que la cita aparece a continuación de una referencia, sin texto, al mencionado ***sermón de adviento***. Tan sólo el ms 1470 de la BN Madrid establece separación textual al dividir el capítulo 4.6.2 en dos partes y empezar su nuevo capítulo, el 4.6.3, con esta cita. En efecto, en ninguna de las obras de San Bernardo he hallado esa división quintupartita. Es cierto que en su ***sermón de la obediencia*** (PL 183, 654-659), obra con la que Juan de Gales empieza precisamente el capítulo 6.4.2, habla de siete partes, pero con características diferentes. En realidad, la fuente de este pasaje no es San Bernardo sino la epístola 287 del obispo londinense del siglo XII Gilberto Foliot (PL 190, 963), con texto ligeramente ampliado.

[557] La cita corresponde, en realidad, a los ***Proverbios*** (16.32). Pero no proviene de los ***Morales***, como dice ***Rams***, sino de la ***Regula Pastoralis***, III.9, admonitio 10, del mismo San Gregorio. La atribución a los ***Morales*** es fac, por hallarse entre la mención de esta obra y la de la ***Regula Pastoralis***. Es en esta última obra donde San Gregorio utiliza esta cita de los ***Proverbios***.

sacrifiçio antiguo la carne stranya tomaua muerte,[558] mas en la obediençia la propria volumtat es ferida.

[5] **Sant Pedro**. Sant Pedro apóstol, en la ***primera epístula***, capítulo
5 ii, dize: Vosotros seredes castigados et castigaredes vuestras almas en obediençia de caridat.

[6] **Dauid**. Dauit, en el ***salmo***, dize: Por el camino de tus mandamientos corre.[559] Porque el fillo obedient non sabe laguiar[560] ninguna
10 cosa, fuie a toda tardança, vet' ende[561] dauant el mandadero, et aparella los ollos a las vistas et las orellas al oyr et la lengua a faular et los piedes al camino, et aýna t'ende ve por tal que sea complida la volumtat del emparant, etc.

15 [202c] [7] **Libro de los Reys**. Scripto es en el II ***Libro de los Reyes***, en el xv capítulo, dixo dios a Dauid: Como tú fuesses poco en tus oios, nino, yo te costituí[562] mayor en los tribos.

---

1 tomaua muerte] tomauan muerta E, tomaua muerte M, prenia mort VA, prenie mort B. // en] *om.* EB, en MVA. **4** *2º* Sant] Cant E. **9** corre] E, corri M, corregui VB, corrogui A. // fillo] E, fiel MV, feel ABC. // laguiar] laguia E, la guia M, laguiar VAB, leguiar C. **10** vet' ende] E, vete ende M, perue V, ve ABC. **12** t'ende ve] E, te dende ve M, se recull VA, se recuyll B, se appareylla C. **13** emparant] E (*Geijerstam lo ve como catalanismo oral*), imperante M, inperant V, imperant AB. **17** nino] víno et E (*con signo diacrítico sobre la* í), pequenno M, infant VAB, inffant C.

---

558 E da: *tomauan muerta*. Pero todos los mss traen: *tomaua muerte* (M), *prenia mort* (VA), *prenie mort* (B), fiel traducción del texto de San Gregorio: *aliena caro...mactatur* (***Moralia*** 25.14). Corregimos con M.

559 Quizá debería leerse: *corré*, *corregui*, o mejor aún *corrié*, pretérito aragonés de los verbos en *-er*, *-ir*. Este valor está atestiguado por las lecturas de M: *corrí* y VABC: *corregui*, traducción de *viam mandatorum tuorum cucurri* del salmo 118.32. No corregimos porque hace sentido.

560 EM interpretan: *la guía*. Pero no se trata del sustantivo sino del verbo *laguiar* 'demorarse', como traen los mss catalanes: *no sab laguiar* (VABC), traduciendo el texto de San Bernardo: *moram nescit*.

561 E y M tienen la misma construcción aquí y dos líneas más abajo, reflejo de su origen común: el aragonesismo *vet'ende ... t'ende ve* en forma de imperativo, en vez de presente de indicativo, error debido parcialmente al original catalán. Interprétese "se adelanta" ... "se previene".

562 E da: *vino et yo te costituí*. Ultracorrección del copista que transforma la grafía original: *nino* 'niño' en: *vino* y pretende corregir a "vine et yo te costituí". Restituimos el original: *nino* 'niño', en vista de los mss catalanes: *infant* (VABC) y castellano: *pequenno* (M).

[8] **Libro de los Reyes**. Item aquí mismo, capítulo xv, es scribto que más vale obediencia que sacrifiçio, etc.

[131.] QUE HOMBRE DEUE STAR APARELLADO A LA MUERT.

5

[1] **Sant Paulo apóstol**. Sant Paulo, ***ad Coloçensses***, capítulo iiii, diz: Muertos somos;[563] la vuestra vida es scondida a Ihesu Christo, etc.

[2] ——. Item el mismo, en la epístula ya allegada, capítulo iº et vº,
10 dize qu'el día del senyor assín como a ladrón conpondrá.[564] Porque dize: Nosotros qui somos de Dios seamos criados et temprados.[565]

[3] **Eclesiastici**. El sauio ***Eclesiástico***, capítulo xiiiº, dize allá do dize que [202d] toda obra corruptible a la fin deffalle.

15

[4] **Eclesiastiçi**. Item allí mismo: Otra generaçión naxe et otra fenexe.

[5] **Eclesiast[és]**. Item el mismo, capítulo primero, dize: Generaçión passa et generaçión viene. Pues ninguno non se fíe en la virtud de la
20 suya edat ni en la fuerça de su virtud ni en la sanidat de su cuerpo ni en la prosperidat ni bienandança mundanal, porque la muert non perdona a ninguno. Assín egualmientre mueren los ióuenes como los viellos, assín los fuertes como los flacos, assín los ricos como los pobres, assín los senyores como los vassallos. A todos los hombres es egual.

---

7 somos] EM, sou VB, sots AC. **10** conpondrá] E, conprehendera M, compendra V, vendra AB, te pendra C. **11** nosotros] vosotros E, nosotros M, nosaltres VAB. // temprados] comprados E (*confusión* c/t *y* o/e), tenprados M, temprats VAB. **18** Eclesiastés (*epígrafe*)] Eclesiastiçi E (*por influencia del apígrafe anterior*). // generaçion] generaçio E (*regularizamos*).

---

[563] EM dan la misma lectura, reflejo del prototipo aragonés. Pero los mss catalanes traen: *sou* (VB) y *sots* (AC), traducción correcta del texto bíblico: *mortui enim estis* (***Col*** 3.3). La versión de EM: *somos*, quizá sea falsa interpretación de *sou* por *son*, equivalente de *som* 'somos'.

[564] La lectura de E, semejante a M: *comprehenderá*, vincula los dos mss con V, que trae *compendrá*, frente a la forma correcta: *vendrá* de AB.

[565] E da: *comprados*, impropia corrección del copista por *temprados*, como trae M y los mss catalanes: *temprats* (VAB), fiel traducción del *sobrii* de San Pablo (***I Thess*** 5.8).

[6] **Libro de los Reyes**. Scripto es en el ***Libro de los Reyes***, capítulo xxiiii: Todos morremos. Assín como el augua, nos eslenamos sobre la tierra.[566] Porque la muert[567] fue pena [203a] dada o infligida, et Âdán et âquellos que d'él yxirán, a la qual ninguno que sea nascido, por la
5 condiçión carnal, de nuestro padre Adam non puede scapar, segunt que es scrito en el libro de ***Génesi***, capítulo iiº. En do ha scripto que dixo Dios a Adán que en qualque quiere día que tú combrás del fruyto de muert morrás, etc.

10 [132.] QUIÉNTOS DEUEN SEYER ET DE QUÉ SE DEUEN CATAR LOS IURISTAS RAZONADORES.

[1] **Sant Agustín**. Sant Agostín, libro IXº de ***Conffessiones***, allí do faula de sí mismo, dize assín: Que algunos tiempos fue que a él pla-
15 zía que pudiesse mal vsar de su lengua et dezir muchas mentiras por tal que los ricos[568] ni los pobres non hudiessen de su boca la ley de Dios ni la paraula de Dios, mas que los diffamados et los mentideros et los plo- [203b] deses[569] comprassen, de su boca, armas por su

---

2 el augua] a claudianus (?) E, el agua M, laygua VABC, aqua Ven. // eslenamos] eslemus E, allanamos M, esleneguam VA, eslenegam B, aleneguam C, dilabimus Ven. **3** muert] tierra E (muert *añade, corrigiendo, al margen derecho, una mano posterior*) **14** dize] et dize E. **16** ricos] E, ninnos M, infants VAB. **17** diffamados et los] deffamasse a los E, difamasen a los M, diffamats e.ls V, diffamas e ells A, diffamats e.l[s] B . **18** et los] et a los E, e a los M, e.ls VB, e els A // plodesses] E (*fort.* pledesses, *confusión* e/o), peleosos M, pleydesses V, pleders A, pledeers B. // por] E, para M.

---

[566] E da: *assín como a claudianus nos eslemus sobre la tierra*. La intromisión del copista desfigura un texto cuya forma original todavía puede entreverse. La frase *como el augua* le debió parecer demasiado banal y creó un personaje con apariencia clásica: *Claudianus*. También la forma *eslemus* recibe un tinte latino. La forma correcta es *eslenamos*, de *eslenarse* 'allanarse', 'derramarse', variante aragonesa del catalán *esllenegar-se* (Corominas). Los verbos: *eslenar* y *(d)esleneguar*, se encuentran en el corpus herediano, según el ***Lexicon*** (corregir ahí la lectura *esleuar*). No es difícil reconstruir el texto de esta cita bíblica (***2 Samuelis*** 14.14). Corregimos basados en las versiones catalanas y castellana.

[567] E da: *tierra*. Pero una nota al margen corrige: *muert*, corrección que adoptamos.

[568] Probable modificación del copista por *ninyos*. Así lo traen M: *ninnos* y los mss catalanes: *infants* (VAB), reflejo del *pueri* del texto agustiniano (***Confesiones***, 9.2).

[569] E da: *plodeses*, variante de *pladeses* (Eutropio) y *plederos* 'abogados, pleiteadores'. Derivados del catalán , V: *pleydesses*, y AB: *pleders*, con igual significado. Quizá convendría corregir a: *pledeses* (confusión *e/o*).

sanya.[570] Et por esto mete vna tragedia, en la qual comta[571] el maestro de la tragedia que él, vna vez, entró en el infierno et vido aý vna grant companya de aduocados et clamólos et díxoles: ¡O vendible linage de hombres, yt adelant, aplegatvos a mí que mullar vos ez aquí con mí en
5 esti vaxiello, que ha vn lugar por vosotros!

[2] **Sant Agustín**. Item, en el mismo libro de ***Conffesiones***, antes del medio lugar, faulando de los poetas dize: Yo no acuso las paraulas assín como [a vaxiellos electos, mas assín como] a vaxiellos de error,
10 la qual error es clamada vino, et la qual es stada ministrada por los doctores de aquellas paraulas.

[3] **Sant Agostín**. Item el mismo, en el libro de ***Sermones***, iii° capítulo, dize assín: ¿Que.t' vale su fermosa faulería por [203c] la qual él
15 ministra bienvena[572] mortal en lugar de preciosso[573] beurage et faze de su lengua spada tallant de dos partes?

1 vna] vn E. // comta] temte E (*confusión de* c/t, o/e), recuenta M, recompta V, recompte A, recomta BC. // el maestro de la tragedia que él] EAB (*posible homoioteleuton*), recompta (recomta, C) en vna tragedia en la qual diu lo maestre (mestra, C) de la tragedia que ell VC, recuenta en vna tragedia en la qual dize el maestro de la tragedia que el M, recompte en vna tragedia que posa que ell A, recomta en vna tragidia que el B. **5** por] E, para M. **9** a vaxiellos...como] *om.* EM (*homoioteleuton ya en el prototipo aragonés*), a vexells elets mas axi com V, a vexells elets mas axi [com] A, a veixels elets mas axi com B. **10** clamada] et *add.* E. // vino] EM, vi VB, vici A. **15** bienvena] E, bebraje M, beuena V, bauenda C, veri AB. // preciosso] preconsso E, presçioso M, precios VAB.

[570] E da esta confusa versión: *mas que los deffamasse a los mentideros et a los plodesses comprassen de su boca armas por su sanya*. Lectura semejante en M. Ambos cambian el sentido de la ***Suma de col.lacions*** y de las ***Confesiones***. Corregimos con el texto catalán: *mas que.ls diffamats e.ls mençnoneguers e.ls pleydesses comprassen de la sua boca armes a la lur fellonía* (VAB).

[571] E da: *temte*, error gráfico por *comta* (confusión *t/c*, *e/o* y *e/a*), como atestiguan los otros mss: *recuenta* (M), *recompta* (V), *recompte* (A), *recomta* (BC).

[572] Esta forma: *bienvena* es traducción del catalán: *beuena* (V). C da: *bauenda*; aunque AB cambian a *verí*. Ambas son variantes de *bevenda* (Lulio), recogida por Corominas en su DECLC, con el significado de 'bebida, brebaje'. La lectura *veuenda* se documenta también en ***Rams***, en el capítulo 189.

[573] E da: *preconsso*. Como sugiere Leslie y atestiguan todos los mss, es error por *preciosso*.

[4] **Salamón**. Salamón, en los ***Prouerbios***, capítulo vii, dize que aquell qui comdepna el iusto iustifica el maluado. El vno el otro son feos et desplazientes a Dios, etc.

[5] [**Tullio**]. Tullio, libro primero ***De officios***, capítulo iiº, dize: ¿Quál cosa es más stranya a la humanal natura que vsar de bella fauladura dada al hombre por salut del humanal linatge et a consseruación de aquéll, et que hombre n'en[574] vse a destrucçión de aquéll?

[6] [**Tullio**]. Item el mismo, libro ya allegado, capítulo xviiiº, dize que los desús dichos por lur propio offiçio han a dezir o a preposar cuitadamientre et declaradamientre et ordenadamientre. Estos deuen seyer informados [203d] que vsen de sciençia de fablería a prouecho de la comunidat et non a danyo de aquélla.

[133.] QUE MARIDO ET MULLER DEUEN HUSAR DE LUR MATRIMONIO HONESTAMIENTRE ET DEUIDA.

[1] **Thobías**. ***Tobías***, en su libro, capítulo viii, dize que él dixo a Sarra, muller suya, la primera noche que iazió en una cambra con ella, que se leuantasse del leyto oy et cras et el terçero día, et que rogassen a Dios. Et síguesse que le dixo: Yo et tú somos fillos de perssonas santas. No nos podemos aplegar assín el vno al otro como aquellos que no han conosçençia de Dios, etc.

[2] **Sant Paulo apóstol**. Sant Paulo, en la ***primera epístula ad Corinthios***, capítulo viiº, dize que aquellos que tienen mullieres deuen seyer assín como aquellos que no d' an[575] et assín como si no ýnde hauían.

1 Prouerbios] Pouerbios E. **5** Tullio (*epígrafe*)] *om.* E. **8** n'en] non EM, ne VAB. // a] de E, a MVAB. **10** Tullio (*epígrafe*)] Salamon E (*por influencia del segundo epígrafe superior*). **11** han] *om.* EMV, han A, an B. **12** declaradamientre] decladadamientre E. **20** suya] su E. **26** Corinthios] Comrinthios E. **27** dize] et dize E. **28** no d' an] no dan E, no han C, *om.* VAB. // hauían] hauia E.

574 EM dan: *non*, por incomprensión del *nen* < *ne inde* partitivo, es decir 'use de ella'.

575 La grafía de E: *no dan* puede llevar a confusión. Se trata de la aglutinación del adverbio negativo *no/non* con el adverbio *inde* (en sus múltiples formas aragonesas: *ende, nde, en, ne, ide, yde, de*). Léase *no d'an* 'no las tienen'. Cfr. la fórmula siguiente casi idéntica: *no 'nde hauían* o *non de hauían* 'no las tuvieran'.

[3] **Vgo de Sant Víctor**. [204a] Hvgo[576] de Sant Víctor, en el segundo libro ***De los sagramientos***, capítulo iiii°, dize que matrimonio fue stablecido antes qu'el hombre peccasse et fue dado al hombre et a la mullier por offiçio, por el qual offiçio el humanal linage creçiesse. Et
5 luego qu'el peccado fue cometido, matrimonio fue en officio et en remedio, assí como d'antes, por tal que los hombres creçiessen en tal manera que los hombres et las mugieres, los vnos con los otros, carnalmientre non peccassen.

10 [4] **Sant Ierónimo**. Sant Ierónimo, ***contra Iouiniano***:[577] Sexto dize que amar scalentadamientre su muller, aquellos son adullicios[578] con su muller. Porque toda amor, quando por la qual honbre ama mugier de otro hombre, es fea et sútzea. Et amor ardient, por que hombre ama sobra[579] su muller, assín mismo es [204b] amor fea et sútçea.
15 Mas hombre sauio ama su muller sauiamientre et, es a saber, que la ama en Dios et non por amor carnal. Et esti atal sabe regir et refrenar los desordenados desseos de delectación carnal, et non se dexa auer ni decebir subtosamientre en obra carnal. No es cosa más vil ni más sútzea como amar su mullier assín como a puta, la qual no es su
20 muller de aquell que assín la ama o la quiere. Et aquellos que dizen que la teníen por amor del bien común et por vsar d'esto a menudo con ellas, por tal qu'ende haian fillos a menudo,[580] non sean tan mal

---

11 amar] E, aquell qui ama VA, aquell qui ame B. // adullicios] E, adultre VAB. **14** sobra] E, massa VB, *om.* A. **22** a menudo] E, al menys VA.

---

[576] El texto da: *vgo* dejando espacio para la capital, donde se aprecia la "h" de guía para el epigrafista. Por eso la restituimos.

[577] E da: *Iuuenal*, falsa lectura por *Iouiniano*, como traen los mss catalanes: *Iouinian* (VA), *Youian* (B), *Iuuenianum* C.

[578] E da claramente: *adullicios*, lectura que mantenemos con reservas. Los mss catalanes dan *adultre* 'adúltero'. Probable error gráfico por *adúlteros* o *adulterios* (confusión *c/r*).

[579] Sic. Corresponde al catalán *massa* 'demasiado'. Quizá debería leerse: *de sobra*, o mejor, considerarla como adverbio derivado de *supra* 'sobradamente', 'demasiado'. Así lo creemos en vista de los tres casos registrados en ***Rams*** (ver nota a autoridad 122.8). Interprétese: 'por la que hombre ama demasiado a su muller'.

[580] Sic, posible confusión por *al menos*, del catalán *al menys* (VA). Esta corrección conllevaría cambio de puntuación.

acostumbrados como las bestias, que, quando el vientre de lur muller es engordido de lur prenyado, non la fagan afollar, ni sean a lures mulleres assín como a entendederos.

5 [204c] [134.] QUÁLES COSAS SON NECESSARIAS ET PROUECHOSAS A CONSSERUAR CASTEDAT.

[1] **Sant Ierónimo**. Sant Ierónimo, exponiendo la paraula de Sant Paulo, en la xciiii° ***epístula***, dize: Yo castigo mi cuerpo. Et la iuuentud calient
10 en las viandas del cuerpo ¿será secura de la suya castedat? Quasi que diga: No.[581] Los otros pecados son foranos, es a saber, auariçia o soberbia et ira, envidia et accidia con sus fillas; mas la sola luxuria es dentro el alma et en el cuerpo assitiada.

15 [2] **Sant Ierónimo**. Item el mismo, en la dicha epístula, dize: La carnal amor del spíritu et el desseo carnal es restrinydo por el desseo spiritual. Pues por el veuimiento de la dolçor diuinal se refridó la amor carnal. Porque qui ha tastado el spíritu tuelle sabor de carne. Por el [204d] contrario, et como la dilección de la carne se tanya, de conti-
20 nent troba hombre de meyor.

---

2 es engordido] es engordida E, engruxara V, se engruxaran B, engruxaran B. // la] *om.* E, la V, las A, les B. **8** Paulo] Paula E. **9** en] dize en E. // et] en E, e VC, a AB. // iuuentud] iuuetud E. **10** en] que E, en VABC. // secura] scura E, segura VB, secura A, segur C. **11** No] *om.* EB, no VAC. **12** envidia] en vano E, enueia VA, enueya B, enueja C. **13** *2°* el] *om.* E, lo VABC. // assitiada] assitiado E, asetiada V, triada A, creada B, assignada C. **17** veuimiento] venimiento E (*confusión* n/u), testament (*de* tastar) VAB, amor C, degustatione Ven. **18** el] le E, l' V, lo AB. **19** tanya] E, talla VA, taylle B. **20** troba] *om.* E, troba V, trobe AB.

---

[581] E da una lectura confusa debido a que resume un pasaje complicado en el original. Nuestra corrección conlleva sólo supresión del primer *dize*, y la adición de la respuesta *No*. A pesar de la longitud de los textos, damos las dos versiones, aragonesa y catalana, para que se pueda apreciar la complicación del pasaje y la validez de nuestras correcciones. Dice E: *Sant Ieronimo, exponiendo la paraula de Sant Paula, dize en la cxiiii° epistula, dize: Yo castigo mi cuerpo en la iuuetud calient, que las viandas sera scura de la suya castedat. Quasi que diga. Los otros pecados*... Este texto puede corregirse con V: *E daço parla molt polidament Sent Jeronim en la xc e iiii*ª *epistola, lla on diu sobre aquell pas del apostol: amagreix lo seu cors e sotsmet la sua anima al emperi, en la primera epistola dels Corintians. Sobre aço diu Sent Jeronim: Yo castich lo meu cors. E la jouença feruent en les viandes del cors ¿sera segura de la sua castedat? Quaix que diga: No. E seguex se: Los altres peccats*... (El comentario de Juan de Gales: *Quasi dicat: Non*, falta en la ed. de Venecia, pero se halla en el ms 1470 de la BN Madrid).

[3] **Sant Paulo**. Sant Paulo, en la ***primera epístula ad Corinthios***, dize: Amagrexe su cuerpo o sotsmete la suia ánima al imperio.[582]

[4] **Sant Paulo**. Item el mismo, capítulo vii, en la epístula ***ad Romanos***, dize: No son[583] en la carne mas en el spírito. Porque apart que sean de perfecta o acabada castedat, deuen de sí echar toda occasión de hauineteza, assín como es toda familiaridat o conoscençia de mulleres, que no ayan con ellas ninguna cosa a faular a menudo, et que non fagan vanos esguardamientos, etc.

[135.] QUIÉNTOS DEUEN SEYER LOS CLÉRIGOS, ET DE LA CORONA QUE ES SENYAL DE CLÉRIGO.

[1] **Sant Pedro apóstol**. Sant Pedro apóstol, capítulo segundo de la ***primera cannónica***, [205a] dize que los clérigos son linatge electo et sacerdocio o preuerage real. Et por esta razón los clérigos tienen los cabellos tirados et radidos a manera de corona, et tienen radida la más alta part de la cabeça, a dar a entender que ellos son electos a dignidat et poder, et ha comtemplar con la cara descouillada la gloria de Nuestro Senyor, etcete.

[2] **Vgo de Sant Víctor**. Hugo de Sant Víctor, en el libro de los ***Officios***,[584] capítulo xiº, dize: ¡O Dios, et cómo es digno esti offiçio

---

5 son] E, benides M, sou AB, seu V. // apart que] E, *om.* M, per tal que VAB. **6** sean de] sea E, biuan en M, sien de VAB. // deuen] deue E, deuen MVAB. **8** ayan] aya E, haien VA, agen B. **9** fagan] faga E, facen V, *om.* AB. **16** clérigos] clerigo E. **17** corona] coron E. // tienen] tiene E. **18** electos] ecletos E (*probablemente transposición por* electos), electos M, elets VAB.

---

[582] Cita descuidada. El texto no proviene de San Pablo (***I Cor*** 9.27), sino del comentario que hace San Jerónimo del versículo paulino en su epístola 54.8 ***ad Furiam*** (PL 22, 554). Así lo indica la frase *su cuerpo* en vez del *corpus meum* bíblico. Ver la versión catalana de la nota anterior.

[583] E da: *son*, con "n" bastante clara. Pero es falsa lectura por: *sou*, como lo revelan los mss catalanes: *sou* (AB), *seu* (V), y castellano: *biuides* (M), reflejo del texto paulino: *vos autem in carne non estis* (***Romanos*** 8.9).

[584] La atribución a ***De officiis*** (título con que se conoce la obra ***De caeremoniis, sacramentis, officiis et observationibus ecclesiasticis***, atribuida "ut videtur" a Roberto Paululo

de la sacerdotal dignidat, et cómo deuen seyer excellentes los clérigos en santedat!

[3] **Policrato**. ***Policrato***, en el VIº libro, capítulo iiº, recomta que Sant
5 Ierónimo echó dos clérigos de su taula porque vidié que estamiento no compuesto era en ellos,[585] iuiando que leia cosa era que con hombres honestos et maduros [205b] huuiesse en su companna perssonas que non stuuiessen compuestamientre o dissoludamientre. Pues desonesta cosa es a los clérigos adozir en lures cabeças senyal de corona real,
10 por lur nombre conffesar ofiçio diuinal, por lur corona dar testimonio que sean menospreçiadores del temporal et comtempladores de los secretos diuinales, si siruen a peccados o se dexan pisar al demonio, o se ocupan en los negocios mundanales ni em pleydos ni en discordias. Porque, si d'esto non se guardan, será en ellos verdadera la paraula
15 aquélla, que es scripta ***Trenorum*** iiiiº capítulo, et dize assín: Aquellos que eran vestidos en pobreça han abraçados los muladares.

[4] **Graciano**. Graçiano, en los ***Decretos***, en la distinción xxxii, dize que las mu- [205c] lleres non deuen star con los clérigos, etc.
20
[5] **Graciano**. Item el mismo dize que los clérigos no deuen yr a menudo por las casas de las mulleres; ni deuen star con ellas en vno

7 companna] compannna E (*abreviatura espuria*). // perssonas] et personas EM. **9** cabeças] cabecas E. **11** menospreçiadores] menospreçiados E, menospreçiadores M, menospreadors VAB. **12** dexan] dexa E. **16** pobreça] pobreca E. // abraçados] abracados E. **18** *2º* Graçiano] Gaçiano E. // dize] et dize E.

[PL 177, 381-82] y que es un resumen del ***De sacramentis*** de Hugo de San Víctor), proviene de la ***Suma de col.lacions***. En cambio el ***Communiloquium*** remite a *ubi supra*, es decir, ***De sacramentis***. En efecto, la cita de ***Rams*** no se halla en ***De officiis*** sino en ***De sacramentis***, en cuyo párrafo sobre "De presbyteris" se lee: *admonendi sunt Christi sacerdotes quatenus sicut excellunt ordinis dignitate, sic excellant vitae sanctitatis* (PL 176, 430). Esta frase de Hugo de San Víctor es la base de la glosa que hace Juan de Gales casi al pie de la letra en su ***Communiloquium*** en estilo exclamativo, reflejo del *quatenus* latino. Nada de esto se recoge en ***De officiis***.

[585] EM dan la misma lectura aberrante, reflejo de su origen común. Revela dependencia de V que trae: *estament [sic] no compostament*, en vez del correcto: *estauen no compostament* (B y A, éste último omite *no*), reflejo del *incompositos* del texto latino.

con las vírgines. Segunt que es scripto en la distinción xxxiii^a^ et xxxiiii^o^, en lo capítol qui comiença *christiano*.[586]

[136.] QUÉ SIGNIFICA HÁBITO DE RELIGIÓN.

5

[1] **Sant Ancelm**. Sant Ancelm en lo libro ***De las semblanças***,[587] en el capítulo xviii^o^, dize qu'el religioso non deue auer res en el ábito, en la proffessión ni en la costumbre que non sea conuinient a la condición que es adentro. Et da exemplo que las viles vestiduras et
10 negras significan qu'el religioso se piensse que sea el más malo peccador del mundo. Las quales vestiduras son de la cabeça entro a los piedes. Et a- [205d] questo sinifica que la religión verdadera deue durar del comienço entro a la fin. Mas la religión que han el hábito en manera de cruz significa que atales religiones son instituidas en
15 memoria de la passión de Ihesu Christo.

[137.] QUE NO SE DEUE HOMBRE GLOREAR EN LAS EXCELENCIAS NATURALES.

20 [1] **Salamón**. Salamón, en los ***Prouerbios***, capítulo xi^o^, dize que muller fermosa et bella et loca es assín como a sortilla d'oro en nariz de puerco. Porque si la puerca tenie vna sortixa d'oro en la nariz non le perdonaríe, antes la metríe en lugar sútçeo et vil o en el femaral pudient. Assín lo faze la mullier bella a todo hombre luxurioso que
25 mal ne quiere vsar.

---

6 *1er* Ancelm] Agustin E (*por influencia del error del texto*). // *2°* Ancelm] Agustin E (*? el texto del libro De las semblanças es de san Anselmo*). // las semblanças] ellas E (?). **8** *1er* en] sino E (*lectio facilior*), en MVAB. **10* piensse] pienssen E.

---

[586] Probablemente error por: *clericus* o *clerici*. Las dos citas se hallan en ***Decretum***, Pars I, Dist. LXXXI, cap. xx: *Clericus solus* y cap. xxxii: *Clerici vel continentis* (PL 187, 391 y 395).

[587] E da: *Sant Agostín en el libro de ellas*, error de atribución que pasó al epígrafe. La equivocación proviene de la confusión con el título del libro de San Anselmo. El ms lo identifica como el *Libro de Ellas* y lo atribuye a San Agustín. Sin embargo, todos los mss dan: *Libro de las semejanças* (M), *Libre de les semblançes* (VAB), atribuido lógicamente a San Anselmo.

[2] **Isaías**. ***Ysaías***, capítulo vº, dize que más sauios son los fillos d'aquesti mundo [e por tales son sauios pora fazer mal. E dize Sant Luch, xvi capítulo, que más sauios son los fillos d'aquesti mundo] en lur generaçión que no [206a] son los fillos de Dios en la lur.[588] Esto
5 es, aquell que vsa mal de lur belleza et que tira los otros a mal, esto es, ad aquellos que son bellos et castos, la belleza de los quales afalaga a los otros, quando deurían loar a Dios, etcet.

[138.] QUE QUIÉNTOS DEUEN SEYER ET DE QUÉ SE DEUEN
10 GUARDAR LOS IURISTAS RAZONADORES.

[1] **Policrato**. ***Policrato***, libro VIIIº, capítulo xiiii, recomta que Demóstenes, el qual fue muyt fermoso faulador, antes que fues conosçido por atal, él se vestía de pórpora de muy preciosas vestiduras por tal que los otros
15 lo onrassen.[589] Et quando fue conosçido por aquell que era vestióse[590] bien

2 [e por tales...fillos d'aquesti mundo] *om.* E (*homoioteleuton*), e por tales son sabios para fazer mal. Dize sant Lucas xvi capitulo que mas sabios son los fijos deste mundo *add.* M, aquests son sauis per fer mal. E diu sent Luch xvi capitulo que pus sauis son los fills de aquest segle *add.* V, e per tal son sauis per a fer mal. E diu sent Luch capitulo xvi que pus sauis son los fills daquest mon *add.* A, e per tal son sauis per a fer mal. E diu sant Luch a vxxx capitulo que pus sauis son los fiylls de aquest segle *add.* B. **5** aquell] de aquell E. // tira] tiran E. **7** deurían] deuria E. **12** Demóstenes] Demostona E, Demostenes MB, Demostene V, Domestrius A. **13** antes] et antes E. **15** lo onrassen] aurassen E, le onrrassen M, lo honrassen VAB. // aquell que era vestióse] aquellos que eran vestidos E (*lectio facilior*), aquel que era vistiose M, aquell qui era vestise V, aquell qui era vestis AB.

[588] La atribución a Isaías de un versículo de San Lucas (16.8) es indicio de homoioteleuton. Pero el salto (*mon/mundo...mon/mundo*) debió realizarse a través del prototipo aragonés, basado en la lectura de AB y M, que dan parte del texto de San Lucas como si fuera de Isaías. Así dice A: *E diu Ysayes, quint capitul, que pus sauis son los fills daquest mon* ***e per tal son sauis per a fer mal. E diu Sent Luch, capitulo xvi, que pus sauis son los fills daquest mon*** *en lur generacio que no son los fills de Deu en la lur*. Frente a ellos, V delimita correctamente las citas y dice: *E diu Ysayes, vº capitulo, que aquests aytals son sauis per fer mal. E diu Sent Luch, xviº capitulo, que pus sauis son los fills de aquest setgle en la lur generacio que no son los fills de Deu en la lur*.

[589] E dice: *aurassen*. El ***Lexicon*** mantiene esta lectura y sugiere que quizá se trate del provenzalismo *abrasar*. Pero en este caso ***Rams*** daría: *aurassassen*. La lectura correcta es *onrassen*, como lo atestiguan todos los mss: *onrassen* (M), *honrassen* (VAB). A partir de esta lectura es fácil suponer la confusión *u/n* y la sustitución arbitraria *a/o*, cambios demasiado frecuentes en ***Rams***.

[590] E dice: *quando fue conoscido por aquellos que eran bien vestidos bien simplamientre*. Obvia *lectio facilior*, o mejor corrección psicolingüística. M da: *e quando fue...conosçido...por aquel que era vistiose sinplemente*, fiel reflejo de los mss catalanes (VAB).

simplamientre assín como vno de los otros hombres. Et dixo que d'allí adelant no quería seyer honrrado por vestiduras mas por lo que era en él. [206b] Porque[591] concludexe et dize que hombre virtuoso, si sauio es, se deue guardar que non le sea fecha honor por hornamientos ni por vesti-
5 duras preciosas ni se deue aparellar como si se deue vender a sí mismo.

[2] **Policrato**. Item recomta el mismo que Aristodemus et Demóstenes eran aduocados en vna cort en do se leuaua vn pleyto. Et Aristodemus razonaua vna part. Et Demóstenes, burlando, demandóle vn día quán-
10 to auía houido por su salario. Et respuso Aristodemus que vn besant. Et aquéll respondióle: Et otro yo. Más he reçebido, dixo Demóstenes, por tal que callasse que no as tú por tal que faulasses.

[3] ——. Item el mismo, en el V° libro, capítulo x°, dize que la lengua
15 comunamientre[592] es danyosa si no [206c] la liga con ligaduras de plata.

[4] **Isaías**. ***Isaías*** profecta, capítulo lxi°, dize: El iudicio de iusticia es buelto a çaga, et luent stuuo et cayó en la plaça verdat et egualdat, et non puede entrar delant el iutge.
20

[139.] QUE NINGUNO NON FAGA ENGANYO EN SU OFFIÇIO O STAMIENTO.

[1] **Salamón**. Salamón, en los ***Prouerbios***, capítulo xx°, dize que
25 Dios tomó en auorrimiento peso fálid et medida de mesura mengua-

1 et] *om.* E, e MVAB. **7** Aristodemus] Aristodeíms E (*con signo diacrítico sobre la* í), Aristodemus M, Aristodemi VA, Aristodomi B. // Demóstenes] EMVA, Dematenes B. **8** Aristodemus] Aristodeims, Aristodemus M, Aristodemi VA, Aristodomi B. **9** Demóstenes] Demestenes E (*confusión* e/o). **10** Aristodemus] Aristodeíms E (*con signo diacrítico sobre la* í), Aristodemus M, Aristodemi VA, Aristodomi B. **11** Demóstenes] Demostenos E (*confusión* e/o). **15** comunamientre] de la comunidat M, dels aduocats V, del aduocat AB. // plata] plaga E, plata M, argent VAB. **18** çaga] caga E. // plaça] plaga E, plaça MVA, plaza B.

[591] El ms escribe capital adornada como si fuera una nueva autoridad. Pero es la conclusión de lo expuesto en la cita anterior, por eso la consideramos como una misma autoridad.

[592] Sic. El error debía estar ya en el prototipo aragonés, ya que M trae: *de la comunidat*. La verdadera lectura, es: *dels aduocats* (V), *del aduocat* (AB), fiel reflejo del original latino: *causidicorum siquidem lingua est dampnifica, nisi eam, ut dici solet, funibus argenteis vincias* (***Policraticus***, 5.10, apud ***Communiloquium***). Quizá el prototipo decía: *de los causídicos*. Probablemente el copista quería escribir: *causídicamente*.

da. Et esto por tal como por atales enganyos los vnos enganyan los otros et aplegan trasoro et riqueza maluada. Porque dize el profecta ***Michías***, capítulo viº, que en la casa de aquel maluado hombre que tiene maluado peso o falssa mesura ha ide fuego de auariçia o rique-
5 za o trasoro de iniquidat.

[206d] [2] **Sant Agostín**. Sant Agostín, en el XII libro de la ***Ciudat de Dios***,[593] capítulo iiiº, dize: Todo hombre quiere comprar a buen mercado et quiere vender muyt caro, et cetera.
10

[140.] QUÁLES DEUEN STAR IUTGES EN LA COSA PÚBLICA O ECLESIÁSTICA.

[1] **Sant Bernart**. Sant Bernart, en el primero libro que envió ***a***
15 ***Eugenyo papa***, dize assí aprés lo principio:[594] Ruégote que me digas qué quiere dezir de la manyana entro a la noche litigar o batallar o oyr los litigantes. Et ia por la mía volumtad basta al día la suia malicia. Las noches no son franquas, antes apenas son lexadas o bastan a reposar los cuerpos segunt natura. El día al día sobrexe[595] baralla o
20 pleyto, et la noche a la noche sobrexe et muestra malicia. Et síguese:

---

7 la Ciudat de Dios] la ciudat E, la cibdat de Dios M, Trinitat VAB. **14** Sant Bernart (*epígrafe*)] *om.* E. // envió] enuio E. **15** lo prinçipio] los prinçes E, los princeps VAB. **16** manyana] manya E, demandaua M, mati VAB. // batallar] batalla E (*fort.* baralla, *confusión* t/r), barajar M, barallar VA, barayllar B. **18** bastan] bastant E, abaste M, abasten V, basten AB. **19** sobrexe] sobre E, fuera lança M, sobrex VA, sobrix B.

---

[593] E da: *de la ciudat* y M: *de la cibdat de dios*, siguiendo al ***Communiloquium***. Sin embargo, los mss catalanes, así como el ms 1470 de la BN Madrid y la ed. de Estrasburgo, dan correctamente: *de Trinidat*.

[594] E trae: *apres los prinçes*. Extraño error, que aparece en todos los mss catalanes; M abrevia. La lectura es una falsa interpretación de la precisión bibliográfica con que Juan de Gales hace sus citas. El ***Communiloquium*** da: *post principium*. El traductor catalán leyó *principum* y tradujo *aprés los princeps*, en vez del correcto 'después del principio'. Error que pasó a ***Rams***.

[595] E da aquí: *sobre* por *sobrexe*, como dice a continuación. Leslie, basada en el catalán *sobreix* (A), la deriva de *sobreixir*, cuyo significado, tomado de Corominas, es 'sobresalir'. Pero tiene poco sentido. La frase latina da: *dies diei eructat lites* 'el día le lanza -le eructa- al día la lucha'. Este es el significado que hallamos en M: *el día fuera lança al día roydos*. Debido a la estrecha relación entre E y M, creemos que el verbo aragonés *sobrexer* o, como da el ***Lexicon***, *sobreyxir* significa aquí 'lanzar, echar', metafóricamente 'eructar'.

Todos días por scripturas en el [207a] palacio et en las cortes se allegan las leyes, mas no la iustiçia de Nuestro Senyor. Empero la ley de Nuestro Senyor es sin toda mácula et conuertexe las almas. Mas aquestas que assín todos días se allegan no son leyes mas barallas et cauilaciones que
5 subuertexen los iudicios et los destruexen, et cetera. Et pues tú, pastor et vispo de las almas, ruégote que me digas con quál penssamiento sustienes delant tú todos tiempos semblantmientre graçiar o scarnir la ley de Nuestro Senyor Dios con aquestas contençiones.[596] Et por tal cridar deue hombre con el prophetha:[597] Los iniquos et disiguales han recom-
10 tadas las lures faulas o tractamientos, mas, senyor, non segunt la tuia ley.

[2] **Sant Bernart**. Sant Bernart, en el [207b] IIII° libro que envió ***a Eugenyo***: Tú deues buscar ad aquellos por conssellеros que sean compuestos de buenas costumbres et prouados a santedat, aparellados[598] a

---

1 scripturas] sprituras E. **3** aquestas] aquestos E, aquestas M, aquestes VA (*referido a* leyes). **4** assín] assin son E. **5** *2°* los] lo E. **8** con] *om.* EVAB. // cridar deue hombre con el prophetha] ciudat de Dios es hombre con aquella prouecha E, deuemos dar bozes con el profeta M, cridar deu hom ab lo propheta VAB. **12** envió] enuio E. **14** prouados] prouadas E, prouados M, prouats VAB. // aparellados] clamados E, prestos M, apparellats VA, apareyllats B.

---

[596] Pasaje con redacción ambigua en todos los manuscritos debido al descuido estilístico de esta frase. E da: *graçiar o scarnir la ley de Nuestro Senyor Dios aquestas contençiones*. La ambigüedad se produce por dos razones. Por un lado la traducción unifica los dos infinitivos que están opuestos en el original latino; por otro da seguidos los dos complementos directos, creando la impresión que el segundo queda suelto. La frase latina es: *semper sillere illam, scilicet, Dei legem, garulare istas [contentiones]* 'callar aquello, es decir, la ley de Dios, discutir garruleramente éstas [contenciones]'. La traducción catalana trae: *guarir o scarnir la ley de Nostre Senyor Deu aquestes contencions* (VAB). Esta versión no sólo no reproduce la construcción paralelística latina, sino que simplemente parece omitir la preposición *ab* 'con', en la frase *ab aquestes contencions*, lectura que restituimos.

[597] E da esta caprichosa interpretación: *e por tal ciudat de Dios es hombre con aquella prouecha*. La versión catalana: *e per tal cridar deu hom ab lo propheta*, nos ayuda a comprender el sentido original de esta frase. Por ella vemos que *cridar* se ha transformado en *ciudat*; *deu* ha sido interpretado como *Dios* no como *debe*; finalmente *propheta* se ha convertido en esa ambigua *prouecha*. La lectura de M: *por lo qual deuemos dar bozes con el profeta*, nos sirve para corroborar nuestra reconstrucción de E. Son precisamente estas descabelladas interpretaciones del copista las que nos llevan a cuestionar constantemente el texto de E para reconstruir, con mayor o menor éxito, el original aragonés, basados siempre en los testimonios de los otros manuscritos.

[598] E da: *clamados*, que es falsa interpretación de *aparellados*; la abreviatura de la sílaba *-ar-* le da la apariencia de *apellados*, de donde sale *clamados* 'llamados'. Las lecturas de M: *prestos* y VAB: *apparellats* corroboran nuestra suposición.

obediençia. Et síguese: Aquéllos, que non vuiten[599] las bolsas, mas que farten los coraçones, e corregescan los crims, etc.

[141.] QUE LOS CONSSELLEROS SEAN PROUADOS EN IUS-
5 TIÇIA DE DRECHO.

[1] **Sant Ambrós**. Sant Ambrós, libro II° ***De offiçios***, dize que âuer buen consello deue hombre buscar conssellero de santa vida et prouada, et que haia exçelençia de virtudes, et que sea hombre que vse de bien-
10 querençia et que de grado faga graçia. Et pose[600] atal exemplo et dize: ¿Quí es aquéll que busca en lugar sutzio o en el fumaral[601] fuent de augua viua et clara [207c] et de buena sabor? ¿Quí es aquéll qui desea augua sútzea et falla luxuria? Allá do no yd'á temprança,[602] en do á confussión de peccado, ¿quí se irá a conssellar? Et ¿quién no menospreçia-
15 rá al conssello de atal? Et la respuesta que s'en leuará será sosacarle

1 vuiten] vincan E (*confusión* in/ui *y* c/t), non deseen fenchir M, vuiden V, buyden AB. **2** farten] furtan E (*confusión* u/a), farten M, sadollen VA, sadolen B. // e] que E, e MVAB. **8** conssellero] consselo E, consejero M, conseller VA, conseyller B. **9** que vse de bienquerençia] que vse querençia E, que vse de bien querençia M, qui vs de benuolença VA, que us de benuolensa B. **10** pose] E, pone M, posa VAB. **11** Quí] que E, quien M, qui VAB. **13** *1er* do] *om.* EA, hon VC, on B. **14** quí] que E, quien M, qui VAB. **15** que s'en leuará será sosacarle] que sen leuara o sosacale E, que dende leuara sera sosacarle M, que sen porta e li sostrau VAB.

[599] E da: *vincan*, lectura errónea de *vuitan* por confusión *in/ui* y *c/t*. El verbo *buytar* 'vaciar' está atestiguado en otras obras del maestre, como puede verse en el ***Lexicon***. Por corrección psicolingüística el copista cambia al indicativo los dos primeros verbos: *vuitan* y el erróneo *furtan*, es decir, *fartan*, dejando *corregescan* en subjuntivo. El original y todos los mss dan los verbos en subjuntivo. Por eso restituimos: *vuiten* y *farten*.

[600] Catalanismo por *pone*. VAB: *posa*, M: *pone*.

[601] En el capítulo 32.1, donde usa el mismo texto, E dice: *muradal*, posible transposición por *muladar*. Con este sentido *fumaral* parece error gráfico por *femaral*. Pero en vista de los testimonios que trae Leslie, el provenzal *fumarièl* 'montón de excrementos' y el francés *fumier* 'estercolero', creemos que se debe mantener la grafía *fumaral* con el significado de 'estercolero', y no con el de 'chimenea' que tiene en catalán (Alcover).

[602] E da: *alla no ý da temprança en do a confussion de peccado*, dejando desquilibrados los dos términos anticipatorios de la pregunta. Aunque E y M resumen, todos los mss catalanes dan los términos anticipatorios de la pregunta: *la hon...la hon...la hon*. Véase la versión que da en el capítulo 32.1, donde se usa el mismo texto. Corregimos de acuerdo con ella.

todas virtudes.[603] ¿Quién cuyda auer buen conssello de aquell qui non lo sabe auer bueno pora a sí mismo?

[2] **Sant Ambrós**. Item el mismo, en el lugar ya allegado, dize que
5 más suficient et más complido deue seyer aquell qui da conssello que aquell que lo reçibe.

[142.] QUE HOMBRE NON PUEDA SCAPAR A LA MUERT.

10 [1] **Sénecha**. Sénecha, libro IIº ***De beneficios***, en el çaguero capítulo, dize que la muert es traehudo el qual todos lo deuen. La muert es ley de natura. La muert [207d] es trehudo. La muert es ofiçio de todos los mortales. Et por tal en el tiempo de los gentiles era dicha la muert *Pluto*,[604] es a saber, dios de los infiernos et dios de la muert
15 que no spera ninguna cosa. Porque todos los hombres prende en III[s] edades, es a saber, en la ninneza et en la iuuentud et en la velleza, etc.

[2] **Apocalibsi**. En l'***Apocalipsi*** dize: Vide[605] a los muertos grandes et chicos que stauan en la presençia de la cadira diuinal, porque a
20 todos crida egualmientre la muert, et no es ninguno lugar del mundo que se pueda deffender, porque de cada part nos envía la muert sus sayetas, et todos somos reseruados a la muert.

1 de] *om.* E, de MVAB. **5** suficient] sufrient E, sufiçiente M, bastant VAB. **10** çaguero] caguero E. **12** natura] íratura E (*con signo diacrítico sobre la* í). **14** Pluto] Perluco E, Pluto MVAB. **15** prende] prenden EM, pren VAB. **18** vide] vida E, vi M, viu VAB. **19** cadira] carida E (*transposición*), silla M, cadira VAB. **20** crida] cridan E, llama M, crida VA, cride B. **21** envía] enuia E.

[603] El texto de esta respuesta tiene una redacción confusa en la mayoría de los mss. Todos los catalanes dicen: *e la resposta que s.en porta e li sostrau totes virtuts*. E da una versión parecida: *e la respuesta que s.en leuará o sosacarle todas virtudes*. Ninguna de las dos versiones ofrece una redacción clara. Es en M donde hallamos un sentido satisfactorio. Dice así: *e la respuesta que dende leuará será sosacarle de todas virtudes*. Por su semejanza con E, es la lectura que adoptamos.

[604] E da *Perluco*, falsa lectura por *Pluto*, confusión *c/t* y adición de una inexistente abreviatura de *-er-*. Todos los mss dan: *Pluto* (MVAB).

[605] E da: *vida*, cambio arbitrario del copista en vez del pretérito que aparece en todos los mss: *vi* (M), *viu* (VAB).

[3] **Apocalibsi**. Item el mismo, en el lugar ya allegado, capítulo ii, dize: Bienauenturado será aquell que no será ferido por la IIª muert. [208a] Porque alcançando la vida spera a la muert,[606] etc.

5 [143.] QUÁLES COSAS SON NECESSARIAS O PROUECHOSAS A CONSSERUAR CASTEDAT.

[1] [**Libro de los Padres Santos**]. En el ***Libro de los Padres Santos***, en el segundo libro, en la IIIIª part, se leye que la santa dona o mugier 10 dixo al monge el qual era venido de camino, porque auía boluido los oiios et auía vistas las mongas: Si tú fuesses monge perfecto et acabado non les aurías girado los oiios, como ya conoxías que nosotras éramos mongas. etc.

15 [2] **Libro de los Padres Santos**. Item, en el lugar mismo, se leye de Arseni abat, el qual respuso a la muller que.l' demandó que huuiesse memoria d'ella en las suyas oraciones. Respúsole el monge et dixo: Yo ruego a Dios que me tire la memoria de mi coraçón de ti.

20 [3] ——. Item aquí mismo se [208b] leye de vna santa mullier que era en el monasterio et non quiso sofrir que su ermano la visitasse ni la vidiesse por tal que aquéll non veniesse en medio de las otras duenyas, mas dixo âquéll: Vet' ende, ermano, et ruega a Dios por mí.

25 [4] ——. Item, en la quinta part del libro mismo, en do se leye del fillo del saçerdot de las ýdolas, el qual vido Satanás et la suya cauallería que le staua dauant d'él, et Satanás demandó a cada uno diablo

3 alcançando] alcancado E, abraçando M, ab[r]açant A, abrasant C, *om.* VB (*por homoioteleton*). // spera] fuyra M, fugira AC, *om.* VB (*por homoioteleuton*). **8** Libro de los padres santos] *om.* E. **16** a] *om.* E, a MVAB. **18** coraçón] coracon E. **21** ermano] eramono E, hermano M, frare VAB.

[606] E da un texto diferente que apunta a modificaciones del copista. No lo corregimos porque tiene su propio sentido. Pero conviene concararlo con los otros manuscritos. VB no lo traen por homoioteleuton. AC dan: *abraçant la vida fugirá a la mort*. Lo mismo dice M: *abraçando la vida fuyrá a la verdadera muerte*. Ambos son traducción correcta del ***Communiloquium***: *apprehendendo enim vitam evaditur mors vera*. Estos textos revelan que *alcançando* puede ser falsa lectura por *abraçando* y *spera* confusión por *fuyrá*.

qué auía fecho. Et vno dixo: He despertadas[607] batallas por xxx días. Et Satanás fízolo açotar. Et otro dixo: Yo he boluidas muchas batallas en la çiudat et fizo[608] por manera qu'el sposo murió en las bodas. Et aquéste asín mismo fízolo açotar. Et l'otro leuantósse et dixo: Yo he estado
5 xl anyos en el ermitage et he in- [208c] pugnado vn monge apenas et sta noche le he podido fazer fornicar. Et quando aquesto oyó, el prímçep de los demonios leuantósse et besálo, et tomó vna corona de oro de la qual era coronado et poso la dicha corona en la cabeça, et fízolo assentar cerca él en vna cadiera deziéndole: Grant cosa has feyto. La qual cosa
10 como aquesti fillo del sacerdot vidiesse, dixo entre sí mismo: Grant es la orden de los monges. Et exísse d'allí do era et fízosse monge.

[144.] QUE DIGNIDAT ECLESIÁSTICA NON DEUE SEYER COBDICIADA.
15

[1] **Hugo de Sant Víctor**. Hvgo de Sant Víctor, en el libro de los ***Offiçios***,[609] capítulo xii°, dize: Las sagradas ordinaçiones de los Santos Padres deffienden[610] que ninguno non deue seyer electo en vispo si ya en las sacras órdenes no es estado conuersado[611] [208d] religiosamientre, etc.

---

1 he despertadas] he deseptadas E, moui M, he despertades VAB, auia daspertades C. **3** fizo] E (*fort.* fize), feu V, *om.* ABC (*por homoioteleuton*). **17** ordinaçiones] oraçiones E, oracions AB, ordenaçiones M, ordinacions VC, canones Ven. **18** deffienden] E, define[n] M, diffenexen VC, diffiniren AB, diffiniunt Ven. **19** conuersado] quisado E, conuersando M, conseruat V, conuersat AB. // religiosamientre] E, religiosamente M, religiosament AB, rigorosament V.

---

[607] E da: *deseptadas*. Velasco lo interpreta 'provocadas', derivado del latín *decipio*. Creo, como Leslie, que se trata de una falsa lectura por: *despertadas*, por incomprensión de la abreviatura *-er-*. Así lo sugieren todos los mss catalanes (VABC).

[608] El sentido pide primera persona. Si no se trata de un error del copista, confusión *o/e*, es posible que *fizo* sea variante aragonesa de *fize*. El ***Lexicon*** no recoge la forma *fizo* con valor de *fize* en el corpus herediano; tampoco la da Alvar. Conservamos, pues, la lectura *fizo*, con reservas, porque hay en ***Rams*** varios casos de formas aparentes de 3ª persona usadas con valor de 1ª, lo cual podría apuntar a un rasgo característico del aragonés de Heredia.

[609] El mismo caso que en la autoridad 135.2.

[610] Sic. El copista cambia el original *difiniren* (AB) o *diffenexen* (VC), traducido en M como *difine[n]*, a *deffienden* 'prohiben'. No corregimos porque no afecta al sentido básico.

[611] E da: *quisado*. Como sugiere Leslie, se trata de un error gráfico por *conuersado*, como indican todos los mss: *conuersat* (VABC), *conuersa(n)do* (M), calco del latín *conuersatus* 'versado'. El error probablemente fue originado por una grafía que contenía la abreviatura de *-er-*.

[145.] QUIÉNTA DEUE STAR LA HOBEDIENÇIA DE LOS RELIGIOSOS.

[1] **Libro de los Santos Padres**. Scripto es en el ***Libro de los Padres Sanctos***, segundo libro, en la XIIII[a] part. Dize que obediençia es salud de todos los fieles et engendradera de todas las virtudes. Es clao et obre los çielos, et leuanta las obras de la tierra, et habita con los ángeles, et es vianda de todos los santos.

[146.] CÓMO EL PRÍMÇEP O LO REY ES CABEÇA DE LA COMUNIDAT, ET LAS PROPIEDADES DE LA CABEÇA.

[1] **Poli[crato]**. ***Policrato***, libro IIII°, capítulo primero, dize demostrando qué es prímçep, et dize que prímçep es potestat pública, et es alguna ymagen de la magestat de Dios la qual es puesta en tierra. Assí como la razón o la volumtat rigen et gouiernan el cuerpo, assí el prímçep mantién a la [209a] comunidat, segunt que es estado dicho por Sénecha.

[2] ——. Item el mismo, en el libro IIII°, capítulo segundo, dize que como los hombres buenos et los cónsules rogassen ad aquell emperador Elius que fazés su fiio césar, respondió que asatz los deuía complir que a él hauían fecho emperador contra volumtad d'él mismo, et que era stado forçado, et que non era digno. Et que primçipado no es dado[612] por parentesco ni por sangre, antes lo es por méritos o por virtudes.

[3] ——. Item el mismo, libro VII°, capítulo xii, dize: No es marauilla si por malos viçios más liugeramientre se lexan caer los vassallos a semblantes, así a mayores et ha menores viçios, etcet.[613]

---

7 las obras] E, los homens VAB. // habita] habitan E. **10** cabeça] cabeca E. **13** Policrato (*epígrafe*)] Poli E (*haplografía*). // dize] dize et E. **17** comunidat] comunida E. **22** a él] ha el *iter.* E. **23** forçado] forcado E. // dado] digno E (*por influencia del anterior*), dado M, degut VB, *om.* A. **27** caer] *om.* E, caher M, caure VAB.

---

[612] E trae: *digno*, por influencia del *digno* anterior. Los mss catalanes dan: *degut* 'debido' (VB). Corregimos con M, que trae: *dado*.

[613] Fac. La cita corresponde al comentario de Juan de Gales que, en la ***Suma de col.lacions***, va a continuación de una cita del ***Policraticus***.

[147.] CÓMO HOMBRE DEUE STAR APARELLADO A LA MUERT.

[1] **Sant Matheu**. Sant Matheu, en el xxiiii° capítulo, dize: [209b]
5 Veilats, porque, dize, non sabedes en quiénta ora deue benir Nuestro Senyor.

[2] **Sant [Luch]**. Item el mismo, capítulo xxii°, dize: Sean los uuestros lomos ligados, et uosotros seyet semblantes a los hombres qui speran su
10 senyor quando vendrá de sus bodas.

[3] **Sant [Luch]**. Item el mismo dize que bienauenturados son aquellos seruidores los quales quando vendrá su senyor los trobará veylando.

15 [4] **Sant [Luch]**. Sant Luch, en el xi capítulo, dize: Stat aparellados, porque aquella ora que no vos penssades el fillo de la Virgen vendrá.

[148.] CÓMO EL PRÍMÇEP ES CABEÇA DE LA COMUNIDAT, ET DE LAS VIRTUDES DE LA CABEÇA.
20

[1] **Sénecha**. Sénecha, en el primero libro ***De exclamaciones***,[614] capítulo segundo, en el lugar do faula del emperador, [209c] dize que assín como todo el cuerpo sierue a la razón et a la volumtat de todo el su poder et de todo su saber, porque ya sea que la razón et la
25 volumtat estén ascondidas et non sabe el cuerpo en quál partida de aquéll sten, enpero las manos et los piedes et los oyxos fazen las obras de la razón et la volumtat, assín que la alma es encercada de grant multitud de seruidores que fazen lo que ella quiere et todos se

5 veilats] veilas (*fort.* veilats, *forma catalana del imperativo*), velad M, vetlats VA, vellats B. // nuestro] E, nostre VA, vuestro M, uostre V. **8** Luch (*epígrafe*)] Matheo E (*por influencia del epígrafe anterior*). // uuestros] uestros E, vuestros M, uostres VB, vostres A. **12** Luch (*epígrafe*)] Matheo E (*por influencia del epígrafe anterior*). **13** vendrá] vendran E. **15** Luch (*epígrafe*)] Matheo E (*por influencia del epígrafe anterior*). **16** aquella] aque *iter.* E. **19** et] *om.* E. **21** exclamaciones] EMVABC, clementia Ven. **22** dize] et dize E. **24** porque] que *add.* E. **27** encercada] encerrada E, çercada M, enuironada VAB.

[614] E y todos los mss catalanes y castellano dan ***Exclamaciones***, aunque el ***Communiloquium*** da correctamente ***De clementia***, de donde proviene la cita (I.3.5).

regexen por ella; todo assín el prímcep deue regir su gent, et la gent deue seyer subiugada et obedient a él, et él deue aquéllos mantenesçer et comportar.

5 [149.] CÓMO EL PRÍMÇEP DEUE SEYER MENOS DE TODA GUARDA[615] DE CULPA ENSUZIAT, QUIERE DEZIR MENOS DE PECADO ET DE LUXURIA ET DE GOLA.

[1] **Salamón**. Salamón, en los ***Prouerbios***, capítulo [209d] xxxiº,
10 dize: Non quieras dar vino a los reyes por manera que sean embriagos, porque allá en do ha empriagueza no yde ha secreto alguno.

[2] **Omelio**. Omelio Florus,[616] faulando de Romelio[617] que edificó Roma, en el començamiento de la ***Istoria de los romanos***, dize que assín
15 como el cuerpo natural se faze et compone por aiustamiento de IIII elementos, es a saber, fuego, ayre, augua et tierra, todo por semblant manera, [el cuerpo de la comunidat de Roma fue compuesta et feyta por aquel prímçep Rómulo, qui en lugar de elementos] aplegó muchos hombres de deuerssas naçiones, et fizo de aquéllas vn pueblo et vna comunidat,
20 la cabeça de aquella comunidat es lo prímçep.

---

2 subiugada] subiugado E, subiugada MAB, sotsiugada V. **5** menos de toda guarda] E, menos de tacha M, sens tacha V, sens taca B. **6** menos] meos E. **13** *2º* Omelio] E, Amelio M, Amelius VAB. // Romelio] E, Romulo M, Romul V, Romel A, Romull B, Romolus C. **14** començamiento] comencamiento E. **15** se] *om.* E, se MVAB. **17** el cuerpo...elementos] *om.* E (*homoioteleuton*), el cuerpo de la comunidat de Roma fue conpuesta e fecha por aquel prinçipe Romulo que en logar de elementos M, lo cors de la comunidat de Roma fou composta e feta per aquell princep Romul qui en loch de elaments V, lo cors de la comunidat de Roma fo compost e fet per aquell princep Romul e qui en loch de elements A, lo cors de la comunidat de Roma fou compost e fet per aquel princep Romul e qui en loch de elaments B. **20** cabeça] cabeca E.

---

615 Sic. Corrección psicolingüística por: *tacha* o *taca* 'tacha', 'mancha'. Así traen VC: *sens tacha de culpa*, B: *sens taca de colpa* y sobre todo M: *menos de tacha de culpa*.

616 M da: *Amelio* y los mss catalanes: *Amelius*. Se trata de Lucius Aenneus Florus, historiador romano del siglo II, autor del ***Epitome de Gestis Romanorum***, de donde proviene la cita.

617 Se trata de Rómulo, el famoso fundador de Roma. Los otros mss dan: *Rómulo* (M), *Romul* (V), *Romel* (A), *Romull* (B).

[3] [**Reyes**]. Léyese, libro ***Primero de los Reyes*** de Israel, capítulo xv, qu'el profecta Samuel dixo a Saúl, rey de Israel: Como tú fuesses poco delant de los tuios oxos, tú eres feyto cabeça de los tribus [210a] de Isrrael.

5

[4] ——. Item el mismo, capítulo x°, dize qu'el profecta dixo: Guardat quí es aquel que Dios ha scollido en rey, que no yd'á ninguno en todo el pueblo que sea semblant a él. Et quando el prímçep es atal, dignamientre puede seyer dicho cabeça del pueblo.

10

[150.] CÓMO EL VISPO DEUE HAUER HABUNDOSA RELIGIÓN.

[1] **Sant** [**Ierónimo**]. Sant Ierónimo, en la xxxviii° ***epístula***, dize: La gloria del vispo deue proueir a las necessidades de los pobres. Deso-
15 nor es et menosprecio del saçerdot studiarse en las riquezas proprias. Et aquesto por tal como es dispenssador de las cosas, segunt que se seguexe en aquella misma epístula. Et dize que aquéll es buen despendedor el qual no reserua pora sí mismo, etcet.

20 [151.] DE PERUERSSIDAT O MALICIA DE AQUELLOS QUE BI- [210b] UEN MAL EN RELIGIÓN.

[1] **Sant Ancelm**. Sant Ançelm, en el libro ***De las semblanças***, en el xxxv° capítulo, dize: Semblança es en el dinero et en el monge. Porque
25 assín como [el buen dinero] es o deue seyer de puro metall et de drecho peso et de ligíttima moneda, assín el monge deue star puro de obediencia, correspondiendo a la primera semblança; [auer firmeça] de prepósito, [correspondiendo a lo segundo; et ábito monacal, cor]respondiendo al

---

1 Reyes (*epígrafe*)] Genesi E (*por influencia la primera palabra del texto*). // Léyese] Genesis E, se lee M, se lig VA, se lix B. **2** a] da E (*duplografía*), a MVAB. **3** cabeça] cabeca E. **9** cabeça] cabeca E. **13** *1er* Ierónimo (*epígrafe*)] Ancelin E (*por influencia del epígrafe siguiente*). **23** *1er* Ancelm (*epígrafe*)] Ancelín E (*con signo diacrítico sobre la* í). // *2°* Ançelm] Ancelín E (*con signo diacrítico sobre la* í). **24** semblança] semblanca E. **25** el buen dinero] *om.* E, lo bon diner VA, lo diner B. **26** assín] como *add.* E. **27** correspondiendo...prepósito] porque respondiendo a la prime semblança de preposito et E, correspondiente a lo primero firmeza del proposito M, correspondent al primer stabilitat de proposit V, correspondent stabilitat de proposit A, car sponent al primer estabilitat de proposit B. **28** correspondiendo...monacal correspondiendo] *om.* E (*homoioteleuton*), correspondiente a lo segundo e habito monachal correspondiente M, correspondent al segon e abit monecal correspondent V, correspondent al segon e abit monachal correspondent AB.

terçero.[618] E assín como el falsso dinero es conoscido por falsso quando hombre lo ha puesto en el fuego, assín es del religioso, que es conosçido quando es falsso por fuego de treballo o de tribulaçión. Pues grant desordenaçión es e peruerssitat, aquesto es, veuir seglar-
5 mientre en ábito de religioso.

[2] **Exodi**. Scripto es en el libro ***Exodi***, capítulo xviii°, que [210c] dixo Ietro a Moysés: Prouedex a tus barones que sean poderosos de todo el pueblo et que teman a Dios, en los quales s'í aya verdat, et
10 aquellos que haurán auorrida auaricia. De aquéstos constituex et ordena tribunales et centuriones et conestables et cabos de cinquanta et deganos que iuian el pueblo todos tiempos.

[152.] DE LEALDAT MENOS DE DEFFALLIMIENTO.
15

[1] **Solino**. Solino, en el çaguero libro, capítulo v°, recomta que era vn pueblo assín acostumbrado que vno hombre solo tomaua muchas

---

2 lo] *om.* E, l' V, lo A, *om.* B (por *homoioteleuton*). **4** veuir] ueui E, beuir M, uiure V, veure A, viure B. **8** prouedex] E, escoje M, proueheis V, provehex A, proueheix B, proueyex C. **10** constituex] conçienex E, constituex V, construeix A, cu[n]strueix B. **11** tribunales] E, trips V, barons A, tribus B. **16** Solino (*epígrafe*)] Salamon E (*lectio facilior*). // *2°* Solino] Salamon E (*lectio facilior*). // çaguero] caguero E.

---

[618] La lectura de E es muy complicada y contiene correcciones que alteran el texto original. Veámoslo. La ***Suma de col.lacions*** da dos grupos de comparaciones bien definidos: *axí com lo bon diner es e deu esser de pur metall...axí en lo monge deu esser puritat...;E axí com lo fals diner es conegut...axí es del religiós...* Pero E parece comprimirlos en un largo y complicado párrafo. Dice así: *Semblanca es en el dinero et en el monge. Porque assín como [el buen dinero] es o deue seyer de puro metall et de drecho peso et de ligíttima moneda, assín (como) el monge deue star puro de obediencia, porque respondiendo a la prime[ra] semblança de prepósito et respondiendo al terçero, assín como el falsso dinero es conoscido por falsso quando hombre [lo] ha puesto en el fuego, assín es del religioso...* Aparentemente este texto tiene sentido. Pero en él se advierte la omisión de la segunda semblanza. Su restitución revela los profundos cambios que introdujo el copista. La versión de V lo corrobora. Centrándonos en el pasaje omitido, dice así V: *axí en lo monge deu esser puritat de obediencia, correspondent al primer, stabilitat de proposit, correspondent al segon, e abit monecal, correspondent al tercer*. Si volvemos al texto de E, apreciamos los siguientes cambios: a) divide el adjetivo catalán *correspondent* en dos palabras, interpretando *cor* 'porque' y *respondent* 'respondiendo'; b) con ese gerundio hace un salto *respondiendo...respondiendo*; c) además omite parte de la segunda semblanza fundiéndola con la primera; y d) cambia el esquema catalán impersonal *esser* + nombre (*en lo monge deu esser puritat* 'auer puridat') a *star* + adjetivo (*star el monge puro*), cambio que nos obligará a introducir el impersonal *auer* en nuestra corrección. Ante estos hechos, creemos que la versión de E debe corregirse. Para ello utilizamos parcialmente M por su habitual cercanía a E y por representar otra versión del prototipo aragonés.

mulleres, et quando el marido muríe las mullieres viníen delant el iutge et cada vna fazía su poder en dezir que ella auía más amado et más querido el marido que las otras. Et aquella que esto podíe prouar tomaua tal lo- [210d] guero d'esta victoria: Fazía hombre grant fuego
5 et echaua hombre el cuerpo del marido muerto de dentro del fuego, et aquella mullier que auía prouado que más lo auía amado que las otras echáuasse de dentro del fuego con su marido et cremáuase con él. Et las otras mulleres fincauan et auían contienda assín como a disfamadas que eran stadas et por lur marido repuiadas. Et esto mismo recom-
10 ta Tullio en el segundo libro ***De las questiones tusculans***, etcet.

[153.] DE LA SANTEDAT DE LA VIDA DE LOS PREDICADORES ET DE LAS VIRTUDES QUE DEUEN AUER.

15 [1] **Sant Paulo**. Sant Paulo, en la ***epístula de Sant Thimoteum***, diziéndole: Argüex, amonesta et correxe en toda paçiençia et doctrina. Porque venrrá tiempo en el qual los hombres no sustentarán sana o verdadera doctrina, [211a] mas buscarán o cumularán maestros segunt sus deseos et comer los han las oreias con las nueuas que uirán,[619] et cerrar les han a la
20 verdat et abrir los han a las faulas o mentiras. Mas tú veyla, en todas cosas treballa o fes cosa de euangelista, aquesto es, esfórçat' en predicar verdat.

[154.] DE PERUERSSIDAT O MALIÇIA DE AQUELLOS QUI BIUEN MAL EN RELIGIÓN.

25

[1] **Iob**. ***Iob***, capítulo xxii°, dize: Dio ad aquellos Nuestro Senyor lugar de penitençia, et él abusólo et vsólo mal en soberbia. Et aquesto que es en

9 repuiadas] reputadas E (*confusión* i/t), rebuiadas VA, rebuyades B. **10** tusculans] tustulans E (*confusión* c/t). **15** Thimoteum] EAB (*posible homoioteleuton*), en lo iiii capitulo instituhint son dexeble Thimotheu *add.* V. **17** doctrina] doctina E. **19** comer] E, prouehir V, pruir A, pruyr B. // uirán] víuran E, hoyran VABC. **21** cosa] E, obra VAB. // esfórçat'] eforçat E. **26** dio] dios E, dio M, dona VAB. **27** él] *om.* E, ellos M, ell VAB. // aquesto que es en l'Apocalipsi ii] aquesto es en la ii^a^ part E, aço que es en lo pot ii V, aço que es en lo Apochalipsi ii A, aco que es en lo Apochalipsis ii B.

[619] El ms. da: *víuran*, que creemos es falsa lectura por *uiran* 'oirán'. Así lo confirman los mss. cats.: *ab les nouelletats que hoyran* (VAB), *ab les voluntats que hoyran* (C). M abrevia. Curiosamente el pasaje *Porque venrra...en predicar verdat* no se halla en el ***Communiloquium***. Parece, pues, comentario del traductor catalán a la cita de San Pablo (***I Tim*** 4.11-16).

l'***Apocalipsi*** ii:[620] Dio ad aquello[621] tiempo en el qual fiziesse penitencia et no.s' quiso penedir de la suya fornicación. Et guárdat' que yo la puyaré en el lecho, et aquellos que fazen la fornicaçión con ella se meten en grant tribulación si no fazen penitençia de todas sus obras.

5

[155.] DE VERDADERA [211b] HUMILIDAT, ET QUÁL DEUE SEYER.

[1] **Sant Ancelm**. Sant Ancelm, en el libro ***De las semblanças***, en el
10 XXXVII, en do nombra los vii grados.[622] De los quales el primero es conoscençia de sí mismo; el segundo es dolor de las culpas del penedir; el tercero es conffessión del su propio defallimiento a peccado; el IIII° volenterosa persuassión, es a saber, que es peccador; el quinto que conffiesse que es menospreçiable; el vi° pasciencia en sostener iniurias; el
15 vii° amor, por lo qual se ha a humiliar o menospreciar. Aquella virtud que ha aquestos grados es verdadera humilidat, et cet.

[156.] DE LA GRANDEZA DEL LOGUERO DE LA VIDA RELIGIOSA.

20

[1] **Sant Ancelm**. Sant Ancelm, en el libro ***De las semblanças***, en el xviii° capítulo, allí en do dize qu'el diablo inpugna los fieles christianos: La fe a los christianos [211c] es a manera de vila, mas la reli-

---

9 *1er* Ancelm (*epígrafe*)] Antolin E (*con signo de abreviatura*). // *2°* Ancelm] Antolín E (*con signo diacrítico sobre la* í). // semblanças] semblancas E. **10** los vii grados] el suenyo vii° grado E, siete grados della M, los vii graus VAB. **11** dolor] de lo E (*fort.* deló), dolor MVAB. // del penedir] E, fechas M, perpetrades VAB. **15** se ha a] E, le plaze M, se ama VA, se ame B. // menospreciar] menopreciar E. **21** *1er* Ancelm (*epígrafe*)] Ancelin E. // *2°* Ancelm] Antolin E (*con signo de abreviatura*). // semblanças] semblancas E. **23** es] *om.* EM, es V, *om.* AB (*por homoioteleuton*). // vila] EAB, villa M, vida V.

---

[620] E da: *et aquesto en la IIª part*, error que parece reflejar la lectura igualmente errónea de V: *açó que es en lo pot II*. Corregimos con AB: *açó que es en lo Apochalipsi II*.

[621] *Aquello* tiene aquí valor de pronombre demostrativo masculino *aquél*. Este uso aparece con alguna frecuencia en ***Rams***.

[622] E dice: *en do nombra el suenyo vii° grado*. La palabra *suenyo* parece lectura incorrecta por *séptimo* o *seteno*, redundante, que no refleja correctamente la idea del original. Los mss catalanes dicen: *lla hon nombra los VII graus*; semejante lectura trae M: *adonde cuenta siete grados della*. Corregimos según los *codices plurimi*.

gión et la mongía es a manera de castiello, en la qual ha conuerssación de ángeles en grant fuerça, mas en la villa á cosas que son falsas. En el castiello ha mayor securidat; en la villa mayor infirmidat. Et si alguno sube alguna vegada en el castiello non deue d'aquí deuallar,
5 pues mayor securidat ha en la religión, como sea castiello, que no en la fe tan solamientre, como sea comparada a villa más baxa que el castiello, etc.

[157.] EL PRÍMÇEP, EN TIEMPO DE PELEA HO DE GUERRA, SE
10 DEUE SPEÇIALMENT GUARDAR QUE NO OFFIENDA A DIOS, ET DÉUELO AMANSAR DE ACABADA IUSTICIA.

[1] [**Numeri**]. Scripto es en el libro de ***Numeri***,[623] capítulo xiiii°, dize: Non querades auer miedo vosotros que entrades en la pelea, que Dios
15 es con vosotros.

[2] [**Levitici**]. Porque Nuestro Senyor di- [211d] xo, ***Leuitiçi*** capítulo xxvi°: Si hides por los míos[624] mandamientos et seruades aquéllos, vosotros perssegirés uuestros enemigos et cayerán delant de
20 vosotros, et cet.

[3] **Iosué profecta**. ***Iosué*** profecta, capítulo vii, dize que por tal que Agico[625] que era vno tan solamientre peccador, grant multitud de pueblo fu muerto et vencido por aquéll.

---

2 fuerça] fuerca E. // cosas] E, casas MVAB. // falsas] E, baxas M, flaques VAB. **3** securidat] scuridat E, seguridat M, seccuritat VA, securetat B. **4** sube] sabe E, sube M, munta VA, munte B. // d'aquí] aqui EA, daqui VB. **5** securidat] scuridat E, seguridat M, seccuritat VA, securetat B. **13** Numeri (*epígrafe*)] *om.* E. // de Numeri] Devtronumi E, Numeri MVAB. **17** Levitici (*epígrafe*)] Vtronumi E (*por influencia del texto anterior*). **18** míos] vnos E (*confusión* vn/mi), mios M, meus VAB. **23** Agico] E, Achior MV, Axion A.

---

[623] E da: *Devtronumi*, fácil confusión por *Numeri*, como traen todos los mss. En efecto, la cita corresponde a ***Números*** 14.9. El error pasó al epigrafista que dio en el epígrafe: *Utronumi*. Corregimos en ambos casos.

[624] E da: *vnos*, error visual por *míos*, como traen los otros mss: *míos* (M), *meus* (VAB).

[625] MV dan: *Achior*, AB: *Axion*. Se trata de Achor (***Josué*** 7.25).

[158.] EL PRÍMÇEP DEUE SEYER VIRTUOSO ET DEUE SERUAR EGUALDAT.

[1] **Sozomenus**. Sozomenus[626] dixo ha Theodosio emperador que pie-
5 dat es verdadero ornamiento del imperio et qu'el vestido de pórpora que ha senyales reales o imperiales cría todos tiempos del coraçón clemençia et piedat. Item dize que los nobles prímçipes no mandaron res a los otros que ellos mismos antes no lo fiziessen. Et dize que iamás César [212a] non dixo a los suyos caualleros: "Andat." Antes
10 los dezía: "Venit et seguit me." Et metíase primero. Porque dizíe que penssamiento era a los caualleros que más liuianamientre aduxiessen el lazerio porque el emperador ne aduzíe su part.

[2] ——. Item el mismo dize que Ligiugo[627] iamás non mandó res a
15 los otros que él primero non lo'nde compliesse, et cetera.

[3] [**Iuezes**]. Item asimismo[628] dize que aquell prímçep Gedeón dixo a los otros que fiziessen lo que veuríen fazer a él.

20 [4] **Iob**. ***Iob*** dize, capítulo xxxi, que iamás él non se staua de entrar en iudiçio con su vassallo o con su sieruenta quando hauía contrasto con ella, et cetera.

---

4 Sozomenus (*epígrafe*)] Soromerius E (*confusión* r/z, ri/n). // *2º* Sozomenus] Soromerius EV, Sorometio M, Seromius AC, Soromeus B. // emperador] emperados E. **6** ha] han E. // cría] tiran E (*por atracción del complemento directo plural*), crian M, nodrexen VA, nodreixen B. **10** seguit] segunt E, segid M, seguits VAB. // *2º* Et] Em E. // metíase] metia E, metiase M, metias V, meties AB. **14** Ligiugo] E, Ligurio M, Ligurgo VAB. **15** él] ellos E, el M, ell VA. // compliesse] compliessen E, cunpliese M, complis VAB. **17** Iuezes (*epígrafe*)] *om.* E (*sin atribuir implicando que corresponde al mismo autor anterior*). // asi] el E, asy M, axi VAB.

---

[626] E da aquí y en el epígrafe: *Soromerius*. Se trata del autor, junto con Cassiodoro, de la *Historia tripartita*.

[627] M: *Ligurio*, VAB: *Ligurgo*. Se refiere a Licurgo, el famoso legislador espartano cuya obra se coloca en el siglo IX antes de Cristo.

[628] E deja el epígrafe en blanco, implicando que es una cita de Sozomeno. Así lo indica la introducción de la cita, que dice: *Item ell mismo*. Pero esta introducción es una falsa traducción del *axi matex* de VB (A: *semblantment*, M: *asy*); por eso corregimos a: *asimismo*. En efecto, todos los mss atribuyen la cita a los *Iuezes* (M), *Iutges* (VAB). Restituimos el epígrafe con ellos.

[5] **Iob**. Item el mismo, capítulo xxx°, dize que como él se vidiesse assín como rey con grant companya que le stauan al arededor, él empero era conssolador de los que plorauan et de los tristos. [212b] Porque se mostró que él seruaua iustiçia et piedat et clemençia.
5
[159.] HONESTAT ET CASTEDAT DE MUGIERES.

[1] [**Eclesiastici**]. El sauio ***Eclesiástico***, capítulo xxvi°, dize que tanto es digna cosa continencia de la alma, que no ha preçio ni piensso[629]
10 a quien pueda seyer comparada. Porque la belleza de la muller buena et casta riende bella la su casa asín como el sol que salíe en el mundo alto en el cielo da claridat et belleza en el mundo; et mullier santa et casta et vergonyosa es gracia sobre gracia. Porque es scripto en el ***Tractado de XII obusiones***: en el v° grado es muller menos de cas-
15 tedat, et cet.

[160.] EL PRÍMÇEP EN TIEMPO DE GUERRA O DE PELEA SE DEUE GUARDAR QUE NO OFIENDA A DIOS.

20 [1] **Aster**. Scripto es de ***Aster***,[630] capítulo iii°, la ys- [212c] toria es atal que Oloferes quería fazer pelea con los iodíos, et Axior, que era de su part, díxole tales paraulas: Senyor, busca si aquellos con quien quieres combater han en sí algunos peccados porque Dios les haia desemparados. Porque si Dios les ha desemparados et nos combate-
25 mos con ellos, nosotros auremos victoria et ellos serán vençidos. Et si ellos non an peccado contra Dios, seyet cierto que non los podremos vencer, et cetera.

---

8 Eclesiastici] *om.* E (*lo tomamos del texto*). **9** piensso] E, pes V, pens AB, ponderatio Ven. **20** *2°* Aster] E, Ester VC, Judicum M, Jutges AB. **22** díxole] dixoles E, dixole M, dixli VB, dix A.

---

[629] E, con esta lectura, sigue a AB, que dan: *preu ne pens* 'pienso'. En cambio V trae: *preu ni pes* 'peso', fiel traducción del *ponderatio* bíblico (***Ecclesiasticus*** 26.20).

[630] Así da E, pero es falsa lectura que relaciona a E con V, el cual remite erróneamente a: *Ester*. En cambio, AB dan: *Iutges* y M: *Judicum*, atribución, también equivocada, que se acerca a la verdadera fuente. Ésta es ***Iudith*** 5.24-25, donde, en efecto, se cuenta el consejo de Achior a Holofernes en su lucha contra los judíos.

[161.] EL PRÍMCEP SE DEUE GUARDAR DE INIUSTA CRUELDAT ET DE CRUEL SENYORÍA.

[1] **Tulio**. Tullio, libro IIIIº ***De offiçios***, capítulo viiº, dize assín: Nós
5 no auemos ninguna companya de los tiranos, antes somos fuert departidos. Porque no es fuert contra natura despullar, qui fazer lo [212d] puede, ad aquell el qual sería honesta cosa de matarlo.

[2] **Tullio**. Este maluado linatge de hombres que se fazen tiranos et
10 senyores crueles deuen seyer desrrengados et fuera de los términos de la comunidat del humanal linatge echados, et cet.

[3] **Sant Gregorio**. Sant Gregorio, en el XIIº libro de los ***Morales***, recompta: que [aquel es dicho tirano el qual no senyorea por derecho
15 en la comunidat o sobre la comunidat. Et en][631] Policrato en el IIIIº libro, capítulo iiº, [es escrito] que departimiento es entre prímçep et tirant. Como el prímçep faze lo que manda la ley, et non façe lo que la ley le veda. Et segunt la ley él rige et gouierna el pueblo. De la qual ley creye seyer ministro. Et el tirán faze todo el contrario. Et en
20 las leyes seglares es scripto que no es peccado de matar el tirano, antes es iusta cosa et bien fecha, etc.

7 ad] da E, a M. // matarlo] macarlo E (*confusión* c/t), lo matar M, auciurelo V, ociurelo AB. **9** que se] que lo E, quis VA, quels B. **14** recompta] recopta E. // aquel es dicho tirano...comunidat Et en] *om.* E (*posible homoioteleuton*), aquel [e]s dicho(s) tirano el qual non sennorea por derecho en la comunidat o sobre la comunidat ¶ e en el M, aquell es dit tiran lo qual no per dret senyoreia en la comunitat o sobre la comunitat e.l V, aquell es dit tiran lo qual no pert senyoria en la comunitat e en lo A, aquell es dit tiran lo quall no pert senyoria en la comunitat e el B. **16** es escrito] *om.* E, es escrito M, es scrit VAB. **17** el] al E, el M. **18** *1er* la ley] lay E, la ley MB, la lig VA. **19** creye] leye E, cree M, creu VAB.

[631] E da: *Sant Gregorio en el XIIº libro de los Morales reco[m]pta que Policrato en el IIIIº libro capítulo iiº que departimiento es entre prínçep et tirant*. Este texto, con la imposible referencia al ***Policraticus***, obra del siglo XII, en los ***Morales***, del siglo VI, refleja o un inhábil resumen del compilador, o una omisión de texto por el copista. Nos inclinamos por la segunda explicación. Véase el texto de M, esencialmente igual al de los mss catalanes: *E dize Sant Gregorio en el X(V)II libro de los Morales, declarando la dicha palabra: Que aquel [e]s dicho(s) tirano el qual non sennorea por derecho en la comunidat o sobre la comunidat. ¶E en el IIII libro del Policrato en el capítulo ii es escrito que departimiento ay entre prínçipe e tirano*. Usamos M para la corrección.

[4] **Tullio**. Tullio, libro IIº, capítulo xviiº, ***De los ofiçios***, diziendo que los primçeps antiguos sots- [213a] metíen sí mismos a las leyes que ellos auían feytas por tal que dassen exemplo a los otros de obseruar aquellas.[632] Assín como recomta Valerio, libro VIº, de aquéllo
5 que sacó a sí mismo el vno oyo et a su fillo l'otro, porque su fillo deuía seyer punido en perdre[633] entramos los oyxos.

[5] ——.[634] Item el mismo dize que vno otro prímçep que trasportó la ley que él mismo auía puesta, que él mismo se metió el guchiello por
10 los pechos et matóse por tal que [d'él][635] non fues fecha iusticia. Et mete exemplo de Troiano[636] emperador cómo la biuda le demandó iustiçia.

[6] ——. Item el mismo, en el libro ***De los offiçios***, capítulo xiiº, dize que tan grant fuerça et tan grant virtud ha iusticia que ella asse-
15 gura las riquezas de los ladrones et las faze crescer.

[7] [**Policrato**].[637] Léyese en el libro ***Policrato*** IIIIº, capítulo iiiiº, que [213b] Tito purgó la auariçia de su padre con tanta franqueza que él

---

4 libro] bro *add.* E. **5** et a su fillo] a si mismo E (*repite*), e a su fijo M, e a son fill V, e al fill A, e a son fiyll B. **6** punido en perdre] metido emperador E, punnido a perder M, punit en perdre VAB. **10** dél] *om.* E, del M, de el AB, de ell C, no fos feta frau V, ne fraus iustitiae fieret Ven. **11** Troiano] E, Traiano M, Traya V, Troya AB. **14** fuerça] fuerca E. **17** *1er* Policrato (*epígrafe*)] Ieyesse E (*utiliza la primera palabra del párrafo mecánicamente como epígrafe*). **18** Tito] Tiro EVAB, Tito M.

---

632 Esta parte de la cita no es de Cicerón. Es fac, por comentario de Juan de Gales a un texto precedente de este orador romano.

633 E da: *seyer metido emperador*, falsa interpretación originada por la expresión catalana: *punit en perdre* (VAB). Mantenemos el catalanismo a pesar de que M trae: *punido a perder*.

634 El original deja la atribución en blanco, como si fuera cita de Cicerón. En realidad, la frase que sigue: *el mismo*, no se refiere a Cicerón, sino a Valerio, que acaba de citar. En efecto, el texto proviene de Valerio Máximo, 6.5.Ext.4, donde cuenta el caso de Carondas de Turio.

635 Añadimos: *dél*, siguiendo a M: *dél*, AB: *de él* y C: *de éll*, probable reflejo del prototipo aragonés. V trae: *no fos feta frau a iusticia*, fiel traducción del texto latino: *ne fraus iustitiae fieret*.

636 Se refiere a Trajano. La referencia no se halla en el Valerio sino en el ***Policraticus*** 5.8.

637 El epigrafista escribió: *Ieyesse*, utilizando mecánicamente la primera palabra de la cita (*Leyese*) como si fuera el nombre del autor. Como dice el texto, corresponde al ***Policraticus***.

fue clamado por toda la gent amor et delicio et bienquerençia del humanal linatge. El qual tuuo et guardó firmemientre por costumbre que iamás ningún hombre que le demandasse non se partió d'él o menos que no huuiesse todo lo que demandaua o que no lo'nde posa-
5 se en sperança de auerlo. Et como su companya le demandasse por qué prometía más que dar non podía, respondió que digna cosa era que ningún hombre se sanyasse ni fuesse tristo por la paraula o por la respuesta del prímçep. Et como éll se assentás a taula que cenaua, recordéli que aquell día no auía dado ninguna cosa, et fue muyt tris-
10 to et turbado, et ploró et dixo que aquell día auíe perdido como no auía dado nin- [213c] guna cosa.

[8] [**Policrato**].[638] Item el mismo recomta las paciencias de los filósofos et dize que Arispus[639] filósofo respondió ad aquell que le maldezía,
15 et díxole: Amigo, tú eres senyor de tu lengua et yo de mis orellas. Cenophón[640] respondió ad aquell que dezíe mal d'él, et díxole: "Tú as aprendido de dezir mal, et yo he aprendido de menospreçiar ad aquéll," et cet.

20 [9] **Diógenes**.[641] Diógenes filósofo dixo que paraulas sauias son dichas por boca de hombre tuerto et sauio;[642] et mala lengua demostra que millor es aquell de que dize mal que aquell qui.l' ne dize.

---

6 prometía] prometian E, prometia MVA, prometie B. **9** recordéli] E, remembràli VABC, recordósele M. **13** Policrato (*epígrafe*)] Geyese E (*a imitación del epígrafe anterior*). **14** Arispus] EVB, Arispos A, Aristipus M. **16** Cenophón] EVB, Cenoffon A, Çenofo M. **20** Diógenes (*epígrafe*)] Diogens E. // sauias] tuertas E, sabias M, sauies VAB.

---

[638] El epigrafista, con una actitud semejante al caso anterior, atribuyó la autoridad a ese supuesto *Geyese*, como si fuera el autor. En realidad corresponde al ***Policraticus***.

[639] Se refiere a Aristipo.

[640] Se refiere a Jenofonte.

[641] El epigrafista atribuye esta autoridad y la siguiente a Diógenes porque es el personaje que habla. Pero las dos provienen del ***Policraticus*** 3.14.

[642] E trae la frase: *hombre tuerto et sauio*, aparentemente contradictoria, sobre todo si miramos a los otros mss, que dan sólo: *hom saui* (VAB) y *omme sauio* (M). Mantenemos, sin embargo la lectura de E porque el primer término: *hombre tuerto*, está más cerca de las auténticas palabras de Diógenes: *oportet sapientiam ab insipientibus feriri*, que los otros manuscritos.

[10] **Diógenes**. Uno filósofo dixo a vn hombre[643] que dezía mal d'éll, et díxole: "No hayas miedo,[644] faula et acúsame, et dimi mis defallimientos et todo lo que dezir me querrás, porque yo he feyto mandamiento [213d] a las mías orellas que sean diligentes por oyr et a la
5 lengua de callar et al coraçón que non se enssanye."

[11] **Policrato**. Item ***Policrato*** recomta que un hombre dixo al emperador: "O maluado et cruel prímçep." Et l'emperador respuso: "Si lo era, non me lo dirías tú," et cetera.
10

[12] **Policrato**. Item el mismo recomta que vn hombre dixo a Sçipión Affricano reprendiéndolo, que mal se leuaua en pelea o en batalla. Et él respondióle: "Mi madre non me conçibió nin me parió que yo fuesse peleador ni batallero mas que fuesse emperador."
15

[13] **Policrato**. ***Policrato***, libro III°, capítulo x, dize que, aprés de la muert de Antonio, Cleopatra se aplegó al emperador Octauiano et echóse a sus piedes et escometióle que huuiesse a fazer con ella. Et vn poeta[645] que faula d'esto dize que ella.s' puso delant el emperador,
20 [214a] et asín como lo rogaua ella se escouillaua la cara. Et fizo de baldes, como l'emperador tuuo su castedat et tuuo su firmeça, et cetera.

---

2 et díxole] et dixo *iter.* E. // No hayas miedo, faula] Hayas miedo, no faula E, non hayas miedo faula M, no haies pahor parla VA, no ages paor parla B, no ajas por digues C. **4** las mías orellas] la mia orella E, a las orejas M, a les orelles VA, a les oreylles B, a las mias horeyllas C. **5** coraçón] coracon E. **21** firmeça] firmeca E.

---

[643] La atribución de esta autoridad a Diógenes es un error del epigrafista, influído por el epígrafe anterior. Más significativa es la identificación del receptor de las palabras del filósofo como *vn hombre*. La cita proviene del ***Policraticus*** (3.14), donde se narra la respuesta que un particular, enojado, dio a César Augusto temiendo su ira. La ***Suma de col.lacions*** recoge este pasaje, pero atribuye la respuesta a César Augusto. Dice así V: *semblantment es scrit el Policrato, libre III, capitulo [x]iiii, que Cesar August fo princep de marauellosa paciencia. On se lig aqui que vna vegada hun seu priuat...* En cambio, los mss MABC omiten las precisiones de la fuente y César Augusto, dejando el pasaje anónimo. Esta omisión explica la ambigüedad de E. El hecho de que MABC, manuscritos de distinto grupo, tengan la misma omisión indica que ésta debía ya hallarse en el prototipo aragonés.

[644] E lee: *Hayas miedo no faula et acusame*, obvio cambio del orden de las palabras para darle, erróneamente, un nuevo sentido. Corregimos de acuerdo con todos los manuscritos.

[645] Se refiere a Lucano, ***Farsalia***, X.105.

[14] **Policrato**. Item el mismo, capítulo viº, libro Vº, recomta que César Augusto, emperador, era de poco comer et como se assentaua a la taula comíe mucho de pan duro, et de cebolla, et de pescado menudo et gordo, et con queso de vacas premido con la mano, et con
5 figos mal maduros, et en do que fuesse, quando empeçaua de auer sabor, allí mismo luego comía.

[15] ——. De aquesti emperador se leye que auía atal condiçión que luego perdonaua iniurias que hombre le huuiés feyto quando vedíe
10 mudar la volumtad de aquellos qui.l' eniuriauan.

[162.] LOS CURIALES NON SEAN RECIBIDEROS DE DONOS NI DE SERUIÇIOS.

15 [1] **Policrato**. ***Policrato***, libro IIIº, dize que non te de- [214b] ues desesperar de la aiuda de aquell el qual tú has pexido con tus donos. Los pocos donos son vianda o criamiento de gracia assonbrada, et, si non se continuauan et a menudo fechos, el nombre de amistat parece.[646] Et lo que es más cruel es que lo recibíen de los pobres et de aquellos
20 que son puestos en aflicción et de aquellos que iniustamientre son saniosos.[647] El contrario de la qual cosa loa et aproba Sant Gregorio.

---

10 quil'] qui E, que le M, quil VABC. // eniuriauan] eniuraua E. **16** aquell] aquellos E, aquel M, aquell VAB. // pexido] E, pechado M, past VAB (*participio catalán de* peixer). **17** criamiento] triamiento E (*confusión* t/c), criamiento M, aliment VAB. **18** continuauan] continuaua E, continuauan M, son continuats VAB. // et] *om.* E, e MVAB. // fechos] fecho E, fechos M, fets VB. // parece] E (*de* parecer, *variante de* perecer), peresçe M, perex V, pereix AB. **20** *2º* que] aplegan *add.* E, allegan *add.* M, aiusten *add.* B. **21** saniosos] sauios E (*fort.* sanios), sannosos M, agreuiats VA, agreuyats B.

---

646 Sic, con el significado de 'perece'. No siempre es clara la distinción entre *parecer* y *perecer* a causa de la alternancia vocálica. En el corpus herediano se dan las dos grafías con el mismo significado de 'perecer' (por ejemplo en ***Rams*** y ***Eutropio***). Por eso no corregimos.

647 E dice: *et de aquellos que aplegan iniustamientre son sauios*, que tiene poco sentido. Esta frase presenta dos dificultades: la adición de *aplegan* y la palabra *sauios*. Esta última probablemente es falsa lectura por *sanios*, a su vez error por *saniosos*. Más significativa es la adición de *aplegan*. Se halla en M (*allegan*), B (*aiusten*) y C (*aiustan*). Pero VA dicen solamente: *e daquells qui iniustament son agreuiats*, fiel traducción del latín *iniuste vexatis*. Probablemente la adición se hallaba ya en el texto catalán que sirvió de modelo al prototipo aragonés. Corregimos con VA.

[2] **Policrato**. Item el mismo en el libro VIº, capítulo xiiº, recomta que tanto aprouechá a los romanos quando fueron bien adoctrinados, que todo el mundo subiugaron.

5 [3] **Policrato**. Item el mismo en el libro ya allegado, capítulo vi, recomta et dize qu'el prímçep quando se combate deue seyer sauio et auisado. Et por [214c] esto Troyo Pompeyo,[648] en el libro XIº, recompta que Allexandre, quando él se senthía de fazer pelea periglosa, no yde scogía[649] mançebos fuertes ni la primera flor[650] de mançebía, antes hide scogía
10 hombres viellos et antigos et aquellos que hia se auían dexado de aduzir armas, los quales eran stados caualleros de su padre et de su tío. Los quales no eran tan solamientre peleadores, antes eran maestros de cauallería. Et ninguno no era ordenador en la pelea si no auía edat de lx anyos, en assín que en el començamiento de la pelea semeiaua que
15 fuesse plaça de prohomes antigos que tuuiessen conssello. En aquella pelea ninguno non penssaua como fuirá, antes en quál manera vençeríen, ni auían fiança que se aiudassen de lures piedes, mas [214d] de lures manos et de lures costados. Et lo contrario fizo el rey Darío, porque fue vencido. Porque dize Policrato, en el lugar ya alle-
20 gado, que aquel qui quiere auer victoria se deue combater por art et non por ventura. La qual art saben aquellos que mucho han vsado de feyto de cauallería, etc.

---

2 aprouechá] E (*pretérito catalán*), aprouecho M, profita VAB. **7** Troyo] EM, Trogo V, Troio A, Troyo B. **8** yde scogía] y da scuderos E, escogia M, y elegia V, y eligia A, hi elegie B, y alegia C. **9** flor] flota E (*fort.* flora), flor MVABC. **14** començamiento] comencamiento E. **17** fiança] fianca E. **19** Darío] E (*posible homoioteleuton*), e dels seus ab lo qual se combateren perque la caualleria de Alexandri hac victoria e aquella de Dari *add.* V, e los seus ab lo qual se combateren perque la caualleria den Dari *add.* A, e dels seus ab lo qual se combateren perque la caualleria den Dari *add.* B.

---

[648] Es Trogo Pompeyo, cuya obra ***Epitoma Historiarum Philippicarum Pompei Trogi*** fue editada por Justinus.

[649] E trae: *no yda scuderos*. Podríamos leer, como Velasco: *no yd'á scuderos* 'no tenía allí', con solución típicamente aragonesa. No obstante, el hecho de que todos los mss catalanes usen *elegir* en los dos casos y que M, con el que tantas semejanzas tiene E, lea: *non escogía mançebos fuertes*, nos lleva a corregir, con reservas: *no yde scogía*, restaurando el paralelismo de la frase, como en la fuente. La semejanza del comienzo *sc-* debió propiciar el cambio.

[650] E da: *flota* pero es creación o confusión del copista (*r/t*, compárese más abajo *te/re militari*) por *flora* o probablemente *flor*, como traen los mss (MVABC). Corregimos con ellos.

[4] **Solinus**. Solinus recompta en el libro primero que César fue assín benigno que aquellos que vencía con armas después los vencía otra vez con corrtesías, de que era mayor victoria que la primera. Porque conclude en el emperador eternal, rey de los reyes et senyor de los 5 senyores, por tal que demostrasse su amor a nosotros et que nos afalagasse a su amor, no tan solamientre sus cosas dio a nosotros antes avn sí mismo et por muy alta prodeza et marauillosa dio sí [215a] mismo a nosotros, et cet.

10 [5] **Melio Florios**. Omelio Florios[651] dixo, como le fue demandado qué faría después, et respondió que si su vestidura supiesse faular él la forçaría de callar por tal que no dixiesse a los otros lo que él fazía nin dezía.

15 [6] [**Valerio**]. Item el mismo dize Valerio en el libro VII°, capítulo iiii°, por otras paraulas diziendo: “Si yo supiesse que mis vestiduras supiessen mi conssello, luego las cremaría”.

[7] **Vegecio**. Vegecio, libro III°, capítulo x°, ***De re militari***, recomta 20 que, quando Sçipión Africano vino en Spanya, él et su companya catiuaron muchas gentes, assín hombres como mullieres. Et entre las otras huuo’nde vna muller catiuada, la qual era tan bella que todo hombre la venía a veyer. Et ésta fue presentada a Scipión. Et los amigos de la dicha catiua enviáronle grant trasoro por tal que fuesse 25 remida. Et la cati- [215b] ua auía marido, et auía nombre Alicón. Et Sçippión fizo diligentment guardar la dicha muller et rendióla a su

---

4 eternal] eternar E. // senyor] senyores E. **7** *1er* et] *om.* EV, e MAB. **10** *1er* Florios] dixo *add.* E. **12** forçaría] forcaria E. **15** Valerio (*epígrafe*)] *om.* E. **19** Vegecio (*epígrafe*)] E. // *2º* Vegecio] Hvgíucío E (*con signo diacrítico sobre las* íes), Vegeçio M, Vegeci VA, Vegece B. // re] te E, re MVAB. // recomta] *om.* E, recuenta M, recompta V, recompte A, recomte B. **24** enviáronle] enuiaronle E.

---

651 E es el único ms en dar *Omelio Florios* como fuente, error que pasó al epígrafe. En realidad se trata de una cita de Quinto Cecilio Metelo Macedonio, recogida por Vegecio en ***De re militari***. Así lo dicen todos los mss (MVABC). Al parecer el copista no entendió la alusión al *Metelo* de la fuente y la sustituyó por *Melio/Omelio Florios* que le sería más familiar (*lectio facilior*).

marido con toda la moneda que le auían aduçida por redemir la dicha catiua. Et toda la gent de aquella tierra, vidiendo la bondat de Sçipión, reçibiéronlo por senyor.

5 [8] ——. Item en el mismo libro IIIº, capítulo xiiº, dize que Aníbal auía acostumbrado de leuantarse de noche et después que s'era leuantado non se reposaua entro a la noche. Et quando feneçía lo día et empeçaua la noche [se asentaua a cenar],[652] et iamás no seÿa a taula más de dos horas, etc.

10

[9] ——. Item el mismo, en el libro IIº, allí do faula de la confussión de la huest del rey Xertes. Dize que en la huest del dicho rey auíe vna hegua et que parió vna liebre, la qual es vna petita bestia, muy chica et muy medrosa, et fuie et por [215c] miedo que ha. Et segunt que 15 dize Valerio en el libro primero, capítulo iiiiº, que esto fue senyal que él deuía fugir por miedo, assín como se faze. Porque dize que periglosa cosa es, en conssello, falago o lausengería,[653] etc.

---

1 auían] auia E, auian M, hauien VA, auien B. **5** dize] *om.* E, dize M, diu VAB. **7** *2º* et] *om.* E, e M. **8** empeçaua] empecaua E. // se asentaua a cenar] *om.* E, se asentaua a çenar M, se posaua a sopar VA, se posaue al sopar B. **16** fugir] fegir E, fuyr M, fugir VAB.

---

[652] E da: *et quando feneçía lo día, empeçaua la noche, et iamás no seÿa a taula más de dos horas*. La trivialidad de esta frase apunta a omisiones. Así lo ponen de relieve todos los mss (MVABC). Véase la versión de M: *a la tarde, quando acabaua el día* ***e*** *començaua la noche,* ***se asentaua a çenar****, e jamás non estaua asentado en tabla más de dos oras*, lectura que utilizamos para corregir.

[653] La conclusión de esta autoridad corresponde a un planteamiento que ***Rams*** no utiliza, aunque fue expuesto en la ***Suma de col.lacions***. Ahí Trogo Pompeyo, queriendo demostrar que los aduladores son peligrosos, describe la invasión de Grecia por el numerosísimo ejército de Jerjes, en la cual, a pesar de las favorables predicciones de sus consejeros, fue derrotado. A continuación, la ***Suma de col.lacions*** cuenta el mismo hecho en versión alegorizada de Vegecio -la yegua que pare una liebre- para explicar que el miedo fue la causa de la derrota, terminando con el comentario de Valerio. E, pues, utiliza el segundo ejemplo y la conclusión del primero. A su vez, el ejemplo de la yegua-liebre fue utilizado por el prologuista de ***Rams*** para demostrar no sólo su fidelidad a las fuentes sino su sano juicio. Véanse sus palabras: *porque yo no son tan fuerahitado de entendimiento que tienga que sian verdat que una mula pariés vna liebre*.

[163.] NINGUNO NON DEUE VENDER DESUERGONÇADA-MIENTRE OFFICIOS GANADEROS.

[1] **Ouydi**. Ovidi, ***De arte amandi***, que quiere dezir de amar, qui faula en perssona del amigo[654] o mançeba, dize asín: "O tú, Amer, nombre es proprio, muchas vezes no has dado ni enviado de lo tuio et de lo que auías; si tú vienes a mí adume alguna cosa; et si tú non me aduzes algo, yo te echaré de fuera".[655] Et atales son los curiales que ninguno non puede entrar a ellos sino aquellos que los aduzen alguna cosa.

[2] **Policrato**. ***Policrato***, libro V°, alá en do dize que [215d] tanto es cresçida la desconocençia et el desuergonçamiento[656] de los curiales que de baldes se refía ningún hombre en ellos del testimonio[657] de lur consçiencia, nin de la nobla de lures costumbres buenas, ni de la odor de lur opinión, ni de lealdat de lur fecho en algún pleyto, ni de lur fermosa faulería, si non los pagan de la otra part.

1 desuergonçadamientre] desuergoncadamientre E. **4** *1er* Ouydi] Cuydi E. // *2º* Ovidi] Cvidi E. // amandi] amadi E. **5** Amer] EV, Omer MB, Homer A. **6** enviado] enuiado E. **12** desuergonçamiento] defurgamiento E, desuergonçamiento M, desuergonyament VAB. **13** refia] resia E (*confusión* s/f), fia M, confia VA, confie B. // en ellos del testimonio] de testimonio en ellos E (*transposición*), en ellos de testimonio M, del testimoni V, en lo testimoni AB. **14** nin] non E, nin M, ni V, ne AB. **15** *3er* de] en E, de MAB.

654 Debe ser: *de la amiga*. Así da M, traduciendo el término catalán antiguo: *druda* de todos los mss (VBC, A da: *deuda* por obvio error), que significa 'amiga, manceba', como reconoce ***Rams***.

655 La cita está tomada del ***Policraticus*** (5.10). Corresponde, como dice E, al ***Ars amandi***, II. 279-280, de Ovidio. En el ***Policraticus*** no se menciona ni el autor ni el título, pero no debía ser difícil de identificar, ya que, como dice Curtius (80), Ovidio era uno de los autores clásicos que se leían en las escuelas, según testimonio de Conrado de Hirsau (primera mitad del siglo XII). *Amer* es deturpación por Homero. La explicación: *nombre es proprio* se halla sólo en E y M.

656 E da: *defurgamiento*. Pero, según Leslie, debe ser error gráfico por *desuergonyamiento*, como traen los mss catalanes. La grafía de E puede explicarse por las confusiones del copista: *s/f*, omisión de la abreviatura *-er-* y del grupo *-onç-*, para crear una nueva palabra sobre la base *furgar*. Adoptamos *desuergonçamiento*, ya que *-onça/uença* predomina sobre *-onya/uenya* en ***Rams***.

657 E da: *de baldes se resía ningún hombre de testimonio en ellos de lur consçiencia*, donde hallamos dos errores. La lectura *resía* por *refía* es fácil de comprender (confusión *s/f*). Más confuso es el sintagma *de testimonio en ellos*. Se trata simplemente de una transposición, o quizá corrección psicolingüística, que puede enmendarse fácilmente con V y sobre todo M. Ver aparato crítico.

[3] **Policrato**. Item el mismo, en el lugar ya allegado, faulando de aquell poeta Orfeu qui era iuchlar et metió en su dictado que él auía tocado su viola delant de los leones et delant de las sierpes, et auíales fecho dar lur malicia et los auía fechos muyt simples. Et luego d'esto él auía descen-
5 dido a los infiernos et auía tanydo a los infiernos delant del diablo, el qual turmentaua los dapnados, en tanto que él auía feyto cessar al diablo de los turmentos [216a] et auía acabado con él lo que quería.

[4] **Policrato**. Porque conclude Policrato, et piyores son los curiales[658]
10 que los leones ni las sierpes, que non los ablandeçerés lur coraçón de plomo sino con martello de oro o de plata, et cet.

[5] **Policrato**. Item el mismo recomta que vna sierp que ha nombre ydra, que quien li corta la cabeça, nácenli II cabeças, et qui les le tira
15 ésta, [nácenli IIII. Et así toda vez et toda hora que le tires la cabeça, por una nácenli II.][659] Ésta es comparada a los curiales, assín como es scripto en el libro ya allegado.

---

9 curiales] cauallos E (*lectio facilior*), curiales M, curials VA, corials B. **10** coraçón] coracon E. **14** cabeça] cabeca E. // nácenli II] matenli VII E (*para* matenli: *lectio facilior con confusión* c/t), nasçenle dos M, nexenli dos V, nexenli dos, neixenli dos B. **15** nácenli IIII...nácenli II] *om.* E (*homoioteleuton*), luego le nasçen quatro e asy toda vez e toda hora que le tiras la cabeça por vna le nasçen dos M, nexenlin IIII e axi tota hora que li tolgues los caps per hu neixeran dos V, nexenli quatre e axi tota veguada e tota hora que li tolguen los caps per vn ne nexeran dos A, neixenlin IIII e axi tota hora e tota vegua que li tolen los caps per I ni neixen dos B. **16** es comparada] es acompanyada es comparada *iter.* E. // curiales] cauallos E (*lectio facilior*), curiales M, curials VA, corials B.

---

[658] E da: *cauallos*, obvia *lectio facilior* por *curiales*, como traen todos los manuscritos.

[659] La redacción de E es muy confusa. Dice así: *quien li corta la cabeca matenli .VII. cabeças et qui les le tira esta es acompanyada es comparada a los cauallos*. La comparación con los mss catalanes revela un claro salto de igual a igual, así como la repetición de la última sección. Para la comparación utilizamos el texto de B, ya que su uso de números romanos revela el salto con más claridad. Dice así B: *qui lo tolt lo cap nexen li dos caps, e qui.ls li tolt* ***neixen li.n IIII. E axi tota hora e tota veguada que li tolen los caps, per I ni nexen II****. [A] aquesta serp son acomparats los curials*. La constante repetición de *neixen* junto con los numerales romanos propició el salto. Para la corrección usamos el texto de M con representación numeral romana.

La atribución al ***Policraticus*** es fac ya que el pasaje se halla, en la ***Suma de col.lacions***, junto a una cita del ***Policraticus*** . Aunque esta obra alude a la hidra, el contexto es muy diferente. Hablando de la cuestión de la Providencia dice: *velut Ydrae praeciso capite plurimum seccrescunt capita quaestionum* (2.26). No es fácil determinar la fuente precisa del pasaje de ***Rams/Suma de col.lacions***. El ***Communiloquium*** da sólo una referencia general: *sicut*

Aquestas actoridades ho dichos diuso scriptos son stados sacados de Valerio Máximo.[660]

[164.] CAPÍTOL PRIMERO. POR QUÁL MANERA DEUE SEYER
5 ORDENADA LA COMUNIDAT ET POR CONCORDIA VNIDA ET APLEGADA ETC.

[1] **Valerio Máximo**. Valerio Máximo, IIIIº libro, capítulo segundo, dize que Menil Lépido et Flauio Flaco eran enemi- [216b] gos entre sí mis-
10 mos et fueron feytos iutges de la comunidat, et luego fueron fechos amigos. Et dize aquí mismo, en el primero capítulo, que vn hombre planýa su enemigo que era muerto porque era prouechoso a la comunidat.

[2] **Valerio Máximo**. Item el mismo, libro VIº, capítulo iiº, dize que
15 vn hombre menaçaua que li faría grant danyo o grant mal porque él auía muchas armas et muchos guchiellos. Et l'otro respondióle que non lo temía: Porque si tú has et tienes muchos guchiellos, yo he muchos anyos, porque no he miedo de tus gucchiellos.

20 [165.] POR QUÁL MANERA LOS ANTIGOS SOSTUUIERON MUCHOS DANYOS POR SALUAMIENTO DE LA COMUNIDAT.

[1] **Valerio Máximo**. Valerio, libro segundo, capítulo iiiº, dize que Camellus[661] fazía oración que si âlguno de los dio- [216c] ses fuesse semblant[662]

---

5 vnida] vínida E (*con signo diacrítico sobre la* í). **15** menaçaua] menacaua E. **23** Camellus] E, Camillus MVAB. **24** fuesse semblant] E, fuese semeiante M, era vigares VA, ere veyares B.

---

legitur de Idra, cui, si caput unun abscideretur, per absciso tria crescunt (I.viii.4), donde ese *legitur* puede aludir a cualquiera de los libros de fábulas que circulaban entre los escolares. Es más probable, sin embargo, que Juan de Gales utilizara una definición de la hidra similar a la que se encuentra en las ***Etymologiae*** de San Isidoro: *Dicunt et* ***Hydram*** *serpentem, cum novem capitibus, quae Latine* ***Excetra*** *dicitur, quod uno caeso, tria capita excescebant* (XI.3 § 34, PL 82, 423), con descripción muy parecida.

[660] El ms destaca esta frase en rojo como si fuera otro título.

[661] Se trata de Camilo, en 396 a.C., después de la invasión de Roma por los galos.

[662] EM dan: *fuese semblant*, calco semántico del catalán: *era vigares* 'parecía'. Como explica Corominas, DECLC, s.v. *vijares*, la expresión *ser vijares* proviene del latín *videtur*, con el sentido de 'parecer'. EM comparten un buen número de catalanismos.

que la lealdat o feliçidat et el alto estamiento de Roma fuesse sobra[663] grant, que esto non tornasse a minguamiento de la ciudat, mas que dios diesse o enviasse a él algún dapnage por el qual ad aquell dios metiés la su sanya menos de minuamiento de la comunidat. E éll caye et aparece
5 que el mal que auía miedo que deuiesse venir sobre la comunidat vino sobre éll, assín como él desseaua. Et síguese que egual virtud es crescer[664] el bien común et sofrir en sí mal de la comunidat muyt de grado.

[2] **Valerio Máximo**. Item el mismo, libro VIº, capítulo viº, recomp-
10 ta que muyta fue la piedat de los antigos que huuieron del común. Porque dize que cosa es comunal qu'el hombre ame[665] su tierra en do es nascido et a los dioses et a los parientes. [216d] La qual tierra nuestros parientes antigos conquerieron con lures fuerças et virtudes. Et deuemos amar nuestros vezinos et aquellos que son de vna tierra
15 assín como a nosotros mismos. Et d'esto mete vn exemplo de aquellos qui por bien común se abandonaron a muert.

[3] **Valerio Máximo**. Recomta Valerio que sobre la cabeça de vn hombre se assentó vna vez vna aue qui auíe nombre *pirrus*,[666] et los
20 adeuinos fueron demandados qué significaua. Et respondieron que si el hombre mataua aquella aue, que sería grant bien et grant prouecho de la comunidat, mas que a la casa de aquell hombre venrría mucho

---

1 sobra] EM, massa VABC. **2** *1er* que] et que E, que MVAB. **3** enviasse] enuiasse E. **6** es crescer] crescio EM, es multiplicar VAB. **11** ame] hauie E (*ultracorrección sobre la forma* ame *leída como* auie), ame M, am VAB. // en do] todo (*lectio facilior*), en do M, don VA, de hon B. **13** fuerças] fuercas E. **15** nosotros] nostros E. **18** cabeça] cabeca E. **19** pirrus] E, pitros M, pictus VAB.

---

663 EM dan: *sobra* 'demasiado', indicio de que estaba en el prototipo aragonés. Por eso la consideramos lectura auténtica. Adverbio correspondiente al catalán *massa* (VABC).

664 EM leen: *egual virtud cresció*. En cambio la ***Suma de col.lacions*** tiene dos infinitivos como predicado: *egual uirtut es multiplicar...e sofrir...* Suponemos el error como corrección psicolingüística del traductor inicial aragonés, por eso corregimos según los mss catalanes.

665 E da: *hauíe*. Creo es ultracorrección de una mala lectura de *ame*, como trae M, reflejo del *am*'ame' de los mss catalanes (VAB). Semejante caso en la frase siguiente, donde E da: *todo*, falsa corrección por *en do*, como trae M, o *de do*, como implican los mss catalanes, VA: *d.on*, B: *de hon*.

666 En latín: *picus*, es decir, el 'pico' o 'pájaro carpintero'.

mal et destrucción. Et por el contrario, si aquella aue viuíe, el hombre aquell et toda su casa puyaríe a grant honor et ha grant estamiento, et la comunidat vendríe a grant baxamiento. Et el hombre, que era de [217a] delant del conssello de Roma, teníe ell aue en la mano;
5 oído[667] lo que los adeuinos dizíen, luego fue a morder la aue con los dientes et matóla. Et esto mismo recomta Boeçi,[668] libro VIIIº, capítulo viiiº. Assimismo lo dize [Valerio], libro Vº, capítulo viº, de Aristótil, que por la comunidat a deffender, se fizo portar a la huest que vinía contra la comunidat de Atenas por meter buen coraçón a los
10 otros, et por la suia exida huuieron uictoria.

[166.] POR QUÁLES RAZONES SENYORÍA HO PRIMCIPADO NON DEUE SEYER DESIGADA.

15 [1] **Valerio Máximo**. Vallerio Máximo, en el libro VIIº, recomta que vn hombre, rey que fue, sabía iutgar muy sotilment, et el día de su coronación, antes que se posasse la corona real en la cabeça, él la tuuo mucho en la mano guardando et remirando aquélla, et diziendo: ¡O noble corona, tú has grant nobleça et poca felicidat! [217b] ¡O
20 bienauenturança, qui bien te conoçiés en uerdat iuraría que tú eres plena de muchas ansias et de muchos treballos; et qui bien te conosçía et te fallaua iaziendo en tierra no t'ende leuantaría! Quasi que dixiesse que qui se penssase los periglos et las anssias que son aiustadas con la honor real et con las otras senyorías no reçibiríe la
25 honor por bien que hombre ne fuesse envidado.

---

3 comunidat] comuidat E. **5** oído] odio E (*lectio facilior*), oydo M, hoyt VB, oyt A. **6** Boeçi] E, Vegesio M, Vegeci VB, Vegemio A. **7** Valerio] *om.* E, Valerio M, Valeri VAB. **17** cabeça] cabeca E. **19** nobleça] nobleca E. **20** bienauenturança] bienauenturanca E. **21** ansias] *om.* EA, ansias M, ansies VB. **24** reçibiríe] reçibieron E, resçibiria M, rebria V, *om.* AB (*por homoioteleuton*). **25** por] porque E, por M, per V. // envidado] E, auisado M, conuidat V.

---

[667] E da: *odio*, que podría leerse como *odió*. Esta forma no la hallamos registrada en el corpus herediano, solamente: *audió*. Por eso creemos se trata de una *lectio facilior* por *oído*, participio pasado, como traen M: *oýdo*, VB: *hoyt*, A: *oyt*, conforme con el ablativo absoluto de la ***Suma de col.lacions***.

[668] Así da E. Pero se trata, como indican todos los mss, de Vegecio, es decir Frontino ***Strategemata*** IV.5.4, donde se relata el mismo caso.

[2] **Valerio Máximo**. Item, en el mismo libro V°, capítulo vii, dize que vn hombre sallió por la puerta muyt cuitadamientre; le vino la corona suso de la cabeça; et dixieron los adeuinos que aquéll deuría seyer rey si viniés a la çiudat. Et él, sabiendo esto, compdenó a sí
5 mismo graciosamientre a exiello perdurable que iamás non fuesse de dentro de la ciudat por esto que non fuesse rey. Et en remenbrança [217c] d'esta cosa fue fecha vna ymagen de coure sobre la cabeça coronada a la puerta de la çiudat en do aquesto se acaesçió.

10 [3] **Valerio Máximo**. Item el mismo, libro IIII°, capítulo primero, recomta que vn rey el qual, quando huuo perdido Hasia et las otras gentes veiinas de aquellos, fizo graçias al pueblo de Roma porque le auía scargado de muyt grant procuraçión et que d'allí adelant poco auría que laçrar, que poco regno li fincaua, etc.
15

[167.] LOS OFEÇIALES LUGARTENIENTES DE SENYOR SE DEUEN GUARDAR DE VANA GLORIA ET QUE NO LIEUEN PERSSIGUIDORES POR COMPANNEROS.[669]

20 [1] [**Vallerio Máximo**]. Valerio, libro IIII°, capítulo iii°, dize [de] Chatón, el qual, el tiempo que auía guerra, non tenía sino XIIe hombres en su casa, de los quales traía vn su fillo. Et dize que quando Scipión passaua entre [217d] sus enemigos et entre la gent stranya, su companya no menaçaua a ninguno, mas las victorias et las prodezas
25 que fechas hauía fazíen tremblar los sus enemigos, et no auían miedo de sus riquezas, mas de sus valentías.

---

3 cabeça] cabeca E. **5** a] *om.* E, a MVAB. **7** cabeça] cabeca E. **14** laçrar] lactar E (*confusión* t/r), lazrar M, treballar VA, trebayllar B. // li] *om.* E, le M, li VAB. **20** Valerio Máximo (*epígrafe*)] *om.* E. // de] que E, de MVAB. **21** sino] *om.* E, sino MAB, tro a V. **23** et] *om.* E, e MVAB. **24** menaçaua] menacaua E. **25** fazíen] fazen E, fazia M, fahien V, fehien A, feyen B. // auían] auia E, auien M, hauien VAB.

---

[669] Título tomado incompletamente. Ver n. 3 a pág. 76. La forma correcta, según los demás mss debería ser: *por siguidores [ni] por companneros [personas no prouechosas]*.

[168.] LOS QURIALES NON SEAN MENTIDEROS NIN FALAGUEROS HO LAGOTEROS.

[1] **Valerio Máximo**. Valerio, libro VIº, capítulo iiiº, recompta que
5 aquellos d'Athenas vidieron que vn lagotero saludaua et falagaua al rey Darío, el qual lagotero auíe nombre Timógora,[670] et antes qu'el lagotero huuiesse complido de dezir lo que auía empeçado a dezir tiráronle la cabeça.

10 [169.] INSTRUCCIÓN QU'EL PADRE DEUE DAR A LOS FILLOS.

[1] **Valerio Máximo**. Valerio recompta, en el libro Vº, capítulo viiiº, que Bruto mató sus fillos con fustigas, et assín mallados ligólos a vn pilar et firiólos con la segur, [218a] por tal como no querían que Tar-
15 quinus huuiesse senyoría sobre la ciudat, asín como la ide solía auer antes que ellos ie la tirassen. Et esti Bruto tiró et echó de sí mismo condiçión de padre, et asín fizo como a iustiçia, et amá más biuir ciego et que non tuuiesse fiios, que deffallir a iustiçia pública.[671]

---

6 Timógora] EMA, Timogorra B, Timogena V. **7** empeçado] empecado E. **10** deue] *om.* E. **14** querían] queria E, querian M, volien VAB. **17** fizo] *om.* E, feu VAB. // amá] E (*forma del pretérito catalán*), quiso M, ama VAB. // ciego] E, huerfano M, orbat VAB. **18** fiios] oios E (*lectio facilior*), fiios M, fills VAB. // pública] pura E (*lectio facilior basada en la abreviatura* pu^{ca}), publica AB, pu^{ca} V.

---

[670] Se trata de Timágoras.

[671] E dice: *et amá más biuir ciego et que non tuuiesse oios que deffallir a iustiçia pura*. Esta frase revela tres errores debidos a falsas interpretaciones del traductor aragonés. El pasaje catalán correspondiente trae: *e amá mes viure orbat o priuat de fills que deffallir a iusticia pública*. El traductor interpretó *orbat* a medias. Esta palabra del catalán antiguo tenía dos significados. Uno era, ciertamente, 'privado de vista', 'ciego'. Pero con él, el pasaje queda desenfocado, ya que no se puede aplicar a esta situación en la que Bruto, por razones políticas, mató a sus hijos. El traductor aragonés, que, al parecer, no dominaba el catalán, tomó esta acepción de *orbat* 'ciego' y cambió el *fills* original a *oios*, aparentemente más lógico. Sin embargo, no tuvo en cuenta la otra acepción de *orbat*. Según Corominas, en su DECLC, esta palabra significaba también 'despojado de uno de sus elementos'. Este es el sentido con que se usa aquí, por eso restituimos *fiios*. En cambio, M corrige agrupando las dos frases y da: *huérfano de hijos*. Mantenemos, sin embargo, *ciego*, pues, a pesar de su aparente incongruencia, conserva la idea de privación del original. Respecto al tercer error: *iustiçia pura*, el adjetivo *pura* no es sino falsa interpretación de la abreviatura *pu*^{ca} por *pública*, como se ve en V.

[2] **Valerio Máximo**. Item el mismo, libro quinto, allá do faula de corrección temperada de los padres enta los fillos, si hahún son sospechosos de males contra el padre, que deuen seyer tempradamientre castigados. Et recomta que vn hombre supo que su fillo tractaua que
5 lo matasse. Et el padre fuess'ende en vn lugar desierto et solitario et trayó su fillo con sí. Et quando fueron aquí, el padre sacó el gucchiello et pósolo en la mano del fillo et paróle el cuello et díxole asín: Fillo mío, yo he supido que tú me [218b] querías matar. Si fazerlo quieres, fázelo. Agora lo puedes fazer, et non qual cercar otro hom-
10 bre que lo faga. Si fazerlo quieres, agora ne has auinenteza. Et el fillo echó el gucchiello et dixo: Padre mío, dios uos dé larga vida, mas ruégouos que la vuestra amor non sea aminguada enta mí ni me tengades por vill, porque lo que fazer quería fazíalo me fazer iuuentud et poco seso.
15

[170.] LOS FIIOS CÓMO DEUEN HONRRAR ET AMAR A LOS PADRES.

[1] **Valerio Máximo**. Vallerio, libro VI°, capítulo iiii°, recomta que
20 lo padre et la madre es la primera ley de natura. Et recomta que la mullier fue comdepnada sentençialmientre a muert. Et el carcelero qui la teníe presa no ý dexaua entrar ni faular a ninguna perssona con ella. Empero, mouido de piedat, conssentió que en- [218c] trás allí la filla de la dicha madre, mas que non le aduxiesse ninguna cosa a
25 comer ni a beuer, porque la querían fazer morir allí de fambre. Et la filla entraua haý todos días et daua a su madre sus tetas a tetar. Et d'esto la madre viuié mucho luengamientre, atanto qu'el carcelero fue sospechoso que la filla no le aduxiesse vianda, como tanto biuía. Et scondidamientre él se puso en lugar que lo vidiesse si la filla le daua a comer, et vidié que le daua las tetas. Et fuess'ende al conssello de los cónssoles et contó lo que auía visto. Et todos fueron marauillados d'esto, et perdonaron a la madre por piadat de la filla, etc.

---

4 *1ᵉʳ* que] que *iter.* E. **11** uos] nos E (*confusión* n/u), uos V, vos AB. **16** honrrar] honrrarar E. **20** *3ᵉʳ* la] lo padre E (padre *tachado, corregimos el artículo*). **22** la] la E (*emborronada*). **24** le] le *iter.* E. **25** querían] queria E, volien VA, volie B.

[171.] DE LA INSTRUCÇIÓN DE LA AMOR ET BIENQUERENÇIA DE LOS ERMANOS.

[1] [**Vallerio Máximo**]. Vallerio, libro V°, capítulo iiii°, dize que el
5 primero grado de amor es en- [218d] tre ermanos, faulando de aquella amor que es entre las perssonas et los cuerpos naturales, en quanto ad aquello amor que es aprés de Dios et aprés de padre et de madre. Et mete exemplos muchos. En special mete que vn caua- llero de la companya de Pompeyo mató vn otro. Et quando huuo
10 muerto ad aquéll quísolo despullar, et conosció qu'el muerto era su ermano et fue muyt irado et despagado. Et fizo oración a los dioses que lo puniessen del peccado que auía feyto. Et finalmientre fizo grant fuego et vestió el cuerpo del ermano muerto et púsolo honrradamientre en medio del fuego, et después echósse de suso del
15 mismo. Et él mismo metiósse por los pechos vn guchiello con el qual auía muerto su hermano, et liuró a sí mismo seyer cremado con su ermano en vno. Maguera ésti bien [219a] auría podido beuir si se huuiesse quesido, porque non mereçíe muert, porque ignorantment auía muerto su ermano. Empero él quiso seyer compan-
20 yón de la muert de su ermano et vsar de piedat suia propria antes que de perdonança de otra perssona. Et su piedat fue sacrifiçio o esmienda de la sangre de su ermano que auía desrramada dando muert a sí mismo. Esto mismo recomta Sant Agostín, en el libro II° de la ***Ciudat de Dios***, capítulo xxvi. Et por esto todos los ermanos
25 se deuen guardar que por bienes temporales, assín como son riquezas, heredades, possessiones et otras cosas semblantes, non sean departidos, etc.

[172.] QUE LOS QUE SON EN MATRIMONIO NUNCA SE DEUEN
30 DEPARTIR EL VNO DEL OTRO.

[1] **Vallerio Máximo**. Vallerio Máximo, libro II°, capítulo primero, recomta que ninguno que non dexó ni repu- [219b] yó su muller después que la ciudat de Roma fue edifficada d'aquí al centén anyo. Et

---

4 Vallerio Máximo (*epígrafe*)] *om.* E. **11** dioses] adioses E. **21** fue] *om.* E, feu V, fo A, fou B.

el primero que lexó su muller fue vn bort clamado Carbilio, el qual la dexó porque era exorda,[672] etcetera.

[2] **Valerio Maximus**. Item el mismo, libro IIº, capítulo iº, recomta
5 que las castas duenyas no quisieron tomar el segundo marido quando los primeros fueron muertos. Et mete vn exemplo de las mulleres de aquellos honrrados hombres que hauían nombre Teutonichs, las quales rogaron Marcho,[673] víctor, que las possasse en aquell monasterio en do stauan las vírgines que siruen ad aquella diosesa la qual auía
10 nombre Vesta, las quales vírgines hauían prometido que iamás no conosçeríen hombre carnalmientre. Et estas viudas querían prometer aquella [219c] misma cosa. Et quando esto non pudieron acabar, de noche ellas se colgaron et murieron atal muerte. Et ya sea que ellas erraron mucho como se colgaron, empero ellas fueron dignas de loor,
15 como tanto amaron castedat.

[3] **Valerio Máximo**. Item el mismo, en el IIº libro, capítulo iº, recomta que tantas de vegadas como marido et muller auían sanya o baralla o discordia, el marido et la muller s'ende irán en aquell lugar
20 el qual auíe nombre Saclum de Criplate, el qual era en vn palacio.[674] Et aquí, puesta toda sanya, razonáuanse; et iamás non se no partíen de aquell lugar d'aquí a que eran tornados en concordia y en paz. Et

---

2 exorda] E (*fort.* exorcha), exorqua V, exorcha AB. **7** Teutonichs] Gencomths E (*confusión de* G/T, u/n, c/t, m/ni y t/c), Theutonichs VAB. **10** vírgines] virgigines E (*duplografía*). // hauían] hauia E, hauien VA, auien B. **20** Saclum de Criplate] E, sacellum de Eriplate V, satellum de Heriplate AB.

---

[672] Leslie, y el ***Lexicon***, basada en la forma catalana *exorqua*, sugiere leer *exorca*. Así parecen corroborarlo las otras lecturas de esta palabra: *exorque* (121.6) y *exorto* (124.2). Andolz recoge la voz *exordia*, explicada como el "derecho del señor contra la herencia del siervo que moría sin hijos en edad hábil" (apud Pardo Asso). Pero ahí dice *exorgia*. Conviene, pues fijar la verdadera forma de este término. Desafortunadamente, el término no aparece en el ***Léxico jurídico en documentos notariales aragoneses*** de V. Gracia Lagüéns. Por eso mantenemos con cautela la variante *exorda*.

[673] Se refiere a Cayo Mario.

[674] Se trata, como dice Valerio Máximo (2.1.6), del *sacellum dee Viriplace, quod erat in Palatio*, es decir, del "templo de la diosa Viriplaca, situado en el Palatino" (tradn. de Fernando Martín Acera).

por tal que sepades qué lugar era aquéll, deue[des] saber que en Roma auía vna ýdola que auíe nombre Saclum de Criplate, assín como dicho [219d] es. Aquí se reconciliauan los maridos con las mullieres.

5 [4] **Valerio Máximo**. Item el mismo, libro VIº, capítulo primero, recomta que vn hombre de Roma auía vna bella filla et casta. Rapius Claudinus[675] queríala corromper. Et el padre de la doncella, sabiendo esto, matóla diziendo que más quería seyer omicida de su filla casta que padre de aquélla misma corrompida.

10

[173.] QUE NON SE DEUE HOMBRE GLORIAR EN LAS ECCELENCIAS NATURALES NI EN LAS BIENAUENTURANÇAS DEL MUNDO.

15 [1] **Valerio Máximo**. Vallerio, libro IIIIº, capítulo iiiiº, dize: Vn ioue era, el qual era muyt bello et gracioso, la marauillosa belleza del qual temtaua et cometía et somouía los oios de muchas honrradas mulleres. Et como por esta cosa él sintiesse que los parientes de las dichas mulleres lo tuuiessen en sospecha, majó[676] et [220a] entretayósse su
20 cara por tal que perdiesse su belleza. Et quiso más perder la su belleza corporal et auer fea cara que si fuesse occasión a las mulleres de peccar carnalmientre. Et esto mismo recomta Sant Ambrós en el segundo libro ***De virginidat***, en las faulas antigas.[677]

---

1 deuedes saber] deue saber E (*regularizamos*), deu esser sabut VB, deuets saber A. **2** Saclum de Criplate] E, satellum de Iriplate V, satellum Heriplate A, satellum de Heriplate B. **3** las] la E. **6** Rapius Claudinus] E, Apius Claudius VAB. **12** bienauenturanças] bienauenturancas E. **19** majó] mayor E, majó M, nafrà VAB. // entretayósse] entrecayosse (*confusión* c/t), entretajose M, entretalla VA, entretaylla B. **21** de] *om.* E, de MVAB. **23** las] la E, les VAB.

---

[675] Se trata del decenviro Apio Claudio.

[676] E da: *mayor*. Así leen todos los editores, interpretando: *sospecha mayor*. Pero se trata de una ultracorrección del copista por: *majó* de *majar*, variante de *mallar*. Así lo corrobora la lectura de M: *majó e entretajóse*, fiel traducción del catalán: *nafrà e entretallà* (VAB). En ***Rams*** aparecen los participios *mallados* y *mallyada*.

[677] Sic. Los otros mss (MVAB) introducen esta frase con *que*, así da M: *E esto mesmo recuenta Sant Anbrosio, en el IIIº libro* ***De virginitate****, que en las fábulas antiguas...*. La frase: *en las fábulas antiguas*, es, pues, el comienzo de la cita de San Ambrosio. Podríamos restituir *que*, pero la construcción siempre quedaría incompleta. El pasaje no se encuentra en ***De virginitate*** sino en la ***Exhortatio virginitatis*** 12 § 83 (PL 16, 360-61).

[2] **Valerio Máximo**. Item el mismo, en el libro VIº, capítulo çaguero, recomta [de] vn hombre, al qual viníen todos sus aferes assín como él quería. [Et luego que él desseaua alguna cosa, asín como él desseaua et quería,] se fazía et se cumplía por mar et por tierra et por todo
5 lugar.[678] Quando él començaua alguna cosa, cierto era de la fin assín como del començamiento. Sus desseos asín como venían, asín se cumplían. Su poder era pareya a su querer. Esti hombre vna vegada se sacó vna sortilla del dedo et echóla muyt fonda en la mar por tal que se pudiesse gabar que entre todos tiempos auía perdido alguna cosa. Mas
10 empero luego [220b] la recobró, porque él tomó [un pex] et falló la enel[679] de dentro, la qual el pex se auía tragado. Empero toda esta prosperidat no lo redemió de greu periglo. Porque vn prímçep, el qual teníe lugar de iusticia por el rey Darío, lo priso et pósolo en cruz en vn mont muyt alto, et aquí él murió, etc.
15

[3] ——. Item allí mismo dize: ¿Quál cosa es menos firme et más mudable que la condición d'esti mundo[680]? El qual, comparado a los

1 çaguero] caguero E. **2** de] que EM, de VAB. **3** Et luego...et quería] *om.* E (*homoioteleuton*), E luego que el deseaua alguna cosa asy commo el deseaua e querie *add.* M, E tantost com ell desiiaua alcuna cosa axi com ell la uolia axi *add.* V, E tantost com ell desiiaue e volia alguna cosa axi com el la volia *add.* A, E tantost com ell desiyaue e volie vna cosa axi com ell volia *add.* B. **4** se cumplía] si queria cumplian E (*lectiones faciliores*), se cumplie M, es cumplida VA, es complie B. **6** se] lo E, se le M, se V, s' AB. **10** tomó] como E (*confusión* c/t). // un pex] *om.* E, vn pez M, hun peix V, vn peix AB. // et falló] et fallo *iter.* E. **17** comparado] es comparado E, comparado M, comparat V, es comparat AB (*duplografía en* EAB).

[678] E da una versión confusa en la que los cambios, omisiones y correcciones del copista oscurecen el pasaje. Así dice E: *recomta que vn hombre, al qual viníen todos sus aferes assín como él quería, se fazía, et, si quería, cumplían por mar et por tierra*. En primer lugar, el uso del *que* inicial, como en M, deja la frase inconclusa. Los mss catalanes revelan que se trata de una confusión por *de*: *recomta de vn hombre*. Respecto al homoioteleuton, todos los mss muestran que la repetición de *quería* (*como él quería...desseaua et quería*) propició el salto. Finalmente, en la última frase, el copista intenta dar sentido al texto con una corrección psicolingüística: *si quería cumplían*, sin preocuparse del resto. La verdadera lectura es: *se fazía et se cumplía*, según todos los mss. Corregimos el comienzo con los mss catalanes y el resto con M.

[679] Frase interpretada diferentemente por los editores. El ***Lexicon*** y Velasco dan: *et fallóla en él de dentro*. Esta lectura no sólo es redundante sino que pierde el aragonesismo: *enel*, es decir, 'anillo', 'sortija'. Como revelan todos los mss: *e trobá l.anell dintre* (VA), *lo seu anell* (B), *e falló la sortija de dentro* (M), la lectura correcta es *falló la enel*.

[680] EM dan: *mundo*, con lo que siguen a AB, que traen: *mon*. En cambio V da correctamente: *hom* 'hombre'. En efecto, el pasaje se refiere, en realidad, a Cayo Mario, como se ve en la ***Suma de col.lacions***. Conservamos la lectura porque parece reflejar el prototipo aragonés.

mesquinos, es más mesquino que los otros, et comparado a los bienauenturados es estado más bienauenturado que los otros. Porque non se deue hombre glorieiar de la prosperidat mundana.

5 [4] **Valerio Máximo**. Item el mismo, libro VII°, capítulo ii°, recomptando el dicho de Salón,[681] el qual dize que ninguno, demientre que es,[682] non [220c] puede seyer dicho bienauenturado, por esto como d'aquí al día de la muert somos subiectos a fortuna. Et dize aquí que Anaxágoras[683] fue interrogado quál es bienauenturado. Et dixo que ninguno de aquellos
10 qu'el hombre tiene por malfadados no es malfadado, antes el bienauenturado es en el nombre de aquellos que hombre tiene por malfadados. Porque el bienauenturado es del nombre de los pobres humiles, et non del nombre de los ricos ergullosos. Mas empero los pobres son dichos malfadados, et los ricos bienauenturados.
15

[174.] QUÁLES COSAS SON PROUECHOSAS ET NECESSARIAS A CONSSERUAR CASTEDAT.

[1] **Valerio Máximo**. Valerio, libro IIII°, capítulo iii°, dize que él non
20 sintió la muller la qual se echó cerca d'él et auíe prometido que li faría [220d] fazer cosas desonestas. Et quando los otros companyeros se fizieron escarnio d'él, por tal como non podía inclinar su coraçón a cogitaciones ni mouimientos de luxuria, respuso et dixo que el pacto o la conuinencia de la victoria que auía de la carne no li

---

6 Salón] EM, Solon VB, Selon A. // es] EMAB, es uiu V. **7** d'aquí] *om.* E, de aqui M, tro VAB. **8** que Anaxágoras] Anaxagoras que EM, que Anaxagoras V, que Anaxegoras A, que Anoxagoras B. **9** aquellos] aquello EM, aquells VAB. **12** nombre] hombre E, omme (*tachado*) nombre M, nombre VAB. // non del nombre de los ricos] non de los hombres ricos (*transposición y lectio facilior*), non del nombre de los ricos M, no del nombre dels richs V, *om.* AB (*por homoioteleuton*). **23** coraçón] coracon E. **24** carne] E, carn V, ella AB.

---

[681] Se trata de Solón, el famoso legislador ateniense.

[682] Así dan EMAB, con el sentido de 'existe'. V aclara diciendo: *es viu* 'está vivo', lectura que podría adoptarse, en vista del *advivit* del ***Communiloquium***, aunque no es esencial.

[683] EM tienen la misma transposición: *Anaxágoras que*, indicio de que el error se hallaba ya en el prototipo aragonés. Corregimos con los mss catalanes.

era [de mal star, antes li era] de grant honrra.[684] Porque bien podía auer auida la muller a su plazer del cuerpo, mas fórali stado grant destorbo.[685]

[175.] [DE RELIGIÓN.][686]

5

[1] **Valerio Máximo**. Valerio Máximo, libro primero, "De religión," capítulo primero, de senyales de deuinas, dize que muchas son las maneras de adeuinar por las quales los hombres se sfuerçan de buscar por saber las cosas esdeuenideras, las quales se penssauan que pertenescen a

10 la religión de Nuestro Senyor Dios. Segunt verdat non lo fazen, antes se fazen a vanedat, como todo sía vedado por la ley [221a] de Dios. Et dizen que quando se faze en tierra contando con las aues es clamada aquella art de deuinar asuspiçión. Et si por auentura aquellas adeuinaçiones se fazen cantando, es clamado ydromençia.

15 Item si se faze con plomo regalado et echado con la augua, es clamado ydromencia.

Item si se faze en fuego, es dicha piromancia, en la qual studean mucho las mulleres de Magantia, las quales en tiempo passado eran clamadas druidas.

20 Item si se faze por pumtos que hombre faze en tierra, es nombrada aquella art geomançia, etcet.

Item si se faze por iudicio de las stelas, es nombrada aquella art de astrología.

---

1 de mal star antes li era] mal de aue[r] auida la muller E (*trivializa*), de mal star mas ans li era stat V, mal star ans li era stat AB. **9** pertenescen] pertescen E. **11** vanedat] venedat E. **15** clamado] clado E.

---

[684] La lectura de E es confusa. Dice así: *dixo que el pacto o la conuinencia de la victoria que auia de la carne no li era mal de aue[r] auida la muller de grant honrra*. M no trae este pasaje. Para su correcta intelección usamos una versión corregida de la ***Suma de col.lacions***. Dice así V: *dix que lo pacte o la couinença* [V: *auinença*] *de la uictoria que hauia hauda de la carn* [AV: *de ella*] *no li era de mal star, mas ans li era stat de gran honor*. Con él vemos que la confusión de E se debe a un salto: *li era...li era*, trivializando el contenido. Corregimos con los mss catalanes.

[685] Aquí termina el grupo de autoridades del Valerio Máximo tomadas directamente de la ***Suma de col.lacions*** catalana.

[686] El ms y la tabla inicial omiten el título de este capítulo. Lo suplimos por el contexto.

Item si se faze en besos de hombres muertos, es clamada art de nigromencia. E si es en la paraula de los hombres, es clama- [221b] da homen, que quiere dezir atanto como auero en senyal pronosticatiuo. Et si lo faze en la spalda de alguna bestia, es clamado specu-
5 luminança. Et si se faze en las manos de los hombres, es dicha aquella art ciromançia, etcet.

[2] ——. Item el mismo dize, en el lugar ya allegado, que Dionisio priso de las ýdolas de los templos de los romanos, los quales tenían
10 los braços et las manos scondidas plenas de coronas de oro et de taças de plata. Et quando las tomauan dixo que aquello no era tirar, mas tomar. Porque dezía que loca cosa es a los dioses a los quales rogamos por auer bienes et que ellos los oferescan et que nosotros no los reçibamos, pues que ellos nos los abandonan.
15

[176.] CAPÍTOL DE VELLEZA ET DE IUUENTUD.

[1] **Valerio**. [221c] Vallerio, libro II°, capítulo i°, dize que los ióuenes antiguamientre dauan grant honor et reuerencia a los antigos,
20 assín como si los viellos fuessen padres de aquellos ióuenes. Et por tal vía, como el senado o conssellos se tenía, los ióuenes, al senador vezino et a cerquano de sangre o prósimo o amigo del padre, acompanyáuanlo entro a la puerta, sperando tro ha aquell consello era acabado. Et quando sallían tornáuanlo a su casa. Et de aquesta sperança
25 los ióuenes començauan de confortar los sus cuerpos et los sus coraçones a fazer los officios públicos et comunos, et en breu tiempo procedíen a lumbre de virtudes, por aquesto que aquellos qui primeramientre eran seýdos dicípulos en los treballos et en uergüença et en buenos penssa- [221d] mientos, después fuessen feytos doctores de
30 aquellas cosas que auían priso de çaga los antigos, etc.[687]

---

2 E] a E. **10** braços] bracos E. **21** senado] senados E. **22** prósimo] profismo E (*confusión* f/s), propinch VAB. **24** sperança] speranca E. **25** començauan] comencauan E. **26** coraçones] coracones E. **28** uergüença] uerguenca E. **30** çaga] caga E.

---

[687] El texto de esta autoridad tiene una redacción muy cercana al capítulo 4.3.12 de la ***Suma de col.lacions***, aunque falta en el ***Libro del gobernador***.

[177.] CAPÍTOL DE REUERENCIA ET HONOR.

[1] **Valerio Máximo**. Vallerio, libro II°, capítulo i°, dize que Fabio Máximo fue hombre de muy grant actoridat por los offiçios que auía
5 tenidos, et fue enviado por legado a su fillo, cónssol, que era en Suessa, cerca de Napols. Et quando el fillo suppo la venida del padre procehió de sallirle por fazer honrra al padre fuera los muros de la ciudat. Mas el padre, quando fue cerca d'él, fue muyt indignado o turbado por raçón[688] como ninguno de los liquores o sayones no li
10 eran salidos en la carrera por fazerle mandamiento que deuallasse del cauallo et que viniesse a piet a fazer reuerençia a su fillo cónsol. Et por aquesto fue pleno de ira, como no li era semblant aquell fillo sup- [222a] piesse vsar de la dignidat del conssolado. Et por aquesto fue pleno de ira. Et stúuose sobre el cauallo et non quiso descender. Mas
15 quando fue cerca del cónsol, el cónssol mandó al más alto licor o sayón que fiziés al padre apear, es a saber, que lo fiziés deuallar del cauallo et que le dixiesse que a piet deuíe venir delant del cónssol. Et en continent el padre deualló et obedesçió, et dixo al fillo: Yo no he menospreciado el tu emperio stando a cauallo. Mas lo que he fecho
20 he fecho por tal que esprouás si supiesses vsar del conssolado. Et sé bien quánta reuerencia et honor deue fazer fillo a padre, mas las cosas públicas son mayores que las priuadas o seglares. El conssolado era público poderío, el qual deue delant andar al poder del padre, que era priuada honor. Mas el fillo cónssol, assín como a fillo priua-
25 do, sallió a la ho- [222b] nor del padre fuera los muros; et, assín como a cónssol, fizo mandamiento al padre, qui venía a él, que deuallasse del cauallo.

---

1 reuerencia] rerencia E. **5** enviado] enuiado E. // cónssol] conssello E. **9** raçón] coracon E (*fort. error por* raçon), per raho del consol qui venia (Canals I:91). **10** deuallasse] deuallassen E. **12** era] eran E. **24** fillo] fiblo E.

---

[688] E da: *coracon*. Podría interpretarse: *por coraçon* 'en su corazón', pero es una expresión que desconozco. El sitagma parece responder a la frase de Canals: *per raho del consol qui venia* (I:91), por eso suponemos que la lectura: *coracón* es falsa corrección del copista por: *raçón*.

[178.] CAPÍTOL DE VENINNO REÇIBIDERO VOLENTEROSAMIENTRE.

[1] **Valerio Máximo.** Vallerio, libro segundo, capítulo primero,
5 recomta que los marssaleses los quales en tiempo passado vsauan de
veninno a dar. Et dize assín que la costumbre de marssallesos no
creýen que partiés ne fues sallida de Francia, la qual Marssella en la
prouinçia de Francia es sitiada. Mas creýe que partió[689] de Grecia, do
primeramientre los marsseleses fueron sallidos. Et pone atal razón:
10 porque los griegos obseruan aquesta costumbre. Et dize que quando
Sexto Pompeyo andaua en Asia et fue en vna ysla apellada Cea, en el
castiello de Villide[690] auía vna mul- [222c] ler bien de XC anyos, es a
saber, de la çaguera edat, la qual auía asignado razones a los ciudadanos porque quería murir. Et era mullier de grant dignidat. Et rogó a
15 Sexto Pompeyo que quisiesse seyer present en la suya muert, reputando la su muert seyer muert honrrada por la presencia de Pompeyo.
Mas Pompeyo era pleno de virtudes et era muyt begnino, et exaudió
las sus pregarias et vino s'ende a ella, et con bellas paraulas muyt falagueras amonestáuala que non se matasse. Et como la muller persseue-
20 rasse en su propósito, lexóla fazer a su volumtat. Et ella, con su santeridat de ánima et de cuerpo, es a saber, que ningún mal no auía,
púsose et aginollósse en lo lecho aparellado segunt la costumbre, et
dixo a Pompeyo tales paraulas et cetera. [222d] Aquí los prego a aquellos dioses de la present vida, los quales yo desamparo, más que los

---

1 veninno] vinno E (*sin signo de abreviatura, regularizamos con los casos siguientes sin abreviar*). **6** veninno] vinno E. // la costumbre] las costumbres E. **7** partiés] parcius E (*confusión* c/t). // sallida] sallido E. **8** partió] parçio E (*confusión* ç/t). **13** çaguera] caguera E. **19** amonestáuala] amonestaualo E. **23** Aquí los prego a] Aquellas paraulas E (?). **24** vida] dida E.

---

[689] El ms. da *parcius* y *parçio* en esta oscura frase: *dize assín que la costumbre de marssallesos no creyen que parcius ne fues sallido de Francia...mas creye que parçio de Grecia* 222b. El sentido puede colegirse con el texto de Canals: *no hac començament en França, ans estime yo que fon presa de Grecia* (I:111), fiel traducción del Valerio Máximo: *non in Gallia ortam, sed es Graecia translatam inde existimo* (2.6.8). Estos textos indican que *parcius* está por *partiés* (confusión *c/t* y corrección psicolingüística), así como *parçio* por *partió* (confusión *ç/t*).

[690] Se refiere a la ciudad de Julis (en acusativo Julidem), que se encuentra en la isla de Cea o Ceos, en el mar Egeo.

dioses infernales, a los quales vo, que te fagan gracias de la benignidat que tú me as feyta, es a saber, en amonestarme a uida, que has querido seyer present a la mía muert.[691] Et assignól' razón por qué quería morir. Et dixo que porque todos tiempos auía houido buena et próspera fortu-
5 na, et non quería sperar la contraria et la trista, mas quería con bienauenturada fin terminar la su vida. Sequitur: Et después, aprés de aquesto, tomó el venino temprado, no tremolando,[692] ni con mano tremolosa, mas fuert et firme, la qual cosa era senyal de fuert et firme coraçón. Et después sacrificó a Mercurio que la collocasse en la
10 millor partida de infierno. Et assín biuió el venino et murió. Et los roma- [223a] nos, stando marauellados del fecho, ploraron, etcet.

---

1 vo, que te fagan] yo fago gracias E (*lectio facilior*). **4** tiempos] *om.* E, tots temps (Canals I:112). // próspera] proposo E, prospera fortuna (Canals I:112). **7** tremolando] tremelado E (*confusión* o/e *y omisión de la abreviatura de la nasal*).

---

691 E da esta lectura que tiene poco sentido: *Aquellas paraulas aquellos dioses de la present dida* [sic] *los quales yo desamparo, más que los dioses infernales, a los quales yo fago gracias de la benignidat que tu me as feyta, es a saber, en amonestarme a uida, que has querido seyer present a la mía muert.* Sin la fuente directa que utilizó el compilador, la corrección de este texto puede resultar problemática. Sin embargo, la versión de Canals, con la que esta sección de ***Rams*** tiene abundantes coincidencias, nos permite aventurar unas correcciones con bastantes visos de probabilidad. Dice Canals: *Moltes gracies te faç, com no tes uengut en enug de esser amonestador de la mia uida, e contemplador e honrador de la mia mort; e, com yo no sia sufficient per retre a tu semblants gracies, façen les te los Deus, e mes aquells los quals lexe en la present uida, que aquells qui son infernals, als quals vayg* (I:111-112). Este texto nos lleva a suponer que el sintagma inicial: *Aquellas paraulas* refleja una expresión de agradecimiento a los dioses terrenales por la presencia de Sexto Pompeyo; por eso creemos que el autor inicial escribió: *Aquí los prego*, o algo semejante. Igualmente nos permite vislumbrar la frase correlativa: *a los quales vo* y la modificación siguiente. Las deturpaciones de este texto tienen la marca típica del copista de E. Sin embargo, introducimos las tres correcciones con gran cautela, debido a la falta de un texto referencial seguro.

692 El ms. dice *tremelado*, sin signo de abreviatura. Leslie (*Glos.*) Y el *Lexicon* lo interpretan como error por *tremolando*. En efecto, el texto de Canals así lo sugiere: *pres lanap en que era lo ueri, e tench lo ab la ma ferma, no tremolosa* (I:112). Corresponde al texto latino de Valerio: *poculum, in que uenenum temperatum erat, constanti dextera arripuit* (2.6.8). El sintagma en cuestión es una glosa añadida por el colector de ***Rams***. ¿Se trata de un término real o de falsa grafía? En el primer caso podría interpretarse como *tremelado* o *entremelado* 'mezclado con miel'. Pero no conozco esa palabra, tan sólo el cast. *melado* 'torta pequeña hecha con miel y cañamones'. Corominas, en su DECLC, s.v. *mel* 'miel', da *melat, amelar, remelar*, etc., pero no documenta *tremelat* ni *entremelat*. En cambio, s.v. *mal* recoge las formas *tremeliades*, variante de *trameliades*, y *tremeliat*, con el significado de 'extravagante', 'rebuscado', que obviamente no corresponde a nuestro texto. Por eso, creo, como Leslie y el *Lexicon*, que estamos ante una falsa grafía por *tremolando* (confusión *e/o* y omisión de la abreviatura de la nasal).

[2] ——. Item el mismo, libro IIº, capítulo primero, dize que los salçiberios, es a saber, que los aragoneses et los catalanes, reputan grant peccado seyer si scapauan biuos de la batalla do fuessen muertos aquéllos por lo qual se eran puestos en la batalla. Et después dize que
5 la presencia, es a saber, la prudencia de cada uno pueblo, es a saber, de los aragonesses et catalanes, deue seyer loada. Primerament porque deffienden fuertmientre la salud et la libertad de la patria, los quales non dubdan de morir, et firmemientre honrran et tienen la fe de amistat, la qual no querien sobreueuir quando su senyor o amigo es
10 muerto, etcet.

[179.] DE LA DISCIPLINA CAUALLERÍUUL, CAPÍTULO SEGUNDO.

15 [1] **Valerio Máximo**. Item el mismo, libro IIº, capítulo iiº, dize que Papiro, corre- [223b] dor, clamado porque auía grant excellencia de muyt grant cuidamiento et leugería de piedes, et aquésti auía ordenado los romanos de fazer capitán ad aquéll en la batalla contra el grant Alexandre.[693] Mas quando fue feyto dictador, la qual dignidat es muyt
20 grant en Roma, et como fue en la huest contra los sapnites, fizo mandamiento que los enemigos non fuesen esuaídos. Empero Fabro,[694] maestro de los caualleros, contra el mandamiento del dictador, la huest de los romanos aduyó en batalla, combatientse contra los sampnites, et los vinció, et con victoria s'ende tornó en las tiendas. El dic-

4 dize] dizen E. **7** libertad] libertar E. **8** *2º* de] *om.* E, la fe de amistat (Canals I:114).

[693] Se trata de Papirio Cúrsor, cuyo cognomen explica la glosa de E. La referencia a Alejandro Magno no está en la versión de Canals. Debe provenir, como otras que aparecen en esta última parte de ***Rams***, de una versión comentada de los ***Facta et dicta*** u otros ejemplarios medievales. Tampoco se encuentra en la versión de Hesdin, de la misma orden del Hospital que Fernández de Heredia ni en las versiones peninsulares, lógicamente posteriores. Convendría consultar las versiones de Borgo de Santo Sepulcro y de Pietro de Monteforti, además de las que comenta G. Di Stefano. Pero lo más probable es que el compilador se valiera de esa elusiva versión catalana anterior a Canals. Así parecen indicarlo las semejanzas léxicas y fraseológias entre ***Rams*** y el Canals conocido. Pero hoy por hoy no se ha encontrado ningún manuscrito de esa protoversión catalana.

[694] Es Fabio Máximo Ruliano.

tador fizo adozir vergas et mandólo despullar et solempnialment et públicament açotar, et las feridas que auía recebidas en la batalla fregar. Et el ma- [223c] estro de los caualleros paçientment lo sufrió. Et fízoli con uergas núas et nudadas renouar las feridas, et con la su
5 sangre salpicó et mulló las feridas et victorias. Mas el dictador no s'ende stido[695] ni le fizo honor por la victoria, la qual auía houido por la fortaleza la qual auía en la batalla mostrada, ni por la nobla de los Fabios, del linatge de los quales era. Mas finalmientre a pregarias de toda la huest lexálo fugir en Roma, et allí requirió et clamó la aiuda
10 del senado contra la rigor et crueldat del dictador. La ora su padre, qui otras vezes era stado dictador et tres vezes cónsul, clamó al pueblo et pregó humilment a los tribonos del pueblo que la pena del dictador relaxassen a su fillo. Et encara el dictador persseueró en la rigor suya. Finalment, entreueni- [223d] entes pregarias de los tribonos et
15 de todos los çiudadanos, perdonóle et dio la pena al maestro de la cauallería que auía errado faziendo contra el mandamiento del dictador, et diola a la potestat de los tribunos del pueblo et a la comunidat de los ciudadanos de Roma.[696]

20 [2] **Valerio Máximo**. Item el mismo, en el lugar ya allegado, dize que desperación cresce ardimiento, el miedo prende las armas, et volenterosamientre cobdicia a morir qui sabe que sin dubdo ha a morir. Et después conclude que vna salud es a los hombres vençidos: no sperar ninguna salud, et cetera.

---

6 s'ende stido] sendestio E. **11** clamó] clamado E. **16** mandamiento del dictador] maestro de la cauallería E (*repite la frase anterior, por eso aventuramos una solución basados en Canals y el texto latino).* **21** et] *om.* E, e volenterosament (Canals I:126). **22** sabe que] *om.* E, qui sap que (Canals I:126).

---

[695] E da: *sendestio*. Suponemos que *stio* es error gráfico por *stido*, forma documentada en el corpus herediano como pretérito de *estar*. El significado sería 'no se desdijo', 'no se apeó o no abandonó su postura'.

[696] La versión de Canals aclara el significado confuso de este pasaje de E. Dice Canals que Papirio al fin perdonó a Fabio Ruliano, pero dejó la imposición de la pena al criterio del pueblo y de los tribunos: *lexaua la pena, no pas al dit Fabio Rutiliano, sino al poble e a la potestat dels tribuns* (Canals I:124).

[3] ——. Item el mismo, en el lugar ya allegado, dize que la virtud, es a saber, la fortaleza caualleríuuol, ha acostumbrado de calamiar[697] et de aboreçer los coraçones flacos et femeninos, etc.

5 [4] ——. Item el mismo, libro IIº, capítulo iiiº, dize que a la puerta [224a] de César Agusto eran dos loreros de que eran coronados los triumfantes. Et en medio de aquéllos auía vn roure, de las ramas del qual eran coronados aquellos qui en las batallas auían consseruados los çiudadanos. Et por esto dize que las manos de los batallantes 10 deuen seyer más amouidas et más inclinadas al roure, es a saber, a guardar los ciudadanos que amar los enemigos. La qual es mayor gloria et resplandeçe la puerta de César Agust. Et assín como el roure es árbol muyt fuert, assín los çiudadanos deffender es más fuert deffenssión et gloria de aquellos qui los consseruan que non mueran.

15

[180.] QUÉ QUIERE DEZIR CENSSARIA, ESTO ES, UIUIR IUSTAMIENTRE ET TEMPRADA.

[1] **Vallerio**. Vallerio, en el segundo libro, capítulo iiiiº, dize que en 20 la ciudat de Roma auía vn officio [224b] lo qual era clamado censsoria. Aquésti auía auctoridat de iutgar et coregir costumbres et criamientos, et por offiçio de aquesto auía auctoridat de iutgar. Las iniurias eran bien castigadas; la concordia de los çiudadanos era bien conseruada. Et dize que menos de aquesta çenssoria o offiçio no 25 aprouecha res seyer valent de fuera si en la casa es feycha mala vida. Et por aquesto el hombre valentment batalla de fuera casa porque en casa viua vallientmientre.

Item dize que no haprouecha res tomar cuydado esuayr regnos si en casa hombre no viuíe bien. La qual es buena vida la ora quando

---

2 caualleríuuol] cauallerruuol E. **10** amouidas] amouidos E, amouides (Canals I:141). // inclinadas] inclinados E, inclinades (Canals I:141). **12** et] *om.* E. **23** çuidadanos] çiudanos E. **29** es] *om.* E.

---

[697] Velasco lee: *calannar*, sin incluirla en el vocabulario. Pero E da: *calamíar*, con signo diacrítico claro sobre la í. El ***Lexicon*** la considera variante de: *calumniar*, significado corroborado por la versión de Canals: *sol la uirtut de caualleria hauer en auorricio los coratjes flachs* (I: 130).

el fuero sobre iudiçial iustamiente es preçebido, et quando la cort, es a saber, de los senadores, son tractados honestos conssellos.

Item comclude que [224c] aquellas cosas ganadas por disciplina caualleríuuol, es a saber, por sçiençia de saber fazer batallas et por lo
5 drecho de triumfar, son consseruadas por la nocta o actoridat de censsoria, et çetera.

[2] ——. Item el mismo, en el lugar ya allegado, dize que por aquella misma censsoria son stableçidas buenas costumbres et conserua-
10 das, et viçios son castigados, et çetera.

Camilio et Postuno,[698] aquestos dos fueron censsores et punieron aquellos que hauíen persseuerado en mala virginidat entro a la çaguera velleza, et no auíen tomado mulleres ni auían engendrado fillos. Et comdapnáuanlos, et fizieron ne todos los mandamientos que tra-
15 yessen la moneda en el público errario. Nota que erario es dicho aquell lugar o baxiello do son puestos o alçados los erros, es a saber, [224d] la moneda que se faze de azero. Aquesta pena dieron aquéllos por la qual pena de virginidat. La qual virginidat reputauan culpa, la qual hui en día es reputada grant virtud. Mas muy grant
20 marauella es que tan grandes hombres haian reputada et dapnada virtut quax viçio. Respuesta et solucçión es aquesta. Nota que virginidat puramientre et mudamientre seruada no es virtud ni es líçita cosa, assín como se pareçe por Aristótil, en la fin del terçero libro de las ***Ethicas***. Mas virginidat aplega con entençión de toda fin. Más ade-
25 lant es feyta virtuosa et meritoria, es a saber, esquiuar deleytos carnales qui están en coniunçión carnal, por esto que más francament, con mayor libertat, se den a comtemplaçión et meditación de las cosas diuinales. Mas seruar virginidat tan solament por virginidat et non por [225a] otra fin no es cosa lícita. Et por aquesto punieron
30 aquéllos, et les dizían que encara les punirían más agrament si se osauan clamar de aquella condempnación, et reprendíanles en aques-

---

1 iustamiente] iustamiento E. **11** Camilio] Iamilio E. **14** compdapnáuanlos] comdapnaualos E. **16** alçados] alcados E. **24** entençión] etençion E. **27** meditación] medicacion E (*confusión* c/t). **31** reprendíanles] reprendiales E.

---

[698] Se trata de los censores M. Furio Camilo y M. Postumio Albino.

tas paraulas: Vosotros sodes traspassadores del mandamiento de natura assín como ha dada ley de engendrar. Aristótil dize, en el segundo libro ***De anima***, que mucho es natural cosa engendrar et fazer semblant otro atal como él.[699] Et más adelant dixieron aquestos
5 censsores que [pora] engendrar luengo tiempo auían alcançado, es a saber, entro a la belleza, et non eran padres ni maridos ni auían fecho ninguno prouecho. Et por esto fizieron lo mandamiento que ésti pade;[700] es a saber, tributo mudo, so es a saber, aspro, pagasse; el qual sería prouechoso a aquellos qui deuíen beuir et sucçeir qui eran en
10 grant mundo, et aquesta [225b] successión et prouecho ellos auían menospreciada.

[3] **Vallerio Máximo**. Vallerio, en el segundo libro, capítulo iiii°, recompta que en Roma auía ley la qual reprendía superfluitat de mes-
15 siones, et taxauan quando deuían despender en conuides. La qual ley Duronio, stant tribuno del pueblo, cassó et anulló con grant infamia seruían, et asignan razón por qué lo fazían. Et dixo assín: Frenos son puestos en las vuestras bocas por la ley que comanda seyer abstinientes e messurados et nos faze sieruos de temprança o de tempra-
20 miento et de abstinençia. Et aquesta seruitud es vinclo et obligamiento amargoso, el qual nos fuerça de abstener. Donques sea casado et anullado. Porque ¿es algún prouecho o estançia de antiga velleza que los antigos romanos eran muyt [225c] abstinentes et mesurados? Et

5 pora *om.* E, queus ha prestat lonch temps per engenrar semblant de vosaltres meteys; e durant aquest temps los vostres ayns son passats e perduts, vosaltres romanints priuats de nom de pare e de marit (Canals I:143). **8** aspro] aspra E. // pagasse] pagassen E. **15** taxauan] caxauan E (*confusión* c/t), tatxant la quantitat de les dites despeses (Canals I:146). **21** sea] seas seas *iter.* E.

[699] Estas referencias a Aristóteles no se encuentran en Canals. Deben provenir de un Valerio comentado. Revelan el naciente interés por el filósofo griego que se despertó en la Edad Media europea a partir del siglo XIII.

[700] E da: *pad^e^*. El ***Lexicon*** y Velasco transcriben: *padre*, que no tiene sentido. Creo que debe leerse: *pade* o *padie*, del verbo **padir*, variante de *padecer*. Interprétese 'que éste padezca, sufra, pague la pena'. Así lo sugiere la lectura de Canals: *Anatsvosen, donchs, e pagats lo trahut, a vos aspre, e profitos als homens que apres vosaltres seran engenrats, pus que hauets axi menyspreada la humanal generacio* (Canals I:143). Podría pensarse que se trata de un error gráfico, por *pague*, pero nunca hemos encontrado la confusión *p/g*, por eso conservamos *pade*.

adelant dizíe: ¿qué nos aprouecha a nós libertad, si a los querientes con superfluidat de messiones no es cosa líçita?

[4] **Vallerio Máximo**. Item el mismo, libro segundo, capítulo v,
5 recomta que los ateneses fazíen statuas de arambre en senyal de arambre, et aquesto por reuerencia de Armodio et de Aristogitón, los quales auían deliurado la ciudat de poder de tiranos. Et aprés, Xerxes, rey de Perssia, quando se fue apoderado de la dicha ciudat de Atenas, no pas por fuerça de armas, mas los ateneses la desempararon et metié-
10 ronse en mar con sus mulleres et con sus fillos, lo dicho rey de Perssia envió las statuas de arambre en Perssia. Et aprés por luengo tiempo Sçeloato,[701] rey de Perssia, remiso las statuas a los ateneses. [225d] Et como las aduxiessen, por mal viento leuóronlas a Rodas. Et los ciudadanos de Rodas conuidaron los qui las aportauan et tomaron las sta-
15 tuas et posáronlas en los templos apellados puluinares.

[181.] CAPÍTOL DE FORTALLEZA.

[1] **Vallerio Máximo**. Vallerio, en el III° libro, capítulo ii°, "De for-
20 taleza," recompta que Clodia[702] virgen, con otras mulleres, fecha treuga et stantes en tractamientos los romanos con el rey Porssena, los romanos dieron al dicho rey por reena la dicha Clodia. Et aquélla, sintiendo qu'el dicho rey fraudulment proçehía contra los romanos, de noche puyó sobre vn cauallo et nadando passó el río Tiberio et
25 vino s'ende a los romanos et descubrióles el tractamiento del rey. La qual cosa el rey viendo, partió su setio que tenía a Roma. [226a] Et asín fue deliurada Roma del setio, por virtud de fortalleza de esta

---

2 messiones] nessiones E (*véase el comienzo del párrafo*). **6** Armodio] Armedio E (*confusión* e/o). **11** envió] enuio E. **13** mal] mar E. **15** apellados] aparellados E (*ultracorrección de* apellados).

---

[701] Se refiere a Seleuco.

[702] Se refiere a Clœlia que pasó el río Tíber, montada en un caballo para avisar a los romanos del asedio de Porsena. La alusión que hace Séneca se encuentra en realidad en los ***Dialogui*** VI, es decir, ***De consolatione ad Martiam*** 16.2. No he podido hallar la referencia de Salustio.

mullier. Porque Sénecha, en las ***epístulas***, dize que a Clodia auemos dado statua cauallleríuuol, et scarnesçe[703] los ióuenes puyantes sobre coxín. Quiere dezir que la ciudat de Roma dio a Clodia vna statua con cauallo en memoria suya, es a saber, statua de vna doncella qui se
5 assentaua sobre vn cauallo menos de coxín. Aquesto por esto como se posan más blando. Et por esto dize Vallerio que aquesta virgen agusó bella et nobla trayción cometer. Et nota que traición se entiende aquí en buena part et significación. Lo trobarás en Salustino, etc.

10 [2] ——. Item el mismo, en el IIIIº libro, "De fortaleza," recomta que Aníbal vinció los romanos en el lugar de Cannas, et aquesta fue la mayor perdua [226b] que en aquell tiempo los romanos huuiessen. Empero por virtuoso coraçón que huuieron, aprés lo echaron con grant batalla de Ytalia, et lo echaron et lo vincieron en África. Et las
15 oras vn cauallero romano, por las feridas que tenía, non se tenía nin se podía deffender con las manos. Mas con la boca tomó la nariz et radiógela toda, et semblant fizo de las orellas de aquell qui lo despullaua. Et aquell qui lo despullaua era numidano, es a saber, de aquella prouinçia Ultramar. Et desformólo todo et todo lo tornó abhomi-
20 nable. Et, feyta vengança de su enemigo, morió. Agora dize Vallerio que si alguno en cogitaçión sí mismo mete et se pienssa en la siniestra batalla de Cannas et solamientre quieren conssiderar aquestos dos, es a saber, el despullant [o el despullado],[704] [226c] et trobará quí más

1 Clodia] Clodia *iter.* E. **2** scarnesçe] scarnesçen E. **17** radiógela toda] radiogelas todas E. **20** vengança] venganca E. **23** o el despullado] *om.* E. // quí] que E.

[703] E da: *et scarnesçen.* Guiados por la frecuente intromisión de un *et* espurio en ***Rams***, podríamos corregir: *scarnesçén*, interpretado como gerundio típico del aragonés. Sin embargo, para no introducir demasiados cambios, reducimos el verbo al singular, ya que no afecta al sentido.

[704] E omite: *o el despullado* con lo que deja sin identificar el segundo de esos *dos* a los que ha aludido. La versión de Canals revela que los dos términos son: *o lo mort o lo quil mata.* Dice así: *Valeri: Posa apart la fortuna inigua de la batalla, que fon prospera als Cartaginesos, e ueuras qual es estat pus fort, o lo mort, o lo quil mata; encara ueuras, en aquest capitol, que lo dit Numida, axi guastat sens nas e orelles, fo solaç del dit caualler roma, qui moria; qui, en la fi de sos dies, hac uenjança de son enemich* (I:170). Los cuales debieron ser en E: *el despullant o el despullado.*

fuert fue. El despullador lo mató, et aquesto qui lo mató, asín rosigado en las narizes et en las orellas, fue a solaz et a conssolaçión del romano qui murió, et el romano en su misma muert vengó a sí mismo del enemigo.
5

[3] ——. Item el mismo, en el libro et capítol ya allegado, recomta que Catón era enemigo de Çésar. Et después que César huuo huuidas las çagueras victorias, Catón s'ende fue en la ciudat clamada Útica, la qual sençeramientre hauíe regida, et de los quales por su buen regi-
10 miento era amado. Et rogó a los ciudadanos que deffendiessen los muros de la çiudat contra César, los quales non lo quisieron atorgar. Et las oras Catón fízose traier el libro ***De la inmortalidat de la ánima*** et vn cochiello. El libro por tal que quisiesse morir, et [226d] el guchiello porque s'ende pudiesse matar, assín como recomta Sénecha
15 en las ***epístulas***. Et de noche, aprés que huuo leydo en el libro, tomó el guchiello et firió s'en. Mas los suyos en continent sobrevinieron et ligóronli las feridas et metiéronlo en el lecho. Mas después, quando los vido adormidos, desligósse las bendas con las quales las feridas eran ligadas, porque no auía guchiello, et con las manos diosse en
20 las plagas et morió, et cetera.

Acrida Vallerio et clama muyt claro accesso, et dize que Útica, ciudat, es munimiento o sepultura suya. Et que de las feridas muyta más gloria ne salíe que non sangre, porque era viello et auía poca sangre. Mas Vallerio reputa que la su muert fue muyt gloriosa. Et a éll
25 mismo reputó César, do, oýda la muert de Catón, dixo César: ello[705]

---

1 rosigado] rasigado E. **2** romano] romanos E. **3** su] su *iter.* E. **7** huuo] *om.* E. **8** çagueras] cagueras E. // Útica] Vçita E (*confusión de* ç/t y c/t, *véase más abajo* Vtica). **19** et] *om.* E. **23** ne] me E (*sin signos diacríticos; podría leerse* ni e, ui e, *o* i ne, *pero ninguna de esas combinaciones aparecen en Rams*).

---

[705] E da: *et lo huuo enuidia de la gloria mia*. ¿Cómo interpretar ese *lo*? Creo que es sujeto. Pero el uso de *lo/los* como sujetos es muy raro en ***Rams***. Como recoge Leslie (179), sólo se da en dos ocasiones: en la autoridad 14.3 (*de lo que Sçipión se temía se conteçió por obra, que luego que los hubieron destruýda la çitat de Cartagenya*) y aquí. Pero creo que en el primer caso se trata de una aglutinación, *qu'elos*, donde la grafía simple de la *l* tiene valor de la palatal *ll*, fenómeno no desconocido del aragonés. En el segundo caso, creo que *et lo* es una confusión típica del copista, que desdobla en dos palabras lo que era una en el original. Por eso sugiero leer aquí *ello*, con valor de *él*, sujeto masculino singular (cf. el frecuente uso de aquello en ***Rams*** con valor de *aquel*).

huuo enuidia de la gloria [227a] mía et yo de la suya. Et conclude Vallerio que Catón, por la muert suya, dio grant doctrina a los hombres que más deuen amar honor et dignidat menos de vida sines honor et sines dignidat, et cetera.

5

[4] ——. Item el mismo, en el libro et capítulo ya allegado, recompta que en vna batalla que César fazía con la legión Martia, et la su legión era conuertida a fogir, et aquell qui portaua la bandera primera empeçó a fogir. Et César, qui lo vido fugir, acostósse a ello et tomólo por la gola, et con la mano drecha mostráli la huest de los enemigos diziéndoli: Aquéllos son con los quales nós nos deuemos combater. ¿Dó uas tú? Quasi que non lo quiso notar de temor ni de fuyr, mas de errada, quasi que por error andasse en otro lugar. Et con las manos castigólo âquell cauallero qui leuaua la senyera, et con el [227b] amonestamiento corrigióle la temor de todas las legiones, et mostróles de vencer como fuessen aparellados de esser vençidos, etc.

[5] ——. Item el mismo, en el libro et capítulo ya allegado, recomta que Aníbal prometió a los capuanos el primçipado de Ytalia si con él emsemble tomauan las armas en cuentra las armas de los romanos. Et algún tiempo los romanos assitiaron la ciudat de Capua et touiéronla. Mas Fluuio Flaco, duch de los romanos, en un castiello clamado Talibios,[706] fazía delant sí scabeçar los prímcipes de Capua. Et las oras reçibió letras del senado que non proçehíse cuentra los senadores de Capua, et cessó d'allí adelant de matarlos. Et las oras Trito Tiberio[707] trahía crido con clara voç: Tú, Flauio, qui has tanta copdiçia de [227c] demandar la mía sangre. ¿Por qué no me fazes matar con aquella destral sangriente con la qual tantos prímçipes has muertos, et poraste glorieiar, si me matas, que muerto has hombre et varón más fuert et

9 empeçó] empeco E. **13** andasse] andadasse E. **15** et] *om.* E. **20** tomauan] tomaua E. **25** Trito Tiberio] E, Tito Jubellio (Canals I:180). **27** matar] mastar E. **29** has] *om.* E.

[706] Es la ciudad de Cales (Calibus), hoy Calvi, al NO de Capua, donde Fulvio Flaco castigó la infidelidad de los habitantes de Campania.

[707] Es Tito Jubelio (como dice más abajo) Taurea, campaniense, retador de Fulvio Flaco.

millor de tú mismo? Las oras respuso Flauio Flaco que volenteras lo matarία sino que letras del senado lo enpachauan. Las oras respuso Iubellio: Veas et reguarda a mí, el qual el senado no ha res mandado. Guarda que faré obra agradabla a los oiios tuios et a la tu volumtat, et
5 es obra mayor que el tu coraçón, porque tú no guaresçerías fazer ningún tiempo en semblant.[708] Et en continent mató la muller et los fillos, et aprés mató a sí mismo.

[182.] [DE PASCIENÇIA.][709]

10

[1] **Vallerio Máximo**. Vallerio, libro IIIº, "De pascienςia," recomta que Allexandre, [227d] quando fazía su sacrifiçio, auía acostumbrado que dos muyt nobles caualleros iuuençiellos li stauan deuant, assín como era de costumbre en Macedonia. Et sdeuínose atal cosa que
15 sobre el braço del vno de aquéstos carbón cremant cayó quando tomó el ensensero en el braço del vno de aquéstos, et començaron a cremar tanto que la odor de la carne cremada vino ad aquellos qui le stauan al aderedor. Mas él la suya dolor repremió con calamiento et non mostró ningún senyal de dolor ni lo manifestó con gemeço, et por la dolor non
20 mouió el braço por esto que non dasse procodida al ensensero et que no enpaiasse el sacrifiçio de Allexandre. Mas el rey Allexandre, adeleytado en la virtud del adolesçent, de cierta sciençia laguió más luengament en el sacrifiçio por tal que más mani- [228a] fiesto expiriment huuiesse de la pasciençia suya et persseuerança. Et el adolescent con-
25 tinuó assín como auía començado callando et repreniendo su dolor.

[2] **Vallerio Máximo**. Agora crida Vallerio que si Darío, rey de Perssia, fuesse present, et los oxyos de la su conssideración huuiesse endreçados

1 oras] ohoras E. // Flauio] E, Fuluio (Canals I:180). **2** enpachauan] enpachaua E. **4** faré] fazes E (*fort.* fares, *confusión* z/r). **6** semblant] el obra E, semblant (Canals I:180). **14** en] es E. **15** braço] braco E. **16** començaron] comencaron E. **25** començado] comencado E. **28** endreçados] endrecados E.

[708] E da: *en el obra*, que apenas tiene sentido. Basado en el texto de Canals: *E ueies obra que fare, graciosa e plasent als teus vlls e sobergua al teu coratge, car not bastaria lo cor de fer semblant* (I:180), sugiero corregir a: *en semblant*.

[709] El ms omite el título de este capítulo. Lo tomamos de la tabla alfabética inicial.

en aquesta obra de tan marauillosa pasçiençia, auríe podido conoscer que los caualleros de Allexandre non podían seyer vencidos, porque eran de vna misma sangre et de vna misma región con aquell nino iouen en la edat no firme del qual, porque, es a saber, era de XV o XVI anyos,
5 et cetera.

[3] ——. Item el mismo, en el III° libro, iii° capítulo, "De paciençia," recomta que Anadaxarco[710] filósofo, ressemblador et seguidor de las virtudes de Zenón, quando era turmentado por lo tirano de las yslas
10 de Chipre, el dicho filóso- [228b] fo, con muytas amargosas reprenssiones magnifestando los vicios suyos, et el tirano menazóli que tolrría la lengua. Et las oras el filósofo dixo al tirano: O afominado adolescent, aquesta partida de mi cuerpo, es a saber, la lengua, no será diusmesa a la tu senyoría. Et en continent con las dientes tallóse la
15 lengua et mastególa et scupióla en la cara del tirano.

[183.] CAPÍTOL DE FIANÇA.

[1] **Vallerio**. Vallerio, libro tercero, "De fiança," recompta que Scipión
20 huuiés grant confiança de sí de passar en África. Et fue ventura que en la su huest fueron presas las spías de Aníbal, las quales eran venidas a espiar et a deuiçar[711] en quál guisa se comportauan los romanos et Sçipión. Las quales spías fueron portadas a Sçipión et non las tur- [228c] mentó assín como es de costumbre ni les demandó de Aníbal ni de la
25 huest suya, [mas fizoles mostrar toda la huest suya], et a todos los manípolos. Aquestos manípolos son cabeça de CC caualleros. Et des-

17 fiança] fianca E. **20** ventura] veneura E (*confusión* e/t). **22** deuiçar] deucar E. **25** mas fizoles mostrar toda la huest suya] *om.* E (*posible homoioteleuton*), nols volch turmentar, nils enterroga dels consells ni del poder dels Cartaginesos; mas feu los mostrar diligentment tota la sua host, manant, que noy hagues res de fet de caualleria, que no vessen (Canals I:207).

[710] Es deformación de Anaxarco.

[711] E da: *deucar*. Velasco la interpreta como 'denunciar' y la deriva de *devocare*. El ***Lexicon*** sugiere que sea error por: *deuocar* 'devolver'. Ambas interpretaciones son posibles. Pero creo que se trata de un doblete explicativo. Por eso creo más congruente considerar la palabra error gráfico por *deuiçar* 'averiguar, determinar', variante de *deuisar*, que aparece en el corpus herediano.

pués demandó a los spías si se auían per bien presa guarda de todas aquellas cosas las quales lur senyor les auía mandado.[712] Et después dioles bien a comer a ellos et a lures bestias, et asín léxalos andar franchos et quitios sin ninguna pena, et tornaron a los suyos, etcet.

5

[2] ——. Item el mismo, en el quarto capítulo, libro terçero, que dize que aquellos que fueron de baxo et humil lugar fueron fechos excellents, claros et nobles. Et dize que Leda fue muyt bella et honesta muller, et la qual copdiçió Iúpiter, et en figura de senyal[713] iazióse con ella et 10 emprenyóla. De aquélla parió dos hueuos, en la vno de los [228d] quales fue Cástor et Pollin, et en el otro Elena. Et non fue Clitementa, assín como alguno expone. Et aparesçe en ***Matemorefos***. Et aquésti partió clauo eclesial[714] segunt opinión de los gentiles. Et segunt que recomta Sant Agostín en el IIII° libro de la ***Çiudat de Dios***, en el xii 15 capítulo, et eran dioses terrenales et otros de augua o auguáticos et otros infernales.[715]

---

1 spías] suyas E. **7** fueron fechos] *om.* E, foren fets (Canals I:195 título). // excellents] excellent E. **9** et] *om.* E. **15** otros] otras E. **16** otros] otras E.

---

[712] El párrafo: *Las quales spías...les auía mandado* tiene una redacción muy confusa en E, en la que suponemos que el copista cometió un salto (*huest suya...huest suya*) y adaptó una palabra (*spias* > *suyos*) en un intento de dar sentido a un texto incongruente para él. Para apreciar la dificultad del pasaje y el valor de nuestras correcciones, que ofrecemos tentativamente, damos el texto de ***Rams*** y el de Canals. Dice E: *Las quales spías fueron portadas a Sçipión et non las tur/mentó, assín como es de costumbre, ni les demandó de Aníbal ni de la* ***huest suya*** [salto] *et a todos los manípolos. Aquestos manípolos son cabeça de CC caualleros. Et después demandó a los* ***suyos*** *si se auían per bien presa guarda de todas aquellas cosas las quales lur senyor les auía mandado*. El texto de Canals dice así: *E, feent los se uenir dauant, nols volch turmentar, nils enterroga dels consells ni del poder dels Cartaginesos; mas feu los mostrar diligentment tota la sua host, manant, que noy hagues res de fet de caualleria, que no vessen; apres, com los enterrogas si hauien mirat a lur guisa aço quels hauia manat mostrar, e diguessen que hoc, feent los dar a dinar, e ciuada als lurs caualls, trames los ne, sans e segurs* (I:207).

[713] Así da E. Todos los editores sugieren que es falsa lectura por 'cisne'. Parece convincente, pero quizá debería tenerse en cuenta la lectura de Canals que dice: *engiyn diuinal* (I:217)

[714] Leslie sugiere que quizá sea error por: *celestial*.

[715] Las referencias a Cástor et Pollin (Castor et Pollux), Elena, Clitementa (Clitemnestra) y Matemorefos (Metamorfosis) faltan en Canals. La cita de la ***Ciudad de Dios*** en 4.10. Estas adiciones de ***Rams*** revelan procedencia de un Valerio Máximo comentado.

[184.] CAPÍTOL DE CONSTANCIA ET DE FIRMEÇA.

[1] **Vallerio Máximo**. Vallerio, en el libro III°, capítulo "De costancia et de firmeça," capítulo viii°, recomta los dichos de dos spartanos.
5 Et el primero dicho es de vno coxo el qual, como fuesse reprendido que en la batalla coxo biniesse, respuso que prepósito suyo era de combater et non de fuyr, porque los coxos non pueden assí spachadamientre fuyr.

10 [2] ——. Item el otro spartano avn recomta que los [229a] perssanos contra los quales se deuían combater auían tanta copia de sayetas que scureçían el sol. Respuso l'espertano: Bien dizes et bien recomptas que las sayetas de los persos scureçcan et fagan sombra, porque a la sonbra mellor nos combateremos, tirada la calor del sol.
15
[3] ——. Item el mismo, en el libro et capítulo ya allegado, recomta que vn spartano andaua como a pelegrino. Et como fuesse plegado en vna ciudat, et aquell huésped qui lo auía recibido li mostrasse los muros de aquella ciudat altos et amplos, el qual spartano le respuso que si
20 ellos auían feyto como las mulleres, sauiament auían feytos aquellos muros, porque las mullieres son medrosas, et por tanto auían menester muro alto et grande a deffender la ciudat por tal que más segurament puedan andar aquá et [229b] allá, et que non puedan seyer feridos por aquellos qui las combatían. Mas si lo auían feyto aquellos muros por
25 hombres defendientes la çiudat, las oras, en aquell caso, locament et ledament lo auían fecho, porque los hombres caualleriuols et prouados en batallas no han menester a defender muro tan alto ni tan amplo.

[4] ——. Item el mismo, en el libro et capítol ya allegado, recomta
30 que Octouiano[716] et Anthonio se departieron todo el mundo. Et Ant-

5 es] es que E. **6** coxo] tuxo E (*confusión* c/t). // biniesse] huuiesse E (*confusión* h/b). **13** persos] presos E (*lectio facilior*), de Persia (Canals I:219). // scureçcan] scurecçam E. **17** andaua] andando E. **18** et] *om.* E. **19** si] *om.* E (*véase oración correlativa más abajo*), si aquests murs hauets fets per les fembres be hauets fet (Canals I:220). **21** porque] por E. **30** Octouiano] Octomano E (*confusión* m/ui).

[716] Es Octavio (u Octaviano) César Augusto.

honyo senyoreaua sobre Egipto, Ponto et África, et Octouiano sobre Ytalia, Françia et Spanya, assín como se leye en la ***Ystoria*** en la eglesia. En las helendas de agosto, Anthonyo tomó Octouianya,[717] ermana de Octouiano, et en aprés algún tiempo gitóla de sí et envióla a su
5 ermano, et tomó por muller Cleopatra, [229c] et por aquesta razón fue fecha batalla ciuil entre Anthonio et Octouiano. A la conclusión Meuio, centurión de Octouiano, fue sobrado et preso en aguayt, del qual non sabía res, et fue adozido ad Anthonyo. Et díxoli: ¿Qué faremos de tú? Et él respuso: Faze mandamiento que sea scabeçado, porque,
10 puesto que tú me des la vida et me lexases el turment de mi muert, yo por todo aquello no començaría a guerrear por tú ni desampararía a Octouiano. Porque Anthonio, conosçiendo et viendo la virtud et costançia suya, mandó que non fuesse matado.

15 [5] ——. Item el mismo, capítulo ya allegado, dize que Dionisio[718] saragusano huuo tanta costançia et firmeza que fue puesta en exemplo, cómo por algunos lagoteros et dezideros fueron diffamados dos ami- [229d] gos suyos, los quales él daua grant fe. Et fue amonestado que se guardasse de los sus amigos asín como de enemigos, por-
20 que aguaytauan a la vida suya. Et respuso Dionisio que más amaua morir que egualar los amigos a los enemigos. Los enemigos deue hombre temer. Muert violenta de los amigos no. Et aurían galardón los amigos a los enemigos si huuiesse miedo que lo matassen violentment. Porque aparesçe que Dionisio fue constançia a los amigos.
25

[6] ——. Item el mismo, libro et capítulo ya allegado, recomta de Alexandre et dize que aquesta firmeça et constançia de Alexandre fue muyt excellent por dos razones, es a saber, por exçellençia del actor

1 Ponto] Ponco E (*confusión* c/t). // Octouiano] Otromano E (*confusión* c/t, r/t y m/ui). **3** helendas] hcls E. // Octouianya] Otromanya E. // ermana] erma E. **4** Octouiano] Otromano E. // envióla] enuiola E. **6** et] Oet E. // Octouiano] Otrouíano E (*con signo diacrítico sobre la* í). **7** Meuio] Menio E (*confusión* n/u). // Octouiano] Otrouíano E. **8** faremos] fareneos E. **9** scabeçado] scabecado E. **12** Octouiano] Otromano E. **13** fuesse] fuessen E. **19** de los] dellos E. // amigos] *om.* E.

[717] Es Octavia, la hermana de César Augusto.

[718] Se refiere al tirano Dion de Siracusa.

qui fue rey de los reyes et amanssó todo Orient; la segunda razón porque tal constancia et firmeça fue muyt [230a] marauellosa, segunt que aparesce deyuso. Et el fecho fue assín: Alexandre, rey, se á combatido con Darío, rey de Meda et de los perssanos. Et lo auía vencido; et el poder suyo et las riquezas trenquadas. Mas no auían encara occupado el regno de los medos et de los perssos, et retornaron s'ende en Sçiçilia. Por la calor del sol et por la feruor del camino fue muyt acalorado. Et, queriendo refriar a sí mismo, gitósse en el río clamado Cidno, el qual río á las aguas claras, et passa por la ciudat de Tarsso, la qual es cabo de aquella agua. Despoderáli et debilitóli todos los nerbios del cuerpo, et con treballo et con dolor de toda la huest fue auerssido[719] en la çiudat de Tarsso. Por la enfermedat de la qual, sperança de toda la victoria de los perssos era dubdosa. Et los meges aplegáronse por guarescerlo. Finalmientre acordáronse de dar abeurage. [230b] El qual dio Filipo metge et amigo de Allexandre et companyón de su camino. Et entre tanto vinieron letras ad Allexandre enviadas por Parmenión, companyón suyo, en las quales li notificaua[720] que Filipo era corronpido de moneda por el rey Darío, et assí que se guardasse d'ello. Las quales, como huuiesse leydas, tomó el beurage de las manos de Filipo et beuiólo. Et quando lo huuo beuido, dio las letras a Filipo que las leyesse. Et non dubdó en res de la senceridat de Filipo que hauía en él.

2 marauellosa] ma marauellosa E. **9** Cidno] Ciduo E (*confusión* u/n). // et] *om.* E. **10** debilitóli] debilotoli E, debilitoli tot lo cos arronçant li los niruis (Canals I:232). **13** sperança] scperanca E. **15** dio] *om.* E. **17** enviadas] enuiadas E. **18** li notificauan] non li fincauan E, lamostraua (Canals I:232), admonentes (Valerio Maximo 3.8.ex.6). **22** senceridat] senteridat E (*confusión* c/t).

[719] Desconozco este término. Leslie lo relaciona con el catalán *aversat/versat*, con el significado de 'carried down', 'llevado, transportado'. El ***Lexicon*** lo deriva de *aversir*, con idéntico sentido. Velasco lo deriva de *avertir* 'dejar, abandonar'. Todos concuerdan básicamente con Canals, que trae: *per que, ab gran dolor e pahor de tota la sua host, portaren lo a la ciutat de Tarso* (I:232).

[720] El ms. dice: *vinieron letras ad Allexandre, enuiadas por Parmenion, companyon suyo, en las quales non li fincauan que Filipo era corronpido* 230b. Esta lectura tiene poco sentido. Canals dice: *en les quals lamostraua* (I:232), fiel traducción del *admonentes* de Valerio Máximo (3.8.ex.6). Estos textos indican que *non li fincauan* es corrección psicolingüística por *li notificaua*. Aunque el verbo *notificar* no aparece en ***Rams***, sí se halla en el *corpus* herediano.

Agora dize Vallerio que Allexandre, del verdadero et firme iudiçio que auíe escuentra con[721] su amigo, reçebió loguero de dios, es a saber, sanidat, la qual emparaiaua falssa accusación. Porque si huuiesse creýdo a la falsa accusaçión, no huuiera beuido el [230c] beurage et no hauría cobrado sanidat, assín como fizo.

[185.] CAPÍTOL DE TEMPRANÇA ET MESURAMIENTO DEL CORAÇÓN.

[1] **Vallerio**. Vallerio, libro IIIº, en el primero capítulo, "De temprança," recomta que Archiates Tarençio[722] fue hombre de muy grant reuerencia, et en tanto que Sant Gregorio recomta en el ***prólogo de la Viblia*** que Platón vino en Ytalia por tal que vidiesse a Archiates, qui fue disçípol de Pitágoras en Metaponto, la qual es ciudat de Calabria. Et aquí mismo aprendió obra stable et firme de la doctrina suya luengo tiempo huiéndola. Aprés torná s'ende en Tarento, de do era, et fue a veyer las sus vinyas et las suyas possessiones, et conosçió que eran todas esgastadas et estroydas por negligençia del procurador qui las procuraua. Et dixo: Yo te puni- [230d] ría sino que son irado contra tú.

[2] **Vallerio Máximo**. Agora crida Vallerio et dize que Archiates auíe mes hi vn procurador negligent et amó más sin pena lexar, que ponirlo con ira; que ira faze todos tiempos punir et turmentar más adelant que iustiçia no requiere.

2 escuentra] estruenta E (*confusión* t/c *y transposición de la* r), enues (Canals I:232). **3** qual] qua E. **4** huuiera] huuieran E. **5** no] *om.* E, car si Alexandre hagues donat fe a les letres, no hagra bebut, e fora la sua sanitat retardada (Canals I:232). **7** temprança] tempranca E. **10** temprança] tempranca E. **13** qui] *om.* E. **17** possessiones] possiones E. **19** Et dixo] *om.* E, dix li (Canals I:245). **22** et amó más] *om.* E, mes ama (Canals I:245). **24** que] a E.

[721] E da: *estruenta*. El sintagma: *estruenta con* debe ser frase preposicional. Con esta grafía no la conozco ni sé que esté documentada. Pero la versión de Canals ayuda a corregir y comprender su significado. Dice así: *Per lo juhi, axi constant e ferm, que hac Alexandre enues son amich, rebe dels Deus inmortals digna retribucio* (I:232). Este texto confirma que *estruenta con* es sinónimo de *enues* 'para con'. Por lo tanto creo que es error gráfico por: *escuentra con*. Alvar (*Dialecto* § 134) recoge la forma *(es)cuantra* 'contra' (§ 134).

[722] Se trata de Arquitas Tarentino, filósofo que estudió con Pitágoras en Megaponte.

[3] **Vallerio Máximo**. Item el mismo, libro et capítulo ya allegado, recompta que Plato fue constantment temprado et mesurado enuers lo sieruo suyo, nombrado Xenócrates. El fecho fue assín: Vno malo faulador, quirient sembrar discordia entre Platón et Xenócrates,
5 recomtó a Platón que Xenócrates auía dicho mucho de mal de él. Et repuso Platón que no lo creía, et que non dubdaua que aquella diffamaçión era falsa. Las oras el mal faulador querelláuase porque non daua fe a las paraulas suyas. Respuso Platón que por esto no ý daua fe, [231a] porque dizía cosa que non fazía a creyer, porque cosa era
10 no credible que Xenócrates no amás.[723] Las oras el maldizient por el qual tan ardentment era amado iuró que todas las cosas que auía contadas eran todas verdaderas. Las oras Platón no quiso desputar en examinación fazer de su sagramento antes, puesto que verdat huuiesse dicho. En aquell caso dixo que por esto Xenócrates auía dicho
15 aquellas cosas, porque credía seyer expedient et prouechoso a Platón que las dixiesse aquéll mismo. Et nota que non las auría dichas si non las creyesse assín seyer expedient.

Agora crida Vallerio et dize que el coraçón de Platón no es visto seyer stado en cuerpo mortal, porque las ánimas stantes en los
20 cuerpos mortales reciben muchos peccados, de los quales ninguno [231b] non reçibió Platón. Et por tanto paresce que el coraçón suyo sea estado en vna fortaleza marauillosa, por la qual batalla virtuosa, foragitando viçios et remuuiendo virtudes, teniéndolas encerradas et seguras en el seno de la alteza celestial, en la qual alteza
25 celestial tuuo todos tiempos stranya habitaçión de la vida suya, quiero dezir que todas las virtudes huuo et todos viçios de sí foragitó, et cetera.

---

3 Xenócrates] Xeruocrates E. **4** Xenócrates] Xeruocrates E. **5** Xenócrates] Xeruocrates E. **6** Platón] Plato E. // dubdaua] dubdada E. **8** Platón] Plato E. **11** amado] las oras el maldizient *add.* E. // que] *om.* E. **12** eran] era E. **18** coraçón] coracon E. **23** encerradas] enterradas E (*confusión* c/t), tanquant e conseruant en lo si de la gran altea del cel (Canals I:246).

---

[723] Una nota al margen izquierdo añade: *Platon, maestro suyo fino*, explicación que viene a completar la frase. Este comentario corresponde, grosso modo, al texto de Canals: *Respos Plato "no esser cosa de creure, que no fos amat per aquell, lo qual hauia amat axi ardentment"* (I:245).

[4] ——. Item el mismo, libro et capítulo ya allegado, recomta de la temprança que huuo el saragoçano.[724] Aquesti çaragoçano fue vn noble et excellent varón, el qual sufrió paçientment el exilio que le fizo Dionisio tirano, el qual lo exilió. Aqueste çaragoçano vino s'en-
5 de a Magnata, que es ciudat en aquella isla misma, queriendo visi-
[231c] tar a Theodoro, senyor de la ciudat. Mas los porteros non lo dexaron entrar en casa. Et como henuyasse luengo tiempo sperando delant la puerta, dixo a su compannón: Paçientmientre lo suframos, que por auentura semblant iniuria he fecha yo ad aquellos que querían
10 entrar a mí quando yo era en el grado de mi dignidat. Et sobre aquesti dicho et conssello reposado fizo assín la condiçión del estamiento más suportable.

[5] **Vallerio**. Item el mismo, libro et capítulo ya allegado, recomta la
15 temprança de Staçipo.[725] Hauía vn enemigo enuidioso en la administraçión de la cosa pública. Él en otra guisa era stado hombre de grant et de buena condición, et los amigos de Staçipo amonestauan que aquel odioso enemigo fueragitasse de la ciudat o lo [231d] tolliesse, es a saber, que lo matasse. Et Staçipo respuso que non faría ni la vna
20 cosa ni la otra, es a saber, que non lo mataría ni lo echaría fuera de la ciudat. Et asignó ide razón, porque aquell enuidioso era bueno hombre, et en lugar d'él n'í entraríe vno malo. Et Staçipo esleyé más seyer turmentado et tribulado por enemigo buen hombre que no si la tierra amenguaua de aduocado prouechoso. Et puesto que li fuesse
25 enemigo, en aquesto fue la temprança suia, porque non quiso perçebir contra el enemigo. Et más conssideró que era expedient a la cosa pública, que no aquello que era expedient et prouecho a sí mismo.

2 temprança] tempranca E. // çaragoçano] çaragocano E. **5** queriendo] et queriendo E. **10** era] era *iter.* E. **14** capítulo] capitul E. **15** Staçipo] Sçipion E (*lectio facilior*). **17** Staçipo] Scarpio E. **18** aquel] aquellos E. **19** Staçipo] Scapio E. **22** Staçipo] Scapio E. **23** enemigo] enemigos E.

[724] El *saragoçano* es Dion de Siracusa, que fue expulsado de su patria por el tirano Diónides, por lo que se retiró a Mégara.

[725] E da: *Sçipion* (ultracorrección) y más abajo *Scarpio*, por *Staçipo*. Es Estasipo de Tegea.

[186.] [CAPÍTOL DE ABSTINENÇIA.][726]

[1] **Vallerio Máximo**. Vallerio, en el libro ia allegado, capítulo tercero, "De abstinençia," recomta que Sçipión tomó Cartagenya, aque-
5 lla de Spanya, en el qual los car- [232a] tageneses tenían, etc. Ya es largament de suso en cartes.

[2] ——. Item el mismo, libro et capítulo ya allegado, recomta que Marco Curio[727] fue de muyt grant fortalleza en batalla et abstinient en
10 viandas. Et los sannitas, contra los quales guerreaua, enviaron a él por lures legados grant peso de oro con paraulas begninas, pregándolo que lo reçibiesse a vso suio. Et los legados trobáronlo que se seía en vn banco rústico et sotil, que cenaua al fuego en vna scudiella de fust. De aquesto los sannitas se marauillaron mucho, esto es, de la probeça de
15 Curio. Menospreçio el dono a éll enviado et risieron s'ende. Et scarnesçió ad aquellos que los auían enviado, et respondió begninamientre a los legados diziéndoles: Non uos quiero clamar ministros ineptos, mas dígovos superfluos, de balde venidos, [232b] porque auedes trahído oro, del qual ne yo ni senblantes de mí no auemos mingua. Et aques-
20 ti dono assín como es preçioso assí es fraudulent et excogitado por males, es a saber, a corronperme. Mas yo no son podido seyer vencido en batalla, asín non podíe seyer corronpido por moneda. Et esto mismo dezides a los sannites. Et tornatvos ne con el dono, et dezitlos que yo quiero senyorear et mandar a los ricos, mas non quiero seyer rico.
25

[187.] CAPÍTOL DE POBREZA.

[1] **Vallerio Máximo**. Vallerio, en el libro ya allegado, capítulo iii°, "De pobreça," recomta que Cornelio Rufo[728] fue collector de los

5 qual] qua E. // cartageneses] car/geneses E (*en el reclamo* tagineses). **10** enviaron] E enuíaron. **15** enviado] enuiado E. **16** enviado] enuiado E. // respondió] respondido E. **17** a] *om.* E. // ineptos] níeptos E (*con signo diacrítico sobre la* í). **19** mingua] ninguna E. **21** vencido] vendido E, uençut en batalla (Canals I:257).

[726] El ms omite el título de este capítulo. Lo tomamos de la tabla inicial.

[727] Se refiere a Manio Curio.

[728] Se trata de Pomponio Rufo, cuyo anecdotario fue "una de las fuentes de Valerio Máximo" (Martín Acera, 253 n. 20).

libros, et dixo en scripto aquesta ystoria la qual es clara, sobre la qual dize IIs muyt notables cosas. La primera que aquell qui no cobdiçia res de las cosas temporales non dessea todas [232c] cosas, et todas cosas posside. Et esto mismo dize l'apóstol assín: Como nos auemos res et
5 todas cosas possidentes. Et dize encara más, que aquellos los que semblan que haian senyoría de las cosas suyas a menudo las pierden. La qual tristor no han aquellos qui res no dessean, porque han el penssamiento bueno et virtuoso. Et el segundo notable es que reprehende aquellos que possiden las riquezas, las quales se pienssan seyer sobirana
10 bienandança, et dizen que pobreça es extrema miseria. Et argüex contra aquéllos, porque posado que a los ricos sembla que ayan la appareçençia et la cara alegra et ioyosa, de dentro empero han muytas amarguras de cura et ansia en ganar et de dolor de perder et de angoxa en guardar. Las más vezes la apareçençia [232d] de los pobres es sútzea et fea et orrible
15 porque son mal uestidos. Mas si son virtuosos an de dentro firmeza et bien stables. Et dize, aquestas cosas son virtuosas, et cetera.

[188.] CAPÍTOL DE VERGÜENÇA.

20 [1] **Vallerio Máximo**. Vallerio, libro IIIIº, capítulo primero, "De vergüença," recomta que vn toscano[729] muyt exçellent de belleza de la su cara, et el qual era clamado Spurina, confundió la su cara con nafras, et la manzelló conosçiendo que muytas mulleres etcet. Ya es en cartas atrás.

25 [189.] CAPÍTOL DE AMOR CONIUGAL.

[1] **Vallerio Máximo**. Vallerio, libro IIIIº, capítulo primero, "De amor coniugal," recomta que Arthemesia, regina, muller que fue de Maussiolo, el qual, muerto, con quánta amor, es mostrado por el sepulcro

---

5 aquellos los que semblan] aquello lo que semblant E. **10** bienandança] bienandanca E. // dizen] dize E. **14** vezes] *om.* E. **18** vergüença] verguenca E. **21** toscano] costano E (*confusión* c/t) y t/c). **23** cartas] tartas E (*confusión* c/t). **27** De amor] amo E. **28** Arthemisa] Archemisa E (*confusión* t/c).

---

[729] E da: *costano*. Así leen el ***Lexicon*** y Velasco. El primero elucubra que sea un derivado de *costa*. La lectura correcta es *toscano* (confusión *c/t* y *t/c*), como lo revela el origen etrusco (es decir, toscano, gentilicio de la Toscana) del bello Espurina.

que ella ediffició et por las honrras fechas al mu- [233a] erto. Et dize que aquesti sepulcro es promouido el xiiº miraglo del mundo. Porque nota que VII obras misericordiosas et marauillosas son seýdas en el mundo. Esti es labrinto en Creta, en do son vías infinidas circuloa-
5 res que non s'en puede hombre sallir; et puent de Alexandría, hedificado sobre tronchos de vidrio; el Orepe del puerto de Greçia, et él struíron los de Athenas;[730] et el Coloso, el templo de Roma; et la ymagen de Diana; et el monimento de Mauseolo, el qual fue de tanta exçellençia, assín ediffícado, que de aquella ora ent'aquá los sepul-
10 cros de los reyes fueron apellados mausseales, et porque la muller suya fue sepulcre viuo de su marido, porque los otros sepulcros son feytos et mesclados con la veuenda, et çetera.[731]

[190.] [DE LIBERALIDAT.][732]

15

[1] **Vallerio Máximo**. Vallerio, en el libro ya [233b] allegado, en el capítulo "De liberalidat," recomta que en aquell tiempo de Cathalina auía tribulado la república de Roma, en la dicha ciudat auíe vn hom-

3 obras misericordiosas] obras de misericordiosas E. **4** labrinto] labrinto o E. **5** puent] E, lo port de Alexandria (Canals I:284). **7** los] *om.* E. **8** *1er* de] de *iter.* E. // Mauseolo] Mauscolo E (*confusión* c/e). **10** fueron apellados] *om.* E, foren apellats (Canals I:284). **12** veuenda] venenda E (*confusión* n/u).

[730] La lista de las siete maravillas del mundo no se halla en Valerio. Es una adición de los comentadores del s. XIV. Aparece también en Canals. Es muy cercana a la de ***Rams***, por eso la usamos en nuestras correcciones. Pero la lista del texto aragonés es incompleta. Da solamente seis maravillas porque, en su enumeración, se detiene en el sepulcro de Mausolo, que es la sexta. Sin embargo, el copista suplió esa falta al deshacer la tercera maravilla en dos. Dice E: *el Orepe del puerto de Greçia, et el Struirón de Athenas*. Este extraño *Struirón* no es tal. El copista ha transformado en sustantivo lo que era verbo en el original: *struíron* 'destruyeron'. La verdadera versión es: *el Orepe del puerto de Greçia, et él struíron los de Athenas*, lectura corroborada por Canals: *la terçera obra fon lo port de Greçia, apellat Erapo, qui fon destruhit per los Athenienses* (I:284).

[731] La frase final de este párrafo contiene un contrasentido. Dice que los otros sepulcros, en comparación con el que edificó Artemisa, están mezclados con brebaje: *mesclados con la veuenda*. La versión latina y la de Canals dicen lo contrario. Tal fue el amor conyugal de Artemisa que, muerto Mausolo, quemó los huesos, con sus cenizas hizo un brebaje y a continuación se lo bebió para ser ella sepulcro vivo del cadáver de su marido. La versión actual de E o es inadecuado resumen del compilador o contiene un homoioteleuton.

[732] El ms omite el título de este capítulo. Lo tomamos de la tabla inicial.

bre el qual prestaua a usura. Et por la grant aflicción que la dicha çiudat en aquell tiempo auía, aquesti vsurero non quiso demandar ni requerir res de sus deobdos, por el mal stamiento de la çiudat, que le pagassen deubdo ni vsura. Et dizía assí: Yo so logrero de moneda et
5 non de la sangre ciuil. Quiso dezir que en atal tiempo angoxósse requerir los deubdos et vsuras et sacar la sangre del cuerpo de los hombres.

[191.] CAPÍTOL DE CONOXENÇA.

10 [1] **Vallerio Máximo**. Vallerio, en el libro ya allegado, capítulo "De conoxençia," recomta que Mitrídatres, rey, por vno suyo cauallero, el qual era stado guardi- [233c] án de la suia salud preso en la batalla naual, todas quantas perssonas tenían de los enemigos dio por el cambio suio, stimando que más santo era et más ualía seyer cercado por
15 los enemigos que no fazer ni render gracias al cauallero que lo mereçía bien.

[192.] CAPÍTOL DE PIEDAT ENTA[733] PADRE ET MADRE, ET ENTA ERMANOS, ET ENTA LA PATRIA.
20
[1] **Vallerio Máximo**. Vallerio, libro quinto, en el capítulo "De piedat," recompta que Cariliano,[734] varón de muyt grant coraçón et de muyt grant alto conssello et exçellent mérito de la cosa suya pública, deposada de la suya honor, assitió a Roma en tanto que la tuuo tanto assi-
25 tiada que toda la gent se penssaua venir al çaguero refrigerio de la muert. Empero aquella ora Venturiana, [233d] su madre, con la muller del dicho Cariliano, apellada Volunna et con los fillos, vino a rogar el fillo. Et de continent como el fillo vido la madre dixo:

---

18 enta] entre E. **22** coraçón] coracon E. **25** çaguero] caguero E.

---

[733] Tanto aquí como en la tabla alfabética inicial, E da: *entre*. Pero parece una ultracorrección del copista, por *enta*, como aparece en las frases subsiguientes. Corregimos con ellas.

[734] Se refiere a Coriolano, que levantó el cerco de Roma cuando se lo rogaron su madre, Veturia, y su mujer, Volumnia.

Vençido l'as la ira mía por pregarias tuias; la patria a mí odiosa et desconoçient retendré et conseruaré. Et de continent deliuró el territorio de Roma de las manos de los enemigos etc.

5 [2] ——. Item el mismo, en el libro ya allegado et capítulo, recomta que Cresso, rey de los lidos, huuo vn fillo mudo de la natiuidat suya acá, al qual piedat rendió la paraula. Car presa Sordis, ciudat de Lidia, en la qual era el rey Cresso assitiado por Çiro, rey de los perssanos, et con cresçe aprisiesse, et impetuosament fuesse contra Cres-
10 so, el fillo suyo, oluidando lo que natura li auía negado, cridó que non matasse Cresso rey, et reuocó [234a] el guchiello ia quax emprentado en el canyón del padre. Et fue feyto que aquéll, el qual entro en aquell tiempo era stado mudo, fue feyto no tal por salud del padre.

15 [193.] CAPÍTOL DE LA PIEDAT ENUERS LOS ERMANOS.

[1] **Vallerio Máximo**. Vallerio, libro V°, capítulo v°, "De la piadat enuers los ermanos," recomta que vn cauallero, el qual fue en las castras de Pompeyo contra Sertorio, etc. Ya es de suso en cartes.

20

[194.] CAPÍTOL DE PIEDAT ENUERS LA PATRIA.

[1] **Vallerio Máximo**. Vallerio, en el V° libro, capítulo ya allegado, recomta que Codro, rey de los atenieses, quando huuiesse houida res-
25 puesta de los dioses que aquella obra o ora la batalla de los atenieses auría fin si éll era muerto por los enemigos suyos. Et aquesta respuesta non tan solamientre fue manifestada en los castiellos de los ene- [234b] migos.[735] Porque los enemigos fizieron stablimiento con crida en pena del cuerpo a perder que ninguno non nafrase aquésto ni

---

6 mudo] muerto E (*lectio facilior*). **10** el] et E. **11** emprentado] emprencado E (*fort.* emprentado, *confusión* c/t. *El Lexicon lo relaciona con el provenzal* empretar 'impress upon' 'impreso, marcado, fijo'). **13** era] *om.* E. **19** *1er* de] et E. // Sertorio] Socerio E. **24** Codro] Todro E (*confusión* C/T). **28** fizieron] fueron E, per la qual raho fon feta crida (Canals II:64).

---

[735] Probablemente el original decía: *amigos*. Así lo hace suponer este texto de Canals: *E fon axi gran e tanta alta la ueu del dit Apollo, que cascuna de les hosts la hoiren* (II: 64).

thocasse Codro. Et como Codro sentiesse aquesto, posados los sobresenyales del imperio, es a saber, las armas reales, vistiósse ábito familiar, et posósse et esuayó aquellos que portauan viandas a los enemigos, et mientre fiziesse vno de aquellos que portauan viandas vno lo
5 firió et matólo. Et por la su muert fue feyto que Athenas ne cayó nin se gastó, et cetera.

[2] ——. Item el mismo, en el libro et capítulo ya allegado, recomta que como los cartagineses et los cirenos, ciudades de Áffrica, fuessen
10 en grant contrast del confín et del término de cascuna ciudat, et huuiesse muyt grant tiempo durado, et muchas muertes se fuessen [234c] seguidas, et por aquesto non se pudiessen concordar, finalmientre concordaron cascuna de las partes que en vn tiempo et en vna hora fuessen enviados ióuenes de cascuna ciudat, et en aquell tiempo
15 do primeramientre se controbauan o se encontrauan que fuesse término et fin a cascún pueblo de lur teritorio. Et fecha aquesta conuinença, dos ermanos Philenos, contra fe, fraudulentment, se mouieron antes de la ora ordenada et stendieron lures términos más luent. El qual feyto, como los ióuenes cirenos lo huuiessen entendido, clamáronse de la
20 falssía a ellos feyta. Finalmientre fizieron lur esfort de echar de fuera la iniuria por acrebitat et agrura de la condición, et dixieron que ellos auían por agradable si los ióuenes Philenos suffrían que fuessen allí [234d] enterrados biuos, la qual cosa los ióuenes atorgaron, et fueron enterrados biuos. Esto por piedat de la patria et cet.
25

[195.] CAPÍTOL PRIMERO. DE PUDICIA ET DE CASTEDAT.

[1] **Vallerio Máximo**. Vallerio, libro VI°, capítulo i°, "De pudiçia et de castedat," recomta qu'ell rey Tarquino tenía assitiada la ciudat de
30 Ardea. Collatino, marido de Lucreçia, con Sexto, fillo del rey et con otros ióuenes nobles de Roma, disputauan de la lealdat de las fembras, et los otros afirmauan que lures mulleres eran más bellas que Lucrecia.

---

1 Codro] Cosdro E. // Codro] Cosdro E. **12** pudiessen] pudiesse E. **14** enviados] enuiados E. **16** teritorio] ceritorio E (*confusión* c/t). // conuinença] conuinenca E. **21** acrebitat] atrebitat E (*confusión* c/t. Aceptamos la sugerencia de Leslie, 'acerbidad, dureza'). // *2°* et] *om.* E. **29** Tarquino] Torquino E. **32** Lucrecia] Lucredia E.

Aquella ora aviniéronse assí, que puyassen en los cauallos et que subtosament s'en fuessen en lures casas, et la muller d'aquéll fuesse más bella et millor la qual sería trobada occupada. Vinieron al castiello et trobaron Lucrecia entre noblas matrones. Et como el fillo del [235a]
5 rey la huuiesse uista, fue de continent preso et naffrado en la su amor et turmentado por exçessiuo inflamiento de Lucreçia. Et non podiendo cobrir más adelant la ferida de amor, como los ióuenes fuessen tornados con él en la huest, obsseruó tiempo et fue en el castiello de Collatino a do auía vista la dicha Lucreçia, et fue recebido muyt
10 reuerentment por Lucrecia assín como a fillo de rey; et asín como a cosino fue honrrado. Et como vino el tiempo que hombre se suele reposar el lecho, fue conuinientment amostrado. El qual, todo calentíuol, obseruó a do dormía Lucrecia. Et quando todo hombre fue adormido, amagadamientre entró en la cambra de Lucreçia et con la mano
15 siniestra estendióle el cuello et teniendo vn guchiello con la mano drecha, dixo: Cala, Lucrecia, que yo son el fillo del rey et el guchiello es en mi mano; si cridas morrás. [235b] Et aquélla toda plena de suenyo, aquélla calló. Et él començó de tirar Lucrecia que li conssentiesse, vna ora afalagándola con prometimientos et la otra con spaordimientos. El
20 coraçón de ella era assín duro como a mármol. Dixo: Si tú non ne conssientes, yo degollaré el tu sieruo, et degollado posártelo he sobre el tu cuerpo todo esnudo en aquesti leyto tuio por tal que por todo el mundo sea diuulgado que Lucreçia por adulterio que fizo con el su sieruo fue degollada. La qual temiendo aquesta infamia, aquella ora cons-
25 sentió. Et quando el fillo del rey huuo complido su volumtat, tornó s'ende a la huest. Et Lucreçia de continent mandó o envió a su padre et a sus ermanos et ha Bruto, sobrino del rey, et a Collatino, marido de aquella. Et de continent, sines tardança veni- [235c] essen a ella por grant necessitat. Et quando fueron venidos, ella se assentó en medio
30 d'ellos et dixo: El fillo del rey Sexto Tarquino ayer entró por la huest, enemigo de tú, Collatino. Reconoxe en el tu leyto pisadas de hombre stranyo. El cuerpo es corrompido; el coraçón es sin culpa. Et por tal

---

2 d'aquéll fuesse] daquell al qual fuesse E. **15** teniendo vn guchiello] *om.* E, e tenint vn punyal en la ma dreta (Canals II:86). **18** començó] comenco E. **20** mármol] maríuol E (*con signo diacrítico sobre la* í). **21** degollado] degollando E. // posártelo] posartelos E. **26** envió] enuio E. **27** Collatino] Collatiuo E (*confusión* u/n). **28** tardança] tardanca E. **32** coraçón] coracon E.

yo son sin culpa, mas non deliuro mí misma de la pena. Mas qui aquesto ha fecho, ponido seya. Et por tal que ninguna fembra desonesta por exemplo de Lucreçia non viua sin que tomar' exemplo de la culpa, no menosprecia de tomar exemplo de la pena. Et aquella ora ella priso el 5 guchiello, el qual tenía amagado deiuso la vestidura, et fincóselo por los pechos et cayó en tierra muerta.

[196.] CAPÍTOL DE LOS FECHOS ET DICHOS LIBERALMENT ET FRANCHAMENT DICHOS.

10

[235d] [1] **Vallerio Máximo**. Vallerio, libro sexto, capítulo ya allegado, recompta et dize que Filippo rey, mouido por enbriagueza, escalfado, condepnó a vna fembra, que no auía culpa, a muert. Et la fembra, vidiendo que no auía culpa, apellósse et clamósse de Filipo embriago 15 et scalfado a Filipo rey, temprado et mesurado. Et assí apellándose, lo dicho Filipo, fueragitada la embriagueza et la superfluidat de Filipo, et examinada et reconoxida más diligentmientre la cosa de la apelación de la fembra, forçó a Filipo de dar sentencia más iusta que la primera.

20 [197.] CAPÍTOL DE RIGOR ET SEUERIDAT GREUMIENTRE FECHA, HO FECHA HO DICHA.

[1] **Vallerio Máximo**. Vallerio, libro VIº, capítulo "De rigor," recomta que la rigor et seueridat del senado de Roma pa- [236a] reció con- 25 tra Gneo Vecreno, el qual se talló los dedos de la mano siniestra por tal que non fuesse abto nin conuinient a batallar de Ytalia. Porque el senado lo dapnó que perdiesse todo lo que auía, et que fuesse puesto en cárçel perpetual. Et fizo por tal guisa que la vida la qual no auíe querida despender ni exerçitar en la batalla, terminó et finió en cár- 30 cel et en presión vituperosamién.

[2] ——. Vallerio, en el libro et capítulo ya allegado, recompta que Ansticio, vieio, repudió et lexó la su muller porque la vido faular

---

2 ponido seya] por mal suyo E (*lectio facilior*), punit ne sera (Canals II:88). **18** de dar] de dar *iter.* E. **25** Gneo] Gueo E (*confusión* u/n). **33** lexó] lelexo E.

secretamientre en lugar público con vna sclaua enfranquesçida, puta pública. El fecho del qual el actor loha diziendo que aquésto non fu mouido a fazer vengança que la mullier huuiesse fecha auleza ni maluestat de sí misma, mas fue mouido por los començamientos de
5 la culpa, por tal que antes firmasse de iniuria que non [236b] la vengasse. Et deue seyer notado que començamiento et nodrimiento de culpa, speçialmientre en perssona sospechosa, s'í es parlamiento secreto con perssona no deuida, et mayormientre con perssona sospechosa. Aquesti hombre más fue mouido con la muller no por la
10 culpa de fornicación, la qual encara no auía conoçida, sino por el començamiento et por el nodrimiento de la culpa, en la qual presumó que la culpa no era sino que liugeramientre hide podría venir.

[3] ——. Item el mismo recomta que Seruilio Suplicio Galba et
15 Aurelio,[736] dos cónsules, contendieron en el senado quál de los amos a dos serían enviados en Spanya contra Variato, prímcep. Et era grant discordia entre ellos. Et como sperassen la sentençia de Scipión enuers quál part se boluería, respondió Sçi- [236c] pión et dixo aquéll: Vno ni el otro non li plazía que yde fuesse enviado. Razón:
20 Porque el vno no auía res et el otro que res no li abastaría ni auía asats. Assín qu'ell vno era pobre et que la pobreça liugerament se acostaua a otro por no tener iustiçia; et el otro era hombre auaro, et por moneda teníe vender iusticia et derecho, et auía mengua de vna messalla et res no li abastaua. Et con aquesta paraula obtuuo que nin-
25 guno de los cónsules non fueron enviados en Spanya.

[4] ——. Item el mismo, libro et capítulo ya allegado, recomta que Ruylo Pola[737] fue hombre de muyt grant temprauetat, empero fue hom-

---

4 començamientos] comencamientos E. **6** començamiento] comencamiento E. **11** començamiento] comencamiento E. **16** enviados] enuiados E. **19** enviado] enuiado E. **22** *2º* et] *om.* E. **25** enviados] enuiados E. **28** muyt] muers E (?).

---

[736] Se trata de los cónsules Servio Sulpicio Galba y Aurelio Cota que contendían en el senado por el cargo de ser enviados a España para luchar contra Viriato.

[737] Se refiere a Publio Rutilio.

bre de muyt grant virtud. Et dize que vno suyo muyt grant amigo le
fazía vnas pregarias de iusticia, et éll non las obedeçía. Et aquell amigo indignado díxoli: Pues que non fazes, ¿a qué [236d] me aprouecha
a mí la tu amistat si tú non fazes por mí aquello de que yo te priego?
5 Et al qual Retullio Pola respuso: Mas dime, ¿a qué t'e menester yo la
tuia amistat si por aquélla yo he a fazer alguna deshonestat?

E razonablement fauló Pola, porque verdadera amistat se funda en
honestat. Et por aquesto dize Tullio, en el libro ***De amistat***, que ley
de amistat es que nós no preguemos por cosas deshonestas ni, nós
10 pregados, que non las fagamos.

Aquesti Retulio Pola fue comdepnado a sterrado por diuisión de
los ciudadanos romanos. Et por esto ya non se vestió vestiduras tris-
tas nin plorosas, ni poso las ensenyas del senado, ni estendió las
manos suplicantes a los genollos de los iutges, ni iamás non suplicó
15 por su tornamiento, ni dixo res mas humil de las cosas passadas.
Assín qu'ell [237a] destruimiento non fue exterramiento de grauitat,[738]
antes fue experimiento. Et como la victoria de Silla le diesse retornamiento en la patria suia, porque non fiziés res contra las leyes, quedá
volenterosamientre en el desterramiento, por tal que non fuesse visto
20 retornar por la batalla çiuil. Porque por aquesta razón más mereçió
de auer sobrenombre bienauenturado por la su virtud, que Silla, por
el poder de las armas, li perdonasse, etcete.

De aquesti Retulio faula Séneca, libro VI ***De benefiçios***, diziendo:
El nuestro Reçilio, como vno le conssellasse et dixiesse que las bata-

3 díxoli] dexoli E. // fazes] faze E. // a qué] a a que E. **5** Retullio] Recullio E (*confusión* c/t). **11** Retulio] Reculio E (*confusión* c/t). **16** grauitat] graniçar E (*confusiones* n/u, c/ç/t *y* r/t), empecxament de la sua madurea (Canals II:121), impedimentum grauitatis eius (Valerio Maximo 6.4.4). **18** quedá] que dan E. **20** mas] *om.* E. **23** Retulio] Reculio E (*confusión* c/t).

[738] El ms. dice: *graniçar*. Los editores conseruan esta lectura con el sentido de 'granizar'. Obviamente no tiene sentido. El contexto dice (hablando del exilio de Publio Retilio): *assín qu'ell destruimiento non fue exterramiento de graniçar, antes fue experimento* 237a. El verdadero significado se puede deducir consultando la traducción de Canals, que dice así: *e feu quel perill del seu exili no fon empacxament de la sua madurea, ans fon experiment de la sua sauiesa* (II:121), y más claramente con el texto latino del Valerio: *effecitque ut periculum non impedimentum grauitatis eius esset, sed experimentum* (6.4.4). Según estos testimonios, es fácil demostrar que *graniçar* es deformación de la palabra aragonesa *grauitat* a través de las típicas deformaciones del copista: *u/n*, *c/ç/t* (véase *començador* 172b, por *comentador*, aplicado a Averroes), y *t/r*.

llas ciuiles deuían seyer en breu et que todos los desterrados retornarían, díxole: ¿Qué mal t'e feyto yo que tú desseas a mí peyor retornamiento mío que la sallida? Más amo que la patria haya vergüença del destornamiento mío, que si yo tornaua en la patria por las ba-
5 [237b] tallas ciuiles, et cetera.

[5] ——. Item el mismo, en el libro et capítulo ya allegado, recompta vna paraula la qual por los spanyoles fue dicha a Bruto muyt gref. Aquesti Bruto tenía assitiada vna ciudat en Spanya apellada Cima,[739]
10 la qual le contrastaua. Et Bruto tremetiélos a dezir que se redemiessen a éll. Et todos en vna voz dixieron a los legados que por lures mayores los auía seydo lexado fierro pora deffender la ciudat et no oro pora comprar paz del emperador auaro. Mas millor fuera que los nuestros, es a saber, los romanos, huuiessen dicha aquesta paraula
15 que no oyrla. Mas dize l'actor que naturalment aquellos hombres de aquella tierra eran sieruos, asín que la lur grauitat et fortaleza non fue moral sino natural, porque no noçere con [237c] laor.

[198.] CAPÍTOL QUINTO. DE IUSTIÇIA.
20

[1] **Vallerio Máximo**. Vallerio, libro VIº, capítulo vº, "De iustiçia," recomta que Camilio cónssol tenía assitiada la ciudat de los philisteos et non la quería conquerir. Et esdeuínose que lo maestro de los iuegos, el qual mostraua a los fillos de los nobles de la ciudat, los quales con
25 art et con falso engenyo leuó fuera la ciudat, et aduzílos et presentélos a Camillo cónsol. El qual Camillo dixo aquestas paraulas: Traycionado, no eras venido al pueblo semblant a tú. Como nós auemos drechos de batalla et de paz, auemos deliberado de seruir aquellos no menos iniustamientre que fuertment ni auemos armas contra aquesta edat a la
30 qual encara presas las çiudades es perdonado. Mas leuamos armaduras contra los falistos armados. Mas [237d] tú los as vencidos en tanto como en tú es con nueua traición. Mas yo, qui so romano, los vençré

3 vergüença] verguenca E. **11** dixieron] *om.* E. **31** contra] *om.* E. **32** vençré] vencre E.

[739] Es Cinginia, ciudad de la Lusitania.

con art et con virtut et con armas. Et de continent por drecho del senado, Camilo remitió lo maestro, ligado et açotado, con los moços a la ciudat. Por el qual beneffiçio de iustiçia priso los coraçones de los muros de los quales no auía podido esuayr con armas. Por la qual raçón los
5 phalistos abrieron las puertas a los romanos.

[2] **Vallerio Máximo**. Item el mismo, libro et capítulo ya allegado, recomta que Thimócares, ciudadano de Ambrachia, prometió a Fabricio, cónssol de Roma, que mataría Piro con venino por su fillo, el
10 qual era sobreposado ad aquellos que dauan a beuer a Piro. Et como aquesto fuesse peruenido a orellas del senado, envió legados a Piro et amonestáronle [238a] que se guardasse et que fuesse cautelloso contra aquestas maneras de aguaites, recordant que la çiudat de Roma, hedifficada por el fillo de dios de batallas Martes, deuía fazer bata-
15 llas con armas et non con mediçinas. Mas calló et non descrubió el nombre d'esti Timócares, et en cascuna manera abraçó egualdat. Porque non quiso destruir el enemigo con mal exemplo ni quiso dapnificar aquéll el qual era stado apellado de bien fazer et de bien merecer.

20 [3] ——. Item el mismo, libro et capítulo ya allegado, recompta que Carundo de Tiro,[740] con el su ceso et prudençia, concordó los ciudadanos discordantes, las quales discordias creçiendo en tanto que se fizieron en el parlamiento, et fazían fuerça los vnos a los otros. La qual cosa Carundo veyendo, fizo vna ley que si ninguno [238b] entraua en
25 el parlamiento con fierro, que de continent fuesse muerto. Et como aprés de aquesto algunt grant tiempo, Carundo viniesse de los campos cenydo con su spada subtosament, assín como era venido, subtosament entró en el parlamiento con la spada cenyda. Et de continent fue amonestado, por aquel que más cerca le era, que él auía feyto contra
30 la ley que él fizo. Et respuso que él lo esmendaría. Et de continent

---

1 senado] senador E. **3** coraçones] coracones E. **4** los] *om.* E. **8** Thimócares] Thimotares E (*confusión* c/t). // Amabrachia] Ambrathia E (*confusión* t/c). **11** envió] enuio E. **15** calló] tallo E (*confusión* c/t). **16** d'esti Timócares] destimoras E. // abraçó] abraco E. **21** Carundo] Camnído E (*con signo diacrítico sobre la* í). **23** a los] a los *iter.* E. **24** veyendo] leyendo E (*fort.* beyendo).

---

[740] Es Carondas de Turio.

metiósse la spada por el vientre. Et como le fuesse deuido de dessimularsse la culpa et de deffender la error, empero más amó punir sí mismo, por tal que no fuesse feyta frau ninguna a iusticia, etçet.

5 [199.] CAPÍTOL VI. DE LA FE PÚBLICA.

[1] **Vallerio Máximo**. Vallerio, libro VIº, capítulo viº, "De la fe pública," recomta que los romanos enviaron Cornelio Assino [238c] a Cartagenia por legado por tal que uidiesse los catiuos. El qual Cor-
10 nelio los africanos prendieron et lo posaron en cárçel. Et aprés los cartageneses tremetieron grant estol de naues et arribaron en Çeçilia por fortuna. Et los prímçipes del stol, smayados, tenían conssello que demandassen paz a los romanos. Et el capitán de los cartagineses, Amílgar, dixo que non gosaría yr al cónsul, temiéndose que non lo
15 metiessen en presión et que non lo retuuiessen, assín como los cartagineses auían presso Cornelio. Mas Avno[741] fue más cierto estimador et más verdadero de la fe de los romanos et respondió que res de aquello non deuía seyer temido, et fue al cónssol por fazer con él tractamiento, de la qual es fin de guerra. Et como el tribuno de los caua-
20 lleros dixiesse al mayor que assín lo po- [238d] día prender como a Cornelio, aquella ora cascuno de los cónsules mandaron al tribuno que callasse, et dixieron Âvno de aquesta pauor: La fe de la nuestra ciudat te assegura. Aquella ora Vallerio crida et dize que poder prender et encadenar tan grant duch de los enemigos huuiera fechos cla-
25 ros los enemigos romanos, mas muchos más claros los fizo poder et no quererlo prender.

[2] ——. Item el mismo, en el libro et capítulo ya allegado, recompta que, en el tiempo de la batalla Púnida, Sçipión, stando en Çeçilia
30 por entención de passar l'estol de la mar en África, priso vna naue cargada de barones nobles hombres de los cartageneses. Et por tal como

---

8 enviaron] enuiaron E. **10** africanos] afriranos E (*confusión* r/c). **12** tenían] tenia E. **14** Amílgar] Auulgar E (*confusión* uu/mi). **18** fue] fuel E. **31** cartageneses] cartagenes E.

---

[741] Se trata del jefe cartaginés Hannón.

allegaron que eran legados a éll enviados, lexólos yr francos. Et amó más que la fe romana fuesse decebida, que si fuesse iutgado que de baldes [239a] era stada reclamada, como él bien vidiesse que auían priso el falsso nombre de legaçión por razón de squiuar el periglo en
5 que ellos estauan de buena razón aparellado.

[200.] DE LA FE DE LAS MULLERES ENUERS LOS MARIDOS.

[1] **Vallerio Máximo**. Vallerio, libro sexto, recompta que Terçia Siui-
10 lia,[742] muller del sobirano Affricano et madre de Cornelia et de los Gracos, la qual fue de tanta cortesía et suauitad et de tanta de pasçiençia que como supiesse que su marido se altasse de vna seruenta, por tal como fembra non mostrasse que Affricano, el qual era donador del sieglo, fuesse hombre destemprado, dio en continent
15 dissimulaçión, et aprés la muert del marido dio marido a la seruenta vno suyo sieruo, et fízolos entramos francos.

[201.] DE LA FE DE LOS SIERUOS ENUERS LOS SENYORES.

20 [1] **Vallerio Máximo**. [239b] Vallerio, libro et capítulo ya allegado, recomta que Gayo Mario[743] fue enemigo de Silla, et Silla sitió Gayo Mario en la ciudat de Penestre, et assinmismo assitió en él Telessino Singual, amigo de Gayo Mario. El qual Gayo, como non pudiesse scapar a Silla ni fuir por cauas deyuso de tierra fechas, ordenó con su
25 amigo Telessino que el vno matasse el otro. Et como Gayo Mario fuesse ferido liugeramientre por Telessino et fracament, por tal como Gayo assín fuertmientre lo firió, que Telessino non lo pudió ferir sino fracamientre et liugeramientre. La qual cosa veyendo vno sieruo de Gayo, por tal que lo deliurasse de la crueldat de Silla, firiólo con vn

1 enviados] enuiados E. **3** auían] auia E. **10** Affricano] affricanos E. **11** Gracos] Gratos E (*lectio facilior*). **15** dissimulaçión] et dissimulaçion E. **22** Telessino] Celestio E (*confusión* c/t, *lectio facilior*). **25** Telessino] Celestino E. **26** ferido] *om.* E, fos molt leugerament nafrat (Canals II:142). // Telessino] Celestio E. // como] como *iter.* E. **27** que] que *iter.* E. // Telessino] Celestino E.

[742] 'Se refiere a Tercia Emilia, mujer de Africano el Mayor.

[743] Es Cayo Mario, a quien Sila había cercado en la ciudad de Preneste.

guchiello et lo mató, et como empero vidiesse que grandes galardones le eran aparellados si lo presentasse [239c] viuo a Silla. Et dize Vallerio que aquesti seruiçio de aquésti no es menor que de aquellos qui consseruan et deffendieron la vida de lures senyores, porque en
5 aquell caso morir era beneffiçio grande.

[2] ——. Item, en el mismo libro et capítulo ya allegado, recomta que sieruo de Ponpión[744] fue de muyt grande et marauillosa fe. Porque como él supiesse que en la villa Reatina fuessen venidos caualleros
10 pora cercar Ponpión certificantes por los familiares et domésticos de Pompeyo, que era en la villa Reatina, por tal como lo matassen, aquella ora el sieruo cambió la vestidura et el aniello del senyor suio porque fuesse muerto por los caualleros assín como si fuesse Ponpión. Dize Vallerio que la narración de aquesti feyto es breu, mas grant es
15 la laor que aquesti Ponpión mostró de quánto era [239d] tenudo al su sieruo. Porque li fizo monimiento et sepultura solempne, et rendióle testimonio de piedat con agradable títol. Et deue seyer notado que Ponpión, no podiendo render galardón de la piedat del sieruo viuo, al menos fizo lo que pudo quando fue muerto, porque le fizo sepultura
20 ampla en la qual fizo scriuir con vierssos la orden de la istoria sobre la suya sepultura, et cetera.

[3] ——. Item el mismo, libro et capítulo ya allegado, recompta que Anthio Restio fue desterrado et bandeado por el offiçio de los III[s] hom-
25 bres. El qual como vidiesse todos los sus familiares et domésticos entendidos en robar, de noche como todos dormiessen, partiósse de la su casa secretamientre. Et vn sieruo suyo, el qual él auía ferido et mal aparellado et li auía senyalado la cara con letras feytas de fuego por confusión suya, obseruó [240a] el departimiento de su senyor estudio-
30 samientre et seguiólo et fue toda vegada al costado como companyón bien querient et lo siruió bien et studiosamientre. Et como todos los

11 Reatina] Eteatina E. **12** suio] síno E (*con signo diacrítico sobre la* í). **14** narración] narracon E. **16** monimiento] mouímiento E (*confusión* u/n). **25** qual] qua E. **29** obseruó] ob E (seruo el *en el reclamo*). **31** *1er* et] *om.* E.

[744] Es el siervo Urbino Panapión de Reatina, actualmente Rieti.

familliares del senyor, los quales en casa suia eran stados en bienandançia, non huuiessen cura de lur sennor, antes fuessen entendidos en ganar, solamientre aquesti sieruo, solamientre, el qual ne era a él sombra et ymagen de su turment, iutgó que la salut del senyor era grant
5 prouecho suyo, et le conseruó con art marauellosa. Porque como él sentiesse los caualleros venir que buscauan la sangre del senyor, primeramientre estendido su senyor, fizo grant fuego et priso a vn hombre viello dentro en el fuego. Et como los caualleros fuessen venidos et demandassen Antio, el sieruo respondió que lo auía metido en el fue-
10 go. Et por tal como faulaua cosa la qual auía semblança [240b] de verdat, dieron fe a las suyas paraulas. Et por aquesta manera Antio escapó a la muert por benefiçio del sieruo, et cetera.

[202.] DEL MUDAMIENTO DE LAS COSTUMBRES DE FOR-
15 TUNA.

[1] **Valerio Máximo**. Vallerio, libro VI°, capítulo ix°, recomta que dos maneras son de infortunes. La vna es quando alguno es en aduerssitat a mal. Et de aquesta fortuna no faula Valerio. Otra infor-
20 tuna es entrebolada: Agora ha prosperidat et luego aduerssitat. Et de aquésta faula Vallerio quando faula del mudamiento de costumbres et de fortuna. La primera manera de infortuna es menos dapnosa, porque aquell que es acostumbrado menos turmenta. Et por aquesto dize Sénecha, en el libro ***De conssolación a Elbia madre***, sobre la consso-
25 lación del fillo: Vna cosa ha bien continuada aduersidat, porque aquellos [240c] los quales treballan menos turmenta indura más. La segunda manera de infortuna marauellosament turmenta el honbre et nueze. Por tal Boeçi, en el II° libro ***De conssolación***, dize que en toda aduerssidat de fortuna la peyor es todo bienandant senyor.
30 Item nota que la ymagen de Fortuna es pintada çiega, porque los hombres que vsen mal de Fortuna son çiegos alçándose por la prosperidat de fortuna et baxándose et lexándose yr por la su aduerssidat. En aprés es pintada con dos caras, porque delant et detrás ha la cara.

3 ne] no E. **14** mudamiento] mandamiento E. **18** infortunes] intunes E. **30** nota] non E. **31** alçándose] alcandose E.

Et la cara de delant es blanca, et aquésta significa prosperidat; et la cara de tras es negra, et aquésta significa aduersidat. Item es pintada seyendo en medio de vna roda la qual continuadament rueda, se buelue en torno. En la qual es dada a entender la mutablidat con la qual
5 [240d] dispenssa cosas temporales.

[203.] CAPÍTOL DE LA BIENANDANÇA, ES A SABER, DE BUENA FORTUNA.

10 [1] **Vallerio Máximo**. Vallerio Máximo, libro XII°, capítulo v°, recomta que atal Gigues, rey de Libia,[745] habundaua en riquezas en gloria et en honor. Por la qual cosa se reputaua más bienandant de todos bienes quantos eran en el mundo. Et inflado en su coraçón demandó de consello a Apollo si alguna perssona mortal era más bienstant o bienandant
15 que él. El qual dios respuso et dixo que Angelio Sufillo[746] de Archadia era más bien andant. Aquésti era pobre et viello. Aquésti era contento de vno chico campo o possessión que hauía et desplazeres et deleytos. Et dixo que más vale vna cabanya o barracha plena de seguretat et rient, que vno grande palacio o sala trista por cuidados o por anssias;
20 et vna chica tierra o pos- [241a] sessión sines pauor, que las tierras grandes et spaçiosas fassidas de pauor; et vn iuuo o dos de buyes de liugera guarda et deffenssión, que huestes et armas et caualgaduras pesadas et de grandes missiones; et vno granero chico de las cosas neçessarias, que trasoros et missiones abandonados a las spías o cela-
25 das. Et conclude l'actor que Giges, demientres cobdiciaua de auer dios por confirmador de la suya operaçión, apriso a do es firme et sançera bienauenturança.

---

11 Gigues] Gugues E. **15** Sufillo] su fillo E (*lectio facilior*), Sophidio (Canals II:163). **19** cuidados] cuidades E, cures e superflues ansies (Canals II:163). **24** et] *om.* E. **26** operaçión] E, opinio (Canals II:164). **27** bienauenturança] bienauenturanca E.

---

[745] Es Giges, rey de Lidia.

[746] E da: *su fillo*, que podría reflejar copia oral, interpretado como 'su hijo'. Así transcribe Velasco. Pero es obviamente error por Aglao Psophidio, el venerable anciano de Arcadia, como dicen Valerio (7.1.2) y Canals (*Aglado Sophidio*, II:163).

[204.] DE LOS DICHOS ET FECHOS SAUIAMENT.

[1] **Vallerio Máximo**. Vallerio, libro VIIº, capítulo iiº, recompta que Sçipión dizía que non se deuía hombre combater con el enemigo si
5 non vidía hombre su auantaia o si nescessidat no forçaua hombre, assín que batalla non se podiesse scusar. Las quales dos cosas egualmientre dizía sauiamientre. Car [241b] lexar su auantage quando lo ha hombre, grant follía es. Todo asín entre las presas de las batallas forçadas si de batalla et fuir aduze fin et salida de pestilent pereza et
10 couardía. Et aquellos que fazen contra aquesto: El[747] vno non sabe prender el beneffiçio de fortuna, es a saber, aquell que veyer' su auantage et non se combate; el otro non sabe contrastar a la iniuria de fortuna, es a saber, aquell que es forçado de batallar et no se combate.

15 [2] **Exemplo de Sócrates**. Vallerio, en el libro et capítulo ya allegado, recompta IIIIº exemplos de Sócrates filósofo, en los quales aparece et luze la su granda sauieza. Et dize que Sócrates, maestro de Platón, fizo vna verdadera determinaçión en tierra de la respuesta diuinal, porque en tierra fue verdadera determinaçión et conssello de
20 la sauieza [241c] humanal diziendo: Ninguno non deue damandar a los dioses, porque ellos saben lo que es prouechoso a cada uno, et nosotros muchas vezes demandamos et desseamos aquello lo qual vale más a nosotros que non lo hayamos et non lo obtengamos. La qual cosa Valerio approba et dize: ¡O penssamiento de los mortales,
25 apremiado[748] et ciego como eras enboluido en tenebras, tan manifesto en demandar et en pregar los dios que te den riquezas! Las quales

---

5 forçaua] forcaua E. **9** forçadas] forcada E. **10** el] es E. **13** forçado] forcado E. // combate] combate te E. **16** Sócrates] Socretes E. **22** demandamos] demanmos E (*fort.* demanamos). **25** apremiado] apremiago E (*por atracción de la* g *del ciego* siguiente).

---

[747] E da *es*, lectura que conllevaría una organización diferente. Corregimos por la versión semejante de Canals: *E daquests qui en aço erren, aquell qui no reb son auantage no sab usar del benifet de fortuna; e aquell qui, en temps de necessitat no.s combat ab son enemich, no sab contratar a la iniuria qui li es feta* (II:166), que tiene el mismo paralelismo.

[748] E da: *apremiago*. El ***Lexicon*** mantiene esta lectura con el significado de 'estrecho'. No conozco este término. Supongo que es error del copista, por atracción del *ciego* siguiente, por: *apremiado* 'oprimido'.

son stadas strucçión de muchos, assín como de Baltasar rey, el qual por las riquezas se ergullesció et fue echado del regno. Cobdicias honores, las quales han enlaçados et derribados muchas cobdicias nobles, et altos et resplandientes matrimonios, los quales assín como algunas vegadas illuminan et claresçen, asín [241d] algunas vegadas derriban et destruyen cosas del todo, asín como aparece de Alena. Pues, penssamiento loco, cessa de demandar et de dessear las cosas nozederas todo assín como si eran cosas bienandantes, et posa tú mismo en arbitrio de los dioses celestiales, car aquellos que te pueden dar bienes suelen esleyr lo que a tú puede más aprouechar. Et deue seyer notado que nosotros deuemos demandar a los dioses III^{s} cosas. Primeramientre que nos den sauieza, con la qual podamos gouernar et endreçar las nuestras obbras, assín como fizo Salamón, la petición del qual fue marauellosamientre agradable a Dios. Item deuemos demandar suffiçiençia temporal asín como el sauio demandaua: Senyor Dios, no me des ni riquezas ni pobreça, mas tan solamientre me da las cosas neçessarias. [242a] Item deuemos demandar la gloria eternal et todas las otras cosas por las quales podemos aconsseguir aquélla, et cetera.

Aquésti mismo demuestra otra buena et excellent dotrina, et dize que esti Sócrates dizía que espachada[749] breu vía de aconsseguir vida o gloria era que los hombres fuessen atales como ellos querían seyer

3 enlaçados] enlatados E (*confusión* t/c/ç). **12** den] de E. **13** fue] *om.* E. **16** pobreça] pobreca E. **20** esti] esti *iter.* E. // espachada] espachaua E, exspatxada (Canals II:171), expedita (Valerio Maximo 7.2.ex.1). // vía] vida E (*lectio facilior*), la pus breu e la pus exspatxada carrera per a conseguir gloria (Canals II:171).

[749] E dice: *esti Socrates dizia que espachaua breu vida de aconsseguir vida o gloria era que los hombres...* 242a. Esta frase contiene una repetición (*vida*) y una estructura muy forzada, indicios de confusiones. Respecto al primer uso de *vida*, la versión de Canals (*exspatxada carrera* II:171) y el texto latino de Valerio Máximo (*expedita et conpendiaria uia* 7.2.ex.1) revelan que se trata de *vía*. Con esta corrección la frase podría tener sentido, así: *espachaua breu vía de aconsseguir vida o gloria: era que los hombres fuessen...* Pero es una construcción muy forzada. De nuevo los textos catalán y latino nos indican la verdadera corrección y puntuación. Dice Canals: *aquest mateyx Socrates dehya, que la pus breu e la pus exspatxada carrera per a conseguir gloria, era quels homens...* (II:171), fiel traducción del Valerio: *Idem* [*Socrates*] *expedita et conpendiaria uia eos ad gloriam perueni-re dicebat* (7.2.ex.1). El copista, en una corrección psicolingüística, cambió el *espachada breu vía* del original a *espachaua breu vida*, desentendiéndose del resto. Por eso no hemos dudado en restituir la lectura y estructura inicial.

reputados. En la qual paraula reprendía los ypócritas et los hombres aparescientes. No es ninguna en vida humanal tan periglosa como mostrar santedat et no auerla dentro en sí, porque hombre non se guarda d'ellos et pueden hombre ferir et dapnificar, et aquéllos nin-
5 guno non les osa reprender. Et de aquestos atales dize Sant Gregorio que ninguno en la gloria non dapniffica más que aquell que ha nombre et orden de santedat, porque ninguno non osa repren- [242b] der aquésti atal. En esti exemplo culpa es demostrada fuertment, car, por reuerençia de la orden, el peccador honrrado bien es hombre engan-
10 yado. Pues dizía Sócrates la paraula la qual Valerio aproua, et dize que manifiestamientre amonesta que los hombres antes conqueriessen la virtud misma que non siguiessen la suya sombra, es a saber, parencia de virtud, et cetera.[750]

15 [3] ——. Item el mismo, en el libro et capítulo ya allegado, dize que Salón[751] reprendió los hombres que ploran los suyos muertos. Et dize vna muyt notable paraula en quanto dize: Lexa de plorar los dapnages comunes de los mortales todo assín como los tuios proprios, et notablemientre porque la muert es cosa comuna a
20 todos los hombres, et por tal vna cosa es hauer dolor de [242c] aquello que non se puede scusar. En la qual cosa muestra que las habitaciones de las ciudades son miserables et plenas de pestilençias et de muertes.

25 [4] ——. Aquesti mismo Salón dezía que si todos los hombres leuauan sus males en vn lugar, más amarían leuar los sus males cada uno que tomar la su part del común de las miserias. En la qual paraula concluýa que ninguno non deue iutgar que los males que sufre por fortuna sean inportables, porque cada uno dize et lieua su mal asín
30 como a cosa suya propria, et cetera.

---

[750] Este pasaje de ***Rams*** ofrece grandes semejanzas con el correspondiente de la traducción de Canals (II:170-171). Pero en ésta faltan las adiciones al rey Baltasar, a Alena, es decir, Elena de Troya, a Salomón y a San Gregorio. ¿Estaban en la versión catalana anterior a Canals o provienen de un Valerio comentado? Nos inclinamos por la segunda solución.

[751] Es el sabio legislador ateniense Solón.

[5] ——. Item el mismo, libro et capítulo ya allegado, recompta vna letra la qual fue enviada por lo rey Filipo, padre de Allexandre, a Alexandre. La tenor de la qual es atal: Fillo mío Alexandre, ¿qué razón t'á informado [242d] et induzido ad aquesta tan uana sperança que te
5 penssasses que aquéllos te fuessen fieles los quales ouiesses forçados de amarte por moneda? Aquesto dixo el padre por caridat et por amor paternal, et por esto como Alexandre fazía su sfuerço de tirar a sí la bienquerençia de algunos maçedonios, et cetera.

10 [6] ——. Item el mismo, en el lugar ya allegado, recomta que Aristótil dizía que ninguno non deuía dezir de sí mismo ni bien ni mal, porque loarse es de hombre vano, vituperarsse es de hombre loco, et cetera.

[7] ——. Item el mismo, en el lugar ya allegado, recompta que Ana-
15 xágoras respondió a vn qui lo demandaua quién era bienauenturado. Et díxole: Non ninguno de aquellos que tú extimas bienauenturados, mas tú trobarás en aquell nombre aquell el qual es creýdo por tú seyer en miseria. Aquéll non será habunda- [243a] do en riqueças ni en honores. Mas aquel el qual es fiel et persseuerant cultiuador de vna
20 chica possessión o de doctrina no ambiciosa es más bienauenturado dentro que de fuera en la cara ni en parencia.

[8] ——. Item el mismo, en el lugar ya allegado, recompta que Anacarssis filósofo acomparaua las leyes a tararanya. Porque assín
25 como la talaranya retiene las bestiolas flacas, assín como las moscas,[752] et lexa andar las bestias grandes et fuertes, todo assín las leyes strenyen los hombres pobres et sotiles, et no costrenyen los ricos et poderosos. La qual paraula es verdadera et mala a pollicía et en mal regi-

2 enviada] enuiada E. **3** Fillo] Eillo E (*confusión de la capital adornada*). **5** forçados] forcados E. **6** aquesto] aquesti E (*lectio facilior, toma por sujeto lo que es complemento directo*). // el] al E (*como consecuencia del cambio anterior, transforma en complemento directo lo que es sujeto*). **12** es de] *om.* E. // vituperarsse] vituperasse E. **17** nombre] nobre E. **20** ambiciosa] ambitosa E. **24** Anacarssis] Anatarssis E (*confusión* t/c). **25** retiene] retienen E. // las moscas] los masclos E.

[752] E da: *masclos*, pero es confusión del copista por: *moscas*. Así lo confirman tanto el texto latino: *muscae*, como la versión de Canals: *les taranhines retenen les mosques els petits animals qui han flaqua uirtut* (II:177).

miento. Mas allá do es buen regimiento, asín como algún tiempo fue en Roma en la qual era obseruada sobiranamientre iusticia, no es asín.

[205.] DE LAS COSAS DICHAS [243b] ET FECHAS SCALTRI-
5 DAMIENTRE.

[1] **Vallerio Máximo**. Vallerio, en el libro VII, capítulo xiiº, recompta que la gent de los perssanos, opremida por la greu senyoría de los magos, Darío, prendidos aiudadores de aquella misma dignidat, fizo
10 patio et conuinencia con los companyones de la obra excellent que, caualgantes en los cauallos, todos solos, antes del sol sallido, se fuessen en vn lugar, et que aquell cauallo del qual en qual lugar remicharía primero, que aquéll fuesse rey de los perssanos. Después, los otros conpanyones, sperantes el beneficio de fortuna, Darío todo
15 solo, por agudeza de subtileza del engenio del seruiçial que penssaua el su cauallo, aconssiguió la cosa desiguada. El qual seruiçial posada la mano en la [243c] natura de la yegua, como fuessen venidos en aquel lugar, posó la mano en la nariz del cauallo, el qual, prouocado por la olor, ante de todos reninchió. Et oyda aquella cosa, los otros,
20 candidos de sobirano poder, de continent auallaron de los cauallos, et, segunt que era costumbre de los persanos, estendidos et humiliados los cuerpos por tierra, saludaron Darío rey con grant inperio. ¡Con tan poco scaltrimiento et maestría fue aconssiguido et preso!

25 [2] ——. Item el mismo, libro et capítulo ya allegado, recomta que la salud de aquella ciudat apellada Lausoma,[753] en altra manera Delspont, en la qual era Colto primcipibus dios de los ortos. La qual ciudat Alexandre huuiesse determinado de destruirla sino por la maestría et scaltrimi- [243d] ento de vn filósofo apellado Anaxímenes,

---

22 con grant] con grant *iter.* E. **23** scaltrimiento] stalcrimiento E (*confusión* c/t). **29** scaltrimiento] stalcrimiento E (*confusión* c/t).

---

[753] Se trata de Lámpsaco, ciudad del Helesponto. La glosa siguiente: *en la qual era Colto primcipibus dios de los ortos*, falta tanto en Valerio como en Canals. Éste dice: *La salut de la ciutat dita Lausacena penja en benefici duna astucia dun sol hom* (II:190). Leslie y el ***Lexicon*** sugieren interpretar *colto* como 'culto'. La falta de un texto referencial nos impide precisar el significado correcto de esta frase.

maestro de Alexandre, el qual mucho squiuaua los periglos que viniessen, et al qual Alexandre liugeramientre no denegaua res. Aquesti filósofo intreposo sus pregarias a Alexandre por la çiudat a saluar. Et Alexandre, como lo vidiesse venir, iuró que non faría res de aquello que él demandaría. Aquella ora Anaxímenes dixo: Allexandre, yo demando que tú destruyas la sanya. La qual cosa Allexandre por consseruar su iura consseruó la çiudat, la qual era diputada a destruçión, por la maestría del dicho filósofo.

[3] ——. Vallerio, en el libro et capítulo ya allegado, recomta que Aníbal en odio auía sobre todos los romanos a Fabio Máximo por tal que batallando non auía podido auer honor. Et por tal que lo posassen en sospecha [244a] de trayción de los romanos, como gastasse todos los campos de Italia con fierro et con fuego, non tocó a los campos de Fabio Máximo, por tal que amostrasse en sospecha que auía amistat con él et que lo posasse en sospecha de traición con el pueblo. Mas los scaltrimientos et la maestría et stucia de costumbres non lexan res, car la piedat de Fabio et las costumbres de Aníbal eran conosçidas por la ciudat de Roma, et cetera.

[206.] DE COBDICIA DE GLORIA.

[1] **Vallerio Máximo**. Vallerio, libro VIIIº, capítulo xvº, recomta que como Scipión, çaguero Affricano, fiziesse batalla contra los franceses lugurgos, et fecha la batalla, et obtenida la victoria, Sçipión mismo departía la preda et las despullas de los enemigos a los suyos caualleros; et Labieno amonestaua e.l' rogaua que de las despullas diesse a vn simple cauallero, el qual Scipión [244b] le denegó deziendo que non faría ren, por esto como era nueuo cauallero et que poco auía seruido a las castras. Mas por tal como Labieno á uisto[754] que aquell cauallero

14 tocó] ceto E (*confusión* c/t y e/o), e lexa vn camp del dit Fabio que no y toca sol iª erba (Canals II:193). **24** çaguero] caguero E. **25** et] es E. **26** departía] departida E. **30** Labieno] Labino E. // á uisto] auisto E.

[754] Velasco lee: *aiustó*, interpretado como 'pensó', aunque no da *aiustar* en su vocabulario.

valientment auía feyto sus afferes en la batalla, donóle oro de la preda. Et desplazió a Sçipión et dixo: Tú reçibes esti dono del rey, qui, como hombre rico te lo da,[755] non de él departient las despullas. Et el cauallero, confuso et esuergonydo, lançó el oro a los piedes de Labieno.
5 De la qual cosa, Scipión prendiéndose guarda, dixo: ¡O cauallero, el emperador te da armiellas de argent! Et las horas prísolos con grant ioya, et todo alegre s'en andó, porque no es ninguna humilidat que non sea tocada de dolçor de gloria.

10 [207.] DE LUXURIA, CAPÍTOL.

[1] **Vallerio Máximo**. Vallerio, libro X°, capítulo i°, [244c] "De luxuria," recomta que Sergio Orata fue el primero el qual en Roma fizo banyos artifiçiales con agua calient. De la qual cosa fue muyt fuert-
15 mientre reprendido, iac sea que fazer atales banyos non fuesse inde tan grande despenssa. Empero porque fue començamiento de veuir delicadamientre, por esta razón lo actor lo reprendía.

Aquesti mismo Sergio fizo vn otro viuero o estanyo en la suia possissión, en el qual crió diuerssas naciones de pescados et pescáualos
20 con filados et como nansas quando quería, et por esto que la su gola non fuesse sotsmetida a Nepertuno,[756] dios de las aguas, et non porfidiando a greu tempestat de la mar que las suyas tablas abundassen en diuerssos pescados.

Por aquesta razón Sergio fue citado por Tufi- [244d] dio[757] publicano,
25 el qual recebía los tribunos públicos, que comparexiesse en iudicio.

---

3 como hombre rico te lo da] todo hombre quil te da E. **4** lançó] lanco E. // Labieno] Labino E. **7** et] *om.* E. **8** tocada] tocado E, tocada (Canals II:287). **15** fuesse] fuessen E. **16** grande] gande E. // començamiento] comencamiento E. **20** nansas] nausas E (*confusión* u/n). **25** que] et E.

---

[755] E da: *qui todo hombre quil te da*, que resulta oscuro. Las palabras reprobatorias de Escipión, según Valerio (8.14.5), fueron: *tendrás el regalo de un hombre rico* (traducción de Martín Acera). La misma idea recoge Canals: *Sapies que aquest do rebs del rich hom, no pas del princep qui departeix los dons* (II:287). Corregimos de acuerdo con la versión catalana.

[756] Es Neptuno.

[757] Se refiere a Considio (*confusión* s/f).

Et acusólo porque constrenýa las auguas de los stanyos. Por la qual cosa fue punido assín como a enpeçador de la vida delitada et de luxuria.

[2] **Vallerio Máximo**. Vallerio Máximo, en el libro quinto et capítulo
5 ya allegado, recompta que entre Geneo Domicio[758] et Lucio Crasso, su companyón, fue grant questión. Aquesto es que Geneo Domiçio acusó a Lucio Crasso que en el porcho de su casa auía pilares de piedras las quales eran seýdas talladas et adozidas del mont apellado Inerito, et Crasso demando a Domicio quánto preciaua la su casa. Et Domicio res-
10 puso que LX sixterios. Et Crasso dixo: ¿Quánto preciaras a tú menos la tu casa si yo tallaua del vergerio tuio X árboles chicos que son [245a] en éll? Domiçio respuso que la preciaría menos XXX sixterios. Et la ora Crasso dixo que no era más luxurioso que Domicio, qui preciaua la hombra de X árboles petitos XXX sixterios.
15 Et en continent Valerio agreuió la paraula de aquésti. Et dize que aquesta paraula no huuieron dicha los romanos en el tiempo del rey Pirro et de Aníbal. Porque la hora non curauan de delicamiento de deleitos, antes todos contentos de las cosas necessarias defendían enforcidamientre la república. Et por esto dixo que, vençida Carta-
20 genia, non supo Metello si aquella victoria auíe feyto más de mal o de bien a la república. Porque, assín como restituiendo paz perfecta, assí remouiendo Aníbal, alguna cosa dapnifica. Et iac sea que los edificios de los antigos fuessen grandes, a comparación empero de los se- [245b] guientes et de aquéstos dos, fueron streytos.[759] Porque

2 enpeçador] enpeccador E (*lectio facilior por* peccador). **5** Domicio] Domitio E. // Crasso] Tarsso E. **7** Lucio] Lucis E. // Crasso] Tarsso E. **8** Inerito] Iuerito E, Hynetico (Canals II:303). **9** Crasso] Tarsso E. // *1er* Domicio] Domitio E. **13** Crasso] Grasso E. // qui] *om.* E **18** antes] ants E. **24** streytos] treytos E, estrets (Canals II:304).

[758] Se refiere a Cneo Domicio que le reprochó a su amigo Lucio Craso el haber utilizado el mármol del monte Himeto para construir las columnas del pórtico de su casa.

[759] E da: *treytos*. Leslie deriva esta palabra del catalán: *tret*, participio pasado de *treure*, *traure*, con el significado de 'copiar, obtener, dar, sacar'. El ***Lexicon*** la relaciona con *trist*, participio pasado del verbo provenzal *trisar* 'pulverizar'. Ninguna de las dos interpretaciones tiene sentido satisfactorio. De nuevo estamos ante un error de copia. La verdadera lectura es *streytos* 'estrechos, pequeños', forma típicamente aragonesa, que se halla con frecuencia en el corpus herediano, tanto con la solución *-yt-* como *-ch-*. Esta lectura viene confirmada por el texto catalán, de gran semejanza verbal y sintáctica con ***Rams***. Dice así la versión de Canals: *e, jatsesia quels edificis antichs fossen grans e sumptuosos, empero, en esguart dels nostres, eren* ***estrets*** *e de poch preu* (II:304).

los seguientes empeçaron vida deleytosa et delicada, et amáronla más lexar atal vida a sus successores que retener continencia et temprança, la qual auían prendida de los mayores passados, et cetera.

5 [3] —— Item el mismo, en el lugar ya allegado, recomta que Clodio fue enculpado et acusado en iudicio que auía comeso crimen de incesto. Et por esto que fuesse absuelto, corrompió los iutges delant de los infantes adolesçientes nobles et mulleres, con las quales de nuytes forçaua lures luxurias. Et dize Vallerio que non sabe quál es más culpable et más
10 abominable, o Clodio qui penssó la maluestat o las adolescentes et las mulleres qui obligauan su castedat por fazer desper- [245c] iurar o los iutges, que lexauan iusticia et religión por fazer uil fornicaçión.

[4] ——. Item el mismo, en el lugar ya allegado, recomta que la luxuria
15 de Campanya fue muyt prouechosa a la ciudat de Roma. Porque Aníbal, no vençido por armas, abraçando et aligando con sus deleytos et abellimientos, liuró a seyer vencido por la cauallería de los romanos. Aquélla apparelló el duch muyt avisto et esuellado et la huest muyt agra a dormir et a deleytos con viandas copiosas et con vino abundant et con flai-
20 ra et oler de vngüentos preciosos et con vso de luxuria. Et finalmientre las oras fue ponida, trencada, la feresa de África, como los uertos[760] de Splacia empeçoron esser castres de las tiendas de los affricanos.

1 empeçaron] empecaron E. **2** temprança] tempramca E. **6** incesto] intesco E (*confusión* c/t), peccat de sodomia (Canals II:305). **7** absuelto] obsuelto E, absolt (Canals II:305). **8** mulleres] millors E (*lectio facilior*). // forçaua] forcaua E. **10** adolescentes] adolentes E. **11** o] *om.* E, ho (Canals II:305). **16** abraçando] abrançando E. **21** uertos] ertos E. **22** de Splacia] desplacia E. // empeçoron] empecoron E.

[760] E da: *ertos desplacia*, sintagma de difícil interpretación dentro de un contexto igualmente complicado. Dice E: *E finalmientre las oras fue ponida, trencada, la feresa de África como los ertos desplacia, et empecoron esser castres de las tiendas de los affricanos*. La palabra *ertos* me es desconocida. Ni Leslie ni el ***Lexicon*** la incluyen en sus vocabularios. Velasco la interpreta como 'tiesos, erguidos', y lee la frase así: *ertos desplacía*, que no tiene sentido. Un poco más cercana es la versión de Canals, que dice: *fon trencada e destroida la feritat o terribilitat dels Cartaginesos, com començaren esser delicats e plens de delicis, axi com eren les hosts del Capuans* (II:307). Según este texto cabría interpretar *ertos* como error gráfico por *ostes* 'huestes, campamento'. Pero, al parecer, ***Rams*** sigue un texto más cercano al original latino. Éste dice: *ac tum demum fracta et contusa Punica feritas est, cum Seplasia ei et Albana castra esse coeperunt* ('solamente se quebró y derrumbó la fiereza cartaginesa, cuando comenzó a tener por campamento la plaza Seplasia y la

[245d] [5] ——. Item el mismo, en el libro et capítulo ya allegado, recompta que la multitud de los chiprianos flacos, los quales sostuuieron con paçífico coraçón que los lures reyes puyassen en las carretas, et porque más muel o blando de las plantas de los piedes
5 metiessen sobre los cuerpos de lures mulleres assín como sobre scalones. Asats fuera millor et santa cosa a los maridos suyos, si hombres fuessen, que moriessen por hobedir hombre assín delicado.

[6] ——. Item el mismo, en el lugar ya allegado, recomta que, por
10 todos aquestos deleytos de luxuria, vino a gref pestilençia et vergüenya la ciudat de Volti,[761] la qual era aprés de Roma. Aquesta ciudat era aprés de Roma et plena et ordenada de costumbres buenas et de leyes, et era reputada et clamada cabeça d'Esturia. Mas después que fue abandonada en luxuria, [246a] cayó en el profundo de iniurias et de
15 sútzea. Asín que se sotsmetió sí misma a la muyt superbiosa senyoría de los seruos. Los quales primeros muy pocos osaron entrar en la orden de los senadores, et occuparon toda la cosa pública. Mandauan que los testamientos fuessen escriptos segunt su uolumtat et arbitrio. Vedauan que matrimonio et congregación de los líberos et franchos
20 non fuessen feytas. Prendían las fillas de lures senyores en matrimonio. Et a la fin ordenauan con ley que las sus fornicaciones en las viduas et en las maridadas non fuessen punidas, et que ningunas vírgines no prisiessen maridos ningunos líberos francos fiantes alguno d'elos, si antes non las auían corrompidas o sprouadas las
25 lures castedades.

---

3 coraçón] coracon E. **4** plantas] plancas E (*confusión* c/t). **13** cabeça] cabeca E. **23** francos] fracos E. **24** si] *om.* E, si ja primerament alguns dels dits catius no corrompia la sua uirginitat (Canals II:308).

Albana', tradn. de Martín Acera, p. 483. Como dice el mismo, en la nota 6, "la Seplasia y la Albana eran dos plazas de Capua donde se vendía todo lo que era capaz de excitar y mantener la molicie y los placeres"). Estos textos nos llevan a interpretar el pasaje así: *fue ponida, trencada, la feresa de África, como los uertos de Splacia empeçoron esser castres de las tiendas de los affricanos*, donde *uerto* es un sinónimo de *plaza* basado en los productos cultivados y vendidos en ellas.

[761] Volti, o *urbs Volsinensium* 'ciudad de los volsinios', era la capital de Etruria. Actualmente es Bolsena.

[208.] [DE CRUELDAT.][762]

[1] **Vallerio Máximo**. [246b] Vallerio, libro IXº, capítulo iº, "De crueldat," recomta de Lucio Silla, hombre muyt cruel. Del qual mete primerament la suia crueldat en general, et dize que ninguno non lo pudo asats dignament loar ni vituperar, porque quando encercaua[763] las victorias resembló Scipión al pueblo romano, et quando exerçitó la ciudat de Roma representó Aníbal, porque deffendía noblament la actoridat de la nobleza. Mas quando huuo vencido su enemigo humplí cruelmientre Roma et todas las partidas de Ytalia de ríos de sangre ciuil.

La primera crueldat que esti Silla fizo es aquésta. Quatro legiones de la part de Mario aduersario suyo, las quales auíe afiantadas en fe suia antes que puniessen a ello, fizo matar et echar en el río de Tiberio.[764]

[246c] La segunda. Que Vº penestrinos,[765] dada a ellos sperança de salud, quando los huuo fuera los muros de la ciudat, como huuiessen passadas las armas, fízolos matar et scampar lures cuerpos por los campos, et los abandoná a los canes et a las bestias fieras.

La tercera crueldat de aquesti Silla pone et dize Vallerio exemplo en el lugar ya allegado, que como Silla huuiesse occupada la república cruelmientre punió et comdepnó sines imperio hombres et perssonas, de las quales fizo cruelment matar IIII^m et DCCC por esto que non fuessen oblidados, et mandó que fuessen scriptos entre las cosas públicas, por esto que la cosa assín clara et assín excelent non fuesse oblidada faula. Por el contrario, l'actor por scarnio n'í fue contento [246d] de fazer crueldat, et aquellos que eran diuisos con él con

6 encercaua] enterraua E (*confusión* c/t *y* c/r). **12** suyo] suya E. // afiantadas] E (*fort.* afiançadas). **14** penetrinos] postrinos (*confusión* o/e *y omisión de la abreviatura*), penestrins (Canals II:311). // sperança] speranca E.

[762] El ms omite el título de este capítulo. Lo tomamos de la tabla inicial.

[763] El ms. da: *enterraua* 246b. Pero es falsa lectura por *encercaua* (confusión *c/t* y la muy probable *r/c*), como lo sugiere la versión de Canals: *en les victories que hac* (II:310), y sobre todo el texto latino del Valerio: *dum quaerit uictorias* (9.2.1).

[764] Es el Tíber, río de Roma.

[765] E da: *postrinos*, obvio error gráfico por *penestrinos*, habitantes de la ciudad de Preneste. Canals de: *v milia Penestrins* (II:311).

armas, los ciudadanos que eran de coraçón de paz, los quales auían conpuesta nobleza et cauallería, allegó et aiustó el número de los compdepnados, et todos quantos eran ricos comdepnó et mató por esto que huuiesse moneda muyta et que huuiesse de que diesse suel-
5 do a los caualleros. Encara más faze una crueldat insaçiable, porque las cabeças de los mesquinos, cortadas, las quales no retenían ni cara ni spírito, quiso que fuessen aduzidas delant la suya presencia, por esto que comiesse con los oiios, porque con la boca no era lícito.

10 [2] ——. Item el mismo, en el lugar ya allegado, recompta la crueldat fecha por los cartagineses, la qual fizieron Âtilio Régulo, varón muyt claro. Tallados los [247a] sobresenyales de los oxxos, en vna criba[766] o vaxiello, en el qual de todas partidas eran fincadas clauos muyt agudos, mataron el hombre viello ensemble continuando dolor.
15 Turmentado modo o manera fue de turment, non digno de aquellos qui lo li dauan, et cetera.

[3] ——. Item el mismo, en el lugar ya allegado, pone vna otra crueldat que Aníbal fizo en los catiuos que tenía, porque talláualos, que la pri-
20 mera partida de los piedes retenía invals.[767] Et las perssonas de dos en

---

5 insaçiable] insoçiable E, insaciable crueltat (Canals II:311). **6** cabeças] cabecas E. **7** aduzidas] aduzidos E. **8** lícito] litico E. **10** recompta] recopta E. **12** claro] laro E. **13** criba] onba E (*fort.* oriba). **19** Aníbal...tenía] Anibal fizo en los catiuos que tenia *iter.* E. **20** invals] ní vals E (*con signo diacrítico sobre la* í).

---

[766] Palabra con grafía dudosa. Puede leerse: *onba* u *oriba*. Leslie adopta *oriba* y supone que significa 'vessel, machine', basada en el texto latino que da *machinae*. Sorprendentemente la relaciona con el castellano *oribe* 'orfebre', que aclara poco. El ***Lexicon*** acepta esta misma interpretación. Creo, sin embargo, que debe leerse: *criba*, en el sentido de tambor gigante, semejante a una criba, cerrado por ambos lados. El término que utiliza Canals es *bota* que gira: *tanquaren lo en Iª bota plena de claus dins hi engir; e, menant continuadament la dita bota engir hi en torn, axil mataren* (II:314).

[767] E da: *ní vals*, con signo diacrítico sobre la í. Para Leslie, esta expresión resulta incomprensible. El ***Lexicon***, dubitativamente, supone que es una partícula relacionada con el provenzal: *sivals*, que significa 'nada, nada en absoluto'. Aceptamos con reservas la lectura de Velasco: *invals* 'inválidos'. Sin embargo, debería tenerse en cuenta la versión de Canals: *tallant los la primera part dels peus, lexauals axi per los camins* (II:315), por si se trata de un texto deturpado.

dos ligaua, et metía en las lures manos sendos gucchiellos, et fizolos aguchillar los vnos con los otros tan liugeramientre entro a que tornauan a vno vencedor.

5 [4] ——. Item el mismo, en el lugar ya allegado, recomp- [247b] ta que Numilisenta,[768] fillo de Digriçi, rey de Tarçia, fizo tanta de crueldat que los uiuos tallaua por medio, et forçaua a los padres et a las madres que comiessen sus fillos. De esto faula Sant Ierónimo en el libro ***De los varones illustres***. Afirma de los indianos que los fillos 10 sallen los instentinos et las entrannas de los padres et los comen. Et por esto Sant Thomás apóstol temiendo la crueldat de aquella gent dixo: Senyor, la do tú querrás m'enbía sino a los indianos.

[5] ——. Item el mismo, en el lugar ya allegado, recomta que Obto- 15 lomeu Pichón[769] fizo vna muyt grant crueldat, es a saber, que vn su fillo, el qual auíe houido en Cleopatra, ermana et muller suya, el qual era de muyt fermosa liberalidat et exçellent sperança, fizo matar del- [247c] lant sus oiios. Et luego la cabeça et los piedes et las manos, cubiertos en vna cesta con vn manto, transmiso a la madre por dono 20 et por present de la fiesta et de la suya natiuitat, todo assín quasi assín como si no huuiesse part en aquella dolor o pestilencia la qual le daua.

[6] ——. Item el mismo, en el lugar ya allegado, recomta vna otra crueldat et dize que Oco, el qual fue nombrado Darío, fue constrec- 25 cho por sagramiento muyt santo que no mataría ninguno de la coniuraçión de aquellos que hauían opremidos los magos ni con venino ni con fierro ni con ninguna freytura de viandas no los mataría. Empero cogitó vna más cruel manera de muert con la qual los matasse non

---

2 entro a que tornauan] creo que tornauan *iter.* E (creo *es confusión por* tro a). **6** Digriçi] Dígŕçi E (*con signos diacríticos sobre la* i *y la* r), Diogridis (Canals II: 316). **17** sperança] speranca E. **18** cabeça] cabeca E. **24** Oco] Oto E (*confusión* c/t).

---

[768] Se refiere a Zísemis, hijo de Digírides, rey de Tracia. La forma de ***Rams*** se explica por la variante *Numulisintis* que recoge Carolus Kempf en su edición de los ***Facta et dicta*** de Valerio Máximo (Stuttgart: Teubner 1982, 2ª ed.).

[769] Es Tolomeo Panzón (Ptolomaeus Physcon).

rompida la promisión et el vinchle de religión. Porque allegó aquellos en vn lugar en- [247d] vironado de otras partes, et emplióło de cenisa et sufre, puesto de sobre vna grant viga. Dáuales a comer et a beuer benignamientre et, adormidos con dolz dormir, caýan en aquell congreyo pleno de enganyo.

[7] ——. Item el mismo, en el luguar ya allegado, recomta que los reyes de Çecilia fueron muy crueles. Et entre las otras crueldades que fizieron s'í fue que vn maestro apellado Barillo,[770] crediendo obtener gracia de aquell rey tirano, fizo vn buey de aram, vago de dentro, por esto que metiesse de dentro los hombres, et sota aquélla metiesse fuego, et aquellos de dentro cridassen quasi humanalment assín como a buyes. Assín que apareçía que fuesse voz humanal. Et quando esti maestro fizo a consseguir la gracia del rey, fue primeramientre puesto aquí, et sprouó la sobra de la [248a] suya art primera. En aquesti turmento fue muerto Sant Constantín et su muller et dos fillos.

[8] ——. Item el mismo, en el lugar ya allegado, recomta que los bárbaros meten los hombres biuos dentro las bestias muertas, sacadas las entranyas de dentro de las bestias, assín que tan solamientre apparece de los hombres la cabeça d'ellos et non más. Et por tal que más luengamientre biuan, con comer et con beuer danles alongamiento del spírito de biuir entro que de dentro son rodidos et comidos por gusanos, los quales suelen nasçer en los cuerpos corrompidos, et cetera.

[209.] CAPÍTOL DE AUARICIA.

[1] **Vallerio Máximo**. Vallerio Máximo, libro IXº capítulo iiiiº, recomta que auaricia apoderó Quinto Quassio. El qual en Spanya fizo

---

1 vinchle] vmth'l E (*confusión* c/t), vincle (Canals II:317). (*Adoptamos la lectura de Leslie*). **11** fuego] fuesse E. **15** sobra] E (*fort.* obra), esperimenta la obra terribre e orrible de la sua art (Canals II:318). **29** apoderó] apdero E.

---

770 Es Perilos, el artista ateniense, como explica Martín Acera, p. 491 n 15, que construyó el diabólico suplicio para ganarse el favor de Falaris, el tirano de Agrigento, Sicilia.

que, cónsul, Silio et Columpino[771] compresos con punyales et punchones, los quería ma- [248b] tar. Mas fizo patio et conuinencia que le diessen por aquesto LX sixterios de oro, et lexólos yr. Dize Vallerio que ¿quién dubda, si otros houiessen dado otro tanto, que con egual et
5 pascient corage abandonara âquéllos el lur canyón por degollarlo?

[210]. [DE ERROR.][772]

[1] **Vallerio Máximo**. Vallerio, libro IXº, capítulo ixº, recompta que
10 Gayo Cassio mató sí mismo. Porque como entre aquell esdeuenimiento de la batalla de las IIIIº huestes, enuers Filipo en Grecia, dubdoso et ignorado por los duques mismos, —aquestos fueron IIIIº duques que cada vno de aquéstos hauía su huest, es a saber, César, Octobiano et Bruto et Cassio—, et demientre el esdeuenimiento de la
15 batalla fuesse esprouado, fue enviado por Gayo Cassio de noche Thimeo[773] centurión por espiar en quiénto estamiento eran las huestes de Marco [248c] Bruto. Et demientre, fue por vías aspras et dificiales et las tiniebras de la noche lo tenían amagado a los enemigos et que non lo vedían, ni los caualleros non le sallieron al passo ni al camino. Por
20 las quales cosas tornó más tarde a Cassio. Et aquéll, extimando que Thimeo fuesse preso por los enemigos et que todas cosas fuessen venidas en poder d'ellos, cuitósse de sí mismo de matar la su vida. Et como todas las huestes fuessen venidas et aplegadas ensemble et fuessen todos sanos et saluos de cerca los reales de los enemigos,

---

1 et] *om.* E. **2** quería] querian E. // mas] *om.* E. **4** houiessen] houiesse E. **5** degollarlo] degollarlos E. **12** ignorado] ignorando E. // mismos] mismo E. **14** Octobiano] Otrobiano E. // Bruto] Bruto to E. **15** enviado] enuiado E. **16** centurión] centarion E. // espiar] esperar E (*lectio facilior*). // de] *om.* E. **20** tornó] tomo E (*fort.* torno). // extimando] extimo E, lo qual Cassio jutjuant que aquest centurio era mort per los enemichs e que tota la host de Bruto era uenguda en lur poder cuytas de finir la sua vida (Canals II:344).

---

[771] Se refiere a Silio y Calpurnio, a quienes Quinto Casio dejó en libertad, aunque habían intentado matarlo, porque le ofrecieron cinco y seis millones de sestercios respectivamente.

[772] El ms omite el título de este capítulo. Lo tomamos de la tabla inicial.

[773] Es Titimio, que volvió tarde del encargo de espionaje que le había encomendado Cayo Casio. La explicación sobre los cuatro generales no se halla en Valerio. Debe ser una glosa de la fuente que utilizó ***Rams***, como ocurre con frecuencia en estas autoridades finales.

l'actor dize que la virtud de Thimeo, como vidiesse el cuerpo de Cassio muerto, ploró agramientre et dixo: ¡O emperador, si yo inprudent so stado razón de la tuia muert et que la mi imprudençia no sía inpunida, s'í es a saber, sin punición, préndime por [248d] companyón de
5 la tuia muert! Et de continent firiósse con el guchiello et cayó muerto en tierra sobre el cuerpo de Cassio, et la sangre del vno fue mesclada con la otra sangre. Et aquí fueron dos víttimas o sacrificios, el vno fue de piedat, es a saber, de Thimeo, que se mató por amor que huuo a su senyor; la otra fue de error, es a saber, de Cassio, el qual,
10 creyendo por error que Thimeo fuesse muerto o preso por los enemigos, se fizo matar, etc.

[211.] CAPÍTOL DE VENGANÇA.

15 [1] **Valerio Máximo**. Vallerio, libro IX°, capítulo x°, recomta la vengança de la reyna de Tarssia, clamada Tamaris,[774] la qual Iustino et muytos actores recomtan. On deue seyer notado que Çiro, nieto de Striages, queríe dar batalla a los çitos. Et como la reyna Thamaria le podiesse vedar el passage, extimando que más liugeramientre lo
20 podía esuayr dentro los términos [249a] de su tierra, dexólo entrar. La qual cosa Çiro cogitant escaltridamientre, lexó las tiendas suyas plenas de viandas et de muchas robas, et simuló que fuyesse. La qual cosa, como la reyna lo supiesse, envió su fillo con las huestes por encalçarlos. Et como el infant, ignorantment de batallar, fuesse veni-
25 do a batallar a los castiellos, con toda la su huest comieron et biuieron entro a que todos fueron enbriagos. Et como Ciro supiesse aquesto, vino de noche en el real del infant et matólo con toda la su huest. Et aquella ora la reyna Thamaris simuló que fuyesse al rey Ciro, et él andándoli de çaga. Et leuó el reyal en lugar et en passos muyt stre-
30 chos. Et prísolo et matólo a él et a toda la su huest. Non romanió vno,

1 como] *om.* E, No deu esser oblidada per silenci la uirtut de Tineo qui com trobas lo cos del dit Cassio (Canals II:344). **8** Thimeo] Thimo E. **10** Thimeo] Thínío E (*con signo diacrítico sobre las* íes). **16** vengança] venganca E. **23** envió] enuio E. **24** encalçarlos] encalcarlos E. // como] tomo E (*confusión* c/t). **25** con] et ciro con E (*pero* Ciro *está tachado*). **29** reyal] reyl E.

[774] Se refiere a Tomiris o Tamiris, reina de los masagetas o escitos.

que todos non fuessen muertos. Aquella hora la reyna Tamaris priso la cabeça de Ciro en vn odre de sangre, [249b] et dixo: Agora te farta de sangre que tanto has desseada.

5 [2] **Vallerio Máximo**. Item el mismo, en el lugar ya allegado, recomta que entre los bárbaros es atal costumbre que quando querrán ordenar alguna firme et sancera amistat cascuno se saca de la sangre del su cuerpo et el vno beue la sangre del otro, la qual costumbre et ordenaçión era muyt firme et stable entre ellos.

10

[212.] DE LAS MUERTES SINGULARES, NO COMUNAS NI UULGARES.[775]

[1] **Vallerio Máximo**. Vallerio, en el libro ya allegado, capítulo xii°,
15 recomta que vna muller murió por sobras de tristor, porque deue seyer notado que dolor et desplazer son enemigos de natura. Et por tal manera, queriéndose deffender, envió toda la sangre de su cuerpo et de los miembros al coraçón, por tal qu'el [249c] coraçón sea aiudado, et en tanto por dolor et desplazer la sangre conoscient et el
20 coraçón que l'afoga subtosamientre. Mas goyo non es passión que sea enemiga de natura, mas exampla et stiende el coraçón. Et tanto lo exampla que lo passa fuera de su lugar, porque sobras de goyo lo mata. Porque la sangre se stiende por todos los miembros et desempara el coraçón fuera de su lugar et muere.

25

[213.] DE LA MUERT DE FILOMENES[776] FILÓSOFO.

[1] ——. Item el mismo, en el lugar ya allegado, recomta que Filomenes morió por sobras de grandes risos. On deue seyer notado que
30 redir non se puede fazer sines trencamiento del ayre de las canyas de

---

11 no] ho E. // ni] *om.* E. **17** envió] enuio E. **18** coraçón] coracon E. **20** coraçón] coracon E. // goyo] gayo E. **26** Filomenes] E (*escribió primero* filomems *y luego corrigió la segunda* m *a* ne).

---

[775] Véase n. 9.

[776] Se trata de Filemón.

las arterias, et virtud espulsiua o echan de fuera el ayre; es aquésta en el rient. La qual acción se requiere que sea mayor en [249d] quanto en la mielsa es fuert mouimiento a risos. El qual muyto más fuertmientre abundó en aquel antigo, que la virtud del reyr espulsiua. Porque por
5 sobras de grant mouimiento et por debilitat de virtud fue muerto.

Porque l'actor ha dada doctrina de las muertes singulares, no comunas ni uulgares. En las quales paresçe que la flaqueza humanal es sotsmesa a muchas et diuerssas appresiones et desauenturas de muertes. Por las quales Sant Agostín ploró habundantmientre en vn
10 libro ***Soliloquiorum***, en lo qual síguesse la muert inportuna, la qual en mil maneras arrapa los mesquinos. Aquésti muere por fiebre, aquél por dolor, aquéll por fambre, aquél por set, aquésti es afogado, aquésti es deuorado por dientes de bestias fieras, aquéll es tallado [250a] con fierro, aquéll es muy corrompido con venino, el otro,
15 como es apresurado mouimiento et con spaordimiento, terminan la vida mesquina. Et encara sobre toda miseria es que como non sía ninguna cosa más fiera que la muert, empero hombre ignora la ora et el día de la muert. Quando cuyda star et romanir es forçado de partir, perece la suya sperança, et non sabe quándo ni a dó morrá, empe-
20 ro es cierto que conuiene que muera, etcet.

[214.] CÓMO DILIGENTMENT VSARON GUARDIA AQUELLOS A LOS QUALES FUERON LURES FAMILIARES SOSPECHOSOS ET LOS DE CASA.

25

[1] **Vallerio Máximo**. Vallerio, libro IX°, capítulo xviii°, recomta que Massimissa rey, el qual comandó la custodia de la suya perssona a canes porque non se fía en hombre. D'on nota que can es bestia muyt fiel, [250b] amant la salud de su senyor, segunt que lo dize Sant Ysi-
30 doro, en el XII libro de las ***Ethimolegías***, d'on dize que los canes aman lures senyores deffendiendo lures obras et los feytos de lures senyores, et por lures senyores se abandonan a muert con lur senyor,

3 mouimiento] mouiuimiento E. // El qual muyto más fuertmientre] el qual muyto mas fuertmientre *iter.* E. **4** reyr] rey E (*lectio facilior*). // por] *om.* E. **5** *1er* de] *om.* E. // mouimiento] mouiento E. // et por] et por *iter.* E. **6** las muertes] los muertos E. **7** aparesçe] aparesçen E. **8** es] *om.* E. **11** arrapa] arrapas E ("s" *espuria por influencia del* 'maneras' *anterior*). **18** forçado] forcado E.

rorien volumtariamientre a la presa et non desamparan el cuerpo de su senyor seyendo muerto.

[2] **Vallerio**. Item, en el lugar ya allegado, recomta que Allexandre,
5 del qual faula aquí Vallerio, non fue pas Allexandre fillo de Filippo macedonio, ermano de Aristóbol rey de los iudíos, de los quales II[s] tracta lo Maestro de las ***Istorias Escolásticas***, o por ventura fue Allexandre, tío del grant Alexandre. Aquésti fue muyt diligent catar su muller, assín que poco se partía d'ela. Porque ella, mouida de ira, quí-
10 so- [250c] lo matar. Et bien que fue feyto. Porque, como probició et monimiento cresca la cobdicia tanto, no es marauilla si el petit senyn de la fembra es acaýdo a cosas non deuidas quando alguna cosa le es vedado por sospecha. Pues los maridos deuen catar las mulleres segunt que la calidat de las perssonas, et deuida demanda de guardia
15 seruar et tener enuers ellas. Porque segunt que dize Sant Ierónimo ***contra Iuuenalio***, en el primero libro, et la amor de la fembra, insaciable, el qual muerto otra vegada es encendido, no dexa cogitar otra cosa. Porque es deffèçil cosa a guardar la fembra misma. Causa: O es casta o no. Si es casta non cal sprouar de aquella tan gran diligen-
20 cia en guardarla, porque si no es casta non puede seyer guardada, porque no es fiel guardia- [250d] na de castedat. Item o la muller es bella o fea. Si bella es, aína es cobdiciada; si fea es, cobdicia que sea amada. Mas con dificultat es guardada aquella que muchos aman. Trista cosa es possedir aquello qui ninguno non quiere. Empero como
25 menor miseria la fea mullier es possedida que bella muller no es guardada. Pues el hombre prudentment deue conssiderar las condiciones de las mulleres, et, segunt aquéllas, que las regesca et la guarde, et que non la constrenga con sospechas.
Hic finit liber iste Deo gracias. Amen.
30

Finito libro sit laus et gloria Christo. Ferdinandus Metinenssis uocatur qui scripssit benedicatur. Amen.

---

23 aquella que muchos aman] aquellos que mucho aman E (*lectio facilior*).

TABLA DE CORRESPONDENCIAS DE *RAMS DE FLORES* CON LA *SUMA DE COL.LACIONS* Y SUS FUENTES*

0. Prólogo

Policraticus	La mayor parte del prólogo de *Rams de flores* proviene del prólogo del *Policraticus*. Algunas secciones, en cambio, están tomadas del prólogo de la *Suma de col.lacions*. Indicamos a continuación las partes del prólogo de *Rams* que no se encuentran en el prólogo del *Policraticus*.
Séneca	*Suma de col.lacions*, pról., da como fuente: Séneca, *epistola* 1 (=108.4)
[I]sócrates	*Policraticus* pról., y *Suma de col.lacions* pról. y 1.8.7, dan como fuente: Macrobio, *Saturnales* VII.1.4
Sócrates	*Suma de col.lacions* pról., da como fuente Apuleius De Deo Socratis
Agustin	*De Trinitate* 1.3§5 (PL 42, 823)
Virgilio	*Suma de col.lacions* pról., da como fuente Cassiodorus, De institutione divinarum litterarum I§1(PL70, 1112)
Eclesiástico	*Suma de col.lacions* pról., da como fuente 21.28

1. Aquesta vida es breu. Capítulo primero

1	Agustín	-7.1.1	Confesiones, falsa atribución por contigüidad (fac), es comentario de Juan de Gales
2	Agustín	-7.1.1	sermón 17 (=84 De verbis Domini, PL 38-39, col. 520)
3	Agustín	-7.1.1	sermón 39 (=108 De verbis Domini, PL 38-39, col. 634, 634-35)
4	Agustín	-7.1.1	sermón 16 (=82 De verbis Domini, PL 38-39, col. 513)
5	Gregorio	-7.1.1	Sobre evangelios, fac, es comentario de J. de Gales - Agustín, Confesiones 4.9
6	Gregorio	-7.1.1	Morales 8, fac, es comentario de J. de Gales
7	Séneca	-7.1.1	epístola 51 (=49.2,3) y 103 (=99.31)
8	Séneca	-7.1.1	De brevitate vitae 9.2 (también en epístola 100=108.24,25, ver capítulo 57.10)

2. Biuir bien entre los malos es cosa digna et de grant lahor (88)

1	Gregorio	-2.9.1	Morales 1.1 (PL 75, 529)
2	Mateo	-2.9.1	evangelio 5.44

---

* Los números entre paréntesis que siguen a algunos títulos remiten a los capítulos que desarrollan el mismo tema.

3. Amonestación de los ricos hombres et capítulo xiii

1	Gregorio	-3.4.1 Morales 18.17 (PL 76, 52)
2	Agustín	-3.4.1 sermón 12 (= 72 De verbis Domini, PL 38-9, 469)
3	Agustín	-3.4.1 sermón 33 (=112 De verbis Domini, PL 38-9, 646)
4	Eclesiástico	-3.4.1 Eclesiástico 5.9
5	Eclesiástico	-3.4.1 Eclesiástico 5.10
6	Eclesiástico	-3.4.1 Eclesiástico 17.18 - Agustín, sermón 39.4 §6 (PL 38-39, 243)
7	Gregorio	-3.4.1 Morales 18.17 (P 76, 51,52)
8	Gregorio	-3.4.1 In evangelia I, homilía 15 (PL 76, 1131)
9	Gregorio	-3.4.1 In evangelia I, homilía 15 (PL 76, 1131-32) - Crisóstomo, In Joannem, homilía 33 (PG59, 192)
10	Lucas	-3.4.1 evangelio 16.9
11	Lucas	-3.4.1 evangelio 6.24
12	Lucas	-3.4.1 evangelio 8.7
13	Jerónimo	-3.4.1 epístola 92 (=120.I, PL 22, 984)
14	Job	-3.4.1 Iob 27.19
15	Séneca	-3.4.1 epístola 79 (=76.32)
16	Pablo	-3.4.1 1 ad Thimoteum 6.9
17	Pablo	-3.4.1 1 ad Thimoteum 6.17 - comentario de J. de Gales
18	Pablo	-3.4.1 1 ad Thimoteum 6.17-18 - comentario de J. de Gales basado en Agustín, sermón I.40 (PL 38- 39, 240)
19	Pablo	-3.4.1 ad Philippenses 3.8
20	Mateo	-3.4.1 evangelio 19.21,24
21	Mateo	-3.4.1 evangelio 6.24
22	Salomón	-3.4.1 Proverbios 11.28
23	Habacuc	-3.4.1 Habacuc 2.6

4. Amonestación de los hombres pobres. Capítulo iiii (5, 83)

1	Agustín	-3.4.2 Sobre evangelio de san Juan, homilia 25 (PL 34-5, 1605) - comentario de J. de Gales - Agustín, Ciudad de Dios 5.18

5. Amonestaçión de los hombres pobres. Idem capítulo quarto (4, 83)

1	Agustín	-3.4.2 Confesiones 6.6
2	Agustín	-3.4.2 Confesiones 6.6
3	Agustín	-3.4.2 fac, es Juvenal, Sátiras X.22
4	Séneca	-3.4.2 epístola 2 (=2.6)
5	Séneca	-3.4.2 epístola 2 (=1.5) - Proverbios 13.7
6	Apocalipsis	-3.4.2 Apocalipsis 3.17
7	Jerónimo	-3.4.2 epístola 95 (=97, PL 22, 724)

6. Comunidat quiénta cosa es

1	Agustín	-1.1.1 Ciudad de Dios 5.18

7. Cómo se bastece la comunidat

1	Agustín	-1.1.2 Ciudad de Dios 2.21
2	Agustín	-1.1.2 Ciudad de Dios 2.21
3	Agustín	-1.1.2 Ciudad de Dios 2.21

8. Cómo la comunidat deue seyer fundada en iusticia

1	Agustín	-1.1.4 Ciudad de Dios 2.21
2	Agustín	-1.1.4 Ciudad de Dios 4.4
3	Agustín	-1.1.4 Ciudad de Dios 19.21
4	Agustín	-1.1.4 Doctrina cristiana 2.18 (PL 34-35, 49), sic por comentario de J. de Gales - Sabiduría 1.1
5	Agustín	- —— No aparece en la Suma de col.lacions. De verdadera religión 48.93(PL 34-5, 164) -Quaestiones ex Veteri Testamento 15 (PL 34-35, 2226)-Jerónimo, Commentarius in evangelium secundum Marcum 9 (PL 30, 45,46)
6	Agustín	- —— No aparece en la Suma de col.lacions. Epístola 153.26 (PL 33, 665)
7	Bernardo	-1.1.4 sermón del adviento, sermón 3 (PL 183, 45, 46)
8	Ambrosio	-1.1.4 De los oficios 1.25, 1.27 (PL 16, 58,60) - Agustín, Ciudad de Dios 2.21
9	Lelio	-1.1.4 apud Agustín, Ciudad de Dios 2.21
10	Cicerón	-1.1.4 De officiis II 11 § 39 y 40

9. Cómo la comunidat deue seyer por virtuosas costumbres ennobleçida

1	Agustín	-1.1.8 Ciudad de Dios 2.21
2	Agustín	-1.1.8 Ciudad de Dios 5.12
3	Agustín	-1.1.8 Ciudad de Dios 1.33
4	Agustín	-1.1.8 Ciudad de Dios 2.2
5	Agustín	-1.1.8 epístola 5 (=138, PL 33, 531)
6	Agustín	-1.1.8 Ciudad de Dios 2.20
7	Agustín	-1.1.8 epístola 34 (=155.13, PL 33, 672)
8	Pablo	-1.1.8 1 ad Corintios 15.33

10. Cómo la comunidat deue seyer por lealdat aiudada

1	Ambrosio	-1.1.6 De los oficios 2.23 (PL 16, 134)
2	Catón	-1.1.6 apud Cicerón, De officiis III 29 § 104
3	Eclesiástico	-1.1.6 fac, es Sabiduría 3.9
4	Cicerón	-1.1.6 De officiis I 7 § 23
5	Cicerón	-1.1.6 De officiis I 13 § 41
6	Cicerón	-1.1.6 De officiis I 10 § 31 - Egisipus 1.29.9
7	Cicerón	-1.1.6 De beneficios, es en realidad comentario de J. de Gales a la cita de Enio que hace Cicerón en De officiis III 29 §104 - Egisipo 1.17.2

11. Cómo la comunidat deue seyer ordenada por derecha intención

1	Cicerón	-1.1.9 De officiis III 6 § 26
2	Cicerón	-1.1.9 De officiis III 5 § 21
3	Cicerón	-1.1.9 De officiis I 9 § 30
4	Cicerón	-1.1.9 De amicitia 12 § 43
5	Cicerón	-1.1.9 De natura deorum III 19 § 50
6	Séneca	-1.1.9 epístola 19 (=95.53 y 73.6) - comentario de J. de Gales
7	Aristóteles	1.1.9 Del cielo y del mundo 2 ?
8	Aristóteles	1.1.9 Del cielo y del mundo ?

12. Cómo deue seyer ordenada por concordia verdadera et aplegada comunidat (111, 164)

1	Jerónimo	1.1.5	epístola 92 ?
2	Séneca	-1.1.5	epístola 99 (=94.46)
3	Mateo	-1.1.5	evangelio 12.25

13. Cómo la comunidat deue seyer por saludables conssellos endreçada

1	Salomón	-1.1.7	Proverbios 24.6
2	Séneca	-1.1.7	De tranquilitate animi 3.3
3	Job	-1.1.7	Job 12.12 y 3 Reyes 12.13-14
4	Cicerón	-1.1.7	De senectute 6.17
5	Agustín	-1.1.7	Ciudad de Dios 5.12

14. Cómo caye et viene a destrucción la comunidat por defallimiento de no auer drecha intención et virtuosas costumbres; por no hauer saludables conssellos; por no hauer lealdat; et por no esser avnida et aplegada; por no esser fundada en iusticia; et por quáles virtudes deue seyer regida et consseruada, ordenada la dicha comunidat

1	Agustín	-1.1.10	Ciudad de Dios 2.21
2	Agustín	-1.1.10	Ciudad de Dios 2.20
3	Agustín	-1.1.10	Ciudad de Dios 1.30
4	Agustín	-1.1.10	epístola 5 (=138, PL 33, 532)
5	Agustín	-1.1.10	Juvenal apud Agustín, epístola 5 (138, PL 33, 532)
6	Gregorio	-1.1.5	Sobre Ezequiel, homilía 1.8 (PL 76, 857) - Judit 15.4
7	Ambrosio	-1.1.3	Hexamerón Libro V, capítulo 21, homilía 8 (PL 14, 234) **repetido en** 111.3
8	Crisóstomo	1.1.3	Sobre san Juan, homilía 36 ?
9	Pablo	-1.1.2	1 ad Romanos 12.5
10	Pablo	-1.1.2	1 ad Corintios 12.13
11	Hechos Apóst.	-1.1.5	Hechos de los Apóstoles 4.32, fac por comentario de J. de Gales
12	Salomón	-1.1.3	Proverbios 8.15
13	Salomón	-1.1.3	Proverbios 17.15
14	Séneca	-1.1.11	fac, es Agustín, Ciudad de Dios 5.18
15	Séneca	-1.1.11	epístola 53 (=55.5)
16	Cicerón	-1.1.2	De officiis 39 (=I 34 § 124)
17	Cicerón	-1.1.2	De officiis (=I 34 § 124)
18	Cicerón	-1.1.2	De officiis (=I 34 § 125)
19	Graciano	-1.1.3	Decreto-Iosephus, error basado en la Suma de col.lacions, es Policraticus 4.2 - Séneca, epístola 99 (=90.6)
20	Josefo	-1.1.11	Josefo 5.23.1 y 5.24.1
21	Job	-1.1.2	Job 38.33 - Agustín, Ciudad de Dios 2.19
22	Job	-1.1.3	Job 11.5-6

15. Cómo senyoría deue seyer recebida ordenadamientre et legítimamientre

1	Agustín	-1.2.3	Ciudad de Dios 5.18
2	Gregorio	-1.2.3	Morales 25.16 (PL 76, 348)
3	Job	-1.2.3	Job 34.30
4	Job	-1.3.1	Job 26.5-Morales 17.21-Apocalipsis 17.15 (apud Morales 17.21, PL 76, 25)

5 David-Moisés -1.2.3 1 Reyes 16.3 - Números 27.17
6 Oseas -1.2.3 Oseas 13.11
7 Salomón -1.2.3 Proverbios 8.15-16 - Oseas 8.4
8 Pablo -1.2.3 ad Romanos 13.1 - San Juan, evangelio 19.11

16. Cómo el prímçep es cabeça de la comunidat et de las propiedades de la cabeça (146, 148)

1 Ambrosio -1.2.1 Hexamerón Libro 6 capítulo 9, homilía 9 (PL 14, 265)
2 Aristóteles -1.1.10 Etica (interpretación del título)
3 Eclesiastés -1.2.1 Eclesiastés 2.14
4 Ambrosio -1.2.1 Hexamerón Libro 6, homilía 9 (PL 14, 265)
5 Gregorio -1.2.1 Morales 9.16 (PL 75, 874)
6 Job -1.2.1 Job 9.13

17. Cómo el prímçep es puesto a lazerio, a cura et no art, en miedo et ansia et no sta occioso

1 Agustín -1.3.1 contra Cresconium III.51 § 56, (PL 43, 527)
2 Cicerón -1.3.1 Disputationes tusculanae V 21 § 61 y 62 - Pablo, ad Romanos 12.8
3 Séneca -1.3.1 De clementia I.8.2
4 Macrobio -1.3.1 Macrobius 1.10

18. Cómo el prímçep deue regir virtuosamientre (31)

1 Agustín -1.3.19 Ciudad de Dios 5.13 donde cita a Horacio [Oda 2,2 vv 9-12]
2 Gregorio -1.3.19 Morales 11.17 (PL 75, 966)
3 Agustín -1.3.19 Ciudad de Dios, fac, es Proverbios 16.32
4 Eclesiastico -1.3.19 Eclesiástico 10.16-17
5 Isidoro -1.3.19 Etimologías 9.3
6 Gregorio -1.3.19 Morales 26.28 (PL 76, 381)
7 Gregorio -1.3.19 Morales 4.29 (PL 75, 666)
8 Job -1.3.19 Job 12.21
9 Job -1.3.19 Job 12.18

19. Cómo el prímçep deue seyer proz et largo, et qué deue dar

1 Ambrosio -1.3.8 De los oficios 1.30 (PL 16, 65,66)
2 Boecio -1.3.8 De consolación 2.5.prosa
3 Séneca -1.3.8 De beneficiis II.15.3
4 Séneca -1.3.8 De beneficiis II.16.1
5 Séneca -1.3.8 De beneficiis II.16.1 y II.17.1 - comentario de J. de Gales
6 Séneca -1.3.8 De clementia I.20.3
7 Salomón -1.3.8 Proverbios 19.6 y 19.4
8 Cicerón -1.3.8 De officiis II 22 §77
9 Cicerón -1.3.8 De officiis 2.18, fac, es Boecio, De consolación 2.5.prosa

20. Cómo el prímçep deue seyer illuminado de lumbre de sauieza et de sçiençia spiritual, et del estudio de los antigos

1 Boecio -1.3.7 De consolación 1.4.prosa
2 Eclesiástico -1.3.7 Eclesiástico 10.1,3

3	Eclesiástico	-1.3.7 Eclesiástico 3.16
4	Reyes	-1.3.7 3 Reyes 3.9,11,12
5	Deuteronomio	-1.3.7 Deuteronomio 17.18
6	Séneca	-1.3.7 epístola 14, en Communiloquium xliiii, (=90.5)
7	Cicerón	-1.3.7 De divinatione I 40 § 89

21. Cómo el prímçep deue catar de iniusticia, crueldat et de cruel senyoría (161)

1	Aristóteles	-1.3.20 Ethica Nicomachea 8.10
2	Aristóteles	-1.3.20 Ethica Nicomachea 8.11
3	Eclesiástico	-1.3.20 Eclesiástico 10.8 - 1 Samuel 15.24-28 y 1 Reyes 1.13-14 y 21
4	Isaías	-1.5.1 Isaías 59.14 **repetido en** 138.4
5	Isaías	-1.3.20 Isaías 1.23
6	Job	-1.3.20 Job 15.20
7	Séneca	-1.3.20 Naturales quaestiones III. praef. 5, 6, 10
8	Salomón	-1.3.20 Proverbios 28.15
9	Salomón	-1.3.20 Proverbios 28.16

22. Cómo el prímçep deue seyer menos de toda tacha, que quiere dezir sines peccado de luxuria (149)

1	Eclesiástico	-1.3.3 Eclesiástico 10.16-17
2	Josefo	-1.3.3 Egisipo 1.33.1
3	Jerónimo	-1.3.3 epístola 34 (=52.5, PL 22, 531-532) - comentario de J. de Gales
4	Jerónimo	-1.3.3 pístola 37 (=69.9, PL 22, 663) - Valerio 2.1.5
5	Job	-1.3.3 Job 1.18 - Morales 2.15 (PL 75, 568)

23. Cómo el prínçep deue seyer ygualdat et iustiçia (158)

1	Agustín	-1.3.6 Ciudad de Dios, fac, es comentario de J.de Gales
2	Agustín	-1.3.6 epístola 32 (=185.5 § 19, PL 33, 801)
3	Agustín	-1.3.6 Ciudad de Dios 4.4
4	Gregorio	1.3.6 Morales ? (fac por comentario de J.de Gales ?) - Aristóteles, Ethicorum 5.11
5	Policrato	-1.3.6 Policraticus 5.12 - comentario de J. de Gales
6	Deuteronomio	-1.3.6 Deuteronomio 17.20 - comentario de J. de Gales
7	Séneca	-1.3.6 Naturales quaestiones II.43.1 - comentario de J. de Gales
8	Salomón	-1.3.6 Proverbios 20.28
9	Salomón	-1.3.6 Proverbios 29.4 - comentario de J. de Gales
10	Salomón	-1.3.9 Proverbios 8.26 - comentario de J. de Gales

24. Cómo con pascienҫia de beneficio vence hombre sus enemigos

1	Agustín	-2.9.2 epístola 5(=138.12) (PL 33, 530)
2	Agustín	-2.9.2 fac, es comentario de J. de Gales
3	Mateo	-2.9.2 evangelio, fac, es Agustín, epístola 138.12 (PL 33, 530)
4	Pablo	-2.9.2 ad Romanos 12.21
5	Pablo	-2.9.2 ad Romanos 12.20
6	Salomón	-2.9.2 Proverbios 15.1
7	Eclesiástico	-2.9.2 Eclesiástico 28.13-14

25. Cómo los clérigos deuen amar castedat

1	Agustín	-4.2.3	apud Gregorio, Registrum 9.111 (PL 148, 764 y 1119) - comentario de J. de Gales
2	Gregorio	-4.2.3	Morales 3.8 (PL 75, 605) - Dialogorum 3.7 (PL 77, 229-232)
3	Jerónimo	-4.2.3	epístola 52 (ad Nepotianum) (PL 22, 531-532)
4	Jerónimo	-4.2.3	epístola 4 (ad Oceanum, atribuida) (=42.2,3,4) (PL30, 288-89)-2 Reyes 13.1-14

26. Cómo se deue hombre acompanyar con buenos hombres

1	Agustín	-2.8.3	De diversis quaestionibus I.71.1,2 (PL 40, 81)
2	Agustín	-2.8.3	Confesiones 3.9
3	Ambrosio	-2.8.3	De los oficios 1.28 (PL 16, 61)
4	Ambrosio	-2.8.3	De los oficios 2.20 (PL 16, 130)
5	Eclesiástico	-2.8.3	Eclesiástico 41.23
6	Juan	-2.8.3	Apocalipsis 1.9 - comentario de J. de Gales
7	Pablo	-2.8.3	ad Galatas 6.2
8	Séneca	-2.8.3	Naturales quaestiones, fac, es De ira II.31.7

27. Cómo deue hombre squiuar companya de malas perssonas

1	Bernardo	-2.8.2	Meditationes piissimae de cognitione humanae conditionis, capítulo 5 (PL 184, 494) (esta autoridad no aparece en el ***Communiloquium***, pero sí en la ***Suma de col.lacions***)
2	Gregorio	-2.8.2	sobre Ezequiel 1.9 (PL 76, 881)
3	Isaías	-2.8.2	Isaías, error basado en mss. catalanes por 2 Corintios 6.14-I Cor 5.9 - comentario de J. de Gales
4	Pablo	-2.8.2	1 ad Corintios 15.33
5	Séneca	-2.8.2	epístola 97 (=104.20) - salmos 17.26,27 - 1 Corintios 10.20
6	Séneca	-2.8.2	epístola 97 (=104.21-22)
7	Séneca	-2.8.2	epístola 1 (=7.7)
8	Salomón	-2.8.2	Proverbios 22.24-25

28. Cómo el prímçep deue seyer humil a Dios et a la eglesia, et deue honrrar a Dios verdaderamientre et a la su eglesia

1	Constantino	-1.3.2	apud Gregorio, Registrum epistolarum, V.40 ad Mauritium Augustum (PL 77, 766)
2	Constantino	-1.3.2	apud Policraticus 4.3
3	Constantino	-1.3.2	Historia Tripartita 1.4 (PL 69, 893)
4	Hª Eclesiástica	-1.3.2	Rufino, Historia Eclesiástica 1.2 (PL 21, 468)
5	Gregorio	-1.3.2	Registrum epistolarum, V.40 ad Mauritium Augustum (PL 77, 760)
6	Deuteronomio	-1.3.2	Deuteronomio 17.16

29. Cómo los iutges del prímçep deuen seyer diligentes en disputar por fallar verdat de fechos

1	Bernardo	-1.4.3	De gradibus humilitatis c. 4 (PL 182, 949)
2	Bernardo	-1.4.3	De gradibus humilitatis c. 4 (PL 182, 949) - Juan, evangelio 5.30
3	Bernardo	-1.4.3	De gradibus humilitatis c. 4 (PL 182, 949) - Juan, evangelio 19.7
4	Bernardo	-1.4.3	De gradibus humilitatis c. 4 (PL 182, 949) - Juan, evangelio 11.48
5	Bernardo	-1.4.3	De gradibus humilitatis c. 4 (PL 182, 949) - 2 Samuel 18.5

6	Bernardo	-1.4.3 De gradibus humilitatis c. 4 (PL 182, 949)
7	Gregorio	-1.4.3 Morales 19.25 (PL 76, 126)
8	Gregorio	-1.4.3 Morales 19.25 (PL 76, 127)-comentario de J.de Gales-Génesis 39.19-20
9	Gregorio	-1.4.3 fac, es comentario de J. de Gales - Daniel 13 passim
10	Graciano	-1.4.3 Decretum Parte 2, Causa 11, quaestione 3, capitulo 78 quot modis (PL 187, 867)
11	Job	-1.4.3 Job 29.16
12	Deuteronomio	-1.4.3 Deuteronomio 1.17
13	Salomón	-1.4.3 Proverbios 4.25
14	Cicerón	-1.4.3 De officiis III 10 § 43

30. Cómo los oficiales o lugartenientes de senyor se deuen guardar de vana gloria et que no lieuen porseguidores (167)

1	Eclesiástico	-1.4.2 Eclesiástico 10.2
2	Eclesiástico	-1.4.2 Eclesiástico 10.2
3	Mateo	-1.4.2 evangelio 18.33

31. Cómo el rey o el prímçep deue regir sí mismo virtuosamientre porque no aya nombre de rey de baldes (18)

1	Séneca	-1.3.19 epístola 96 (=94.61)
2	Séneca	-1.3.19 epístola 38 (=37.4)
3	Séneca	-1.3.19 epístola 116 (=114.24)

32. Cómo los connsselleros deuen seyer prouados en iusticia et en derecho (141)

1	Ambrosio	-1.6.2 De los oficios 2.12 (PL 16, 118) **repetido en** 141.1
2	Ambrosio	-1.6.2 De los oficios 2.8 (PL 16, 114) **repetido en** 141.2
3	Eclesiástico	-1.6.2 Eclesiástico 6.6

33. Cómo se deuen aiustar los vnos con los otros

1	Juan	-2.5.3 1 Juan 3.17
2	Pablo	-2.5.3 1 ad Corintios 12.26
3	Pablo	-2.5.3 ad Efesios 4.2

34. Cómo deue hombre hamonestar los enfermos

1	Gregorio	-3.8.2 sobre los Evangelios, 1.13 (PL 76, 1124)
2	Jerónimo	-3.8.2 epístola 67 (=76.2 PL 22, 689) - Cantar de Cantares 4.9
3	Jerónimo	-3.8.2 todos los mss. dan Job, pero la cita proviene de los Proverbios 20.30
4	Lucas	-3.8.2 evangelio 12.37
5	Maestro Sent.	-3.8.2 sic, sólo en E, error por Libro de los Santos Padres P 5 L 7.17 (PL 73, 896) - comentario de J. de Gales
6	Pablo	-3.8.2 2 ad Corintios 12.9 - comentario de J. de Gales - Gregorio, Pastoral, pars tertia (PL 77, 49- 128)
7	Salomón	-3.8.2 Proverbios 8.11

35. Cómo deue hombre amonestar aquellos que biuen en sanidat

1	Eclesiastés	-3.8.1 El mss da Eclesiástico, pero es error basado en los mss catalanes, es Eclesiastés 11.9

2 Eclesiástico -3.8.1 Eclesiástico 25.2
3 Eclesiástico -3.8.1 Eclesiástico 37.34, 33
4 Gregorio -3.8.1 Pastoral III.12 (PL 77, 66)
5 Séneca -3.8.1 epístola 99 (=95.18, 23)
6 Salomón -3.8.1 Proverbios 5.9-10

36. Cómo el hombre deue star luent de roydo mundanal
1 Jerónimo -6.5.1 epístola 72 (=125.8, PL 22, 1076)

37. Cómo deue hombre star apparellado a la muert (60, 131, 142, 147)
1 Apocalipsis -7.1.5 Apocalipsis 3.3
2 Ambrosio -7.1.5 fac, es comentario de J. de Gales
3 Gregorio -7.1.5 Morales 12.38 (PL 75, 1006) - comentario de J. de Gales **repetido en** 60.8
4 Mateo -7.1.5 evangelio 24.42 **repetido en** 147.1
5 Lucas -7.1.5 evangelio 12.35-37 **repetido en** 147.2-3
6 Lucas -7.1.5 evangelio 12.40 **repetido en** 147.4
7 Salomón -7.1.5 Proverbios 6.6, 6.8-9 - comentario de J. de Gales

38. Cómo los clérigos deuen seyer curosos delant de la eglesia a ellos comendada
1 Bernardo -4.2.7 sobre el Cantar de los Cantares, homilía 76 (PL 183, 1153, 1154)
2 Juan -4.2.7 evangelio 10.11
3 Isaías -4.2.7 Isaías 62.6
4 Isaías -4.2.7 Isaías 62.5 - comentario de J. de Gales
5 Pablo -4.2.7 1 ad Corintios 3.9

39. Cómo los clérigos deuen seyer ornados de buenas costumbres
1 Pablo -4.2.2 Filipenses, error basado en mss catalanes, es Philosophi (Jerónimo, epístola 52, PL22,536)
2 Pablo -4.2.2 ad Titum 1.7 - Levitici 10.9, apud Jerónimo (PL 22, 536)
3 Jerónimo -4.2.2 epístola 44 (=22, PL 22, 414)
4 Jerónimo -4.2.2 epístola 34 (=52, PL 22, 536) - comentario de J. de Gales

40. Cómo el bispe deue auer abundançia de largueza (150)
1 Gregorio -4.3.9 Dialogorum -Vita, fac por comentario de J. de Gales a la Vita Gregorii Magni de Juan Diácono (PL 75, 95)
2 Pablo -4.3.8 ad Titum 1.7,8

41. De la información de los testimonios
1 Agustín -1.5.3 sermón sobre las plagas de Faraón, sermón 8 (PL 38-39, 71)
2 Ambrosio -1.5.3 sermón de la pasión 30.5 (de Sancta Quadragesima xiv) (PL 17, 666)
3 Hª Eclesiástica -1.5.3 Eusebius Caesariensis, Historia ecclesiastica VI.9 (PG 20, 539) (un texto muy cercano en Freculphus, Chronicon, tomus II, liber II, caput xxvii (PL 106, 1174)
4 Exodo -1.5.3 Exodo 20.16-Isidoro, De summo bono (Sententiarum Libri 3) 3.55 (PL 83, 727)

5	Mateo	-1.5.3 evangelio 26.59
6	Pablo	-1.5.3 ad Galatas 5.15, apud Agustín, sobre las plagas del faraón, sermón 8 (PL 38-39, 71)
7	Salomón	-1.5.3 Proverbios 21,28 - comentario de J. de Gales

42. De la información de los actores

1	Agustín	-1.5.5 sermón degollación de san Juan, sermón 308 (PL 38-39, 1409)
2	Gregorio	-1.5.5 Morales 31.13 (PL 76, 586)
3	Gregorio	-1.5.5 Dialogorum 1.3 (PL 77, 165)
4	Pablo	-1.5.5 1 Corintios 6.7 - comentario de J. de Gales

43. De la informaçión de los ladrones

1	Agustín	-1.5.7 fac, es comentario de J. de Gales
2	Jeremías	-1.5.6 Jeremias 9.3,8 - comentario de J. de Gales
3	Cicerón	-1.5.6 De officiis II 14 § 50
4	Cicerón	-1.5.6 De officiis II 14 § 50
5	Cicerón	-1.5.7 De officiis III 10 § 44 y II 14 § 51
6	Jerónimo	-1.5.7 error basado en los mss. catalanes. por S. Agustín, epístola 54 (=153 PL 33, col. 658)

44. De la información de los padres que deuen dezir a los fillos criándolos et castigándolos ordenadament (87, 169)

1	Agustín	-2.2.1 De buenas costumbres de iglesia 1.28 (PL 32, 1333-1334)
2	Boecio	-2.2.1 De disciplina escolástica 2.8
3	Aristóteles	-2.2.1 Etica 8.11
4	Eclesiástico	-2.2.1 Eclesiástico 7.25
5	Eclesiástico	-2.2.1 Eclesiástico 30.7 - comentario de J. de Gales - Eclesiástico 30.11
6	Salomón	-2.2.1 Proverbios 23.13
7	Pablo	-2.2.1 Efesios, confusión por Hebreos 12.7 - comentario de J. de Gales
8	Pablo	-2.2.1 Efesios 6.24
9	Pablo	-2.2.1 1 Timoteo 5.10
10	Gregorio	-2.2.1 Dialogorum IV.18 (PL 77, 349) - comenatrio de J. de Gales
11	Jerónimo	2.2.1 commentarius in Isaiam XVIII.66 (PL 24, 662) - Solino, Collectanea 37.17 - Lapidario ? - comentario de J. de Gales
12	Séneca	-2.2.1 De ira II.18.2
13	Cicerón	-2.2.1 Disputationes tusculanae II 14 § 34
14	Cicerón	-2.2.1 Disputationes tusculanae II 14 § 34
15	Cicerón	-2.2.1 De officiis I 33 § 121 - comentario de J. de Gales

45. De la información de la amor et bienquerencia de los ermanos (171)

1	Agustín	-2.3.1 Sermones, 358.2 (PL 39, 1587)
2	Lucas	-2.3.1 evangelio 12.14 - comentario de J. de Gales

46. De verdadera amor et verdadera dilección

1	Agustín	-2.6.1 epístola 34 (=155, PL 33, 672) - Doctrina cristiana 1.30 PL 34-35, 30-31) - De mendacio 19 (PL 40, 514)

2 Agustín -2.6.1 De mendacio, fac, es comentario de J. de Gales - Levítico 19.13-15
3 Moisés -2.6.1 Levítico 19.13-15
4 Mateo -2.6.1 evangelio 22.37, apud Agustín, epístola 155 (PL 33, 672)
5 Salomón -2.6.1 Proverbios 23.10-11

47. De la amonestación de aquellos que stan en peccado
1 Eclesiástico -3.5.1 Eclesiástico 21.2-4 - comentario de J. de Gales

48. De qué deuíen seyer amonestadas las moças (55, 120)
1 Ambrosio -3.6.3 De virginibus I.3 (PL 16, 192)
2 Ambrosio -3.6.3 De institutione viduarum apud Petrus Lombardus, Collectanea in epistolas Pauli,VII. versículos 20-28 (PL191, 1595)
3 Apocalipsis -3.6.3 Apocalipsis 14.3-4
4 Bernardo -3.6.3 sobre missus est [Lucas 1.26], homilía 1 (PL 183, 59) - Jerónimo, Ad Demetriadem [1.9 supuestas], (PL 30, 34)
5 Jerónimo -3.6.3 epístola 44 (=22, PL 22, 407)
6 Jerónimo -3.6.3 epístola 44 (=22, PL 22, 408)
7 Jerónimo -3.6.3 epístola 44 (=22, PL 22, 399, 404)
8 Jerónimo -3.6.3 epístola (ad Demetriadem 1.19, supuestas) (PL 30, 33,34)
9 Jerónimo -3.6.3 epístola 89 (=107.9,10, PL 182, 756) - comentario de J. de Gales
10 Gregorio -3.6.3 Dialogorum IV.17 (PL 77, 348-349)
11 Isaías -3.6.3 Isaías 56.5
12 Job -3.6.3 Job 24.14-15
13 Mateo -3.6.3 evangelio 13.44 - Gregorio, sobre los Evangelios 1.11 (PL 76, 1115) - comentario de J. de Gales
14 Pablo -3.6.3 1 Corintios 7.34

49. De la amonestación de los bienauenturados, los quales an mucho bien, et del cuytoso mudamiento de bienauenturança
1 Agustín -3.7.1 epístola 5 (=138, PL 33, 531) - Ovidio, Ars amatoria II.437
2 Bernardo -3.7.1 ad Eugenium papam, II.12 (PL 182, 756)
3 Gregorio -3.7.1 epístola 81 [de Agustín], fac, es Job 5.3 (apud Morales 6.6, PL 75, 733)
4 Gregorio -3.7.1 epístola 81, fac, es Agustín, espístola 145 (PL 33, 593)
5 Gregorio -3.7.1 Morales 14.10 (PL 75, 1046)
6 Gregorio -3.7.1 Registrum, III.52 ad Priscum (PL 77, 647) - comentario de J. de Gales
7 Job -3.7.1 Job 18.7
8 Pablo -3.7.1 ad Filipenses 4.12
9 Séneca -3.7.1 De providentia 3.3
10 Séneca -3.7.1 epístola 70 (=39.4)
11 Séneca -3.7.1 epístola 70 (=67.14 y 4.7)
12 Séneca -3.7.1 epístola 7 (=8.3)
13 Séneca -3.7.1 epístola 27 (=36.2) - comentario de J. de Gales
14 Salomón -3.7.1 Proverbios 1.32

50. De diuerssos stamientos de los muertos et a quáles aprouechan los bienes que los fazen

1	Agustín	-7.3.6	Enchiridion 110 (PL 40, 283) - De cura pro mortuis gerenda 1 (PL 40, 591-593) - Apocalipsis 20.9
2	Agustín	-7.3.6	sobre san Juan (in Joannis Evangelium) 28.8 (PL 34-35, 1626)
3	Agustín	-7.3.6	Ciudad de Dios 22.30
4	Apocalipsis	-7.3.6	Apocalipsis, fac, es Isaías 66.24
5	Isaías	-7.3.6	Isaías, fac, es Mateo, evangelio 25.41
6	David	-7.3.6	salmo 83.5
7	Mateo	-7.3.6	evangelio, fac, es comentario de J. de Gales
8	Pablo	-7.3.6	1 Corintios 3.15
9	Gregorio	-7.3.6	Dialogorum, IV.35, es fac; todo en Anselmo, De mistica theologia=Prosologion 26 (PL 158, 242)

51. De los fillos que aman et honrran a los padres de coraçón et de obra (170)

1	Ambrosio	-2.2.2	Hexamerón Libro V capítulo 16, homilía 7 (PL 14, 229)
2	Exodo	-2.2.2	Exodo 20.12
3	Pablo	-2.2.2	Efesios 6.1
4	Pablo	-2.2.2	Colosenses 3.20 - Eclesiástico 3.7
5	Séneca	-2.2.2	De beneficiis III.32.6, III.33.1, III.37.1
6	Séneca	-2.2.2	De beneficiis III.37.2

52. De falssa trasfegaría de calumniar ho de fer penar a los otros

1	Habacuc	-1.8.6	Habacuc 2.9,11
2	Pedro Damián	-1.8.6	Opus 19, De abdicatione episcopatus, VIII (PL 145, 437)
3	Eclesiástico	-1.8.6	Eclesiástico 10.2
4	Eclesiástico	-1.8.6	Fac, es Proverbios 29.12 - comentario de J. de Gales
5	Eclesiástico	-1.8.6	Eclesiástico 4.1
6	Eclesiástico	-1.8.6	Eclesiástico 35.18-19
7	Eclesiástico	-1.8.6	Eclesiástico 34.24
8	Isaías	-1.8.6	Isaías 10.1-2 - salmo 10.8 - comentario de J. de Gales
9	Isaías	-1.8.6	Isaías 1.23 - comentario de J. de Gales
10	Job	-1.8.6	Job 35.9
11	Mateo	1.8.6	evangelio 10.16 - Crisóstomo, homilía 33 ? - comentario de J. de Gales
12	Salomón	-1.8.6	Proverbios 28.15

53. Del temor de la muert, del enemigo que aparece en la muert, non tan solament a los malos, antes encara a los buenos

1	David	-7.2.5	salmo 142.2
2	Santiago	-7.2.5	Santiago 3.2
3	Eclesiastés	-7.2.5	Eclesiastés 9.1- comentario de J. de Gales
4	Salomón	-7.2.5	Proverbios 20.24
5	Salomón	-7.2.5	Proverbios 7.34
6	Salomón	-7.2.5	Proverbios, fac, es comentario de J. de Gales
7	Pablo	-7.2.5	1 Corintios 4.4
8	Gregorio	-7.2.5	Morales 29.18 (PL 76, 496) - Job 38.19
9	Juan	-7.2.5	1 Juan 1.8 - comentario de J. de Gales

54. De uerdadera humildat et quál deue seyer (86, 155)

1	Gregorio	-6.5.6	Morales 34.23 (PL 76, 748)
2	Jerónimo	-6.5.6	epístola 27 (=obras supuestas, ep. 1.20, Pelagii ad Demetriadem, PL 30, 34-35)
3	Bernardo	-6.5.6	De gradibus humilitatis c 2 (PL 182, 944)

55. Del castigamiento de la muller (48, 120)

1	Aulo Gelio	-2.4.2	Noctes Atticae I.17.1,2,3 - comentario de J. de Gales
2	Pablo	-2.4.2	Gálatas 6.2
3	Pablo	-2.4.2	Colosenses 3.13 - comentario de J. de Gales
4	Valerio	-2.4.2	(incompleta)
5	Valerio	-2.4.2	2.1.5
6	Valerio	-2.4.2	6.3.9 - 2.15
7	Valerio	-2.4.2	6.3.9
8	Eclesiástico	-2.4.2	Eclesiástico 25.34
9	Eclesiástico	-2.4.2	Eclesiástico 25.30 - comentario de J. de Gales
10	Varro	-2.4.2	Varro, sátira menipea 83, apud Aulo Gelio, Noctes Atticae I.17.4

56. Del prouecho que viene de verdadera amigança (122)

1	Boecio	2.7.3	De consolación, es error por Crisóstomo, super Iohanne, homilía 78 ?

57. De la instrucción de los vieiios despedaçados

1	Boecio	-3.2.6	De consolación 1.1.verso - Séneca, Naturales quaestiones VI.32.11,10.
2	Gregorio	-3.2.6	Morales, fac, es Séneca epístola 18 (=13.17)
3	Séneca	-3.2.6	epístola 61 (=30.2 ?)
4	Séneca	-3.2.6	epístola 31 (=30.10)
5	Séneca	-3.2.6	epístola 31 (=30.2)
6	Séneca	-3.2.6	epístola 78 (=27.2)
7	Séneca	-3.2.6	epístola 74 (=61.1)
8	Séneca	-3.2.6	epístola 74 (=61.2) - comentario de J. de Gales - Isaías 65.20
9	Séneca	-3.2.6	epístola 13, fac, es comentario de J. de Gales que glosa las citas de Séneca
10	Séneca	-3.2.6	epístola 110 (=108.24, 25) (también en De brevitate vitae 9.2, vide Rams cap. 1.8)
11	Séneca	-3.2.6	Naturales quaestiones, fac, es comentario de J. de Gales
12	Valerio	-3.2.6	3.13.Ext 2.

58. De la amonestación de los hombres que aplegan grandes et muchos méritos en esta breu et poca vida

1	Eclesiastés	-7.1.2	Eclesiastés 9.10, 11.6 - Juan 9.4
2	Pablo	-7.1.2	Gálatas 6.10
3	Barlaán	7.1.2	Damasceno, Barlaam et Josphat 12 (PG 96, 975-978, y PL 73, 493). Probablemente J. de Gales usó una versión popular muy cercana a la de Jacobus de Voragine, Legenda aurea 180, o a la de Vincentius de Beauvais, Speculum historiale 15, 15. ?

4	Barlaán	7.1.2	Idem ? - salmo 4.3
5	Juan	-7.1.2	evangelio 9.4 - salmo 125.6

59. De verdadera et deuota oración (85)

1	Crisóstomo	6.5.7	sobre san Mateo, cap. 22 ? - Dionysius Areopagita, De divinis nominibus III § 1 y §3.1 (PG 3, 679 y 687)
2	Crisóstomo	-6.5.7	sermón de IIII domínica de cuaresma, error basado en la Suma de col.lacions, es Vitae Patrum, Parte VI, Verba Seniorum, Libellus II, § 12 (PL 73, 1003)
3	Gregorio	-6.5.7	Morales 33.22 (PL 76, 701) - comentario de J. de Gales
4	Gregorio	-6.5.7	Job 31.35 - Morales 22.17 (PL 76, 238)
5	Moisés	-6.5.7	Exodo 14.15,16
6	Mateo	-6.5.7	evangelio 6.6

60. De la conciencia et penssamiento de la muert (37, 131, 142, 147)

1	Eclesiástico	-7.1.4	Eclesiástico 7.40 (apud Morales 9.61 § 62)
2	Eclesiastés	-7.1.4	Eclesiastés 11.8 (apud Morales 9.61 § 62)
3	Eclesiastés	-7.1.4	Eclesiastés 5.14
4	Gregorio	-7.1.4	Morales 9.61 § 92 (PL 75, 910) - Eclesiástico 7.40 (apud Morales 9.61 § 92)
5	Gregorio	-7.1.4	Morales 21.22 (PL 76, 210)
6	Séneca	-7.1.4	epístola 27 (=26.10)
7	Séneca	-7.1.4	Naturales quaestiones III, confusión por De ira III.43.1
8	Gregorio	-7.1.5	Morales 12.38 (PL 75, 1006) - Job 15.20-comentario J. de Gales **repetido en** 37.3

61. De dignidat de sauieza

1	Crisóstomo	-5.1.1	Libro IIII, homilía 5. Error basado en los mss. catalanes, es Policraticus 4.6
2	Sabiduría	-5.1.1	Sabiduría 7.8-14
3	Sabiduría	-5.1.1	Sabiduría 7.7
4	Sabiduría	-5.1.1	Sabiduría 8.2 - comentario de J. de Gales
5	Salomón	-5.1.1	Proverbios 3.14

62. De la información de los aduocados en común

1	Reyes	-1.5.2	3 Reyes 21.10,11,19,23
2	Ester	-1.5.2	El ms da Reyes, pero es fac, es Ester 7.10
3	Cicerón	-1.5.2	De officiis III 19 § 75 y 76, III 20 § 81 y 82 - 3 Reyes 21.10-23

63. De lealdat menos de todo defallimiento (152)

1	Pablo	-2.4.4	1 Corintios 7.4 - Hugo de Sancto Victore, De sacramentis 2.11.1-7.
2	Hugo de SV	-2.4.4	De sacramentis 2.11.7 (PL 176, 494)
3	Hugo de SV	-2.4.5	De sacramentis 2.11.1 (PL 176, 479-480)
4	Hugo de SV	-2.4.4	De sacramentis 2.11.6 (PL 176, 493)
5	Valerio	-2.4.4	6.7.3

64. Del amor que deue seyer entre marido et muller

1 Pablo -2.4.3 Efesios 5.25
2 Valerio -2.4.3 4.6.1

65. De la instrución de los nobles que non se deuen gloriar (95, 97, 118, 137, 173)

1 Eclesiástico -3.3.1 Eclesiástico 10.9
2 Séneca -3.3.1 epístola 50 (=44.5) **repetido en** 97.4

66. De la instrucción de aquellos que non puyen a estamiento de bienauenturança (96)

1 Pablo -3.7.2 Hebreos 12.6
2 Séneca -3.7.2 De ira 3.5.8, 3.6.1 - De constantia sapientis 5.4 y 5.5
3 Séneca -3.7.2 De constantia sapientis 5.6 y 5.7

67. De la información de aquellos que son en el primero grado de clerezía, los quales son dichos hostiarios, que quiere dezir porteros de la eglesia

1 Isidoro -4.1.3 añadido en la Suma de Col.lacions, Etimologías 7.12.32 - Decretum P 1 d 21 c 1 Cleros §19 (PL 187, 118)
2 Juan -4.1.3 evangelio 10.1, 10.7 - comentario añadido en la Suma de Col.lacions

68. De la instrucción de aquellos que son en el II° grado de clerezía, que son apellados lectores

1 Isidoro -4.1.4 añadido en la Suma de Col.lacions, Etimologías 7.12.24 (PL 82, 292) - Decretum P 1 d 21 c 1 Cleros §15 (PL 187, 117)
2 Isidoro -4.1.4 añadido en la Suma de Col.lacions, Etimologías 7.12.24, 25 (PL 82, 292) - Decretum P 1 d 25 c 1 Perlectis §5 (PL 187, 142-143) - Decretum, P3, De consecratione, d V, c xi, III pars Omni die (PL 187,1858-59)
3 Isidoro -4.1.4 añadido en la Suma de Col.lacions, Etimologías7.12.24 - Decretum P1 d25 c1 Perlect §4 Ad psalmister (PL 187, 142) - P1 d23 c3 1Non liceat (PL 187, 138) - P1 d23 c18 Lector (PL187, 117-18, 136)
4 Lucas -4.1.4 evangelio 4.16-22

69. De aquellos que son en el III° grado de clerezía, que son dichos exhorzistas, que quiere dezir coniuradores, et de la lur munición

1 Isidoro -4.1.5 añadido en la Suma de Col.lacions, Etimologías 7.12.31 - Decretum, P1d21 c1Cleros 18 (PL 187, 118); P3 D4 c61 Postquam (PL 187, 1819)
2 Mateo -4.1.5 añadido en la Suma de Col.lacions, evangelio 12.27
3 Rábano Mauro -4.1.5 añadido en la Suma de Col.lacions, De clericorum institutione I.27 (PL 107, 311) apud Decretum P3 d4 c61 (PL 187, 1819)
4 Durandus -4.1.4 añadido en la Suma de Col.lacions, Rationale II.5 'De lectore', (ed. Venecia 1568, fo. 63va)
5 Durandus -4.1.4 añadido en la Suma de Col.lacions, Rationale II.5 'De lectore', (ed. Venecia 1568, fo. 63va)
6 Lucas -4.1.5 evangelio 8.2, apud Durandus, Rationale II.6 'De exorcista' (ed. Venecia 1568, fo. 36vb)

7	Maestro Sent.	-4.1.5	añadido en la Suma de Col.lacions, Maestro de las sentencias y Decretum P1 D25 c1 Perlectis §2 (PL 187, 142)
8	Jerónimo	-4.1.5	añadido en la Suma de Col.lacions, Commentarius in evangelium Matthaei, II.12 versículo 27 (PL 26, 80)
9	Gregorio	-4.1.5	añadido en la Suma de Col.lacions, sobre los Evangelios 2.33 (PL 76, 1239)
10	Agustín	-4.1.5	añadido en la Suma de Col.lacions, Credo in Deum=De symbolo 1.2 (PL 40, 628) - Decretum P3 D4 cap. 62 Sicut nostis (PL187,1819-20)

70. De aquellos que son en el VII grado de clerezía, et en el quinto et en el VIº, et son dichos clérigos ho préueres, et son dichos diaques ho euangelisteros et subdiaques ho pistoleros

1	Pablo	-4.1.9	añadido en la Suma de Col.lacions, Hebreos 5.6
2	Pablo	-4.1.9	Tito 1.5-6
3	David	-4.1.9	salmo 131.9
4	Juan	-4.1.6	evangelio 8.12
5	Juan	-4.1.7	añadido en la Suma de Col.lacions, evangelio 13.4-5
6	Lucas	-4.1.9	= 8 Hechos 6.3
7	Apocalipsis	-4.1.9	= 8 Apocalipsis, fac, es Hugo, De Sacramentis 2.3.11 (PL 176, 427)

71. De la prelacía eclesiástica

1	Pablo	-4.3.5	1 Timoteo 3.1
2	Gregorio	-4.3.5	Pastoral I.8 (PL 77, 21)
3	Gregorio	-4.3.5	Pastoral, fac, es comentario de J. de Gales
4	Bernardo	-4.3.5	ad episcopum Senonensem, epístola 42.8 (PL 182, 829)
5	Agustín	-4.3.5	Ciudad de Dios 19.19

72. De la castidat del bispo

1	Jerónimo	-4.3.7	epístola 43 (=42.7 ad Oceanum, De vita clericorum, PL 30, 290) - comentario de J. de Gales
2	Pablo	-4.3.7	1 Timoteo 3.2

73. De la grandería del loguero de la vida eclesiástica ho de religión (156)

1	Gregorio	-6.6.1	Morales 26.27 (PL 76, 380)
2	Mateo	-6.6.1	evangelio 19.28
3	Libro SS.PP.	-6.6.1	Vitae Patrum P 3.141 (PL 73, 787-788)

74. De peruerssidat o malicia de aquellos que viuen mal en religión (151, 154)

1	Lucas	-6.6.2	evangelio 9.62 - Génesis 19.26
2	Bernardo	6.6.2	ad Eugenium papam ? (fac por comentario de J. de Gales ?)

75. De la penitençia o excellencia de religión

1	Gregorio	-6.2.2	sobre Evangelios 1.5 (PL 76, 1093)
2	Jerónimo	-6.2.2	epístola 160 ad Nepotianum (=118.5 ad Julianum) (PL 22, 965)
3	Jerónimo	-6.2.2	fac, es comentario de J. de Gales
4	Jerónimo	-6.2.2	epístola 23 (=14.2,3, PL 22, 348,349)

5	Mateo	-6.2.2	evangelio 5.3
6	Bernardo	-6.2.2	sermón víspera de Navidad, sermón 1 (PL 183, 89)

76. De la información, instrucción ho establimiento et començamiento de religión

1	Reyes	-6.1.2	Reyes apud Petrus Comestor, Historia Scholastica, Liber I Regum, cap x (PL 198, 1304)
2	Reyes	-6.1.2	I Reyes [I Samuel] 10.5 apud Maestro de las Historias, es decir, Petrus Comestor, Historia Scholastica, Liber I Regum, cap x (PL 198, 1340) - comentario de J. de Gales
3	Jerónimo	-6.1.2	epístola 62 (=125, PL 22, 1076) - comentario de J. de Gales - Mateo 4.19

77. Del periglo del hobediençia (130, 145)

1	Gregorio	-6.4.5	Morales 28.7 (PL 76, 485)
2	Gregorio	-6.4.5	Morales, fac, es Agustín, in Joannis Evangelium 25.17 (PL 34-35, 1605)
3	Agustín	-6.4.5	De franco arbitrio, fac, todo en Anselmo, Semblanzas caps 5 y 38 (PL 159, 606,619) (Todo está en S.Anselmo. La mención de De franco/libero arbitrio debe ser error basado en los mss catalanes, porque el Communiloquium da, sobre el mismo tema, S. Agustín, sobre S.Juan, homilía 25, con texto comprobado.)

78. De la humildat que deuen auer los saçerdotes eclesiásticos

1	Jerónimo	-4.3.10	epístola 38 (=42.11 ad Oceanum, De vita clericorum, PL 30, 291)
2	Gregorio	-4.3.10	sobre los Evangelios 2.23 (PL 76, 1182)
3	Gregorio	-4.3.10	Registrum epistolarum, XIV.11 (PL 77, 1313-14), apud Polocraticus 8.13
4	Pablo	-4.3.10	1 Timoteo 3.2
5	Pablo	-4.3.10	Hebreos 13.2 - comentario J de Gales - Séneca, De beneficiis IV.38.2
6	Pablo	-4.3.10	1 Tim 5.9-10
7	Pablo	-4.3.10	2 Corintios 9.7
8	Séneca	-4.3.10	De beneficiis IV.37.3, combinado con comentarios de J de Gales
9	Hugo de SV	4.3.10	error basado en la Suma de Col.lacions, es Isidoro Etimologías X (PL 82, 388) - Petrus Diaconus, citado por Bertario Casinense, apud Edmundus Martene (PL 66, 756) y Haymo Halberstatensis (PL 117, 710) ? - comentario Juan de Gales
10	Cicerón	-4.3.10	De oficiis II 18 § 64

79. De la santedat de la vida de los predicadores et de las virtudes que deuen auer (153)

1	Gregorio	-4.4.3	Morales 30.27 (PL76,570,569) - comentario de J. de Gales - Hechos de los apóstoles 6.10
2	Gregorio	-4.4.4	Pastoral III, fac, es comentario-resumen de J. de Gales sobre Pastoral, libro III
3	David	-4.4.3	salmo 67.12 - comentario de J. de Gales
4	Séneca	-4.4.4	De beneficiis VI.30.3, 5

80. De las virtudes de aquellos que an la cura de las ánimas, et quiénta deue seyer

1 Bernardo -4.4.7 ad Eugenium papam, IV.6 (PL 182, 786)
2 Gregorio -4.4.7 Pastoral, fac, es comentario de J. de Gales
3 Gregorio -4.4.7 Pastoral, I.1 (PL 77, 14) - comentario de J. de Gales
4 Pablo -4.4.7 1 Corintios 9.7
5 Cantar de Cant. -4.4.7 Cantar de Cantares 3.7 - comentario en la Suma de col.lacions, no en el Communiloquium

81. De los departimientos de los religiosos antigos

1 Jerónimo -6.2.3 epístola 84 (=22 § 34, PL 22, 419)
2 Jerónimo -6.2.3 epístola 84 (=22 § 35, 36, PL 22, 420, 421)

82. De los vicios deshordenados de los curiales

1 Isaías -1.8.7 Isaías 5.11-12
2 Séneca -1.8.7 epístola 88 (=83.14)
3 Séneca -1.8.7 epístola 58 (=55.5)
4 Sócrates -1.8.7 Policraticus, prólogo - 1 Reyes 20.24
5 Cicerón -1.8.7 De officiis II 8 § 26 - comentario de J. de Gales

83. De la amonestaçión de los pobres et del prouecho de la pobreça (4, 5)

1 Gregorio -3.4.2 sobre los Evangelios 2.40 (PL 76, 1310)
2 Gregorio -3.4.2 Morales 21.19 (PL 76, 208)-Rábano Mauro, commentarius in Ecclesiasticum 6.3 (PL109, 646)
3 Gregorio -3.4.2 fac, es Vitae Patrum P VI L 3.13 (PL 73, 1011-1012)
4 Bocador -3.4.2 in Matthaeum, homilía 4 (homilía 4 § 12, PG 57, 54)
5 Tobías -3.4.2 Tobías 4.23
6 Job -3.4.2 Job 31.19

84. De las abosiones que los monges cometen qui stan en la cort o en el palacio

1 Eclesiástico -1.8.7 Fac, es Tractatus 12 abusionibus, Hugo de Folieto, De claustro animae 2.16 (PL176,1067)
2 Eclesiástico -1.8.7 Fac, es Tractatus 12 abusionibus,Hugo de Folieto,De claustro animae 2.16(PL176,1067)
3 Eclesiástico -1.8.7 Fac, es Tractatus 12 abusionibus,Hugo de Folieto,De claustro animae 2.17(PL176,1069)

85. De verdadera et deuota oración (59)

1 Hugo de SV -6.5.7 De modo orandi, capítulo 1 (PL 176, 979)
2 Damasceno 6.5.7 De fide orthodoxa III.24 (PG 94, 1090) - comentator De divinis nominibus (Corderius? Ver PG 3, 687-688, quien alude a Chrysostomus, De orando Deo)
3 Exodo -6.5.7 Exodo 17.12

86. De verdadera humillitat et quál deue seyer (54, 155)

1 Gregorio -6.5.6 Morales 23.17 (PL76,270) - Ecelsiastés 1.13 - Bernardus, De Gradibus humilitatis c 1 (PL182,942)
2 Mateo -6.5.6 evangelio 11.21

87. De la instrucción qu'ell padre deue dar a los fillos, criando et castigándolos (44, 169)

1	Policrato	-2.2.1	Policraticus 6.4
2	Policrato	-2.2.1	Policraticus 6.4

88. De viuir entre los malos es cosa digna et de grant lahor (2)

1	Pablo	-2.9.1	Filipenses 2.15 - Cantar de Cantares 2.2
2	Pablo	-2.9.1	Romanos 16.17 - comentario de J. de Gales

89. En quál manera el prímçep se deue auer con sus vassallos

1	Agustín	-2.1.2	Ciudad de Dios 19.15 - Génesis 9.25
2	Agustín	-2.1.2	Ciudad de Dios 19.14
3	Gregorio	-2.1.2	Morales 21.15 (PL 76, 203)
4	Gregorio	-2.1.2	Morales 21.15 (PL 76, 203) - Génesis 9.2
5	Job	-2.1.2	Job 31.15
6	Séneca	-2.1.2	epístola 68 (=47.1.2)

90. En quál manera el prímçep se deue comportar en tiempo de guerra ni cómo deue regir la suya companya (157, 160)

1	Agustín	-1.3.13	Contra Faustum 22.74 - Decretum P.1, cau.23, q.1, c.6,7 (PL 187, 1165)
2	Agustín	-1.3.13	Ciud.de Dios 4.15-Decretum P 2, cau.23, q.8, c15 si nulla urget (PL 187, 1250)
3	Agustín	-2.3.2	Liber exhortationis vulgo De salutaribus documentis ad quemdam comitem, 29 (PL40,1057)
4	Graciano	-1.3.13	Decretum, P 2 Ca 23 q 8 c 15 Si nulla urget (PL 187, 1250)

91. En quiéntos consellos deuen seyer oýdas sentencias de muchos conselleros

1	Agustín	1.6.7	sobre san Juan, homilía 1 ?
2	Ambrosio	-1.6.7	De los oficios 2.14 (PL 16, 120)
3	Eclesiástico	-1.6.7	Eclesiástico 39.10
4	Exodo	-1.6.7	Exodo 18.19 - Isaías 3.3 - Jerónimo, Commentarius in Isaiam II.3 (PL 24, 61)
5	Jerónimo	——	Autoridad incompleta
6	Gregorio	-1.6.7	Morales 14.10 (PL 75, 1045) - comentario de J. de Gales
7	Gregorio	-1.6.7	Registrum I.34, ad Venantium ex monachum patricium Syracusanum (PL 77, 487) - Averroes, Commentarii in Moralia Nicomachia VI.5 De prudentia, fo. 85ra.
8	Gregorio	-1.6.7	Morales 17.19 (PL 76, 24) - Morales 6.39 (PL 75, 766)
9	Séneca	-1.6.7	De consolatione ad Helviam 5.2 - comentario de J. de Gales
10	Séneca	-1.6.7	epístola 74 (=71.3)

92. En quál manera deue hombre ayudar a lures vezinos

1	Agustín	-2.6.2	Ciudad de Dios 4.15
2	Job	-2.6.2	Job 29.12,13
3	Job	-2.6.2	Job 30.25
4	Salomón	-2.6.2	Proverbios 27.10

93. En quál manera los antigos pobres lazraron a tirar hombres a tal estamiento

1	Paradiso	-2.5.4	Vitae Patrum VIII.83=Hª Lausiaca (PL 73, 1179) (para el título ver col. 1065)
2	Pablo	-2.5.4	2 Corintios 12.15
3	Jesucristo	-6.2.1	comentario de J. de Gales
4	Mateo	-6.2.1	evangelio 19.21

94. En quál manera deue hombre squiuar amigança falssa et enganyosa

1	Agustín	-1.8.5	Confesiones 4.4
2	Juvenal	-1.8.5	Sátiras III.143-144
3	Séneca	-1.8.5	epístola 20 (=19.11)
4	Cicerón	1.8.5	III De officiis (quizá De officiis III. 10 recogiendo la idea en general) ?
5	Cicerón	-1.8.5	De amicitia 17.64
6	Cicerón	-1.8.5	De natura deorum I 44 § 122
7	Eclesiástico	-1.8.5	Eclesiástico 39.10, autoridad incompleta en el original
8	Eclesiástico	-1.8.5	Eclesiástico 6.10
9	Eclesiástico	-1.8.5	Eclesiástico 12.8

95. Instrucçión que non se deue hombre gloriar en las excellentes naturales (65, 97, 118, 137, 173)

1	Gregorio	-3.3.2	Dialogorum II.23 (= S. Benito, Prolegomena 23) (PL 66, 178) - 1 Pedro 2.16
2	Gregorio	-3.3.4	sobre los Evangelios 1.9 (PL 76, 1106)
3	Gregorio	-3.3.4	Morales 2.56, § 91 (PL 75, 598)
4	Gregorio	-3.3.4	Morales 11.16 § 25 (PL 75, 965)
5	Pablo	-3.3.4	Romanos 4.7

96. Instrucción de aquellos que no puyan a estamiento de bienauenturança, antes biuen en lazerio et en mesquindat, et el prouecho que es en aquell stamiento (66)

1	Boecio	-3.7.2	Consolación 2.8.prosa
2	Séneca	-3.7.2	De providentia 2.1
3	Agustín	-3.7.2	Contra Faustum 22.20 (PL 42, 411)
4	Agustín	3.7.2	epístola 47 ó 48 ?
5	Lucas	-3.7.2	evangelio 24.46
6	Eclesiástico	-3.7.2	Eclesiástico 2.5
7	Eclesiástico	-3.7.2	Eclesiástico 27.6
8	Gregorio	-3.7.2	fac por comentario de J. de Gales, está entre dos citas de S. Gregorio
9	Gregorio	-3.7.2	Morales 20.39 (PL 76, 183)

97. Instrucción que los nobles non se deuen glorear (65, 95, 118, 137, 173)

1	Gregorio	-3.3.1	Morales 21.15 (PL 76, 203)
2	Juvenal	-3.3.1	comentario de J. de Gales basado en Juvenal, Sátiras VIII.20
3	Juvenal	-3.3.1	Gualterius de Castellione, Alexandreis I.114 (PL 209, 466), por Juvenal, Sátiras 5.20, apud P. Blesensis, epístola 3 (PL207,8)
4	Séneca	-3.3.1	epístola 65 (=44.5) **repetido en** 65.2
5	Séneca	-3.3.2	epístola 48 (=44.3)

6	Crisóstomo	-3.3.2 in Matthaeum homilía 44 al. 45 § 1,2 (PG 57, 465-466)
7	Job	-3.3.1 Job 31.15

98. Lo prímçep deue seyer almosnero et deue recebir los sobreuinientes graciosamientre

1	Agustín	-1.3.10 falta en el Communiloquium. Speculum de Scriptura Sacra, epístola I Petri, capítulo I (PL 34, 1031) - I Pedro 4.9
2	Crisóstomo	1.3.10 homilía 82 ?
3	Eclesiástico	-1.3.10 Eclesiástico 31.28
4	Job	-1.3.10 Job 31.17 - Job 31,32 - comentario de J. de Gales
5	Pablo	-1.3.10 Hebreos 13.2 - Génesis 18, 19 passim

99. Lo prímcep deue seyer sufrient et pacient

1	Agustín	-1.3.11 Ciudad de Dios 15.4
2	Gregorio	-1.3.11 Morales 20.38 (PL 76, 182) - comentario de J. de Gales
3	Santiago	-1.3.11 Santiago 1.20
4	Job	-1.3.11 Job 31.13
5	Séneca	-1.3.11 De clementia I.8.5
6	Séneca	-1.3.11 De ira II.35.3,4,5
7	Séneca	-1.3.11 De ira II.36.1
8	Séneca	-1.3.11 De ira I.11.5
9	Policrato	-1.3.11 Policraticus 3.14

100. Los curiales non sean falagueros nin mentideros (109, 168)

1	Agustín	-1.8.2 Enarrationes in Psalmos, in psalmum alterum IX.1-3 § 21 (PL 36, 126)
2	Catón	-1.8.2 Disticha Catonis I.14
3	Catón	-1.8.2 fac, es Gregorio, sobre Ezequiel 1.9 (PL 76, 876)
4	Isaías	-1.8.2 Isaías 3.12
5	Job	-1.8.2 Job 3.12 - Gregorio, Morales 4.27 (PL 75, 663)
6	Séneca	-1.8.2 epístola 54 (=31.2)
7	Séneca	-1.8.2 epístola 46 (=45.7) - comentario de J. de Gales
8	Jerónimo	-1.8.2 epístola 88 (=22, PL 22, 395)
9	Jerónimo	-1.8.2 Ezechielis 2.6, apud Jerónimo, Commentarius in Ezechielem I.2 (PL 25, 33)
10	Jerónimo	-1.8.2 Original, es epistola ad Paulinum 52.6 (PL22, 583) - comentario de J. de Gales - Alexander Neckam, De naturis rerum II.180
11	Jerónimo	-1.8.2 De coniugio=epistola 148.17, ad Celantiam matronam (PL 22, 1212)
12	Jerónimo	-1.8.2 Juvenal, Satiras III.41-42, fac, apud Policraticus 3.6
13	Policrato	-1.8.2 Policraticus 3.4 - Salmo 140(145).5
14	Policrato	-1.8.2 Policraticus 3.14

101. Los consselleros del prímçep deuen seyer por speriencia istruýdos et entricados

1	Ambrosio	-1.6.4 Hexamerón Libro I, capítulo 8, homilía 2 (PL 14, 140)
2	Eclesiástico	-1.6.4 Eclesiástico 25.6
3	Exodo	-1.6.4 comentario de J. de Gales - Exodo 3.16
4	Roboán	-1.6.4 3 Reyes 12.13-15

102. Los consselleros del rey deuen seyer examinados

1	Aristóteles	1.6.6	Rethorica prima ?
2	Damasceno	-1.6.6	De fide orthodoxa II.22 (PG 94, 946)
3	Séneca	-1.6.6	Tractatus de virtutibus=Formula honestae vitae cap. I, "De Prudentia" Martin Dumiense (PL 72, 24)
4	Cicerón	-1.6.6	De oficiis 3 10 § 40 (la Suma de col.lacions se refiere en realidad a ésta, pero ver también III 11 §49)
5	Cicerón	-1.8.1	De oficiis I 19 § 64

103. Los consselleros deuen seyer firmes et fuertes et verdaderos

1	Eclesiástico	-1.6.5	error explicable por omisión o resumen, es Historia tripartita I.7
2	Séneca	-1.6.3	De beneficiis VI.33.1,2
3	Séneca	-1.6.3	fac, es Juvenal IV.70-71, apud Moralium Dogma Philosophorum (ed. Holmberg p. 9)
4	Eclesiástico	-1.6.5	Eclesiástico 37.20 - comentario de J. de Gales

104. Los curiales non sean recebidores de donos ni de seruiçios (162)

1	Eclesiástico	-1.8.3	Eclesiástico 20.31 - comentario de J. de Gales
2	Salmos	-1.8.3	salmo 14.1 y 14.5
3	Exodo	-1.8.3	Exodo 23.8 - comentario de J. de Gales
4	Gregorio	-1.8.3	Gregorio, Registrum II.23 ad Joannem episcopum (PL 77, 560)
5	Isaías	-1.8.3	Isaías 33.15 - Gregorio, Morales 9.34 (PL 75, 888-889)
6	Gregorio	-1.8.3	Morales 9.34 (PL 75, 888)
7	Gregorio	-1.8.3	Morales 9.34 (PL 75, 888-889)
8	Gregorio	-1.8.3	Morales 9.34 (PL 75, 889)
9	Séneca	1.8.3	De constantia/De fortaleza ?
10	Séneca	-1.8.3	De beneficiis II.21.5,6

105. Los officiales o lugartenientes non deuen seyer cobdiçiosos de thomar ofiçio que non lo sapian regir

1	Eclesiástico	-1.4.1	Eclesiástico 7.4,6
2	Valerio	-1.4.1	6.4.2
3	Tiberio	-1.4.1	Historia Scholastica in Actus Apostolorum 56 (PL 198, 1682)
4	Tiberio	-1.4.1	Historia Scholastica in Actus Apostolorum 56 (PL 198, 1682)
5	Valerio	-1.4.1	6.2.Ext.2
6	Exodo	-1.4.1	Exodo 18.21 - Genesis 42 passim - Mateo, evangelio 24.45
7	Cicerón	-1.4.1	De oficiis III 21 § 84

106. Lo prímçep deue seyer misericordioso, piadoso et clement

1	Damasceno	-1.3.5	De fide orthodoxa 2.14 (PG 94, 931)
2	Vegecio	-1.3.5	es Frontino, Strategemata IV.7.37
3	Gregorio	-1.3.5	Morales 20.32 § 63 (PL 76, 175) - **repetido en** 106.15 - Damasceno, De fide orthodoxa 2.14 (PG 94, 931)
4	Séneca	-1.3.5	De clementia I.2.1
5	Séneca	-1.3.5	De clementia I.3.3
6	Séneca	-1.3.5	De clementia I.3.3, I.5.5, I.5.2 y I.5.4

7	Séneca	-1.3.5	De clementia I.7.2
8	Séneca	-1.3.5	De clementia I.9.6,7 y 12
9	Séneca	-1.3.5	De clementia I.8.7
10	Séneca	-1.3.5	De clementia I.19.3
11	Séneca	-1.3.5	De clementia II.5.4
12	Séneca	-1.3.5	De clementia II.6.4
13	Séneca	-1.3.5	De clementia II.5.4 y I.17.2 y 3
14	Séneca	-1.3.5	De clementia I.7.1
15	Cicerón	-1.3.5	Disputationes tusculanae, fac por Gregorio, Morales 20.32 § 63 (PL 76, 175) - **repetido en** 106.3
16	Job	-1.3.5	Job 30.25
17	Valerio	-1.3.5	5.1.4
18	Valerio	-1.3.5	5.1.9-10
19	Valerio	-1.3.5	5.1.8
20	Policrato	-1.3.5	Policraticus 4.8
21	Policrato	-1.3.5	Policraticus 4.8
22	Policrato	-1.3.5	Policraticus 4.8
23	Policrato	-1.3.5	Policraticus 5.7
24	Policrato	-1.3.5	Policraticus 5.7
25	Policrato	-1.3.5	Policraticus 4.8

107. Lo prímçep deue seyer gracioso de paraulas, alegre et pagado

1	Valerio	-1.3.9	2.6.17
2	Valerio	-1.3.9	5.1.Ext 1
3	Policrato	-1.3.9	Policraticus 3.14
4	Cicerón	-1.3.9	De officiis II 15 § 52
5	Cicerón	-1.3.9	De beneficiis por De officiis, fac, es Policraticus 4.8
6	Pablo	-1.3.9	Romanos 5.8
7	Pablo	-1.3.9	Efesios 5.2
8	Séneca	-1.3.9	De beneficiis V.24.1,2,3
9	Juan	-1.3.9	evangelio 15.13

108. La muert corporal deben temer los malos

1	Agustín	-7.2.3	Ciudad de Dios 13.2 - comentario de J. de Gales
2	Crisóstomo	-7.2.3	in Matthaeum, homilia 23 al. 24 § 8 (PG 57, 317-318)
3	Daniel	-7.2.3	Daniel 13.23
4	Gregorio	-7.2.2	Morales 18.18 (PL 76, 51-54)
5	Gregorio	-7.2.2	Morales 25.3 (PL 76, 320)
6	Sabiduría	-7.2.2	Sabiduría 5.8
7	Juan	-7.2.3	Apocalipsis 20.9-10
8	Apocalipsis	-7.2.3	Apocalipsis 20.14

109. Los curiales non sean falagueros nin mentideros (100, 168)

1	Mateo	-1.8.2	evangelio 8.22
2	Gregorio	-1.8.2	Morales 4.27 (PL 75, 663)
3	Mateo	-1.8.2	fac, es comentario de J. de Gales

4	Gregorio	-1.8.2	sobre Ezequiel 1.9 (PL 76, 879, 880) - comentario de J. de Gales - salmo 5.8 y 13.3

110. Ninguno non deue vender desvergonçadamientre officios guanyaderos (163)

1	Juvenal	-1.8.4	Sátiras III.183-185
2	Séneca	-1.8.4	De constantia sapientis 14.2

111. Por quáles virtudes deue seyer regida et ordenada la comunidat (12, 164)

1	Agustín	-1.1.3	Ciudad de Dios 8.6 según mss catalanes, castellano y la Suma de Col.lacions, pero es confusión por Policraticus 4.6
2	Agustín	-1.1.3	fac, es comentario de J, de Gales
3	Ambrosio	-1.1.3	Hexamerón Libro 5, capítulo 21, homilía 8 (PL 14, 234) **repetido en** 14.7
4	Reyes	-1.1.3	1 Samuel [1 Reyes] 14 passim
5	Pablo	-1.1.3	Hechos 23.3
6	Pablo	-1.1.4	Romanos 6.12 - Proverbios 9.1
7	Cicerón	-1.1.3	I Retorica 1, confusión por De inventione I.68
8	Cicerón	-1.1.3	Philippica XI.12.28
9	Cicerón	-1.1.3	Filipica, fac, es De natura deorum II 31 § 79
10	Cicerón	-1.1.3	De natura deorum I 14 § 36

112. Por quál manera los antigos sostenieron grandes danyos por saluamiento de la comunidat (117, 165)

1	Pedro	-1.1.11	1 Pedro 2.9
2	Pedro	-1.1.11	1 Pedro, fac, es comentario de J. de Gales
3	Agustín	-1.1.11	Ciudad de Dios 5.18
4	Agustín	-1.1.11	Ciudad de Dios 5.18
5	Agustín	-1.1.11	Ciudad de Dios 5.18
6	Agustín	-1.1.11	Ciudad de Dios 5.18
7	Cicerón	-1.1.11	De officiis II 22 § 76
8	Cicerón	-1.1.11	De officiis II 22 § 76
9	Cicerón	-1.1.11	De officiis III 15 § 63
10	Cicerón	-1.1.11	Rhetorica IV.58
11	Cicerón	-1.1.11	De oficiis I 17 § 57
12	Cicerón	-1.1.11	fac, es comentario de J. de Gales (entre dos citas de Cicerón)
13	Cicerón	-1.1.11	De oficiis I 7 § 22
14	Cicerón	-1.1.11	De oficiis II 21 § 73

113. Por quáles razones senyoría o primçipado non deue seyer desigada (166)

1	Agustín	-1.2.2	Ciudad de Dios 5.12 (PL 41, 156)
2	Boecio	-1.2.2	Consolación 2.6.prosa
3	Boecio	-1.2.2	Consolación 2.6.prosa
4	Boecio	-1.2.2	Consolación 2.6.prosa
5	Jerónimo	-1.2.2	epístola última (=66.7, PL 22, 643)
6	Gregorio	-1.2.2	Morales 26.26 (PL 76, 374)
7	Gregorio	-1.2.2	Morales 17.8 (PL 76, 15) - Santiago 4.15
8	Gregorio	-1.2.3	Morales 25.14 (PL 76, 344)

9 Job -1.2.3 Job 34.40
10 Sabiduría -1.2.2 5.8,9
11 Leonarte -1.2.2 apud Henricus archidiaconus Huntingdonensis, Historiae VI (Cnut) (PL 195,919,918)
12 Isaías -1.2.2 Isaías 40.6 - Gregorio, Morales 17.8 (PL 76, 15-16)
13 Pablo -1.2.2 Romanos 13.1
14 Séneca -1.2.2 epístola 98 (= 94.61)
15 Séneca -1.2.2 epístola 98 (= 94.65)
16 Cicerón -1.2.2 De oficiis II 7 § 25 - Boecio, Consolación 3.5.prosa
17 Bernardo -1.2.2 ad Eugenium papam, II.7 (PL 182, 750)
18 Boecio -1.2.2 Consolación 2.6.prosa
19 Boecio -1.2.2 Consolación 3.4.prosa
20 Boecio -1.2.2 Consolación 3.4.prosa

114. Por qué los vnos se deuen acompanyar con los otros
1 Pablo -2.5.1 Efesios 4.3-4
2 Pablo -2.5.1 Romanos 12.5
3 Séneca -2.5.1 epístola 70 (=)
4 Gregorio -2.5.1 sobre Ezequiel 2.4 (PL 76, 974-975)
5 Mateo -2.5.1 evangelio 23.8
6 Mateo -2.5.1 fac, es comentario de J. de Gales con cita de San Pablo [Romanos 12.5], que no recoge

115. Por qué los caualleros son comparados a manos (116)
1 Aristóteles -1.9.1 De anima 3.8 - De partibus animalium 3.10

116. Por quáles razones los caualleros son comparados a manos (115)
1 Séneca -1.9.1 epístola 99 (= 95.64)
2 Jesucristo -1.9.1 Mateo, evangelio 10.16
3 Agustín -1.9.1 Doctrina cristiana 2.16 (PL 34, 47) - salmo 17.35

117. Por quál manera los antigos sostenieron muchos danyos por la comunidat a saluar (112, 165)
1 Bocador -1.1.11 in Joannem homilia 52 al. 51 (PG 59, 347)
2 Bocador -1.1.11 in Joannem homilia 52 al. 51 (PG 59, 347)
3 Juan -1.1.11 1 Juan 3.16

118. Que hombre non se deue glorieiar en las sçiençias naturales (sin texto) (65, 95, 97, 137, 173)

119. Quiéntos deuen seyer los hombres
1 Agustín -3.1.1 Ciudad de Dios 2.21
2 Gregorio -3.1.1 Morales 28.3 (PL 76, 453)
3 Gregorio -3.1.1 Morales 16.15 (PL 75, 1154)
4 Gregorio -3.1.1 Morales 28.3 (PL 76, 453) - salmo 30.25
5 Gregorio -3.1.1 Morales 28.3 (PL 76, 453) - comentario de J. de Gales
6 Pablo -3.1.1 1 Corintios 13.11 - Salustio, Bellum Iugurtinum 85.40

120. Quiéntas deuen seyer las mulleres et cómo deuen seyer amonestadas spiritualmientre (48, 55)

1	Séneca	-3.1.2	epístola 99 (= 95.20-21)
2	Pablo	-3.1.2	1 Corintios 14.34
3	Pablo	-3.1.2	1 Timoteo 5.1,13
4	Pedro	-3.1.2	1 Pedro 3.1
5	Agustín	-3.1.2	Confesiones 9.8

121. Quiénta cosa es matrimonio et del su empeçamiento et acabamiento ordenado et legítimo

1	Maestro Sent.	-2.4.1	Petrus Lombardus, Libri Sententiarum, libro 4, distinctione 27 (PL192, 910) - Alanus de Insulis, De Articulis Catholicae Fidei, IV prol (PL 210, 613) - Hugo de Sancto Victore, De virginitate Beatae Mariae, capítulo I (PL 176, 859)
2	Agustín	-2.4.1	Ciudad de Dios 15.16
3	Agustín	-2.4.1	homilía 8, por Contra Julianum Pelagianum V.16 § 66 (PL 44, 820) - Comentario de J. de Gales
4	Pablo	-2.4.1	1 Corintios 7.38 - Hebreos 13.4
5	Valerio	-2.4.1	7.2.Ext 9
6	Valerio	-2.4.1	7.2.Ext 1
7	Jerónimo	-2.4.1	adversus Jovinianum I.47 (PL 23, 276-79) - Pablo, 1 Corintios 7.34
8	Jerónimo	-2.4.1	adversus Jovinianum I.48 (PL 23, 279)
9	Jerónimo	-2.4.1	adversus Jovinianum I.48 (PL 23, 279)

122. Quiénta cosa es amigança et quiénta deue seyer, et qué se requiere por verdadera amigança (56)

1	Jerónimo	-2.7.1=3	epístola 85, en realidad fac por comentario de J. de Gales
2	Agustín	-2.7.1=3	Confesiones 4.4
3	Juan	-2.7.1=3	evangelio 15.15
4	Séneca	-2.7.1=3	epístola 103 (=99.2)
5	Job	-2.7.1=3	Job 6.14
6	Cicerón	-2.7.1=3	De amicitia 6.20
7	Cicerón	-2.7.1=3	De amicitia 14.50
8	Cicerón	-2.7.1=3	De amicitia 19.69 - Casiodoro, in Psalterium 37 vers. 11 (PG 70, 275)
9	Cicerón	-2.7.1=3	De amicitia 8.26
10	Cicerón	-2.7.1=3	fac, es com J de Gales y cita de Aristóteles, Etica 8.2 (Aristoteles latinus, Translatio Grosseteste)
11	Cicerón	-2.7.1=3	De amicitia 24.88, 25.91 y 25.92
12	Cicerón	-2.7.3	De amicitia 13.47
13	Aristóteles	-2.7.1=3	Etica 9.13 - Eclesiástico 2.8

123. Que hombre se guarde qu'el enemigo non faga hombre departir

1	Gregorio	-2.5.2	sobre Ezequiel homilía 1.8 (PL 76, 857)
2	Agustín	-2.5.2	Ciudad de Dios 12.22
3	Agustín	-2.5.2	Ciudad de Dios, fac, es in Joannis Evangelium 18.4 (PL 34-35, 1538)
4	Juan	-2.5.2	1 Juan 3.16 - comentario de J. de Gales - Cantar de los Cantares 6.3, 9

124. Que ninguno non tome vsuras (126)

1 Agustín -2.7.2 = 2.6.4 epístola 36 (=153, PL 33, 664-665)
2 Ambrosio -2.7.2 = 2.6.4 De los oficios 3.6 (PL 16, 157-158)
3 Jesucristo -2.7.2 = 2.6.4 Exodo 22.25
4 Levítico -2.7.2 = 2.6.4 Levítico, fac por Deuteronomio 23.19
5 Cicerón -2.7.2 = 2.6.4 Disputationes tusculanae II, confusión por De officiis II 25 § 89
6 Lucas -2.7.2 = 2.6.4 evangelio 16.9
7 Bocador -2.7.2 = 2.6.4 in Matthaeum 5 § 5 (PG 57, 61)
8 Bocador -2.7.2 = 2.6.4 in Matthaeum 5 § 5 (PG 57, 61-62)

125. Quiénto deue seyer el bispo después que es esleýdo

1 Bernardo -4.3.6 ad Eugenium papam, II.6 (PL 182, 747) - Hechos 20.28
2 Bernardo -4.3.6 ad episcopum Senonensem, epístola 42.3 (PL 182, 817)
3 Lucas -4.3.6 evangelio 21.34
4 Jerónimo -4.3.6 epístola 44 (=69.8, PL 22, 662)
5 Jerónimo -4.3.6 epístola 130 (=60.14,10, PL 22, 598-599, 595)
6 Jerónimo -4.3.6 epístola 69.9 (PL 22, 663) - Génesis 9.21; 19.32 - Levítico 10.9
7 Pablo -4.3.6 1 Timoteo 3.2

126. Que ninguno non thome vsuras (124)

1 Lucas -2.7.2 = 2.6.4 evangelio 6.35 - comentario Juan de Gales - salmo 14.5
2 Ejemplo obisp. -2.7.2 = 2.6.4 Historia Tripartita 1.10 Spiridion
3 Gregorio -4.3.6 Morales 2.26 (PL 75, 568)
4 Gregorio -4.3.6 Morales 20.3 (PL 76, 138)

127. Quiéntos deuen seyer los clérigos spiritualmientre. De la vida de los clérigos (129, 135)

1 Isidoro -4.2.6 Etimologías 7.12, fac, es Gregorio, Pastoral 2.7 (PL 77, 42)
2 Bernardo -4.2.6 ad Eugenium papam, IV.6 (PL 182, 786)
3 Jerónimo -4.1.2 epístola 34 (=52.5 PL 22, 531)
4 Pablo -4.1.2 2 Timoteo 2.4
5 Isaías -4.1.2 Isaías 28.1 - comentario de J. de Gales
6 Pablo -4.2.6 1 Timoteo 5.17
7 Séneca -4.2.6 De clementia, por De declamationum, es glosa de J. de Gales basada en Controversiae I.3.6 y I.3.4

128. Quáles cosas desfazen companya

1 Cicerón -2.8.4 De officiis III 6 § 26
2 Ambrosio -2.8.4 Hexamerón Libro 5 capítulo 14, homilía 8 (PL 14, 226)

129. Quiéntos deuen seyer los clérigos spiritualmientre (127, 135)

1 Jerónimo -4.2.6 epístola 90 (=123.8, PL 22, 1051)

130. Quiénta deue star la obediençia et de los grados de aquélla, et quiéntas deuen estar las obras de obediençia (77, 145)

1 Bernardo -6.4.2 Sermones de diversis, sermo 41 (PL 183, 654) - Génesis 12.1
2 Bernardo -6.4.2 sermón del adviento, fac basada en la Suma de col.lacions, es Gilberto Foliot, epístola 287 (PL 190, 963)

3	Gregorio	-6.4.2	Morales, fac, es Proverbios 16.32
4	Gregorio	-6.4.1	Morales 35.14 § 28 (PL 76, 765)
5	Pedro	-6.4.2	1 Pedro 1.22
6	David	-6.4.2	Salmo 118.32 - Bernardo, Sermones de diversis, sermón 41 (PL 183, 654-59)
7	Reyes	-6.4.2	1 Samuel 15.17
8	Reyes	-6.4.1	1 Samuel 15.22

131. Que hombre deue star aparellado a la muert (37, 60, 142, 147)

1	Pablo	-7.1.3	Colosenses 3.3
2	Pablo	-7.1.5	1 Tesalonicenses 5.2, 5.8
3	Eclesiástico	-7.1.3	Eclesiástico 14.20
4	Eclesiástico	-7.1.3	Eclesiástico 14.19
5	Eclesiastés	-7.1.3	Eclesiastés 1.4 - comentario de J. de Gales
6	Reyes	-7.1.3	2 Samuel 14.15 - comentario J. de Gales - Génesis 2.17

132. Quiéntos deuen seyer et de qué se deuen catar los iuristas razonadores (138)

1	Agustín	-1.5.1	Confesiones 9.2
2	Agustín	-1.5.1	Confesiones 1.6
3	Agustín	-1.5.1	sermones 312.2 (PL 38, 1420)
4	Salomón	-1.5.1	Proverbios 17.15
5	Cicerón	-1.5.1	De officiis II 14 § 51
6	Cicerón	-1.5.1	De officiis I 1 § 2 - comentario de J. de Gales

133. Que marido et muller deuen husar de lur matrimonio honestamientre et deuida

1	Tobías	-2.4.5	Tobías 8.4-5
2	Pablo	-2.4.5	1 Corintios 7.29
3	Hugo de SV	-2.4.5	De sacramentis 2.11.3 (PL 176, 481)
4	Jerónimo	-2.4.5	adversus Jovinianum I.49 (PL 23, 281)

134. Quáles cosas son necessarias et prouechosas a consseruar castedat (143, 174)

1	Jerónimo	-6.3.2	epístola 94 (=54.8, PL 22, 554)
2	Jerónimo	-6.3.2	epístola 22.17 (PL 22, 405) - Gregorio, Morales 30.10 (PL 76, 546)
3	Pablo	-6.3.2	1 Corintios 9.27, cita descuidada, proviene del comentario de San Jerónimo, epístola 54.8 (PL 22, 554)
4	Pablo	-6.3.2	Romanos 8.9 - comentario de J. de Gales

135. Quiéntos deuen seyer los clérigos, et de la corona que es senyal de clérigo (127, 129)

1	Pedro	-4.1.2	1 Pedro 2.9 - comentario de J. de Gales
2	Hugo de SV	-4.1.9	De oficiis, así dice la Suma de col.lacions por De sacramentis 2.3.12 (PL176,430)
3	Policrato	-4.1.2	Policraticus 8.12 - Jerónimo, Vita (PL 22, 192) - Trenos 4.5
4	Graciano	-4.2.3	Decretum P 1 D 32 c 16 (PL 187, 183)
5	Graciano	-4.2.3	Decretum P 1 D 81 c 20 Clericus solus y c 32 Clerici vel continentis (PL 187, 395 y 395)

136. Qué significa hábito de religión
1 Anselmo -6.6.3 Semblanzas c 91-93 (PL 159, 661)

137. Que no se deue hombre glorear en las excelencias naturales (65, 95, 97, 118, 173)
1 Salomón -3.3.4 Proverbios 11.22 - comentario de J. de Gales
2 Isaías -3.3.4 Isaías, fac, es Lucas 16.8 - comentario de J. de Gales

138. Que quiéntos deuen seyer et de qué se deuen guardar los iuristas razonadores (132)
1 Policrato -1.5.1 Policraticus 8.14
2 Policrato -1.5.1 Policraticus 5.10
3 Policrato -1.5.1 Policraticus 5.10
4 Isaías -1.5.1 Isaías 59.14 **repetido en** 21.4

139. Que ninguno non faga enganyo en su offiçio o stamiento
1 Salomón -2.7.1 = 2.6.3 Proverbios 20.23 - Miqueas 6.10
2 Agustín -2.7.1 = 2.6.3 De Trinitate 13.3 (PL 42, 1017)

140. Quáles deuen star iutges en la cosa pública o eclesiástica
1 Bernardo -4.5.1 ad Eugenium papam, I.3,4 (PL 182, 731, 732-733)
2 Bernardo -4.5.1 ad Eugenium papam, IV.4 (PL 182, 780-781)

141. Que los consselleros sean prouados en iustiçia de drecho (32)
1 Ambrosio -1.6.2 De los oficios 2.12 (PL 16, 118) **repetido en** 32.1
2 Ambrosio -1.6.2 De los oficios 2.8 (PL 16, 114) **repetido en** 32.2

142. Que hombre non pueda escapar a la muert (37, 60, 131, 147)
1 Séneca 7.1.3 De beneficiis, pero es Naturales quaestiones VI.32.12 - Hugo ?
2 Apocalipsis -7.1.3 Apocalipsis 20.12
3 Apocalipsis -7.1.3 Apocalipsis 2.11

143. Quáles cosas son necessarias o prouechosas a consseruar castedat (134, 174)
1 Libro SS.PP. -6.3.2 Vitae Patrum P 5 L 4.62 (PL 73, 872)
2 Libro SS.PP. -6.3.2 Vitae Patrum P 3.65 (PL 73, 771)
3 Libro SS.PP. -6.3.2 Vitae Patrum P 5 L 4.61 (PL 73, 872)
4 Libro SS.PP. -6.3.2 Vitae Patrum P 5 L 5.39 (PL 73, 885-886)

144. Que dignidat eclesiástica non deue seyer cobdiciada
1 Hugo de SV -4.3.1 De sacramentis 2.3.13 (PL 176, 430)

145. Quiénta deue star la hobediençia de los religiosos (77, 130)
1 Libro SS.PP. -6.4.2 Vitae Patrum P 5 L 14.19 (PL 73, 953)

146. Cómo el prímçep o lo rey es cabeça de la comunidat, et las propiedades de la cabeça (16, 148)
1 Policrato -1.2.1 Policraticus 4.1 - Séneca, De clementia 1.3.5
2 Policrato -1.3.1 Policraticus 4.11
3 Policrato -1.3.3 Policraticus, fac, es comentario de J. de Gales

147. Cómo hombre deue star aparellado a la muert (37, 60, 131, 142)

1	Mateo	-7.1.5	Evangelio 24.42 **repetido en** 37.4
2	Lucas	-7.1.5	Evangelio 12.35 **repetido en** 37.5
3	Lucas	-7.1.5	Evangelio 12.37 **repetido en** 37.5
4	Lucas	-7.1.5	Evangelio 12.40 **repetido en** 37.6

148. Cómo el prímçep es cabeça de la comunidat, et de las virtudes de la cabeça (16, 146)

1	Séneca	-1.2.1	De clementia I.3.5

149. Cómo el prímçep deue seyer menos de toda guarda de culpa ensuziat, quiere dezir menos de pecado et de luxuria et de gola (22)

1	Salomón	-1.3.3	Proverbios 31.4
2	Aneo Floro	-1.2.1	comentario de J. de Gales - Lucius Annaeus Florus, Epitome de Gestis Romanorum I.1.9
3	Reyes	-1.2.1	1 Reyes 15.17
4	Reyes	-1.2.1	1 Reyes 10.24

150. Cómo el vispo deue hauer habundosa religión (40)

1	Jerónimo	-4.3.8	epístola 38 (=52.6, PL 22, 533)

151. De peruerssidat o malicia de aquellos que biuen mal en religión (74, 154)

1	Anselmo	-6.6.2	Semblanzas c 90 y 95 (PL 159, 659, 662)
2	Exodo	-4.4.7	Exodo 18.21-22

152. De lealdat menos de deffallimiento (63)

1	Solino	-2.4.4	Collectanea 52.32 - Cicerón, Disputationes tusculanae 5.27 § 78 (ver también Jerónimo, contra Jovinianum I.44, PL 23, 274)

153. De la santedat de la vida de los predicadores et de las virtudes que deuen auer (79)

1	Pablo	-4.4.4	I Thimotei 4.11

154. De peruerssidat o maliçia de aquellos qui biuen mal en religión (74, 151)

1	Job	-6.6.2	Job 24.22 - Apocalipsis 2.21-22

155. De verdadera humilidat, et quál deue seyer (54, 86)

1	Anselmo	-6.5.6	Semblanzas capítulos 101, 103-108 (PL 159, 665-668)

156. De la grandeza del loguero de la vida religiosa (73)

1	Anselmo	-6.6.1	Semblanzas capítulo 76 (PL 159, 647)

157. El prímçep, en tiempo de pelea ho de guerra, se deue speçialment guardar que no offienda a Dios, et déuelo amansar de acabada iusticia (90, 160)

1	Números	-1.3.14	Números 14.9
2	Levítico	-1.3.14	Levitico 26.3,7
3	Josué	-1.3.14	Josué 7.25

158. El prímçep deue seyer virtuoso et deue seruar egualdat (23)

1	Sozomeno	-1.3.4	Cassiodorus, Historia Tripartita 1.1 (PL 69, 881) - Policraticus 4.3

2	Sozomeno	1.3.4	? (parece recoger la idea de Justino=Trogo Pompeyo III.2.8)
3	Jueces	-1.3.4	Jueces 7.17
4	Job	-1.3.6	Job 31.13
5	Job	-1.3.6	Job 29.25

159. Honestat et castedat de mugieres

1	Eclesiástico	-3.1.3	Eclesiástico 26.20, 21, 19 - Tratado XII abusiones 5 grado (PL 40, 1082)

160. El prímçep, en tiempo de guerra o de pelea, se deue guardar que no ofienda a Dios (90, 157)

1	Aster	-1.3.14	confusión basada en la Suma de col.lacions por Judith 5.24-25

161. El prímcep se deue guardar de iniusta crueldat et de cruel senyoría (21)

1	Cicerón	-1.3.20	De officiis III 6 § 32
2	Cicerón	-1.3.20	De officiis III 6 § 32
3	Gregorio	-1.3.20	Morales 12.38 (PL 75, 1006) - Policratus 4.1
4	Cicerón	-1.3.6	De oficiis, fac, es comentario de J. de Gales que cita a Valerio 6.5.Ext 3
5	Valerio	-1.3.6	6.5.Ext 4 - el exemplum de Trajano, es fac, es del Policraticus 5.8
6	Cicerón	-1.3.6	De oficiis II 11 § 40 y II 12 § 41
7	Policrato	-1.3.8	Policraticus 3.14
8	Policrato	-1.3.11	Policraticus 3.14
9	Diógenes	-1.3.11	Policraticus 3.14
10	Diógenes	-1.3.11	Policraticus 3.14
11	Policrato	-1.3.11	Policraticus 3.14
12	Policrato	-1.3.11	Policraticus 3.14
13	Policrato	-1.3.3	Policraticus 3.10
14	Policrato	-1.3.3	Policraticus 5.7
15	Policrato	-1.3.3	Policraticus 5.7

162. Los curiales que non sean recibideros de donos ni de seruiçios (104)

1	Policrato	-1.8.3	Policraticus 3.7 - comentario de J. de Gales - San Gregorio, Registrum epistolarum II.23 ad Joanem episcopum (PL 77, 560)
2	Policrato	-1.3.16	Policraticus 6.14
3	Policrato	-1.3.15	Trogo Pompeyo XI.6.5,6,7 - Policraticus 6.19
4	Solino	-1.3.9	Solino, Collectanea 1.107
5	Melio Florios	-1.6.9	confusión por Metelo, apud Vegecio, De re militari, es decir, Frontino, Strategenata I.1.12
6	Valerio	-1.6.9	7.4.5
7	Vegecio	-1.3.3	De re militari III, es decir, Frontino, Strategemata II.11.5
8	Vegecio	-1.3.3	De re militari IV, es decir, Frontino, Strategemata IV.3.7
9	Vegecio	-1.6.3	es decir, Frontino, Strategemata IV.2.9 (referencia general) - Valerio 1.6.Ext.1 - comentario de J. de Gales

163. Ninguno non deue vender desuergonçadamientre officios ganaderos (110)

1	Ovidio	-1.8.4	De arte amandi 2 vv. 279-80, apud Policraticus 5.10
2	Policrato	-1.8.4	Policraticus 5.10

3 Policrato -1.8.4 Policraticus 5.10
4 Policrato -1.8.4 Policraticus 5.10
5 Policrato 1.8.4 Policraticus fac (probablemente por fabulae o por Isidoro, Etymologiae PL 82, 423)?

Autoridades del Valerio con fuente directa en la Suma de collacions

164. Capítol primero. Por qual manera deue seyer ordenada la comunidat et por concordia vnida et aplegada, etc. (12, 111)
1 Valerio -1.1.5 4.2.1
2 Valerio -1.1.7 6.2.10

165. Por quál manera los antigos sostuuieron muchos danyos por saluamiento de la comunidat (112, 117)
1 Valerio -1.1.11 1.5.2
2 Valerio -1.1.11 5.6. introducción y 5.6.4
3 Valerio -1.1.11 5.6.4 - Boeçi VIII, por Vegecio, es decir, Frontino, Strategemata IV.5.14 - Valerio 5.6.Ext.5

166. Por quáles razones senyoría ho primcipado non deue seyer desigada (113)
1 Valerio -1.2.2 7.2.Ext 5
2 Valerio -1.2.2 5.6.3
3 Valerio -1.2.2 4.1.Ext 9

167. Los ofeçiales lugartenientes de senyor se deuen guardar de vana gloria et que no lieuen perssiguidores por companneros (30)
1 Valerio -1.4.2 4.3.12, 13

168. Los quriales non sean mentideros nin falagueros ho lagoteros (100, 109)
1 Valerio -1.8.2 6.3.Ext 2

169. Instrucción qu'el padre deue dar a los fillos (44, 87)
1 Valerio -2.2.1 5.8.1
2 Valerio -2.2.1 5.8.4

170. Los fiios cómo deuen honrrar et amar a los padres (51)
1 Valerio -2.2.2 5.4.7

171. De la instrucçión de la amor et bienquerençia de los ermanos (45)
1 Valerio -2.3.1 5.5.4 - Agustín

172. Que los que son en matrimonio nunca se deuen departir el vno del otro
1 Valerio -2.4.6 2.1.4
2 Valerio -2.4.6 6.1.Ext 3
3 Valerio -2.4.6 2.1.6
4 Valerio -3.1.3 6.1.2

173. Que non se deue hombre gloriar en las eccelencias naturales ni en las bienauentu-ranças del mundo (65, 95, 97, 118, 137)

1	Valerio	-3.3.4 4.5.Ext 1 - Ambrosio, Exhortatio virginitatis 12 (PL 16, 360-61)
2	Valerio	-3.7.1 6.8.Ext 5
3	Valerio	-3.7.1 6.9.14
4	Valerio	-3.7.1 7.2.Ext 2 y 12

174. Quáles cosas son prouechosas et necessarias a consseruar castedat (134, 143)

1	Valerio	-6.3.2 4.3.Ext 3

Autoridades sin fuente directa conocida en la Suma de col.lacions

(Damos la referencia a los ***Facta et dicta*** originales, a la traducción de Canals, y a la ***Suma de col.lacions*** y ***Breviloqui de virtuts*** cuando aparecen.)

175. De religión

1 Valerio 1.1.1	I:17	
2 Valerio 1.1.Ex 3	I:32	

176. Capítol de velleza et de iuuentud

1 Valerio 2.1.9	I:85	SC 4.3.12

177. Capítol de reuerencia et honor

1 Valerio 2.2.4	I:90-91	

178. Capítol de veninno reçibidero volenterosamientre

1 Valerio 2.6.7-8	I:111-113	
2 Valerio 2.6.11	I:113	

179. De la disciplina caualleríuul, capítulo segundo

1 Valerio 2.7.8	I:123-124	
2 Valerio 2.7.10	I:126	
3 Valerio 2.7.15	I:130	
4 Valerio 2.8.7	I:141	

180. Qué quiere dezir censsaria, esto es, uiuir iustamientre et temprada

1 Valerio 2.9.Intr.	I:142	
2 Valerio 2.9.1 - Aristóteles, Etica - Aristóteles, De anima	I:142-143	
3 Valerio 2.9.5	I:145-146	
4 Valerio 2.10.Ex 1	I:157	

181. Capítol de fortalleza

1 Valerio 3.2.2 - Séneca, epístola, es De consolatione ad Martiam 16.2 - Salustio	I:165	
2 Valerio 3.2.11	I:169	
3 Valerio 3.2.14 - Séneca, epístola 24.6	I:171	
4 Valerio 3.2.19	I:174	
5 Valerio 3.2.Ex 1	I:180-181	

182. De pasciençia

1 Valerio 3.3.Ex 1	I:189	Brev. p. 53	
2 Valerio 3.3.Ex 1	I:189		
3 Valerio 3.3.Ex 4	I:191-192	Brev. p. 132	

183. Capítol de fiança

1 Valerio 3.7.1c	I:206-207		
2 Valerio 3.7. Ex 3-Agustín, De civ. Dei 4.10 (PL 41,119-120)	I:195 (título), 217		

184. Capítol de constancia et de firmeça

1 Valerio 3.7.8	I:219	Brev. p. 125	
2 Valerio 3.7.8	I:219-220	Brev. p. 125	
3 Valerio 3.7.8	I:220	Brev. p. 125-26	
4 Valerio 3.8.8 - Ystoria	I:227	SC 2.1.4	
5 Valerio 3.8.Ex 5	I:231		
6 Valerio 3.8.Ex 6	I:231-232	Brev. p. 124	

185. Capítol de temprança et mesuramiento del coraçón

1 Valerio 4.1.Ex 1 - Gregorio	I:244-245	Brev. p. 139	
2 Valerio 4.1.Ex 1	I:245		
3 Valerio 4.1.Ex 2	I:245-46	Brev. p. 124-25	
4 Valerio 4.1.Ex 3	I:246	SC 1.3.5	
5 Valerio 4,1,Ex 5	I:247		

186. Capítol de abstinençia

1 Valerio 4.3.1 remite a 162.7	I:254	SC 1.3.16	Brev. 94-95
2 Valerio 4.3.5	I:257	SC 6.2.5	Brev. p. 98-99

187. Capítol de pobreza

1 Valerio 4.4.Intr. - apóstol, 2 Cor 6.10	I:267		

188. Capítol de vergüença

1 Valerio 4.5.Ex 1 remite a 173.1	I:278	SC 3.3.4	Brev. p. 93-94

189. Capítol de amor coniugal

1 Valerio 4.6.Ex 1	I:284		

190. De liberalidat

1 Valerio 4.8.3	I:301-302		

191. Capítol de conoxença

1 Valerio 5.2.Ex 2	II:26		

192. Capítol de piedat enta padre et madre, et enta ermanos, et enta la patria

1 Valerio 5.4.1	II:42-44	SC 2.2.2	
2 Valerio 5.4.Ex 6	II:52	SC 2.2.2	

193. Capítol de la piedat enuers los ermanos

1 Valerio 5.5.4 remite a 171.1	II:56	SC 2.3.3	

194. Capítol de piedat enuers la patria

1 Valerio 5.6.Ex 1	II:63-64	SC 1.1.11	Brev. p. 34-35
2 Valerio 5.6.Ex 4	II:65-66		

195. Capítol primero. De pudicia et de castedat

1 Valerio 6.1.1	II:86-88	SC 3.1.3	Brev. p. 147

196. Capítol de los fechos et dichos liberalment et franchament dichos

1 Valerio 6.2.Ex 1	II:106	SC 1.3.3	Brev. p. 121

197. Capítol de rigor et seueridat greumientre fecha, ho fecha ho dicha

1 Valerio 6.3.3	II:111		
2 Valerio 6.3.11	II:116	SC 1.4.1	Brev. p. 40
3 Valerio 6.4.2	II:120		
4 Valerio 6.4.4 - Tulio, De amicitia - Séneca, De beneficiis VI.37.2	II:121		
5 Valerio 6.4.Ex 1	II:122-123		

198. Capítol quinto. De iustiçia

1 Valerio 6.5.1	II:125-126		Brev. p. 42-43
2 Valerio 6.5.1	II:127		Brev. p. 43-44
3 Valerio 6.5.Ex 4	II:133	SC 1.3.4	Brev. p. 31

199. Capítol VI. De la fe pública

1 Valerio 6.6.2	II:134-135		
2 Valerio 6.6.4	II:136		

200. De la fe de las mulleres enuers los maridos

1 Valerio 6.7.1	II:139		

201. De la fe de los sieruos enuers los senyores

1 Valerio 6.8.2	II:142	SC 2.1.4	
2 Valerio 6.8.6	II:145	SC 2.1.4	
3 Valerio 6.8.7	II:145-147	SC 2.1.4	

202. Del mudamiento de las costumbres de fortuna

1 Valerio 6.9.Intr.-Séneca, ad Helviam - Boecio, De consolatione II.prosa 4.5-6	II:148		

203. Capítol de la bienandança, es a saber, de buena fortuna

1 Valerio 7.1.2	II:163-164		

204. De los dichos et fechos sauiament

1 Valerio 7.2.2	II:165-166		

2 Valerio 7.2.Ex 1 - Salomón, 3 Regum 3.11 - San Gregorio, Regula Pastoralis I.2 (PL 77, 16)	II:170-171		
3 Valerio 7.2.Ex 2	II:173		
4 Valerio 7.2.Ex 2	II:173		
5 Valerio 7.2.Ex 10	II:175-176		
6 Valerio 7.2.Ex 11	II:176		
7 Valerio 7.2.Ex 12	II:177	SC 3.7.1	Brev. p. 109
8 Valerio 7.2.Ex 14	II:177-178		Brev. p. 32

205. De las cosas dichas et fechas scaltridamientre

1 Valerio 7.3.Ex 2	II:189		
2 Valerio 7.3.Ex 4	II:190		
3 Valerio 7.3.Ex 8	II:192-193		

206. De cobdicia de gloria

1 Valerio 8.14.5	II:286-287		

207. De luxuria, capítol

1 Valerio 9.1.1	II:300-301		
2 Valerio 9.1.4	II:303-304		
3 Valerio 9.1.7	II:305		
4 Valerio 9.1.Ex 1	II:306-307	SC 1.3.3	
5 Valerio 9.1.Ex 7	II:309		
6 Valerio 9.1.Ex 2	II:307-308		

208. De crueldat

1 Valerio 9.2.1	II:310-311		
2 Valerio 9.2.Ex 1	II:314		
3 Valerio 9.2.Ex 2	II:315		
4 Valerio 9.2.Ex 4 - Jerónimo, De los varones ilustres	II:316		
5 Valerio 9.2.Ex 5	II:316		
6 Valerio 9.2.Ex 6	II:317		
7 Valerio 9.2.Ex 9	II:318		
8 Valerio 9.2.Ex 10	II:318-319		

209. Capítol de auaricia

1 Valerio 9.4.2	II:327-328		

210. De error

1 Valerio 9.9.2	II:343-345		

211. Capítol de vengança

1 Valerio 9.10.Ex 1 - Justino I.8.1-13	II:347		
2 Valerio 9.11.Ex 3	II:353		

212. De las muertes singulares no comunas ni uulgares
1 Valerio 9.12.2 II:357

213. De la muert de Filomenes filósofo
1 Valerio 9.12.Ex 6 - Agustín, Soliloquia (referencia general) II:362

214. Cómo diligentment vsaron guardia aquellos a los quales fueron lures familiares sospechosos et los de casa
1 Valerio 9.13.Ex 2 - Isidoro, Etymologiae XII.2§26 (PL82,438) II:367
2 Valerio 9.13.Ex 3 - Maestro de las Istorias Escolásticas, Ester II:367 SC 2.4.1
Caps. IV-V (PL198, 1496-94) y II Machabei
Caps. VII-XII (PL198, 1527-1530)-Jerónimo, contra
Jovinianum I.47 (PL 23, 277)

BIBLIOGRAFÍA DE LAS REFERENCIAS

Alanus de Insulis. *De articulis Catholicae fidei*. PL 210

Alexander Neckam. *De naturis rerum*, ed. De Thomas Wright. London: Longman, 1863.

Ambrosius. *De exhortatione virginitatis*. PL 16
De officiis. PL 16
De virginibus. PL 16
Hexameron. PL 14
Sermones. PL 17

Annaeus Florus, Lucius. *Epitome of Roman History*, ed. de Edward S. Foster. Cambridge: Mass.: Harvard UP, 1966. The Loeb Classical Library.

Anselmus. *De similitudinibus*. PL 159
Prosologion. PL 158

Aristóteles. *Aristoteles Latinus. XXVI, 1-3, fasc. 4. Ethica Nicomachea. Translatio R. Grosseteste Lincolnensis. B. Recensio Recognita*, ed. Renatus Antonius Gauthier. Leiden: E. J. Brill, 1973.
De anima in *Opera omnia, III*. Paris: Ambrosius Firmin Didot 1854. 5 vols.
De partibus animalium in *Opera omnia, III*. Paris: Ambrosius Firmin Didot 1854. 5 vols.

Augustinus, Aurelius. *Confessiones*. PL 32
Contra Cresconium. PL 43
Contra Faustum Manichaeum. PL 42
Contra Julianum Pelagianum. PL 44
De civitate Dei. PL 41
De cura pro mortuis gerenda. PL 40
De diversis quaestionibus. PL 40
De doctrina christiana. PL 34
De duodecim abusionibus. PL 40
De libero arbitrio. PL 32
De mendacio. PL 40
De moribus ecclesiae catholicae. PL 32
De symbolo. PL 40
De Trinitate. PL 42
De vera religione. PL 34
Enchiridion. PL 40

Enarrationes in Psalmos. PL 36
Epistolae. PL 33
In Joannis evangelium. PL 35
Liber exhortationis, vulgo De salutaribus documentis ad quemdam comitem. PL 40
Quaestiones ex Veteris et Novi Testamenti. PL 35
Sermones. PL 38-39
Soliloquia. PL 32
Speculum de Scriptura sacra. PL 34

Aulus Gellius. *The Attic Nights*, ed. de John C. Rolfe, 3 vols. Cambridge, Mass.: Harvard UP, 1960. The Loeb Classical library.

Averroes. *Aristotelis Opera cum Averrois Commentariis,* vol. 3. Venetiis apud Junctas 1552-1574, reedición Frankfurt am Main: Minerva 1962 [Título original *Tertium volumen Aristotelis Stagiritae libri moralem totam philosophiam complectentes, cum Averrois Cordubensis in Moralia Nicomachia expositione et in Platonis libros De Republica paraphrasi.*]

Barlaam, en versión atribuída a Johannes Damascenus, *Barlaam et Josaphat*. PG 96, 975-78 y PL 73, 493. Ver también los resúmenes de Jacobus de Voragine, *Legenda aurea*, cap.180; y de Vicente de Beauvais, *Specuclum historiale*, 15, 15.

Bernardus, abbas Clarae-Vallensis. *De consideratione libri quinque ad Eugenium III*. PL 182
De gradibus humilitatis et superbiae. PL 182

De moribus et officio episcoporum seu ad Henricum archiepiscopum Senonensem. PL 182
Epistolae. PL 182
Meditationes piissimae de cognitione humanae conditionis. PL 184
Sermones (de tempore, de sanctis, de diversis). PL 183
Sermones in Cantica. PL 183

Bocador, San Juan, v. Joannes Chrysostomus

Boethius. *De consolatione philosophiae*, ed. S. J. Tester. Cambridge, Mass: Harvard UP, 1978. The Loeb Classical Library

Cassiodorus, M. Aurelius, *Historia ecclesiastica vocata tripartita* ex tribus Graecis auctoribus, Sozomeno, Socrate et Theodoreto, per Epiphanium scholasticum verbis excerpta et in compendium a se redacta. PL 69
in Psalterium. PL 70

Cato. *Disticha Catonis*, en *Minor Latin Poets* with introductions and translations by J. Wight Duff y Arnold M. Duff. Cambridge, Mass: Harvard UP, 1961. The Loeb Classical Library

Cicero, Marcus Tullius. *Ad C. Herennium de ratione dicendi (Rhetorica ad Herennium)* with an English translation by H. Caplan. Cambridge, Mass.: Harvard UP. The Loeb Classical Library
De amicitia. Ed. de W.A.Falconer.
De divinatione. Ed. de W.A.Falconer.
De natura deorum, Academica with an English translation, ed. de H. Rackham. London: Heinemann, 1933. The Loeb Classical library.
De officiis. Ed. de Hubert A.Holden, 7ª ed. Cambridge: University Press, 1891.

De senectute, De amicitia, De divinatione. Ed. de William A.Falconer, Cambridge, Mass.: Harvard UP, 1964. The Loeb Classical Library
Philippics, ed. de Walter C.A. Ker. Cambridge, Mass.: Harvard UP 1963. The Loeb Classical Library.

Tusculan disputations with and English translation by J. E. King. London: Heinemann: 1927. The Loeb Classical Library

Crisóstomo, ver Joannes Chrysostomus

Damascenus. *De fide orthodoxa*. PG 94

Dionysius Areopagita. *De divinis nominibus*. PG 3

Eusebius Pamphilus, Caesariensis. *Historia Ecclesiastica*. PG 20

Frontinus, Sextus Julius. *The Stratagems and the Aqueducts of Rome* with an English translation by Charles E. Bennett, ed. Mary B. McElwain. London: Heinemann, 1925. The Loeb Classical Library.

Gilbertus Foliot. *Epistolae*. PL 190

Gratianus. *Decretum*. PL 187

Gregorius I, Magnus. *Dialogorum*. PL 77
Homiliae in Ezechielem. PL 76
Homiliae in evangelia. PL 76
Moralia. PL 75-76
Registrum epistolarum. PL 77. Ver también el *Corpus Christianorum, Series Latina*, vol. cxl, es decir, *Registrum epistolarum libri I-VII*, ed. Dag Nerberg, Turbholti: Brépols, 1982.
Regula pastoralis. PL 77
Vita Gregorii Magni por Joannes Diaconus. PL 75

Gualterus de Castellione. *Alexandreis*. PL 209

Guilelmus Durandus o Durantis. *Rationale divinorum officiorum*. Venetiis 1568.

Hegesippus, v. Josephus, Flavius

Henricus, archidiaconus Huntingdonensis. *Historiae [Historiae Anglorum]*. PL 195

Hieronymus, Eusebius. *Adversus Jovinianum*. PL 23
Commentarius in evangelium secundum Marcum. PL 30
Commentaria in evangelium Matthaei. PL 26
Commentaria in Ezechielem. PL 25
Commentarius in Isaiam. PL 24
De coniugio, ver *epistola* 148 *ad Celantiam matronam*.
Epistolae. PL 22
Original, ver *epistola* 52 *ad Paulinum* (nombre aplicado a las obras de San Jerónimo que recogen o traducen diversos tratados de Orígenes); *Commentarius in Isaiam*.
Vita. PL 22

Historia Ecclesiastica. Ver Eusebius; también Rufinus.

Historia Scholastica. PL 198. Vide Petrus Comestor.

Historia Tripartita. Ver Cassiodorus.

Hugo de Folieto. *De claustro animae* (donde incluye una sección sobre las doce abusiones). PL176

Hugo de Sancto Victore. *De modo orandi*. PL 176

De sacramentis. PL 176

De virginitate Beatae Mariae. PL 176

Isidorus, *Etymologiae*. PL 82

De summo bono. PL 83

Joannes Damascenus. *De fide orthodoxa*. PG 94

Joannes Chrysostomus. *In Matthaeum homiliae*. PG 57-58
In Joannem homiliae. PG 59

Joannes Saresberiensis. *Policraticus sive De nugis Curialium et vestigiis philosophorum*, ed. Clemens C. I. Webb. 2 vols. Oxford: Clarendon Press, 1909

Josephus, Flavius. *Hegesippi qui dicitur Historiae Libri V*, edn. de Vicentius Ussani, Viena: Hoelder-Pichler-Tempsky 1932, Johnson Reprint Corporation, New York, 1960. (CSEL, Corpus Scriptorum Ecclesiasticorum Latinorum, vol. 66)

Justinus, M. Junianus. *Epitoma Historiarum Philippicarum Pompei Trogi*, ed. Otto Seel. Stuttgart: Teubner, 1972.

Juvenal. *Juvenal and Persius* with an English translation by G.G. Ramsay. Cambridge, Mass.: Harvard Univ. Press, 1965. The Loeb Classical Library

Lelius, v. Agustinus, Ciudad de Dios

Leonarte, vid. Henricus archidiaconus Huntingdonensis

Libro de los Santos Padres, v. Vitae Patrum

Macrobius. *Commentarii in Somnium Scipionis*, ed. Iacobus Willis. Leipzig: Teubner, 1970.

Maestro de las sentencias, vid. Petrus Lombardus

Martinus Bracariensis. *Formula honestae vitae*. PL 72

Paradisus. Vid. *Vitae Patrum, Historia Lausiaca*.

Petrus Blesensis. *Epistolae*. PL 207

Petrus Comestor. *Historia Scholastica in Actus Apostolorum*. PL 198
in Librum I Regum. PL 198

Petrus Damianus. *Opus 19. De abdicatione episcopatus*. PL 145

Petrus Lombardus. *Collectanea in epistolas Pauli*. PL 191

Libri Sententiarum. PL 192

PG, *Patrologiae Cursus Completus. Series Graeca*, accurante J. P. Migne. Paris

PL, *Patrologiae Cursus Completus. Series Latina*, accurante J. P. Migne. Paris

Policraticus, v. Joannes Saresberiensis

Rabanus Maurus. *De clericorum institutione*. PL 107

Commentarium in Ecclesiasticum. PL 109

Rufinus, Tyrannius, Aquileiensis presbyter. *Historia ecclesiastica*. PL 21

Historia monachorum. PL 21

Salustius. *Bellum Iugustinum*.

Seneca, Lucius Annaeus, junior. *Moral Essays, I: De providentia, De constantia, De Ira, De clementia* with an English translation, ed. John W. Basore. London: Heinemann, 1928.

Moral Essays, II: De consolatione ad Martiam, De vita beata, De otio, De tranquilitate animi, De brevitate vitae, De consolatione ad Polybium, De consolatione ad Helviam, with an English translation. London: Heinemann, 1935. The Loeb Classical Library.

Moral Essays, III: De beneficiis, with an English translation, ed. John W. Basore. London: Heinemann, 1935

Ad Lucilium epistulae morales with an English translation by Richard M. Gummere. 3 vols. Cambridge, Mass: Harvard University Press, 1960. The Loeb Classical Library
De beneficiis, en Moral essays III
De brevitate vitae, en Moral essays II
De clementia, en Moral essays I
De consolatione ad Helviam, en Moral essays II
De consolatione ad Martiam, en Moral essays II
De constantia sapientis, en Moral essays I
De fortitudine ??
De ira, en Moral essays I
De providentia, en Moral essays I
De tranquilitate animi, en Moral essays II

Naturales quaestiones, ed. de Thomas H. Corcoran, 2 vols. Cambridge, Mass: Harvard University Press, 1972. The Loeb Classical Library

Tractado de virtudes, vid. Martinus Bracariensis.

Seneca, Lucius Annaeus, senior. *Declamations/Controversiae*, 2 vols. Ed. de M. Winterbottom. Cambridge, Mass.: Harvard UP, 1974. The Loeb Classical Library.

Solinus, Caius Iulius. *Collectanea rerum moemorabilium*, ed. Theodore Mommsen. Berlin, Weidmann, 1895.

Sozomenus, v, Cassiodorus

Tractatus de duodecim abusionibus, vid. Agustin, San; también Hugo de Folieto.

Trogo Pompeyo, vid. Justinus.

Tulio, v. Cicero, Marcus Tullius

Valerius Maximus. *Factorum et Dictorum Memorabilium libri novem cum Iulii Paridis et Ianuarii Nepotiani epitomis*. Ed. Carolus Kempf. Stuttgart: Teubner, 1982, 2ª ed.

Varro, M. Terentius. *Saturarum Menippearum fragmenta*, ed. de R. Astbury. Leipzig: Teubner, 1985.

Vegetius, Renatus. Vid. Frontinus

Vitae Patrum, Véanse sus distintos libros. PL 73

El libro VIII contiene la *Historia Lausiaca*, conocida también como *Paradisus*. PL 73

ÍNDICE DE CAPÍTULOS DE *RAMS DE FLORES*

ÍNDICE GENERAL

INSTITUCION FERNANDO EL CATOLICO DE LA EXMA. DIPUTACION DE ZARAGOZA

C. S. I. C.